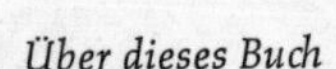

Über dieses Buch

Thomas Mann begann das mythische Romanwerk 1926 in München; am 6. Februar 1943 sandte er von seinem Exil in Pacific Palisades aus seinem Verleger das Manuskript des letzten Teiles. Schon 1928 erklärte er: »Gegenstand des Buches ist die Fleischwerdung des Mythos; sein Held: Joseph, Jaakobs Elfter; seine Welt: der babylonisch-ägyptische Orient um 1400 vor Christo; seine Aufgabe: zu beweisen, daß man auf humoristische Weise mythisch sein kann.« Und in den ›Neuen Studien‹ schreibt Thomas Mann, er habe sich von einem Gegenstand wie der Josephs-Legende produktiv angesprochen gefühlt durch eine »Disposition, die nicht nur das Produkt meiner persönlichen Zeit und Lebensstufe war, sondern dasjenige der Zeit im Großen und Allgemeinen, unserer Zeit, der geschichtlichen Erschütterungen, Abenteuer und Leiden, durch die die Frage des Menschen, das Problem der Humanität selbst uns als Ganzes vor Augen gestellt und unserem Gewissen auferlegt worden ist wie kaum je einer Generation vor uns«.
Die Taschenbuchausgabe der Fischer Bücherei umfaßt drei Bände.

Der Autor

Thomas Mann wurde 1875 in Lübeck geboren und wohnte seit 1893 in München. 1933 verließ er Deutschland und lebte zuerst in der Schweiz am Zürichsee, dann in den Vereinigten Staaten, wo er 1939 eine Professur an der Universität Princeton annahm. Später hatte er seinen Wohnsitz in Kalifornien, danach wieder in der Schweiz. Er starb in Kilchberg bei Zürich am 12. August 1955. In der Fischer Bücherei liegen als Einzelausgaben vor: ›Bekenntnisse des Hochstaplers Felix Krull‹ (639), ›Buddenbrooks‹ (661), ›Herr und Hund‹ (85), ›Königliche Hoheit‹ (2), ›Lotte in Weimar‹ (300), ›Der Tod in Venedig und andere Erzählungen‹ (54), ›Der Zauberberg‹ (800 1/2). Als Kassetten sind lieferbar: ›Das erzählerische Werk‹, 12 Bände (MK 100), ›Das essayistische Werk‹, Hg. von Hans Bürgin, 8 Bände (MK 130).

THOMAS MANN

JOSEPH UND SEINE BRÜDER

Dritter Band

Joseph, der Ernährer

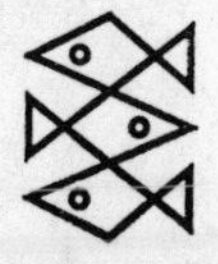

Fischer Bücherei

In der Fischer Bücherei
Mai 1971
Fischer Bücherei GmbH, Frankfurt am Main und Hamburg
Lizenzausgabe mit freundlicher Genehmigung
des S. Fischer Verlages GmbH, Frankfurt am Main
© 1933 S. Fischer Verlag, Berlin
© 1934 S. Fischer Verlag, Berlin
© 1936 Bermann Fischer Verlag, Wien
© 1944 Bermann Fischer Verlag AB, Stockholm
© 1967 Katja Mann
Gesamtherstellung: Hanseatische Druckanstalt GmbH, Hamburg
Printed in Germany
ISBN 3 436 01361 7

Joseph, der Ernährer

Vorspiel in den oberen Rängen

In Oberen Kreisen und Rängen herrschte damals, wie immer bei verwandten Gelegenheiten, spitzig-sanfte Genugtuung und leisetretende Schadenfreude, blickweise ausgetauscht im Begegnen unter züchtig gesenkten Wimpern hervor bei gerundet herabgezogenem Munde. Wieder einmal war ein Maß voll worden, war die Milde erschöpft, Gerechtigkeit fällig gewesen, und sehr wider Wunsch und Plan, unter dem Druck des Reiches der Strenge (vor welchem die Welt allerdings überhaupt nicht bestehen konnte, da man sie doch auf den allzu weichen Grund bloßer Milde und Barmherzigkeit auch nicht hatte bauen können) hatte Man sich in majestätischem Kummer genötigt gesehen, einzuschreiten und aufzuräumen, zu stürzen, zu vernichten und erst einmal wieder einzuebnen – wie zur Zeit der Flut, wie am Tage des Schwefelregens, da der Laugensee die Lasterstädte verschlungen.
Nun, das Gerechtigkeitszugeständnis war nicht dieses Stiles und Umfangs, so grimmen Grades nicht wie zum Zeitpunkt des großen Reueanfalls und der Gesamtersäufung oder auch nur wie dazumal, als zweien von uns, dank dem verworfenen Schönheitssinn der Leute von Sodom, beinahe ein unsagbarer Stadtzoll abgefordert worden wäre. Nicht just die Menschheit kam in den Pfuhl und ins Loch oder eine Gruppe davon, die ihren Weg ins Himmelschreiende verderbt hatte, sondern nur um ein allerdings besonders schmuckes und überhebliches, besonders mit Prädilektion, Angelegentlichkeit und weitläufiger Planung beladenes Einzel-Vorkommnis des Geschlechtes handelte es sich, das man uns auf die Nase gesetzt – einem grillenhaften Gedankengang zufolge, der in den Zirkeln und Rängen nur zu wohl bekannt war und dort von jeher Bitterkeit erregt hatte, – zusammen mit der nicht ungerechtfertigten Erwartung, daß sehr bald die Bitterkeit das Teil dessen sein werde, der die kränkende Überlegung anstellte und sie ins Werk setzte. »Die Engel«, so hatte sie gelautet, »sind nach unserem Bilde geschaffen, jedoch nicht fruchtbar. Die Tiere dagegen, siehe an, sind fruchtbar, doch nicht nach Unserem Gleichnis. Wir wollen den Menschen schaffen, – ein Bild der Engel und doch fruchtbar!«
Absurd. Mehr als überflüssig, nämlich abwegig, schrullenhaft und von Reue und Bitternis trächtig. Wir waren nicht ›furchtbar‹, allerdings nicht. Wir waren Kämmerer des Lichtes und stille Höflinge allzumal, und die Geschichte von unserem einstmaligen Eingehen zu den Töchtern der Menschen war haltloser Welten-

klatsch. Aber alles in Betracht gezogen, und was jener tierische Vorzug, die Qualität der ›Fruchtbarkeit‹ nun an übertierischen und interessanten Nebenbedeutungen in sich schließen mochte, — wir ›Unfruchtbaren‹ tranken jedenfalls nicht Unrecht wie Wasser, und Man würde sehen, wie weit Man kommen würde mit Seinem fruchtbaren Engelsgeschlecht: vielleicht sogar bis zu der Einsicht, daß eine Allmacht von Selbstbeherrschung und weiser Fürsorge für die eigene Kummerlosigkeit es füglich bei unserer ehrbaren Existenz sein ewig Bewenden hätte haben lassen.

Allmacht und Unumschränktheit im Hervorrufen, Ausdenken und durch das bloße ›Es werde‹ ins Dasein setzen hatten selbstverständlich ihre Gefahren — auch Allweisheit mochte ihnen nicht vollkommen gewachsen sein und nicht unbedingt genügen, Irrtümern und entschiedensten Unnötigkeiten bei Ausübung dieser absoluten Eigenschaften vorzubeugen. Aus purer Unrast, purem Bedürfnis nach Ausübung, dem puren Drange des ›Nach diesem auch das noch‹, ›Nach den Engeln und den Tieren auch noch das Engeltier‹ verstrickte man sich in Unweisheit, schuf sich das offenkundig Prekäre und in Verlegenheit Setzende — an welches man dann, eben weil es eine unleugbare Fehlschöpfung war, in ehrwürdigem Eigensinn noch ganz besonders sein Herz hängte und ihm eine alle Himmel verletzende Angelegentlichkeit zuwandte.

War Man denn auch nur von Sich aus und ganz auf eigene Hand auf diese unangenehme Hervorrufung verfallen? In den Kreisen und Ordnungen gingen Vermutungen um, die diese Selbständigkeit unter und hinter der Hand verneinten, — unbeweisbare, aber durch Wahrscheinlichkeit sehr wohl gestützte Vermutungen, laut deren das Ganze auf eine Anregung des großen Semael zurückging, der damals, vor seinem leuchtenden Fall, dem Throne noch sehr nahe gestanden hatte. Die Einflüsterung sah ihm durchaus ähnlich — und zwar warum? Weil es ihm darauf angekommen war, das Böse, seinen eigensten Gedanken, den sonst niemand hegte noch kannte, zu verwirklichen und in die Welt zu setzen, und weil die Bereicherung des Weltrepertoriums durch das Böse auf gar keine andere Weise als eben durch die Erstellung des Menschen zu erzielen gewesen war. Bei den fruchtbaren Tieren konnte vom Bösen, Semaels großem Einfall, mitnichten — und bei uns unfruchtbaren Gottesbildern schon gar nicht die Rede sein. Damit es in die Welt käme, war genau das Geschöpf nötig gewesen, das Semael aller Vermutung nach dort in Vorschlag gebracht hatte: ein Gottesgleichnis, das zugleich fruchtbar war, also der Mensch. Dabei mochte es sich übrigens nicht einmal um eine Überlistung der schöpferischen Allmacht gehandelt haben, insofern als Semael, in gewohnter Großartigkeit, die Folge der empfohlenen Creation, das heißt die Entstehung des Bösen, wohl gar nicht verschwiegen, sondern sie wild und geradeheraus gesagt hatte, allerdings immer nach der Vermutung der Zirkel — mit dem Hinweis auf den bedeutenden Zuwachs an Lebendigkeit, den das Wesen des Schöpfers dadurch erfahren werde: Man brauchte nur an die Ausübung von Gnade und Barmherzigkeit, ans Richten und Rechten, an das Aufkommen von Verdienst und Schuld, von Lohn und Strafe zu denken — oder besser ganz einfach an die Entstehung des *Guten*, die mit der des Bösen verbunden war; da dann jenes tatsächlich im Schoße der Möglichkeiten auf seinen Gegensatz zu warten hatte, ehe es Existenz gewinnen konnte, und überhaupt die Schöpfung wesentlich auf Scheidung beruhte, auch gleich mit der Scheidung von Licht und Finsternis begonnen hatte, so daß die Allmacht nur folgerichtig handelte, indem sie von dieser recht äußerlichen Scheidung dazu fortschritt, die moralische Welt zu stiften.

Die Meinung, daß dies die Argumente gewesen seien, mit denen der große Semael dem Throne geschmeichelt und mit denen er ihn für seine Ratschläge gewonnen hatte, war weit verbreitet in den Kreisen und Rängen — höchst tückische Ratschläge in der Tat, zum Kichern tückisch und von Fallstrick-Charakter trotz aller wilden Offenheit, welche eben nur das Gewand der List und einer Bosheit gewesen war, für die es in den Rängen an Sympathie nicht gänzlich fehlte. Die Semaelsche Bosheit aber bestand in folgendem: Wenn die mit der Gabe der Fruchtbarkeit bedachten Tiere nicht nach Gottes Gleichnis geschaffen waren, wir höfischen Gottesbilder waren es genaugenommen auch nicht, da uns gottlob nun wieder die Fruchtbarkeit säuberlich abging. Die Eigenschaften, die sich auf jene und uns verteilten, Göttlichkeit und Fruchtbarkeit, im Schöpfer selbst waren sie ursprünglich vereint, und wirklich nach seinem Bilde geschaffen würde nur gerade das Wesen sein, das Semael in Vorschlag brachte und in dem ebenfalls diese Vereinigung statthatte. Mit diesem Wesen jedoch, dem Menschen eben, kam das Böse in die Welt.

War das nicht ein Witz zum Kichern? Genau das Geschöpf, welches, wenn man wollte, dem Schöpfer am allerähnlichsten war, brachte das Böse mit sich. Gott schuf sich darin, auf Semaels Rat, einen Spiegel, der nicht schmeichelhaft war, nichts weniger als das, und den Er dann auch mehrfach vor Ärger und Verlegenheit kurz und klein zu schlagen sich angeschickt hatte, ohne doch dabei bis zum Letzten zu gehen, — vielleicht, weil Er es nicht über sich gewann, das einmal Aufgerufene wieder ins Nichtsein zu senken, und an dem Verfehlten mehr hing als an dem Gelungenen; vielleicht auch, weil Er nicht zugeben wollte, daß etwas endgültig verfehlt sein könne, was Er so weitgehend nach dem eigenen Gleichnis geschaffen; vielleicht endlich, weil ein Spiegel ein Mittel zur Selbsterkenntnis ist und weil Ihm in einem Menschensohn, einem gewissen Abirâm oder Abraham, das Bewußtsein jenes zweideutigen Geschöpfes entgegenkommen sollte, ein Mittel zur Selbsterkenntnis Gottes zu sein.

Demnach war der Mensch das Produkt von Gottes Neugier nach Sich selbst — die Semael klug bei Ihm vorausgesetzt und die er mit seinem Ratschlag ausgenutzt hatte. Ärger und Verlegenheit waren die notwendige und dauernde Folge gewesen — besonders in den gar nicht seltenen Fällen, wo das Böse mit kecker Intelligenz und logischer Streitbarkeit verbunden war, wie schon bei Kajin, dem Gründer des Brudermordes, dessen Gespräch mit dem Schöpfer nach der Tat in den Zirkeln ziemlich genau bekannt war und viel kolportiert wurde. Man hatte nicht gerade sehr würdevoll abgeschnitten bei dem Eva-Sohn mit Seiner Frage: »Was hast Du getan? Die Stimme Deines Bruders schreit zu mir von der Erde, die ihr Maul aufgetan hat, sein Blut zu nehmen von Deiner Hand.« Denn Kain hatte geantwortet: »Allerdings habe ich meinen Bruder erschlagen, es ist traurig genug. Wer aber hat mich geschaffen wie ich bin, eifersüchtig bis zu dem Grade, daß sich gegebenen Falles meine Gebärde verstellt und ich nicht mehr weiß, was ich tue? Bist Du etwa kein eifersüchtiger Gott, und hast Du mich nicht nach Deinem Bilde erschaffen? Wer hat den bösen Trieb in mich gelegt zu der Tat, die ich unleugbar getan? Du sagst, daß Du allein trägst die ganze Welt, und willst unsere Sünde nicht tragen?« — Gar nicht schlecht. Genau als ob Kain oder Kajin sich vorher von Semael hätte beraten lassen, was aber der hitzige Schlaukopf vielleicht nicht einmal nötig gehabt hatte. Erwiderung wäre schwierig gewesen, und nur Zerschmetterung oder ärgerliche Heiterkeit war übriggeblieben. »Lauf!« hatte es geheißen. »Gehe Deiner Wege! Unstet und flüchtig sollst Du sein, aber ich will Dir ein Zeichen machen, daß Du mir gehörst und niemand Dich erschlagen darf.« — Kurzum, Kajin war mehr als glimpflich davongekommen dank seiner Logik; es hatte von Strafe überhaupt nicht die Rede sein können. Selbst mit der Unstetheit und Flüchtigkeit war es nicht ernst gewesen, denn Kain hatte ja im Lande Nod gesiedelt, östlich noch über Eden hinaus, und in aller Ruhe seine Kinder gezeugt, wozu man ihn ja auch dringend nötig gehabt hatte.

Andere Male, bekanntlich, war gestraft und in majestätischem Kummer über das bloßstellende Benehmen des ›ähnlichsten‹ Geschöpfes fürchterlich eingeschritten worden — wie ja auch belohnt worden war, fürchterlich belohnt, will sagen: übertrieben, ausschweifend und zügellos belohnt — man brauchte nur an Henoch oder Hanok zu denken und die unglaublichen, man mußte hinter der Hand schon sagen: unbeherrschten Belohnungen, die dem Burschen zuteil geworden waren. In den Kreisen herrschte die natürlich mit größter Vorsicht ausgetauschte Meinung vor, daß in Ansehung von Lohn und Strafe dort unten nicht alles mit den rechtesten Dingen zuging, und daß die auf Semaels Rat gestiftete moralische Welt nicht mit dem nötigen Ernst gehandhabt wurde. Es fehlte nicht viel, es fehlte zuweilen überhaupt nichts, daß man in den Kreisen geurteilt hätte, Semael meine es mit der moralischen Welt viel ernster als Er.

Es war nicht zu verbergen, wenn es auch verborgen und verschleiert werden sollte, daß die Belohnungen, unverhältnismäßig wie sie in manchem Falle waren, als moralische Einkleidungen und Vorwände für Segnungen dienten, die sich in Wahrheit aus primärer Gunst, Prädilektion erklärten und mit der moralischen Welt kaum etwas zu tun hatten. Und die Strafen? – Hier nun, zum Beispiel, in Ägyptenland, wurde gestraft und eingeebnet – scheinbar ungern und kummervoll, scheinbar der moralischen Welt zu Ehren. Jemand, ein Liebling, ein Dünkelbold, ein Träumer von Träumen, ein Früchtchen vom Stamme dessen, der auf den Gedanken gekommen war, ein Mittel der Selbsterkenntnis zu sein, kam in die Grube, ins Verlies und ins Loch, schon zum zweiten Mal, weil seine Dummheit ins Kraut geschossen war und er die Liebe hatte ins Kraut schießen und sich über den Kopf wachsen lassen, wie vordem den Haß; und das war angenehm zu sehen. Aber ließen wir, die Umgebung, uns nicht vielleicht täuschen, wenn wir über diese Art von Schwefelregen Genugtuung empfanden?

Unter uns gesagt: wir ließen uns *nicht* täuschen, im Grunde keinen Augenblick. Wir wußten genau oder vermuteten es doch bis zur Gewißheit, daß hier Strenge gespielt wurde zu Ehren des Reiches der Strenge, daß Man sich aber der Strafe, dieses Zubehörs der moralischen Welt, bediente, um eine Sackgasse zu öffnen, die nur einen unterirdischen Ausgang ins Licht besaß; daß Man, mit Verlaub gesagt, die Strafe als Mittel zu weiterer Erhöhung und Begünstigung mißbrauchte. Wenn wir, im Einander-Vorüberstreichen, bei still gesenkten Strahlenwimpern, so ausdrucksvoll die gerundeten Mündchen herunterzogen, so geschah es in dieser Einsicht. Die Strafe als Vehikel zu größerer Größe – der allerhöchste Scherz warf ein Licht rückwärts auch auf die Verfehlungen und Frechheiten, die zu der Strafe ›gezwungen‹ hatten und ihr Anlaß gewesen waren, – ein Licht, das nicht gerade das der moralischen Welt war; denn auch diese Verfehlungen und Frechheiten schon, eingegeben von wem nun immer, von Gott weiß wem, erschienen dann bereits als Mittel und Tragzeuge zu neuer, unbändiger Erhöhung.

Die Zirkel der Umgebung glaubten so ziemlich Bescheid zu wissen in diesen Kunstgriffen, dank einer, wenn auch beschränkten Teilhaberschaft an der Allwissenheit, von der des Respektes wegen freilich nur mit vieler Vorsicht, ja Selbstverleugnung und

Verstellung Gebrauch zu machen war. Mit sehr gesenkter Stimme kann und muß hinzugefügt werden, daß sie noch mehr zu wissen glaubten — von Dingen, Schritten, Unternehmungen, Absichten, Umtrieben, Geheimnissen weitläufiger Art, die als Höflingsgerede abzutun verfehlt gewesen wäre, und bei deren Erwähnung sich freilich jede Stimmgebung überhaupt verbot, ja kaum Flüstern am Platze war, sondern nur eine Art der Mitteilung und Besprechung, die eng an Verschwiegenheit grenzte: ein schwaches Regen der Lippen — der leise boshaft verzogenen Lippen. Was waren das für Dinge, Gerüchte und Pläne?

Sie hingen zusammen mit jener eigentümlichen, natürlich nicht kritisierbaren, aber doch auffällig zu nennenden Handhabung von Lohn und Strafe, — mit dem ganzen Komplex von Begünstigung, Vor-Liebe, Auserwählung, der die moralische Welt, diese Konsequenz der Hervorrufung des Bösen und damit des Guten, kurzum der Menschenschöpfung, in Frage stellte. Sie hing ferner zusammen mit der nicht völlig erwiesenen, aber gut gestützten und mit kaum bewegten Lippen herumgetragenen Kunde, daß Semaels Anregung oder Einflüsterung, das ›ähnliche‹ Geschöpf, nämlich den Menschen, zu schaffen, nicht die letzte gewesen war, die er dem Throne hatte zukommen lassen; daß die Beziehungen zwischen diesem und dem Gestürzten nicht vollkommen aufgehoben oder eines Tages wieder aufgenommen worden waren — es war unbekannt, wie. Es war unbekannt, ob hinter dem Rücken der Umgebung eine Fahrt in den Pfuhl unternommen und dort ein Gedankenaustausch gepflogen worden war, oder ob der Verbannte seinerseits, vielleicht sogar wiederholt, Gelegenheit gefunden hatte, seinen Ort zu verlassen und wieder vor dem Throne zu reden.

Jedenfalls war er in der Lage gewesen, seinen witzigen und auf Bloßstellung kalkulierten Ratschlag von damals durch einen neuen zu ergänzen und fortzusetzen, wobei es sich aber, wahrscheinlich nicht anders als damals, nur um die Herausforderung und Anfeuerung schon keimweise vorhandener, aber zögernder Gedanken und Wünsche gehandelt hatte, die nur noch zuredender Nachhilfe bedürftig gewesen sein mochten.

Um recht zu verstehen, was hier unterwegs und im Gange war, muß man sich bestimmter Daten und Nachrichten aus den Voraussetzungen und Vorspielen der hier laufenden Geschichte erinnern. Gemeint ist nichts anderes, als der ›Roman der Seele‹, der dort mit den dafür zur Verfügung stehenden Worten kurz referiert wurde: der Urmenschenseele, die, wie die ungestalte Materie, eines der anfänglich gesetzten Prinzipien war, und deren ›Sündenfall‹ die bedingende Grundlage für alles erzählbare Geschehen schuf. Von Schöpfung kann hier wohl die Rede sein; denn bestand der Sündenfall nicht darin, daß die Seele, aus einer

Art von melancholischer Sinnlichkeit, die bei einem der Hochwelt angehörigen Urprinzip überrascht und erschüttert, sich von der Begierde überwältigen ließ, die formlose und an ihrer Formlosigkeit sogar sehr zähe hängende Materie liebend zu durchdringen, um Formen aus ihr hervorzurufen, an denen sie körperliche Lüste gewinnen könnte? Und war es der Höchste nicht, der ihr bei ihrem weit über ihre Kräfte gehenden Liebesringen zu Hilfe kam und die erzählbare Welt des Geschehens, die Welt der Formen und des Todes schuf? Er tat das aus Mitgefühl für die Nöte seiner abwegigen Mitgegebenheit, — einem Verständnis, das auf eine gewisse konstitutionelle und gefühlsmäßige Verwandtschaft beider schließen läßt — und wo zu schließen ist, da muß man eben schließen, möge der Schluß auch kühn und selbst lästerlich anmuten, da im selben Zuge von Abwegigkeit die Rede ist.
Ist die Idee der Abwegigkeit mit Ihm in Verbindung zu bringen? Nur ein schallendes Nein! kann die Antwort auf eine solche Frage sein, und es wäre die Antwort aller Chöre der Umgebung gewesen — gefolgt allerdings von einem diskreten Herunterziehen der Mündchen. Es ginge zweifellos zu weit und wäre voreilig, die barmherzig-schöpferisch nachhelfende Teilnahme an einer Abwegigkeit selber schon als Abwegigkeit zu deuten. Das wäre darum verfrüht, weil durch die Schöpfung der endlichen Lebens- und Todeswelt der Formen der Würde, Geistigkeit, Majestät, Absolutheit des vor- und außerweltlichen Gottes noch nicht der geringste, oder eben nur ein ganz geringer Abbruch geschah und also von Abwegigkeit im vollen und eigentlichen Sinn des Wortes *bis hierhin* nicht ernstlich gesprochen werden kann. Etwas anderes war es mit den Ideen, Plänen, Wünschen, die *jetzt*, nur erratbarerweise, in der Luft lagen und den Gegenstand geheimer Zwiesprache mit Semael bildeten, wobei dieser sich wohl die Miene gab, als glaubte er, einen dem Throne ganz neuen Gedanken auf eigene Hand an diesen heranzutragen, während er vermutlich genau wußte, daß Man halb und halb und in der Stille schon mit demselben Gedanken umging. Offenbar rechnete er mit der Universalität des Irrtums, daß, wenn zwei auf denselben Gedanken verfallen, dieser Gedanke gut sein müsse.
Es ist zwecklos, mit der Sache länger hinterm Berge zu halten und scheu darum herumzureden. Was der große Semael, eine Hand am Kinn, die andere perorierend gegen den Thron ausgestreckt, in Vorschlag brachte, war die Verleiblichung des Höchsten in einem noch nicht vorhandenen, aber heranzubildenden Wahlvolk nach dem Muster der anderen magisch-mächtigen und fleischlich-lebensvollen Volks- und Stammesgottheiten dieser Erde. Nicht zufällig fällt hier das Wort ›lebensvoll‹ ein; denn das Hauptargument des Pfuhles war, ganz wie seinerzeit beim Vorschlag der Menschenschöpfung, der Zuwachs an Lebendigkeit,

den der geistige, außer- und überweltliche Gott durch die Befolgung des Ratschlags erfahren werde – nur in einem viel drastischeren und eben fleischlicheren Sinn. Es heißt hier: das Hauptargument; denn der kluge Pfuhl hatte ihrer mehr, und mit mehr oder weniger Recht nahm er an, daß sie alle dort, wo er sie vorbrachte, ohnedies schon heimlich wirksam waren und nur der Befeuerung bedurften.

Der Gemütsbereich, an den sie sich wandten, war der Ehrgeiz – der notwendig ein Ehrgeiz der Herabsetzung, ein niederwärts gerichteter Ehrgeiz war; denn im Obersten Falle, wo jeder Ehrgeiz nach oben undenkbar ist, bleibt nur ein solcher nach unten übrig: ein Ehrgeiz der Angleichung und des Auch-sein-wollens-was-die-anderen-sind, ein Ehrgeiz nach Aufgabe der Außerordentlichkeit. Hier war es dem Pfuhle ein leichtes, an ein gewisses Fadheitsgefühl beschämender Abstraktheit und Allgemeinheit zu appellieren, das dem Selbstvergleich des geistig-überweltlichen Weltgottes mit der magischen Sinnlichkeit der Volks- und Stammesgötter unvermeidlich anhängen mußte und eben den Ehrgeiz nach kräftiger Herabsetzung und Beschränkung, nach einer sinnlicheren Würze Seiner Lebensform erweckte. Die etwas dünnlebige Erhabenheit geistiger Allgültigkeit hinzugeben für die blutvoll-fleischliche Existenz als göttlicher Volksleib und zu sein, was die anderen Götter waren, das war das allerhöchste heimliche Trachten und zögernde Erwägen, dem Semael mit listigem Ratschlag entgegenkam – und muß es nicht erlaubt sein, zum Verständnis dieser Anfechtung und der Nachgiebigkeit gegen sie den Roman der Seele, ihr Liebesabenteuer mit der Materie und die ›melancholische Sinnlichkeit‹, die sie dazu trieb, kurzum ihren *Sündenfall* als Parallele heranzuziehen? Hier gibt es in Wahrheit kaum etwas heranzuziehen: sie drängt sich auf, diese Parallele, besonders durch die mitleidig-schöpferische Beihilfe, die damals der abwegigen Seele gewährt wurde, und aus der sicherlich der große Semael den boshaften Mut zu seinem Ratschlag zog.

Bosheit und der brennende Wunsch, Verlegenheiten zu bereiten, war selbstverständlich die innerste Meinung dieses Ratschlages; denn war schon der Mensch im allgemeinen und als solcher eine Quelle steter Verlegenheit für den Schöpfer, so mußte die Unzuträglichkeit auf ihren Gipfel kommen durch Seine fleischliche Vereinigung mit einem bestimmten Menschenstamm, durch eine Art von Lebendiger-Werden, die auf ein Biologisch-Werden hinauslief. Nur zu genau wußte der Pfuhl, daß es mit dem Ehrgeiz nach unten, dem Versuch, wie andere Götter, will sagen: ein Stammesgott und Volksleib zu sein, mit der Verbindung von Weltgott und Stammvolk also, nie und nimmer ein gutes Ende nehmen – oder doch nur nach langen Umwegen, Verlegenheiten, Enttäuschungen und Bitternissen ein allenfalls gutes Ende neh-

men konnte. Nur zu genau wußte er, was zweifellos auch der Beratene im voraus wußte, daß nach einer abenteuerlichen Episode biologischer Lebendigkeit als Stammesleib, den zweifelhaften, wenn auch blutvollen Genüssen einer irdisch eingedampften, im Lebensbetrieb eines Volkskörpers wesenden, von magischen Techniken bedienten, gepflegten, angefeuerten und bei Kräften erhaltenen Gottesexistenz mit Notwendigkeit der Welt-Augenblick reuiger Umkehr und Selbstbesinnung, die Absage an solche dynamische Beschränkung, das Sich-Zurückschwingen des Jenseitigen ins Jenseitige, das Wiederergreifen von Allmacht und geistiger Allgültigkeit erfolgen würde. Was aber Semael – und *er allein* im Herzen hegte, war der Gedanke, daß selbst diese einer Weltwende gleichkommende Umkehr und Heimkehr noch von einer gewissen, der Urbosheit erfreulichen Beschämung begleitet sein mußte.
Zufällig oder nicht zufällig war nämlich der zur Volksverleibung erwählte und herangebildete Stamm von solcher Beschaffenheit, daß, einerseits, der Weltgott, indem er sein Leib und Gott wurde, nicht nur seine Übermacht über die anderen Volksgötter dieser Erde einbüßte und ihnen *gleich* wurde, sondern an Macht und Ehre sogar bedeutend *unter* sie geriet, – woran der Pfuhl seine Freude hatte. Auf der anderen Seite aber vollzog sich die Kondeszendenz zum Volksgott, das ganze Experiment biologischen Genußlebens von Anfang an gegen das bessere Wissen, die tiefere Einsicht des erwählten Stammes selbst, und nicht ohne seine intensive geistige Mithilfe wurde die Selbstbesinnung und Umkehr, die Wiederaufrichtung jenseitiger Übermacht über die Götter dieser Welt ermöglicht. Das war es, was Semaels Bosheit kitzelte. Den Gottesleib dieses eigentümlichen Stammes abzugeben, war einerseits kein sonderliches Vergnügen; unter den anderen Volksgöttern war mit ihm, wie man zu sagen pflegt, nicht viel Staat zu machen. Man geriet unvermeidlich dabei ins Hintertreffen. Andererseits aber und im Zusammenhang damit hob sich die allgemeine Eigenschaft des Menschengeschöpfes, ein Instrument zur Selbsterkenntnis Gottes zu sein, bei diesem Stamm in besonderer Zuspitzung hervor. Ein dringlich sorgendes Bemühen um die Feststellung der Natur Gottes war ihm eingeboren; von Anbeginn in ihm lebendig war ein Keim der Einsicht in des Schöpfers Außerweltlichkeit, Allheit und Geistigkeit, also, daß er der Raum der Welt war, aber die Welt nicht sein Raum (ganz ähnlich wie der Erzähler der Raum der Geschichte ist, die Geschichte aber nicht seiner, was für ihn die Möglichkeit bedeutet, sie zu erörtern) –: ein entwicklungsfähiger Keim, der bestimmt war, sich mit der Zeit und unter großen Anstrengungen zur vollen Erkenntnis von Gottes wahrer Natur auszuwachsen. Darf man annehmen, daß gerade darum die ›Erwählung‹ erfolgte, daß

der Ausgang des biologischen Abenteuers dem Beratenen ebensogut bekannt war wie dem witzigen Ratgeber, und daß Er sich also die sogenannte Beschämung und Belehrung selber wissentlich schuf? Vielleicht ist man zu dieser Annahme verpflichtet. In Semaels Augen jedenfalls lag der Witzpunkt des Vorganges darin, daß der erwählte Stamm es insgeheim und keimweise, von Anfang an sozusagen besser wußte als sein Volksgott, und alle Kräfte seiner reifenden Vernunft daransetzte, Ihm aus seiner unangemessenen Lage wieder ins Jenseitig-Allgültig-Geistige zurückzuhelfen – wobei es des Pfuhles unbewiesene Behauptung bleibt, daß der Rückweg aus dem Sündenfall in den heimischen Ehrenstand eben nur mit dieser angestrengten menschlichen Unterstützung möglich gewesen sei und allein aus eigenen Mitteln niemals gefunden worden wäre. –

Das Vorwissen der Zirkel der Umgebung reichte kaum bis in diese Fernen; nur bis zu den Munkeleien über geheime Zusammenkünfte mit Semael und über deren Gegenstand reichte es, und es reichte hin, den englischen Mißmut über das ›ähnlichste‹ Geschöpf im allgemeinen zu einer Extra-Gereiztheit gegen den in der Heranbildung begriffenen Wahlstamm sich zuspitzen zu lassen – zu behutsamer Schadenfreude reichte es hin über die kleine Flut und den Schwefelregen, den Man zu Seinem Kummer über ein mit besonderen und weittragenden Absichten ausgestattetes Reis dieses Stammes zu verhängen genötigt gewesen war – in der schlecht verhehlten Absicht freilich, aus der Strafe ein Vehikel zu machen.

Dies alles drückte sich aus in dem Mündchen-Herunterziehen und in der fast unwahrnehmbaren Kopfbewegung, durch die die Choristen einander mit dem Ohre hinabbedeuteten, wo das Reis, die Arme auf dem Rücken zusammengebunden, in einer geruderten Segelbarke das Wasser Ägyptens hinab ins Gefängnis gebracht wurde.

Erstes Hauptstück
Die andere Grube

Joseph kennt seine Tränen

Auch Joseph gedachte der Flut, nach dem Gesetz der Entsprechung von oben und unten. Die Gedanken begegneten sich oder gingen, wenn man will, in großem Abstande nebeneinander her — nur daß das Menschenreis hier unten auf den Wellen des Jeôr, unter der geistigen Pressung schwerer Erlebnisse, des Urvorganges und Musters aller Strafheimsuchung mit viel mehr Eindringlichkeit und ideenverknüpfender Energie gedachte, als das leid- und erlebnislose, nur eben zart klatschhafte Geschlecht dort oben je aufgebracht hätte.

Näheres davon sogleich. Der Abgeurteilte lag, recht unbequem, in dem Lattenverschlag, der einem kleineren Lastschiffe aus Akazienholz mit gepichtem Deck als Kajüte und Laderaum diente: einem sogenannten Ochsenboot, auf dessengleichen er wohl selber früher als Eleve des Überblicks und Folge-Meier Waren des Hauses flußauf- oder abwärts zu Markte gebracht hatte. Bemannt war es mit vier Ruderern, die, wenn der Wind widrig war oder entschlummerte und der schwanke Doppelmast umgelegt war, auf dem Bordgeländer des Vorderstevens stehend, ihre Blätter zu stemmen hatten, einem Steuerruderer achtern und zwei ganz untergeordneten Hausangestellten Petepré's, die als Bedeckung dienten, aber auch Matrosendienste am Getäu und als Untersucher des Fahrwassers zu versehen hatten. Hinzu als Oberster kam Cha'ma't, der Schreiber des Schenktisches, dem der Befehl über das Schiff und der Transport des Häftlings nach Zawi-Rê, der Inselfestung, anvertraut worden war. Auf seinem Körper trug er den versiegelten Brief, den der Herr wegen seines fehlbaren Hausmeiers an den Amtmann des Gefängnisses, einen Truppenhäuptling und ›Befehlsschreiber des siegreichen Heeres‹ namens Mai-Sachme, gerichtet hatte.

Die Reise war weit und langwierig — Joseph mußte der anderen, frühen gedenken, als er, sieben und drei Jahre war es nun her, zum ersten Mal mit seinem Käufer, dem Alten, dazu mit Mibsam, dessen Eidam, Epher, seinem Neffen, und Kedar und Kedma, seinen Söhnen, diese Fluten befahren hatte und in neun Tagen von Menfe, der Stadt des Gewickelten, geschifft war nach No-Amun, der Königsstadt. Aber weit über Menfe, ja über On, das Goldene, und über Per-Bastet, die Katzenstadt, ging es nun zurück und hinab; denn Zawi-Rê, das harte Ziel, war tief im Lande des Set und der roten Krone, will sagen in Unter-Ägypten, im Delta schon, in einem Stromarm des Gaues von Mendes, das da heißt

Djedet, gelegen, und daß es der greuliche Bocksgau war, wohin man ihn brachte, schuf ihm noch ein eigenes Gefühl von Bedenklichkeit zu der allgemeinen Bedrücktheit und Schwermut, die ihn überschattete und doch auch wieder von einer gehobenen Empfindung des Schicksals und sinnigem Spiel der Gedanken begleitet war.

Denn das Spielen konnte Jaakobs Sohn und der Rechten seiner Lebtage nicht lassen, als Mann sowenig, der nun schon die Zahl seiner Jahre auf siebenundzwanzig errechnete, wie als unkluger Knabe. Die liebste und lieblichste Form des Spielens aber war ihm die Anspielung, und wenn es anspielungsreich zuging in seinem aufmerksam überwachten Leben und die Umstände sich durchsichtig erwiesen für höhere Stimmigkeit, so war er schon glücklich, da durchsichtige Umstände ja nie ganz düster sein können.

Düster genug, in der Tat, waren die seinen; voll sinniger Trauer betrachtete er sie, während er mit zusammengebundenen Ellbogen auf seiner Matte im Kajütenverschlage lag, auf dessen Dach der Reiseproviant der Schiffsmannschaft: Melonen, Maiskolben und Brote aufgehäuft waren. Seine Lage war die Wiederkehr einer schrecklich-altvertrauten: abermals lag er hilflos in Banden, wie er einst drei greuliche Schwarzmond-Tage lang in runder Tiefe bei den Rasseln und Kellerwürmern des Brunnenloches gelegen und sich wie ein Schaf mit dem eigenen Unrat besudelt hatte; und war sein Zustand auch milder und weniger streng angezogen als damals, weil die Fesselung sozusagen nur der Form und Gehörigkeit wegen vorgenommen war und man das Stück Warpen-Tau, das dazu gedient, aus Rücksicht und unwillkürlicher Schonung ziemlich locker geschlungen hatte, so war der Sturz doch nicht minder tief und sinnbenehmend, die Lebensveränderung nicht weniger jäh und unglaubwürdig: das Vatersöhnchen, der Hätschelhans, der sich immer nur gesalbt hatte mit Freudenöl, war damals traktiert worden, wie er's sich nie hatte träumen lassen und nie für möglich gehalten; nun war es der im Totenlande schon sehr hochgestiegene Usarsiph, der an Verfeinerung, liebliche Kultur und Kleider aus gefälteltem Königsleinen gewöhnte Herr des Überblicks und Inhaber des Sondergemachs des Vertrauens, dem also mitgespielt wurde, – auch er war wie vor den Kopf geschlagen.

Keine Rede mehr von gefältelter Feinheit, von modischem Überschurz und kostbarem Ärmelmieder (das war ja zum redenden ›Beweisstück‹ geworden) – ein Sklaven-Hüftkleid, nicht anders, als die Schiffsmannschaft es trug, war alles, was man ihm zugestanden. Von Perücken-Eleganz keine Rede mehr, noch gar von Emaille-Kragen, Armringen und Brustkette aus Rohr und Gold. All diese schöne Kultur war zerronnen, und nichts war ihm zu armem Schmucke geblieben als am Halse das Amulett-Bündelchen an bronzierter Schnur, das er im Lande der Väter getragen, und mit dem der Siebzehnjährige in die Grube gefahren war. Das andere war ›abgelegt‹ – Joseph brauchte bei sich dies bedeutende Wort, ein Wort der Anspielung, wie die Sache selbst eine Anspielung und eine Sache trauriger Ordnung und Stimmigkeit war: es wäre ganz falsch gewesen, mit Brust- und Armschmuck zu fahren, wohin er fuhr; denn die Stunde der Entschleierung und des Ablegens der Schmuckstücke war da, die Stunde der Höllenfahrt. Ein Zyklus war umgelaufen, ein häufig vollendeter, kleiner, aber ein größerer, seltener das Gleiche wiederbringender auch: denn ineinander, in Mittelpunktsgemeinschaft, gingen die Umläufe.

Ein kleines Jahr lief in sich selbst zurück, ein Sonnenjahr, insofern nämlich, als die schlammabsetzenden Wasser sich wieder einmal verlaufen hatten und (nicht nach dem Kalender, aber in praktischer Wirklichkeit) Zeit der Aussaat war, Zeit von Hacke und Pflug, der Aufriß des Bodens: Wenn Joseph sich aufhob von seiner Matte und sich, wie Cha'ma't, sein Wärter, es ihm zuweilen erlauben mußte, die Hände auf dem Rücken, als hielte er sie freiwillig dort, auf dem gepichten Deck in den hellhörig-rufereichen Lüften über dem Strome erging oder dort auf einer Taurolle saß, so sah er, wie die Bauern auf dem Fruchtland der Ufer das ernste, gefährliche, von Vorsichts- und Sühne-Maßregeln umgebene Geschäft des Umbrechens und Säens besorgten – ein Geschäft der Trauer, denn Saatzeit ist Trauerzeit, Zeit der Bestattung des Korngottes, Usirs Bestattung ins Finstere und nur von ferne Hoffnungsvolle, Zeit des Weinens, – und auch Joseph weinte etwas beim Anblick der kornbestattenden Bäuerlein, denn auch er wurde wieder bestattet ins Finstere und nur sehr von ferne Hoffnungsvolle, – zum Zeichen, daß auch ein großes Jahr sich umgedreht hatte und Wiederholung brachte, Erneuerung des Lebens, die Fahrt in den Abgrund.

Es war der Abgrund, in den der Wahrhafte Sohn steigt, Etura, der unterirdische Schafstall, Aralla, das Reich der Toten. Durch die Brunnengrube war er ins Unterland, ins Land der Todesstarre gelangt; nun ging es auch dort noch wieder ins bôr und ins Gefängnis hinab nach Unter-Ägypten, – tiefer konnt' es nicht gehen. Tage des Dunkelmonds kamen wieder, Groß-Tage, die Jahre sein würden, und während derer die Unterwelt Macht hatte über den Schönen. Er nahm ab und starb; nach dreien Tagen aber würde er wieder emporwachsen. In den Brunnen des Abgrunds hinab sank Attar-Tammuz als Abendstern; aber als Morgenstern, das war gewiß, würde er wieder daraus erstehen. Man nennt das Hoffnung, und die ist ein süßes Geschenk. Und doch hat sie auch wieder etwas Verbotenes, weil sie die Würde des heiligen Augenblicks schmälert und Feststunden des Umlaufs vorwegnimmt, die noch nicht da sind. Ihre Ehre hat jede Stunde,

und der lebt nicht recht, der nicht verzweifeln kann. Joseph war dieser Anschauung. Seine Hoffnung war sogar gewissestes Wissen; aber er war ein Kind des Augenblicks, und er weinte.
Er kannte seine Tränen. Gilgamesch hatte sie geweint, als er Ischtars Verlangen verschmäht und sie ihm ›Weinen bereitet‹ hatte. Er war recht erschöpft von der Not, durch die er gegangen, durch die Bedrängnis durch das Weib, die schwere Krisis, in der sie gegipfelt, den alles verändernden Lebensumsturz, und während der ersten Tage ging er den Cha'ma't gar nicht um die Erlaubnis an, auf Deck im bunten Reisetrubel der Verkehrsstraße Ägyptens zu spazieren, sondern lag für sich im Gehäuse auf seiner Matte und verband träumerische Gedanken. Er träumte Tafelverse:
Ischtar, die Rasende, schwang sich zu Anu, dem Götterkönig, forderte Rache. »Den Himmelsstier sollst Du schaffen, zerstampfen soll er die Welt, versengen mit dem Feuerhauch seiner Nüstern die Erde, ausdörren und verderben die Flur!«
»Den Himmelsstier will ich schaffen, Herrin Aschirta, denn schwer bist Du beleidigt. Aber Spreujahre werden kommen, sieben an der Zahl, Jahre der Hungersnot dank seinem Stampfen und Sengen. Hast Du für reichliche Nahrung gesorgt, aufgehäuft Speise, den Jahren des Mangels damit zu begegnen?«
»Vorgesorgt hab' ich für Nahrung, aufgehäuft Speise.«
»So will ich schaffen und schicken den Himmelsstier, denn schwer bist Du beleidigt, Herrin Aschirta!« –
Sonderbares Gebaren! Wenn Aschera die Erde verderben wollte, um Gilgameschs Sprödigkeit willen, und auf den dörrenden Himmelsstier brannte, so hatte es wenig Sinn, Nahrung aufzuhäufen, um den sieben Spreujahren, welche sein Werk sein würden, damit vorzubauen. Genug aber, daß sie's getan und die Frage bejaht hatte, denn auf den Rachestier brannte sie nun einmal; und was Joseph an dem Ganzen gefiel und was ihn beschäftigte, war eben die Vorsorge, welcher die Göttin auch in der Wut noch hatte Rechnung tragen müssen, wenn sie ihren Feuerstier haben wollte. Vorsorge, Vorsicht war eine dem Träumer vertraute und ihm immerdar wichtige Idee – mochte er sich kindisch auch oft an ihr versündigt haben. Es war zudem beinahe der herrschende Gedanke des Landes, in dem er gewachsen war wie an einer Quelle, Ägyptenlandes, das ein ängstlich Land war, unaufhörlich im Großen und Kleinen bedacht, all seine Schritte und jegliches Tun mit Zauberzeichen und -spruch lückenlos zu sichern gegen lauerndes Übel; und da er nun so lange schon ein Ägypter war und sein Fleisch und Leibrock schon nur noch aus ägyptischem Stoffe bestand, so hatte die Landesidee der Vorsicht und Vorsorge sich tief in seine Seele gesenkt, wo sie aber auf andere Weise schon immer zu Hause gewesen war. Auch in seiner ursprünglich-eige-

nen Überlieferung hatte sie lange Wurzeln, — wie denn Sünde nahezu eines Sinnes war mit versäumter Vorsicht: Narrheit war sie und lachhaftes Ungeschick in der Behandlung Gottes; Weisheit dagegen, das war Voraussicht und sichernde Vorsorge. Noah-Utnapischtim, hieß er nicht darum der Erzgescheite, weil er die Flut hatte kommen sehen und ihr vorgebeugt, nämlich den Kasten gebaut hatte? Die Arche, die große Lade, der Arôn, worin die Schöpfung die Fluchzeit überstanden, dem Joseph war sie das Frühbeispiel und Ur-Muster aller Weisheit, das ist: aller wissenden Vorsorge. So aber kamen über Ischtars Erbitterung, über das sengende Trampeltier und die Speise-Aufhäufung, mit der man dem Mangel vorgebaut, seine Gedanken in notwendigem Parallelismus zu Oberen Gedankengängen auf die große Flut, und auch der kleinen gedachte er mit Tränen, die über ihn gekommen war, weil er zwar nicht so närrisch gewesen, Gott zu verraten und es gänzlich mit ihm zu verderben, es aber an Vorsicht doch sträflich hatte fehlen lassen.

Wie in der ersten Grube, ein Großjahr früher, bekannte er sich reuig zu seiner Schuld, und es war ihm weh um den Vater, um Jaakob war ihm weh, und er schämte sich bitterlich vor ihm, weil er es fertiggebracht und sich im Land der Entrückung aufs neue in die Grube gebracht hatte. Welche schöne Erhöhung war aus der Entrückung bereits erwachsen, und wie war jene nun, mangelnder Weisheit halber, wieder zerstört und eingeebnet, so daß das Dritte, nämlich das Nachkommenlassen, unabsehbar vertagt erschien! Redlich zerknirscht war Joseph bei sich selbst in seinem Gemüt und bat um Verzeihung beim ›Vater‹, dessen Bild ihn im letzten Augenblick vorm Schlimmsten bewahrt. Gegen Cha'ma't aber, den Schreiber des Schenktisches, seinen Wärter, der sich teils aus Langerweile, teils um sich an der Herabgesetztheit dessen zu weiden, der ihn vordem im Hause so hoch überwachsen hatte, öfters zu ihm setzte, um mit ihm zu reden, — gegen diesen zeigte er sich sehr hochnäsig und zuversichtlich und ließ ihn von Kleinmut nicht das leiseste merken. Ja, er vermochte ihn, wie man sehen wird, nur durch die Art, wie er die Dinge hinzustellen wußte, schon nach wenigen Reisetagen dazu zu bringen, ihm die Fessel abzunehmen und ihn frei umhergehen zu lassen, obgleich er fürchten mußte, sich dadurch eines argen Verstoßes gegen seine Wärterpflichten schuldig zu machen.

»Bei Pharao's Leben!« sagte Cha'ma't, indem er sich im Kajütenverschlag neben Josephs Matte setzte, »Ex-Meier, was ist aus dir geworden und wie bist du heruntergekommen unter uns alle, die du so behend überstiegst! Man sollt' es nicht glauben und schüttelt den Kopf bei deinem Anblick. Wie ein libyscher Kriegsgefangener liegst du da, oder wie einer vom elenden Kusch, mit verschnürten Ellenbogen, wo du doch eben noch einherstiegst als

Der überm Hause, und bist sozusagen der Fresserin überliefert, dem Hund von Amente. Daß sich Atum erbarme, der Herr von On! Wie hast du dich in die Asche gebracht – daß ich mich eurer Redeweise bediene vom elenden Syrien, die wir unwillkürlich von dir angenommen haben, – beim Chons, wir werden fein nichts mehr annehmen von dir, kein Hund wird von dir ein Stück Brot mehr nehmen, so liegst du danieder! Und zwar warum? Aus lauter Leichtsinn und Unzucht. Wolltest den Großen spielen in einem solchen Hause und konntest nicht einmal den Gähhunger zähmen deiner Lust – ausgerechnet auf die heilige Herrin hat sich deine Habsucht und Lubrizität geworfen, wo sie doch beinahe wesensgleich mit Hathor ist, – die Unverschämtheit war schon enorm. Nie vergesse ich, wie du dastandest vor dem Herrn beim Hausgericht und ließest den Kopf hängen, weil du nicht das kleinste Wort der Ausrede fandest und dich nicht weiß zu machen wußtest von dieser Schuld – wie solltest du auch, da ja das zerknautschte Leibstück grell gegen dich zeugte, das du in den Händen der Herrin zurückgelassen, als du dich vergebens ihrer hattest bemächtigen und sie bespringen wollen und hattest es offenbar auch noch höchst ungeschickt angestellt – es ist in jeder Beziehung jammervoll! Weißt du noch, wie du zuerst zu mir kamst in die Speisekammer, um Labsal zu fassen für die Alten vom Oberstock? Da spieltest du gleich den Hochmütigen, als ich dich warnte, den Greisen den Trank nicht über die Füße zu schütten, und beschämtest mich gewissermaßen, indem du tatest, als könne so was bei dir nicht vorkommen. Na, nun hast du dir selbst was über die Füße geschüttet, daß sie starren und kleben – o mein! Ich wußte doch, daß du auf die Dauer das Servierbrett nicht würdest halten können. Warum aber konntest du nicht? Von wegen der Barbarei! und weil du eben doch nur ein Sandhase bist mit der Zügellosigkeit des elenden Zahi, ohne das Maß und die Lebensweisheit des Landes der Menschen, und konntest unsere Sittensprüche nicht wahrhaft beherzigen, die da lehren, daß man schon seinen Spaß haben mag in der Welt, aber nicht mit verheirateten Frauen, weil das lebensgefährlich ist. Du aber warfst dich in blinder Gier und sonder Vernunft auf die Herrin selbst und kannst noch froh sein, daß man dich nicht sogleich in Leichenfarbe versetzt hat, – das ist allerdings der einzige Grund, der dir zum Frohsein geblieben ist!«

»Tu mir die Liebe, Zögling des Bücherhauses, Cha'ma't«, sagte Joseph, »und rede nicht über Dinge, von denen du nichts verstehst! Es ist schrecklich, wenn eine zarte und schwere Sache, die viel zu heikel ist für den großen Haufen, unter die Leute kommt, daß jeder seine Zunge daran wetzt und redet den größten Mist darüber – das ist fast nicht zu ertragen und ist unausstehlich, noch nicht so sehr um der Personen wie um der Sache willen, um die es einfach zu schade ist. Simpel und unfein ist es von dir und zeugt nicht von der Kultur Ägyptens, daß du so vor mir sprichst, – nicht weil ich noch gestern dein Vorsteher war, vor dem du dich bücktest, das lasse ich jetzt beiseite. Aber bedenken solltest du doch, daß ich in der Sache zwischen mir und der Herrin viel besser Bescheid wissen muß als du, dem nur das Äußerlichste davon zu Ohren gekommen, – was hältst du mir also Lehrvorträge darüber? Ferner ist's ziemlich lächerlich, daß du einen Gegensatz künstlich errichtest zwischen dem rohen Gähhunger meines Fleisches und dem Maße Ägyptens – welches doch allerwege in einem schwülen Ruf steht über die Welt hin; und als du von ›bespringen‹ redetest und nahmst keinen Anstand, dies Wort in bezug auf mich zu benutzen, da dachtest du gewiß viel mehr an den Bock, zu dem wir hinabziehen, und dem sich die Töchter Ägyptens hingeben, wenn er im Feste ist, – das nenne ich Maß und Vernunft, wahrhaftig! Ich will dir etwas sagen: Es könnte sein, daß von mir in Zukunft einmal die Rede sein wird als von einem, der seine Reinheit bewahrte unter einem Volk, dessen Brunst wie der Esel und Hengste Brunst war, – das ist's, was sein könnte. Es könnte sein, daß die Mägdlein der Welt mich einmal beweinen werden vor ihrer Hochzeit, indem sie mir ihre Locken darbringen und ein Klagelied anstimmen, worin sie meine Jugend beklagen und die Geschichte des Jünglings künden, der zwar standhielt dem fiebernden Drängen der Frau, aber um Ruf und Leben dadurch gebracht wurde. Solche Bräuche um meinetwillen stelle ich mir vor, wenn ich hier liege und alles bedenke. Ermiß danach, wie beschränkt mich deine Auslassungen anmuten müssen über mein Los und meine Lage! Was bestaunst du, nicht ohne Vergnügen, mein Unglück? Peteprê's Sklave war ich, von ihm gekauft. Nun bin ich Pharao's Sklave, nach seinem Spruch. Da bin ich doch mehr worden, als ich war, und habe zugenommen! Was lachst du so einfältig? Gut denn, hinab geht's mit mir augenblicklich. Aber ist denn das Hinabgehen ohne Ehre und Feierlichkeit, und kommt dir dies Ochsenboot nicht vor wie Usirs Barke, wenn er niederfährt, den Unteren Schafstall zu erleuchten und die Bewohner der Höhlen zu grüßen auf seiner nächtlichen Fahrt? Mir kommt es auffallend so vor, das wisse! Wenn du meinst, ich scheide vom Land der Lebendigen, so magst du recht haben. Aber wer sagt, daß meine Nase nicht das Lebenskraut riechen wird und ich nicht morgen über den Weltenrand steigen werde, wie ein Bräutigam hervorgeht aus seiner Kammer, strahlend, daß dich die blöden Augen beißen?«

»Ach, Ex-Meier, ich sehe, derselbe bist du geblieben im Elend, die Plage ist nur, daß niemand weiß, was das heißt bei dir: derselbe; denn es gleicht den bunten Bällen, die Tänzerinnen aufgehen lassen aus ihren Händen und wieder fangen, und man unterscheidet sie nicht, sondern in der Luft bilden sie einen blanken Bogen. Woher du die Hoffart nimmst, trotz Los und Lage, das mögen die Götter wissen, mit denen du umgehst, daß es den Frommen zugleich lächert und schaudert und ihm die Haut graupelig wird wie die Haut einer Gans. Du entblödest dich nicht, von Bräuten zu faseln, die deinem Andenken ihr Haar weihen werden, wie es doch nur einem Gotte geschieht, und vergleichst diesen Kahn, der doch der Kahn deiner Schande ist, mit Usirs Abendbarke – wollte doch der Verborgene, du verglichest ihn nur mit ihr! Aber du flichtst das Wort auffallend ein – ›auffallend‹ sagst du, gleiche der Kahn jener Barke, und weißt damit in der schlichten Seele den Verdacht zu erregen, daß er's am Ende wirklich sei und du seist möglicherweise wirklich Rê, wenn er Atum heißt und umsteigt in die Barke der Nacht – daher die Graupelhaut. Aber sie kommt nicht nur vom Lächern und Schaudern, sondern auch vom Ärger, das laß dir gesagt sein, vom Unwillen und von der Galle kommt sie auch, und sogar vorwiegend, über deine Anmaßung, und wie du dir's herausnimmst, dich im Höchsten zu spiegeln und dich mit ihm zu verwechseln, so daß du redest, als wärest du es, und dein Selbst in der Luft damit einen blanken Bogen bildet vor den verärgert blinzelnden Augen. Da könnte doch jeder kommen und es treiben wie du, aber der Ehrsame tut's nicht, sondern verehrt und betet an. Ich habe mich hier zu dir gesetzt, teils aus Mitleid und teils aus Langerweile, um mich ein wenig mit dir zu unterhalten, aber wenn du mir zu verstehen gibst, du seiest Atum-Rê und Usir, der Große, in seiner Barke, so lass' ich dich allein, denn es kommt mir die Galle hoch ob deiner Lästerung.«

»Halt es damit, wie du mußt, Cha'ma't vom Bücherhause und von der Speisekammer! Ich habe dich nicht angefleht, dich zu mir zu setzen, denn ich bin ebenso gern allein, vielleicht sogar noch eine Kleinigkeit lieber, und weiß mich schon ohne dich zu unterhalten, wie du ja selber bemerkst, – wenn aber du dich zu unterhalten wüßtest wie ich, so hättest du dich nicht zu mir gesetzt, würdest aber auch nicht so scheel blicken auf die Unterhaltung, die ich mir gönne, und die du mir nicht gönnst. Scheinbar aus Frömmigkeit gönnst du sie mir nicht, aber in Wahrheit eben nur einfach aus Mißgunst, und die Frömmigkeit ist nur das Feigenblatt, das deine Mißgunst sich vortut – verzeih das dir fernliegende Gleichnis! Daß sich der Mensch unterhalte und nicht sein Leben hinbringe wie das dumpfe Vieh, das ist doch schließlich die Hauptsache, und wie hoch er es bringt in der Unterhaltung, darauf kommt's an. Du hast nicht ganz recht, zu sagen, daß doch jeder kommen könnte und es treiben wie ich, denn es könnt' es eben nicht jeder, – nicht weil ihn die Ehrsamkeit hinderte, sondern weil er gänzlich des Anklangs ermangelt ans Höchste und ihm die herzliche Ankindung versagt ist an dieses – nicht gegeben ist's ihm, durch die himmlische Blume zu leben, wie man sagt, daß einer spricht durch die Blume. Ganz was anderes sieht er, mit Recht, im Höchsten, als in sich selbst, und nur mit langweiligem Halleluja kann er ihm dienen. Hört er aber vertraulichere Lobpreisung, so sieht er grün vor Neid und tritt unter das Bild des Höchsten mit falschen Tränen: ›Oh, vergib, mein Allerhöchstes, dem Lästerer!‹ Das ist ja eher ein läppisches Gebaren, Cha'ma't von der Speisekammer, du solltest es nicht so machen. Gib mir lieber mein Mittagbrot, denn die Stunde ist da, und mich hungert.«

»Das muß ich wohl tun, wenn die Stunde da ist«, antwortete der Schreiber. »Verhungern lassen kann ich dich nicht. Ich will dich lebend abliefern zu Zawi-Rê.«

Da nämlich Joseph gefesselt war an den Ellenbogen und seine Hände nicht brauchen konnte, mußte Cha'ma't, als sein Wärter, ihn füttern, es blieb ihm nichts anderes übrig. Eigenhändig mußte er, bei ihm kauernd, ihm das Brot in den Mund stecken und ihm den Becher Biers an die Lippen setzen, und Joseph pflegte seine Bemerkungen daran zu knüpfen bei jeder Mahlzeit.

»Ja, da kauerst du, langer Cha'ma't, und atzest mich«, sagte er. »Es ist recht freundlich von dir, wenn du auch eine beschämte Miene dazu machst und es offensichtlich nicht gerne tust. Dies trinke ich auf dein Wohl, kann aber nicht umhin zu denken, wie du heruntergekommen bist, daß du mich tränken und päppeln mußt. Hast du das je gemacht, als ich dein Vorsteher war und du dich vor mir bücktest? Bedienen mußt du mich wie nie zuvor, und also scheint es doch, daß ich mehr worden bin und du weniger. Wir haben da die alte Frage, wer größer und wichtiger ist: der zu Bewachende oder der Wächter. Ohne Zweifel ist es doch jener. Denn wird nicht auch ein König von seinen Knechten behütet, und heißt es nicht von dem Gerechten: ›Es ist Seinen Engeln befohlen, dich zu behüten auf deinen Wegen‹?«

»Ich will dir was sagen«, antwortete Cha'ma't endlich, nach ein paar Tagen, »ich bin es satt, dich satt zu machen, wenn du den Schnabel aufsperrst wie das Dohlenküken im Nest, denn du sperrst ihn auch sonst noch auf zu ärgerlichen Reden, die mir's noch mehr verleiden. Ich werde dir einfach die Fessel abnehmen, daß du nicht so hilflos bist und ich nicht länger dein Knecht und Engel sein muß, das ist nicht Schreibers Sache. Wenn wir uns deiner Stätte nähern, werde ich sie dir wieder anlegen und dich dem Amtmann dort, Mai-Sachme, dem Truppenhäuptling, in Fesseln überliefern, wie sich's gebührt. Du mußt mir aber schwören, es dem Amtmann nicht anzusagen, daß du zwischendurch ihrer ledig gewesen, und daß ich Milde hab' walten lassen gegen meine Pflicht; sonst komm' ich in die Asche.«

»Im Gegenteil. Ich werde ihm sagen, daß du mir ein grausamer Wärter warst und mich mit Skorpionen gezüchtigt hast Tag für Tag!«

»Unsinn, das geht nun auch wieder viel zu weit! Du kannst nichts, als den Menschen foppen. Weiß ich doch nicht, was in dem versiegelten Briefe steht, den ich auf meinem Körper trage, und bin ungewiß, wie es gemeint ist mit dir. Das ist eben das Schlimme, daß nie niemand weiß, wie es mit dir gemeint ist! Dem Gefängnisherrn aber sollst du sagen, daß ich dich mit gemessener Härte und menschlicher Unerbittlichkeit behandelt habe.«

»So will ich tun«, sagte Joseph und bekam freie Ellenbogen, bis sie tief hinabgelangt waren ins Land Uto's, der Schlange, und des siebenarmig gespaltenen Stromes, in den Gau von Djedet und nahe an Zawi-Rê, die Inselfestung heran, — da schnürte Cha'ma't sie ihm wieder zusammen.

Der Amtmann über das Gefängnis

Josephs Strafkarzer und zweite Grube, die er nach ungefähr siebzehntägiger Reise erreichte und darin er nach seiner Stimmigkeitsberechnung drei Jahre verbringen sollte, ehe das Haupt ihm erhoben wurde, war ein Lager freudloser Baulichkeiten, das, unregelmäßig von Form, fast den ganzen Raum der dem mendesischen Nilarm entsteigenden Insel einnahm; eine Ansammlung von kubischen, Höfe und Gänge bildenden Kasernen, Ställen, Magazinhäusern und Kasematten, überragt an einer Ecke von einer Migdol-Zitadelle, in der der Amtmann über den Zwinger, Gefangenenvogt und Besatzungskommandant Mai-Sachme, ein ›Schreiber des siegreichen Heeres‹, seinen Sitz haben sollte, und mittendrin vor dem Pylon eines Wepwawet-Tempels, dessen Flaggenschmuck den einzigen Augentrost in all der Unzier bildete, — umschlossen das Ganze von einer wohl zwanzig Ellen hohen Ringmauer aus ungebrannten Ziegeln mit geknickt vorspringenden Bastionen und rundlich ausladenden Wehr-Balkonen. Lände und Tor-Zugang, hinter dessen Brustwehren Wachen standen, befanden sich irgendwo seitlich, und Cha'ma't, am hohen Buge des Ochsenbootes stehend, schwenkte den Soldaten schon von weitem seinen Brief entgegen und rief ihnen, unters Tor gelangt, zu, daß er einen Züchtling bringe, den er dem Schar-Hauptmann und Lagerherrn persönlich zu überhändigen habe.

Sold-Jünglinge, nämlich Ne'arin, eine militärische Bezeichnung, die man unselbständigerweise aus dem Semitischen sich zurechtgemacht hatte, Lanzenträger mit herzförmigen Schutzblättern aus Leder vorn am Schurz und Schilde auf dem Rücken, öffneten dem Transport und ließen ihn ein, — dem Joseph war es, als werde er wieder eingelassen mit seinen Käufern, den Ismaelitern, durch das Mauertor der Grenzfeste Zel. Damals war er ein Knabe gewesen, zaghaft vor den Wundern und Greueln Ägyptens. Jetzt war er vertraut mit diesen Wundern und Greueln wie einer, ein Ägypter mit Haut und Haar – vorbehaltlich des Vorbehaltes, versteht sich, den er in seinem Innern gegen die Narrheiten des Landes seiner Entrückung wahrte, und dem Jünglingsstande schon ein gut Stück ins Männliche entwachsen. Aber am Seile geführt wurde er nun wie Chapi, die lebende Wiederholung des Ptach, in seinem Tempelhofe zu Menfe, ein Gefangener Ägyptenlandes, wie jener Rindsgott; denn zwei vom Gesinde Peteprê's hielten die Enden seiner Armfessel und führten ihn so vor sich her, hinter Cha'ma't, der unterm Tore einem stocktragenden Unter-Chargierten (er hatte wohl den Befehl zum Einlaß gegeben) Rede stand und von ihm an einen über den Hof kommenden Höheren, der eine Keule trug, verwiesen wurde. Dieser nahm den Brief, versprach, ihn dem Hauptmann bringen zu wollen, und hieß sie warten.

So warteten sie denn, unter den neugierigen Blicken der Soldaten, auf einem kleinen Viereck von Hof, im spärlichen Schatten von zwei oder drei strohigen und nur ganz oben grün beschopften Palmbäumen, deren rötlich kugelige Früchte an ihren Wurzelbasen herumlagen. Der Sohn Jaakobs war nachdenklich. Er gedachte der Worte Petepré's über den Kerkermeister, unter dessen Hand er ihn geben wolle: daß er ein Mann sei, mit dem man nicht spaße. In begreiflicher Sorge war er gespannt auf den Mann, aber er überlegte, daß der Titel-Oberst ihn wahrscheinlich gar nicht kenne und die Eigenschaft seiner Ungespäßigkeit nur aus seinem Amte als Kerkermeister abgeleitet habe, was ein allenfalls wahrscheinlicher, aber nicht notwendiger Schluß war. Seine Besorgnis suchte Beruhigung in dem Gedanken, daß es jedenfalls nun einmal ein Mensch war, mit dem er es zu tun haben würde – und in seinen Augen brachte das eine irgendwie geartete Zugänglichkeit und Umgänglichkeit unter allen Umständen mit sich, also, daß in Gottes Namen mit dem Mann, wie sehr er nun zum Kerkermeister geschaffen sein oder wie hart dies Amt ihn zubereitet haben mochte, auf eine oder die andere Weise und von irgendeiner Seite her wohl dennoch zu spaßen sein würde.

Auch kannte Joseph seine Kinder Ägyptenlandes, das zwar ein Land der Todesstarre war und der Gottesgräber, auf diesem düsteren Hintergrunde aber doch voll war von Kinderei und Harmlosigkeit, mit welcher sich leben ließ. Ferner war da der Brief, den der Vogt eben las, und in dem Potiphar ihn über des Verstoßenen Person unterwies, zu dem Behuf, sie ihm ›gebührend zu kennzeichnen‹. Joseph vertraute, daß diese Kennzeichnung nicht allzu greulich ausgefallen sein und nicht geradezu darauf angelegt sein werde, die grimmsten Eigenschaften des Mannes gegen ihn aufzurufen. Sein eigentliches und allgemeinstes Vertrauen aber ging, wie dies bei Segensleuten zu sein pflegt, nicht von ihm hinaus in die Welt, sondern auf ihn selbst zurück und auf die glücklichen Geheimnisse seiner Natur. Nicht daß er noch auf der knabenhaften Stufe blinder Zumutung verharrt wäre, wo er geglaubt hatte, daß alle Menschen ihn mehr lieben müßten als sich selbst. Was er aber zu glauben fortfuhr, war, daß es ihm gegeben war, Welt und Menschen dazu anzuhalten, ihm ihre beste und lichteste Seite zuzukehren — was, wie man sieht, ein Vertrauen war mehr in sich selbst als in die Welt. Allerdings waren diese beiden, sein Ich und die Welt, nach seiner Einsicht aufeinander zugeordnet und in gewissem Sinne eines, als daß jene nicht einfach die Welt war, ganz für sich, sondern eben *seine* Welt und dadurch einer Modelung zum Guten und Freundlichen unterlag. Die Umstände waren mächtig; woran aber Joseph glaubte, war ihre Bildsamkeit durch das Persönliche, das Übergewicht der Einzelbestimmung über die allgemein bestimmende Macht der Umstände. Wenn er sich einen Weh-Froh-Menschen nannte, wie Gilgamesch es getan, so in dem Sinne, daß er die frohe Bestimmung seines Wesens zwar anfällig wußte für vieles Weh, andererseits aber wieder an kein Weh glaubte — schwarz und opak genug, daß es sich für sein eigenstes Licht, oder das Licht Gottes in ihm, ganz undurchlässig hätte erweisen sollen.

Dieser Art war Josephs Vertrauen. Schlecht und recht benannt, war es Gottesvertrauen, und mit ihm rüstete er sich, das Antlitz Mai-Sachme's, seines Fronvogts, zu schauen, vor das er denn auch mit seinen Wächtern nach nicht allzu langer Weile gestellt wurde, indem man sie nämlich durch einen niedrig gedeckten Gang zum Fuß des Zitadellenturms und vor das Tor dieses Trutzbaues führte, das von anderen Wachen in Buckelhelmen besetzt war, und dessen Gatter sich kurz nach ihrer Annäherung vor der Person des Hauptmanns öffnete.

Er war in Begleitung des Ober-Hausbetreters des Wepwawet, eines hageren Blankschädels, mit dem er dem Brettspiel obgelegen hatte. Er selbst war gedrungen von Gestalt, ein Mann von etwa vierzig Jahren, in einem Panzerkoller, den er wohl erst zu dieser Vorführung angelegt hatte und auf den kleine metallne Löwenbilder schuppenmäßig aufgenäht waren, mit brauner Perücke, runden braunen Augen unter sehr dichten schwarzen Brauen, kleinem Munde und einem bräunlich geröteten Gesicht, das vom nachwachsenden Barte geschwärzt war, wie seine Unterarme von Haaren. Es war von eigentümlich ruhigem, ja schläfrigem, dabei jedoch klugem Ausdruck, dies Gesicht, und ruhig, ja eintönig schien des Hauptmanns Rede, wie er mit dem Propheten der kriegerischen Gottheit unter dem Tore hervortrat, in

einem Gespräch, das offenbar noch den Zügen der Brettpartie galt, auf deren Beendigung die Kömmlinge zu warten gehabt hatten. In der Hand hielt er die erbrochene Briefrolle des Wedelträgers.
Stehenbleibend öffnete er sie aufs neue, um darin nachzulesen, und als er sein Angesicht wieder davon erhob, war es dem Joseph, als sei es mehr als eines Mannes Angesicht, nämlich das Bild düsterer Umstände mit durchschlagendem Gotteslicht und geradezu die Miene selbst, die das Leben dem Weh-Froh-Menschen zeigt; denn seine schwarzen Brauen waren drohend zusammengezogen, und dabei spielte ein Lächeln um seinen kleinen Mund. Doch beseitigte er beides gleich wieder aus seinem Gesicht, Lächeln und Düsternis.
»Du führtest das Schiff, das euch herbrachte von Wêse?« wandte er sich, rund blickend, unter hochgezogenen Brauen, mit gelassen eintöniger Stimme an Cha'ma't, den Schreiber.
Da dieser bejahte, sah er Joseph an.
»Du bist Peteprê's, des großen Höflings, ehemaliger Hauswart?« fragte er.
»Ich bin's«, antwortete Joseph in aller Einfachheit.
Und doch war das eine etwas starke Antwort. Er hätte antworten können: »Du sagst es«, oder: »Mein Herr weiß die Wahrheit«, oder blumiger: »Maat spricht aus deinem Munde.« Aber ›Ich bin's‹, gesprochen wohl schlicht, aber mit ernstem Lächeln, war erstens leicht ungehörig – denn man sprach nicht in der Ich-Form vor Übergeordneten, sondern sagte: »Dein Diener«, oder, ganz wegwerfend: »Der Diener da«; darüber hinaus aber spielte das ›Ich‹ eine alarmierende Rolle darin – im Zusammenhang mit dem ›Es‹, das den unbestimmten Verdacht erregte, mehr zu beinhalten als bloß die Hauswartschaft, die nach der Frage zu bestätigen war, also daß Frage und Antwort sich nicht recht zu dekken schienen, sondern diese über jene hinausging und man zu der Rückfrage: »*Was* bist du?« oder auch »*Wer* bist du?« versucht sein mochte ... Kurzum ›Ich bin's‹ war eine Formel, weither klingend, altvertraut und von populärem Appell, – die Formel des Sich-zu-erkennen-Gebens, eines Aktus, ur-beliebt in kündender Erzählung und Götterspiel, mit welchem die Vorstellung eine Reihe gleichartiger Wirkungen und Folgehandlungen, vom Augenniederschlagen bis zum verdonnerten Auf-die-Knie-Stürzen selbsttätig verbindet.
Das ruhige Gesicht Mai-Sachme's, das Gesicht eines Mannes, der nicht zum Erschrecken geneigt schien, zeigte denn auch eine leise Verwirrung oder Verlegenheit, wobei die Spitze seiner kleinen, wohlgebogenen Nase sich weißlich entfärbte.
»So, so, du bist's also«, sagte er, und wenn er im Augenblick nicht mehr ganz genau wußte, was er selbst mit dem ›es‹ eigent-

lich meinte, so mochte zu dieser träumerischen Vergeßlichkeit beitragen, daß der da vor ihm stand der bestaussehende Siebenundzwanzigjährige in beiden Ländern war. Schönheit ist ein eindrucksvolles Gepräge; eine besondere Art leisen Schreckens erregt sie unfehlbar selbst in der ruhigsten Seele, der das Erschrecken sonst fernliegt, und ist danach angetan, den Sinn eines mit ernstem Lächeln gesprochenen ›Ich bin's‹ ins Träumerische zu rücken.

»Du scheinst ein leichtsinniger Vogel zu sein«, fuhr der Hauptmann fort, »aus dem Neste gefallen vor Torheit und Unbesinnen. Lebtest droben in Pharao's Stadt, wo es hochinteressant ist und du ein Leben hättest haben können gleich einem Fest, das nicht endet, und hast dich um nichts und wieder nichts hierher heruntergebracht ins äußerst Langweilige. Denn hier herrscht die äußerste Langeweile«, sagte er und zog wieder für einen Augenblick drohend die Brauen zusammen, wobei aber, als ob es dazu gehörte, auch das halbe Lächeln wieder um seine Lippen spielte. »Wußtest du nicht«, fuhr er fort, »daß man sich in fremdem Hause nicht nach den Weibern umsehen soll? Hast du die Sprüche des Totenbuches nicht gelesen und nicht die Mahnungen und Meinungen des heiligen Imhôtep?«

»Sie sind mir vertraut«, erwiderte Joseph, »denn laut und leise habe ich sie unzählige Male gelesen.«

Aber der Hauptmann, obgleich er Antwort gewollt hatte, hörte nicht hin.

»Das war ein Mann«, sagte er, gegen seinen Begleiter, den Hausbetreter, gewandt, »ein guter Gefährte des Lebens, Imhôtep, der Weise! Arzt, Baumeister, Priester und Schreiber, das alles war er, Tut-anch-Djehuti, das lebende Bild des Thot. Ich verehre den Mann, das muß ich sagen, und wenn es mir gegeben wäre, zu erschrecken, — es ist mir aber, vielleicht muß ich sagen: leider, nicht gegeben, ich bin zu ruhig dazu —, so würde ich wahrscheinlich zusammenfahren vor soviel vereinigter Wissenschaft. Schon seit unendlicher Zeit ist er tot, Imhôtep, der Göttliche, — es gab seinesgleichen eben nur in der Frühzeit und am Morgen der Länder. Urkönig Djoser war sein Gebieter; gewiß hat er ihm sein Ewiges Haus, die Stufenpyramide gebaut nahe Menfe, sechs Stockwerke hoch, wohl hundertundzwanzig Ellen, aber der Kalkstein ist schlecht, der unsere drüben im Bruch, worin die Sträflinge werken, ist wenig schlechter; der Meister hatte eben nichts Besseres zur Hand. Das Bauen war aber auch nur ein Nebenbestandteil seiner Weisheit und Kunst, er wußte um alle Schlösser und Schlüssel zum Tempel des Thot. Ein Heilkundiger war er zumal und Adept der Natur, ein Kenner des Festen und Flüssigen, von lindernder Hand und allen, die sich wälzen, ein Ruhespender. Denn er selbst muß sehr ruhig gewesen sein und nicht gemacht, zu erschrecken. Dazu aber war er ein Rohr in der Hand Gottes, ein Weisheitsschreiber – dies beides vereint, nicht heute ein Arzt und Schreiber ein andermal, sondern dieses in jenem und eines zugleich mit dem anderen, worauf man den Ton legen muß, denn meiner Meinung nach ist es von vorzüglichem Wert. Heilkunde und Schreibtum borgen mit Vorteil ihr Licht voneinander, und gehen sie Hand in Hand, geht jedes besser. Ein Arzt, von Schreibweisheit beseelt, wird ein klügerer Tröster sein den sich Wälzenden; ein Schreiber aber, der sich auf des Körpers Leben und Leiden versteht, auf die Säfte und Kräfte, die Gifte und Gaben, wird viel voraushaben vor dem, der davon nichts weiß. Imhôtep, der Weise, war solch ein Arzt und ein solcher Schreiber. Ein göttlicher Mann; man sollte ihm Weihrauch anzünden. Ich glaube, ist er erst noch etwas länger tot, so wird man es tun. – Allerdings lebte er auch in Menfe, einer sehr anregenden Stadt.«

»Du darfst dich nicht schämen vor ihm, Hauptmann«, antwortete der Oberpriester, zu dem er geredet hatte. »Denn unbeschadet des Truppendienstes pflegst du der Heilkunde auch, tust wohl denen, die sich winden und wälzen, und schreibst außerdem sehr gewinnend nach Form und Inhalt, indem du all diese Sparten in Ruhe vereinigst.«

»Die Ruhe allein tut's nicht«, antwortete Mai-Sachme, und die Gelassenheit seines Gesichtes mit den runden, klugen Augen fiel etwas ins Traurige. »Vielleicht wäre mir einmal der Blitz des Erschreckens not. Doch woher sollte der hier wohl kommen? – Und ihr?« sprach er auf einmal mit erhobenen Brauen und kopfschüttelnd zu den beiden Hausklaven Peteprê's hinüber, die die Enden von Josephs Fesseln hielten.

»Was treibt ihr da? Wollt ihr pflügen mit ihm oder Pferdchen spielen wie kleine Jungen? Euer Vorsteher soll hier wohl Fronarbeit tun, wenn ihm die Glieder verschnürt sind wie einem Schlachtochsen? Bindet ihn los, Dummköpfe! Hier wird hart gearbeitet für Pharao, in dem Steinbruch oder am Neubau, und nicht gefesselt herumgelegen. Was für ein Unverstand! – Diese Leute«, wandte er sich wieder erläuternd an den Gottespfleger, »leben nun einmal in der Vorstellung, daß ein Gefängnis ein Ort ist, wo man in Fesseln herumliegt. Sie nehmen alles wörtlich, das ist ihre Art, und halten sich an die Redensart, wie die Kinder. Heißt es von einem, daß man ihn ins Gefängnis legt, da des Königs Gefangene innen liegen, so glauben sie fest, er plumpse wirklich in irgendein Loch voll gieriger Ratten und Kettengerassel, wo man liegt und dem Rê die Tage stiehlt. Solche Verwechslung von Ausdrucksweise und Wirklichkeit ist meiner Wahrnehmung nach ein Hauptmerkmal der Unbildung und des Tiefstandes. Ich habe sie oft gefunden bei Gummiessern des elenden Kusch und auch bei den Bäuerlein unserer Fluren, doch nicht sowohl in den Städten. Unleugbar ist eine gewisse Poesie bei diesem Wörtlich-Nehmen der Rede, die Poesie der Einfalt und des Märchens. Es gibt, soviel ich sehe, zwei Arten von Poesie: eine aus Volkseinfalt und eine aus dem Geiste des Schreibtums. Diese ist unzweifelhaft die höhere, aber es ist meine Meinung, daß sie nicht ohne freundlichen Zusammenhang mit jener bestehen kann und sie als Fruchtboden braucht, so wie alle Schönheit des oberen Lebens und die Pracht Pharao's selbst die Krume des breiten, bedürftigen Lebens braucht, um darüber zu blühen und der Welt ein Staunen zu sein.«

»Als Zögling des Bücherhauses«, sagte Cha'ma't, der Schreiber des Schenktisches, der sich unterdessen beeilt hatte, dem Joseph eigenhändig die Ellbogen zu befreien, »habe ich keineswegs teil an der Verwechslung von Redeweise und Wirklichkeit, und nur der Form wegen, für den Augenblick, glaubte ich dir, Hauptmann, den Häftling in der Fessel überliefern zu sollen. Er selbst mag mir bestätigen, daß ich ihm schon während des größten Teiles der Reise den Strick erspart habe.«

»Das war nicht mehr als verständig gehandelt«, erwiderte Mai-Sachme; »zumal Unterschiede bestehen zwischen den Missetaten, und Mord, Diebstahl, Grenzfrevel, Verweigerung der Steuern oder ihr Unterschleif durch den Einnehmer mit anderen Augen zu betrachten sind als Irrungen, bei denen eine Frau im Spiele ist, und die also eine diskrete Beurteilung erfordern.«

Er rollte den Brief wieder halb auf und blickte hinein.

»Hier handelt es sich«, sagte er, »wie ich sehe, um eine Weibergeschichte, und ich müßte nicht Offizier und ein Zögling der königlichen Stallungen sein, wenn ich einen solchen Handel mit ehrlosen Pöbeltaten wollte zusammenwerfen. Es ist zwar ein Zeichen kindischen Tiefstandes, nicht zwischen Redensart und Wirklichkeit zu unterscheiden und alles wörtlich zu nehmen, aber eine solche Verwechslung ist dann und wann auch unter Besseren unvermeidlich; denn ob es allerdings auch heißt, daß man sich in fremdem Hause nicht nach den Weibern umsehen soll, weil das gefährlich sei, so tut man es eben doch, weil die Weisheit eines ist und das Leben ein anderes; und gerade die Gefährlichkeit bringt ein Element des Ehrenhaften in die Affaire. Auch gehören zu einem Liebeshandel ja zwei, was immer die Schuldfrage ein wenig undurchsichtig macht, und wenn sie sich nach außen hin auch als klar gelöst darstellt, weil nämlich der eine Teil, natürlich der Mann, die ganze Schuld auf sich nimmt, so mag es auch da wieder ratsam sein, zwischen Redeweise und Wirklichkeit im stillen zu unterscheiden. Wenn ich von Verführung höre des Weibes durch den Mann, so schmunzle ich vor mich hin, denn es kommt mir drollig vor, und ich denke bei mir: ›Du große Dreiheit! Weiß man ja doch, wessen Auftrag und Kunst die Verführung war seit den Tagen des Gottes – nicht gerade die von uns Dummköpfen.‹ – Kennst du die Geschichte von den zwei Brüdern?« wandte er sich geradezu an Joseph, mit runden braunen Augen zu ihm aufblickend, denn er war bedeutend kleiner als jener und dicklich. Auch seine dichten Brauen zog er so hoch wie möglich empor, als ob das hülfe, einen Ausgleich zu schaffen.

»Ich kenne sie wohl, mein Hauptmann«, antwortete der Gefragte. »Nicht nur, daß ich sie meinem Herrn, Pharao's Freunde, öfters vorlesen mußte – ich hatte sie auch für ihn abzuschreiben in Schönschrift, mit schwarzer und roter Tinte.«

»Die wird noch oft abgeschrieben werden«, sagte der Kommandant; »es ist eine vorzügliche Fiktion und ist ein Muster, nicht nur ihrem Vortrage nach, der überzeugt, obgleich die Geschehnisse bei ruhiger Überlegung teilweise unglaubwürdig sind, wie zum Beispiel der Vorgang, daß die Königin schwanger wird durch einen Splitter, der ihr in den Mund fliegt, vom Holz des Perseabaums, was gar zu sehr der ärztlichen Erfahrung widerstreitet, um ohne weiteres hingenommen zu werden. Trotzdem aber ist die Geschichte musterhaft und gleich einer Gußform des Lebens, so, wenn das Weib des Anup sich an den Jüngling Bata lehnt, da sie ihn stark erfunden, und zu ihm spricht: ›Komm, laß uns eine Weile Freude aneinander haben! Ich will dir auch zwei Festkleider machen‹, und wenn Bata dem Bruder zuruft: ›Weh mir, sie hat alles verdreht!‹ und sich vor seinen Augen mit dem Blatte des Schwertschilfs die Mannheit abschneidet und sie den Fischen zum Fraße gibt – das ist ergreifend. Später arten die behaupteten Vorgänge ins Unglaubwürdige aus, aber erhebend ist's doch, wenn Bata sich in den Chapi-Stier verwandelt und spricht: ›Ich werde ein Wunder an Chapi sein, und das ganze Land wird jauchzen über mich‹, und sich zu erkennen gibt und spricht: ›Ich bin Bata! Siehe, ich lebe noch und bin Gottes heiliger Stier.‹ Das sind freilich krause Erfindungen; aber in wie seltsame Gußformen vorschaffender Einbildung ergießt sich nicht manchmal das bewegliche Leben!«

Er schwieg eine Weile und blickte mit seinem ruhigen Angesicht, den kleinen Mund leicht geöffnet, aufmerksam ins Leere. Dann las er wieder ein wenig im Briefe.

»Ihr könnt Euch denken, Vater«, sagte er, den Kopf erhebend, zum Blankschädel, »daß ein Zugang wie dieser eine gewissermaßen belebende Abwechslung für mich bedeutet in dem Einerlei dieses festen Platzes, an dem ein schon von Hause aus ruhiger Mann geradezu Gefahr läuft, in Schläfrigkeit zu verfallen. Was gewöhnlich vor mich gebracht wird, entweder schon abgeurteilt oder zu vorläufiger Verwahrung, solange die Waage des Rechts noch schwankt und ihr Prozeß noch anhängig ist, allerlei Gräberdiebe, Buschklepper und Beutelschneider, das ist nicht danach angetan, dieser Gefahr zu steuern. Ein Fall, wo das Vergehen auf dem Gebiete der Liebe liegt, hebt sich entschieden anregend daraus hervor. Denn darüber kann wohl kein Zweifel bestehen, und soviel ich weiß, stimmen auch Fremdvölker der abweichendsten Denkungsart dem zu, daß dieses Gebiet zu den anregendsten, sinnreichsten und geheimnisvollsten unter den Sparten des Menschenlebens gehört. Wer hätte nicht seine überraschenden und des Nachdenkens werten Erfahrungen im Reiche der Hathor? Habe ich Euch je von meiner ersten Liebe erzählt, die zugleich meine zweite war?«

»Niemals, Hauptmann«, sagte der Hausbetreter. »Die erste auch schon die zweite? Mich wundert, wie das hat vorkommen können.«

»Oder die zweite noch immer die erste«, versetzte der Kommandant. »Wie Ihr wollt. Immer noch oder wiederum oder ewiglich – wer wäre dafür des rechten Wortes sicher? Es kommt auch nicht darauf an.«

Und mit gelassener, ja schläfriger Miene, die Arme verschränkt, wobei er die Briefrolle unter die Achsel schob, den Kopf zur Seite geneigt, die starken Brauen über den braunen Kugelaugen etwas erhoben, die gerundeten Lippen mäßig und ernsthaft bewegend, begann Mai-Sachme vor Joseph und seinen Wächtern, vor dem Wepwawet-Priester und einer Anzahl herumstehender und näher herzugetretener Soldaten im gleichmäßigsten Tonfall zu erzählen:

»Zwölf Jahre war ich alt und ein Zögling des Unterrichtshauses in der Schreiberschule der königlichen Ställe. Ich war eher klein und beleibt, wie ich's auch heute bin, und wie es mein Maß und meine Kondition ist für mein Leben vor und nach dem Tode; aber Herz und Geist waren empfänglich. Da sah ich eines Tages ein Mädchen, wie sie einem Mitschüler, ihrem Bruder, um Mittag sein Brot und Bier brachte; denn seine Mutter war krank. Er hieß Imesib, Sohn des Amenmose, eines Beamten. Seine Schwester aber, die ihm seine Ration brachte, drei Brote und zwei Krug Bier, nannte er Beti, voraus ich vermutungsweise schloß, daß sie Nechbet heiße, was sich bestätigte, als ich Imesib danach fragte. Denn es interessierte mich, weil sie selber mich interessierte und ich die Augen nicht von ihr lassen konnte, solange sie da war: von ihren Flechten nicht, noch von ihren schmalen Augen, noch von ihrem bogenförmigen Munde, besonders aber nicht von ihren Armen, die vom Kleide bar und bloß waren und von schlanker Fülle, genau wie es schön ist – sie machten mir den bedeutendsten Eindruck. Aber ich wußte es tagüber noch nicht, welchen Eindruck ich von Beti empfangen, sondern erst nachts erfuhr ich es, als ich im Schlafsaal unter meinen Genossen lag, meine Kleider und Sandalen neben mir und unterm Kopfe zu seiner Erhebung den Sack mit Schreibzeug und Büchern, wie es Vorschrift war. Denn wir sollten die Bücher auch nicht im Traume vergessen, indem sie uns drückten. Ich aber vergaß sie dennoch, und ganz unabhängig wußte sich mein Träumen von ihrem Druck zu machen. Ausführlich und mit größter Wahrhaftigkeit träumte mir nämlich, ich sei mit Nechbet, des Amenmose Tochter, verlobt; unsere Väter und Mütter hätten es miteinander abgesprochen, und sie solle demnächst meine Eheschwester und Hausfrau sein, so daß ihr Arm auf meinem liegen würde. Dessen freute ich mich über die Maßen, wie ich mich noch nie im Leben gefreut. Die Eingeweide hoben sich mir auf vor Freude ob dieser Abmachung, welche dadurch besiegelt wurde, daß unsere Eltern uns aufforderten, unsere Nasen einander nahe zu bringen, was sehr lieblich war. Es hatte aber dieser Traum eine solche Lebhaftigkeit und Natürlichkeit, daß er in dieser Beziehung der Wirklichkeit überhaupt nicht nachstand und mich merkwürdigerweise noch über die Nacht hinaus, nach dem Wecken und Waschen, über seine Nichtigkeit täuschte. Das ist mir weder vor- noch nachher jemals begegnet, daß ein Traum mich im Bann seiner Lebhaftigkeit hielt nach dem Erwachen noch, und daß ich wachend fortfuhr an ihn zu glauben. Noch einige Morgenstunden lang bildete ich mir fest und selig ein, mit dem Mädchen Beti verlobt zu sein, und nur langsam, da ich im Schreibesaale saß und der Lehrer mich zur Ermunterung auf den Rücken schlug, verlor sich das Glück meiner Eingeweide. Den Übergang zur Ernüchterung bildete der Gedanke, daß die Abmachung und Annäherung unserer Nasen zwar nur ein Traum gewesen sei, daß aber seiner sofortigen Verwirklichung nichts im Wege stünde und ich nur meine Eltern anzugehen brauchte, sich mit Beti's Eltern unseretwegen ins Einvernehmen zu setzen; denn eine Weile noch war mir nicht anders, als ob nach einem solchen Traume dieses Ansinnen etwas ganz Natürliches sei und niemand darüber erstaunt sein könne. Erst danach, ganz allmählich und zu meiner kalten Enttäuschung, ernüchterte ich mich zu der Einsicht, daß auch die Verwirklichung dessen, was mir schon so wirklich geschienen hatte, eitel Wahn und der Lage der Dinge nach völlig unmöglich sei. Denn ich war ja nichts als ein Schuljunge, der geklopft wurde wie Papyrus, erst ganz am Anfange meiner Laufbahn als Schreiber und Offizier, dazu klein und dick nach meiner Konstitution für dieses und jenes Leben, und meine Verlobung mit Nechbet, die wohl drei Jahre älter war als ich und sich jeden Tag einem mich weit überragenden Manne in Amt und Würden vermählen konnte, stellte sich mir bei verfliegendem Traumglück als ein Ding der Lächerlichkeit heraus.

Also entsage ich«, fuhr der Amtmann ruhig zu erzählen fort,

»einem Gedanken, der mir nicht gekommen wäre, wenn er sich mir nicht traumweise in schöner Wirklichkeit dargestellt hätte, und tat weiter meinen Lerndienst im Unterrichtshause der Ställe, häufig ermahnt durch Schläge auf den Rücken. Zwanzig Jahre später, als ich schon längst zu einem Befehlsschreiber aufgerückt war des siegreichen Heeres, wurde ich mit drei Gefährten auf eine Reise geschickt nach Syrien, ins elende Cher zur Musterung und Aushebung eines Pferdetributes, der in Lastschiffen sollte hinabgesandt werden in Pharao's Ställe. Da kam ich vom Hafen Chazati nach dem niedergeworfenen Sekmem und nach einer Stadt, die, wenn ich mich recht erinnere, Per-Schean heißt, wo eine Besatzung der Unsrigen lag, deren Oberster aus Landsleuten und Remonte-Schreibern eine Geselligkeit gab und eine Abendfeier mit Wein und Kränzen in seinem schöntürigen Hause. Es waren Ägypter da und Edle der Stadt, so Männer wie Frauen. Da sah ich ein Mädchen, das eine Verwandte dieses ägyptischen Hauses war, von seiten der Hausfrau, denn ihre Mutter war deren Schwester, und war dorthin zu Besuch gekommen mit Dienern und Dienerinnen von weither aus Ober-Ägypten, wo ihre Eltern lebten, in der Gegend des ersten Katarakts. Denn ihr Vater war ein sehr reicher Tauschherr von Suenêt, der die Waren des elenden Kasi, Elfenbein, Leopardenfelle und Ebenholz, auf die Märkte Ägyptens warf. Als ich nun dieses Mädchen sah, die Tochter des Elfenbeinhändlers, in ihrer Jugend, da geschah mir zum zweiten Mal in meinem Leben, was mir zuerst so viele Jahre früher im Unterrichtshause der Knaben geschehen war, nämlich daß ich die Augen nicht von ihr lassen konnte, weil sie ausnehmenden Eindruck ausübte auf mein Gemüt, und mit erstaunlicher Genauigkeit kehrte mir der Glücksgeschmack wieder jenes längst verwehten Verlobungstraums, also daß sich mir auf akkurat dieselbe Weise die Eingeweide aufhoben vor Freude bei ihrem Anblick. Aber ich scheute mich vor ihr, obgleich ein Soldat sich nicht scheuen soll, und trug eine längere Zeit sogar Scheu, mich nach ihr zu erkundigen, nach ihrem Namen und wer sie sei.

Als ich es aber tat, da erfuhr ich, daß sie die Tochter Nechbets sei, der Tochter des Amenmose, welche ganz kurze Zeit, nachdem ich sie gesehen und mich ihr im Traume verlobt hatte, die Frau des Elfenbeinhändlers von Suenêt geworden war. Es hatte aber das Mädchen Nofrurê – so hieß sie – gar keine Ähnlichkeit mit der Mutter nach ihren Zügen, noch der Farbe ihrer Flechten und Haut, da sie im ganzen entschieden dunkler getönt war als jene. Höchstens nach der lieblichen Figur glich sie der Nechbet; aber wieviele Jungfrauen haben nicht eine solche Gestalt! Dennoch erregte ihr Anblick mir sofort dieselben tiefgreifenden Gefühle, die ich damals erprobt und seitdem nicht gekannt hatte, so daß sich wohl sagen läßt, ich hätte sie schon geliebt in der Mutter, wie ich die Mutter wiederliebte in ihr. Sogar halte ich es für möglich und erwarte es gewissermaßen, daß, wenn ich nach abermals zwanzig Jahren durch Zufall der Tochter Nofrurê's begegne, ohne es zu wissen, unweigerlich wieder mein Herz ihr zufallen wird, wie schon der Mutter und Großmutter und wird immer und ewiglich dieselbe Liebe sein.«

»Das ist wirklich ein merkwürdiges Herzensvorkommnis«, sagte der Hausbetreter, indem er über die Seltsamkeit, daß der Hauptmann hier diese Geschichte mit soviel Ruhe und Eintönigkeit zum besten gab, gleichsam schonend hinwegging. »Wenn aber die Tochter des Elfenbeinhändlers wieder eine Tochter haben sollte, so wäre zu bedauern, daß sie nicht dein Kind wäre, denn wenn auch dein Knabentraum auf dem Büchersack nicht Wirklichkeit gewinnen konnte, so hätte, bei Nechbets Wiederkehr oder der Wiederkehr deiner Neigung zu ihr, doch die Wirklichkeit in ihre Rechte treten mögen.«

»Nicht doch«, erwiderte Mai-Sachme kopfschüttelnd. »Ein so reiches und schönes Mädchen und ein Remonte-Schreiber gedrungener Konstitution, wie reimte sich das wohl zusammen? Die hat einen Gau-Baron geheiratet oder einen, der unter Pharao's Füßen steht, einen Vorsteher des Schatzhauses mit einem Kragen Lobgoldes um den Hals, das laßt nur gut sein. Vergeßt auch nicht, daß man zu einem Mädchen, dessen Mutter man schon geliebt hat, gewissermaßen in einem väterlichen Verhältnis steht, so daß sich der ehelichen Verbindung mit ihr innere Bedenken entgegenstellen. Außerdem wurden Gedanken, wie Ihr sie andeutet, bei mir in den Hintergrund gedrängt durch das, was Ihr die Merkwürdigkeit des Vorkommnisses nennt. Die Betrachtung dieser Merkwürdigkeit ließ mich nicht zu Entschlüssen kommen, die zur Folge gehabt hätten, daß das Enkelkind meiner ersten Liebe mein eigen Kind geworden wäre. Und wäre das auch unbedingt wünschenswert gewesen? Es hätte mich um die Erwartung gebracht, in der ich nun lebe, daß ich nämlich eines Tages, ohne es zu wissen, der Tochter Nofrurê's und Enkelin Nechbets begegne, und daß auch sie mich wieder so wundersam beeindruckt. So bleibt mir möglicherweise auch für meine älteren Tage noch etwas zu hoffen übrig, während im anderen Falle die Reihe meiner wiederkehrenden Herzenserfahrungen vielleicht vorzeitig abgeschlossen worden wäre.«

»Das mag sein«, stimmte der Gottespfleger zögernd zu. »Das wenigste aber, was du tun könntest, ist, daß du die Geschichte von Mutter und Tochter oder deiner Geschichte mit ihnen zu Papier brächtest und ihr mit der Binse eine liebliche Form gäbest zur Bereicherung unseres erfreulichen Schrifttums. Die dritte Erscheinung der Gestalt und deine Liebe zu ihr könntest du meiner Meinung nach aus freier Erfindung gleich hinzufügen und es so darstellen, als ob auch sie sich schon ereignet hätte.«

»Ansätze dazu«, versetzte der Hauptmann gelassenen Mundes, »sind gemacht worden, und daß ich mich im Gespräch so flüssig über das Vorkommnis äußern kann, erklärt sich eben daraus, daß schriftliche Vorarbeiten bereits vorangegangen sind. Die Schwierigkeit besteht nur darin, daß ich, um die Begegnung mit Beti's Enkelin mitaufzunehmen, den Zeitpunkt meines Schreibens ins Zukünftige verlegen und mich dabei in mein höheres Alter versetzen müßte, was eine Anstrengung ist, vor der ich zurückschrecke, obgleich ein Soldat vor keiner Anstrengung zurückschrecken sollte. Hauptsächlich aber zweifle ich, ob ich nicht zu ruhig bin, um der Erzählung die erregenden Wirkungen einzuverleiben, die beispielsweise der musterhaften Geschichte von den zwei Brüdern eigen sind. Um es aber darauf ankommen zu lassen, den Vorwurf zu verpfuschen, dazu ist er mir allzu teuer. – Augenblicklich«, brach er tadelnd ab, »findet hier übrigens eine Vorführung und Aufnahme statt. Wieviel Lasttiere«, fragte er, indem er sich möglichst von oben herab an Joseph wandte, »braucht man wohl, deiner Meinung nach, um fünfhundert Steinhauern und Schleppern im Bruche nebst ihren Offizieren und Aufsehern die Nahrung zuzuführen?«

»Zwölf Ochsen und fünfzig Esel«, antwortete Joseph, »mögen dafür die rechte Anzahl sein.«

»Allenfalls. Und wieviel Mann würdest du wohl an die Seile beordern, wenn es einen Block von vier Ellen Länge und zwei Ellen Breite, der eine Elle hoch ist, fünf Meilen weit zum Flusse zu schleppen gilt?«

»Mit den Wegbereitern und den Trägern des Wassers zur Befeuchtung der Straße unter der Schleife und den Trägern des Rundbalkens, den man dann und wann unterlegen muß«, erwiderte Joseph, »würde ich gut und gern hundert Mann dazu anstellen.«

»Warum so viele?«

»Es ist ein beschwerlicher Klotz«, antwortete Joseph, »und wenn man schon nicht Ochsen vorspannen will, sondern Menschen, weil sie billiger sind, so sollte man ihrer eine ausreichende Zahl dazu befehlen, daß mittenwegs ein Zugtrupp den anderen ablösen kann an den Seilen und man nicht Todesfälle zu verzeichnen hat unter der Mannschaft infolge zurückgetretenen Schweißes, oder doch etliche sich innerlich überziehen und ihnen der Odem stockt, so daß man Marode hat, die sich winden und wälzen.«

»Das ist allerdings besser zu vermeiden. Du vergißt aber, daß wir nicht nur die Wahl haben zwischen Ochsen und Menschen, sondern daß uns auch allerlei Barbaren des roten Landes, Libyer,

Puntier und syrische Sandbewohner in beliebiger Anzahl zur Verfügung stehen.«
»Der unter deine Hand gegeben ist«, erwiderte Joseph gemessen, »ist selbst solcher Herkunft, nämlich eines Herdenkönigs Kind vom oberen Retenu, wo es Kanaan heißt, und ist nur gestohlen hier hinab nach Ägyptenland.«
»Wozu sagst du mir das? Es steht ja im Brief. Und warum nennst du dich ein Kind statt zu sagen: ein Sohn? Es klingt nach Selbstverzärtelung und Eigenminne und steht einem Abgeurteilten nicht an, auch wenn sein Vergehen nicht ehrrühriger Art ist, sondern auf zartem Gebiete liegt. Du scheinst zu fürchten, daß ich dich, weil du ursprünglich vom elenden Zahi bist, vor die schwersten Klötze spannen werde, bis dir der Schweiß zurücktritt und du eines trockenen Todes stirbst. Das ist ein so vorwitziger wie ungeschickter Versuch, meine Gedanken zu denken. Ich wäre ein schlechter Gefängnis-Amtmann, wenn ich nicht einen jeden nach seinen Gaben und nach seinen Erfahrungen zu verwenden und anzustellen wüßte. Deine Antworten lassen recht wohl erkennen, daß du einmal über dem Haus eines Großen warst und etwas verstehst von der Industrie. Auch daß du es tunlichst vermeiden möchtest, daß Leute sich überziehen, selbst wenn es nicht Kinder – ich meine: Söhne des Chapi sind und der Schwarzen Erde, ist meinen eigenen Wünschen nicht geradezu entgegen und zeugt von ökonomischem Denken. Ich werde dich als Aufseher über eine Schar von Züchtlingen im Bruche beschäftigen oder auch im inneren Dienst und in der Schreiberei; denn gewiß kannst du geschwinder als andere ausrechnen, wieviel Malter Spelt in einem Speicher von der und der Größe Platz haben, oder wieviel Getreide verbraut ist zu der und der Menge Biers und wieviel verbacken zu so und so viel Broten, daß man den Tauschwert von beiden ermittelt, und solche Sachen. – Es wäre recht wünschenswert«, fügte er erläuternd gegen den Öffner von Wepwawets Mund hinzu, »daß mir in diesen Richtungen eine Entlastung zuteil würde, so daß ich mich nicht jedes Dinges anzunehmen brauchte und mehr Muße gewönne zu meinen Versuchen, das Abenteuer von den drei Liebschaften, die ein und dieselbe sind, auf eine erfreuliche und vielleicht sogar erregende Weise zu Papier zu bringen. – Ihr Leute von Wêse«, sagte er zu Josephs Begleitern, »könnt euch nun trollen und die Rückfahrt antreten gegen den Strom, aber mit Nordwind. Euren Strick nehmt nur auch wieder mit, nebst meinen Empfehlungen an Pharao's Freund, euren Herrn! – Memi!« befahl er schließlich dem Keulenträger, der die Kömmlinge hierher geführt, »weise diesem Königssklaven, der Fron leisten wird als Verwaltungsgehilfe, ein Gelaß an zum Einzel-Obdach und gib ihm ein Obergewand und einen Stab in die Hand zum Zeichen der Aufseherschaft. So hoch

er schon stand, er hat sich herunter bringen lassen zu uns und wird sich der ehernen Zucht zu fügen haben von Zawi-Rê.
Was er aber mitbringt an Hochstand, werden wir unerbittlich ausnutzen, wie wir die Leibeskräfte ausnutzen der Tiefstehenden. Denn nicht ihm gehört es mehr, sondern Pharao. Gib ihm zu essen! – Auf nächstens, mein Vater«, verabschiedete er sich von dem Hausbetreter und wandte sich zurück gegen seinen Turm.
Und dies war Josephs erste Begegnung mit Mai-Sachme, dem Amtmann über das Gefängnis.

Von Güte und Klugheit

Nun seid ihr getröstet, wie Joseph es war, über die Sonderart des Kerkermeisters, unter dessen Hand ihn sein Herr gegeben hatte. Es war ein eigentümlich ansprechend temperierter Mann, in seiner Eintönigkeit, und nicht umsonst hat die alles ableuchtende Erzählung es im vorigen so wenig eilig gehabt, ihren Lichtkegel von seiner ein für allemal gedrungenen Gestalt wieder wegzuheben, sondern ihn lange genug auf ihr ruhen lassen, daß ihr Muße hattet, euch seine bisher so gut wie unbekannte Menschlichkeit einzuprägen; denn eine nicht unbedeutende Rolle und Dienstverrichtung war ihm, wie ebenfalls nahezu unbekannt, noch vorbehalten in der Geschichte, die sich hier in aller Richtigkeit, so, wie sie sich in Wirklichkeit zugetragen, wieder abspielt. Nachdem nämlich Mai-Sachme einige Jahre über Joseph gestanden als sein Fronvogt, sollte er noch lange Zeit neben ihm stehen an seiner Seite und teilhaben an der Fest-Regie heiterer und großer Ereignisse, zu deren genauer und würdiger Schilderung die Muse uns stärken möge.
Dies eben nur vorläufig. Wenn aber die Überlieferung auf den Amtmann über das Gefängnis dieselbe Formel anwendet wie auf Potiphar, nämlich, daß er sich ›keines Dinges angenommen‹ habe, so daß bald alles, was in dem Loche geschah, durch Joseph habe geschehen müssen, so ist das recht zu verstehen und hat eine ganz andere Meinung als im Falle des Sonnenhöflings und heiligen Fleischesturms, der sich darum keines Dinges annahm, weil er in seiner titulären Uneigentlichkeit außerhalb der Menschheit stand und in der ausgangslosen Geschlossenheit seines Daseins allem Wirklichen fremd war und reine Förmlichkeit seine Sache nannte. Mai-Sachme dagegen war ein durchaus zuständiger Mann, der sich mit Wärme, wenn auch sehr ruhig, einer Menge Dinge, namentlich aber der Menschen annahm; denn er war ein eifriger Arzt, der jeden Tag früh aufstand, um zu besehen, was aus dem After der kranken Soldaten und Züchtlinge abgegangen war, die in dem Revierschuppen gelagert waren; und sein an gesicherter Stelle gelegenes Dienstzimmer im Zitadellenturm von

Zawi-Rê war ein rechtes Laboratorium von Stampf- und Reibegeräten, Herbarien, Phiolen und Salbentiegeln, Schläuchen, Destillierkolben und Verdampfungsbecken, wo der Hauptmann, mit demselben schläfrig-klug blickenden Gesicht, mit dem er bei Josephs Aufnahme die Geschichte von den drei Liebschaften erzählt hatte, zum Teil an der Hand des Buches ›Zum Nutzen der Menschen‹ und anderer Lehrwerke alter Erfahrung, seine Mittel zur Ausschwemmung des Bauches, seine Sude, Pillen und Umschlagbreie gegen Harnverhaltung, Nackengeschwülste, Rückgratversteifung und Hitze des Herzens bereitete, wo er aber auch lesend und denkend solchen allgemeinen, die Einzelfälle überwölbenden Problemen nachsann, wie dem, ob die Zahl der paarweise vom Herzen zu den einzelnen Gliedern des menschlichen Körpers laufenden Gefäße, die so sehr zur Verstopfung, Verhärtung und Entzündung neigten und häufig die Arznei nicht aufnehmen wollten, wirklich nur zweiundzwanzig oder eigentlich, wie er mehr und mehr anzunehmen geneigt war, volle sechsundvierzig betrug; ferner ob die Würmer im Leibe, zu deren Tötung er seine Latwergen ausprobierte, die Ursache bestimmter Krankheiten oder, richtiger betrachtet, ihre Folge seien, insofern, als durch die Verstopfung eines oder mehrerer Gefäße sich eine Geschwulst bilde, der kein Weg zum Abgange sich eröffne, so daß sie verfaule und sich dabei, wie nicht anders zu erwarten, in Würmer verwandle.
Es war recht gut, daß der Hauptmann sich dieser Dinge annahm, denn obgleich sie seinem Brettspiel-Partner, dem Wepwawet-Priester, amtlich nähergelegen hätten als ihm, dem Soldaten, so reichten dessen Kenntnisse auf dem Gebiete der Körpernatur doch nicht zu viel mehr als zur Beschauung und gottgefälligen Schlachtung der Opfertiere, und seine Heilmethoden waren immer allzu einseitig auf Zauberei und Sprüche-Wesen ausgerichtet gewesen, ein zwar notwendiges Element, insofern die Erkrankung eines Organs, sei es der Milz oder des Rückgrats, unstreitig auch darauf zurückzuführen war, daß seine besondere Schutzgottheit diesen Körperteil gern oder ungern verlassen und einem feindlichen Dämon das Feld geräumt hatte, der nun darin sein zerrüttendes Wesen trieb und durch treffende Beschwörung zum Auszuge genötigt werden mußte. Dabei hatte der Hausbetreter mit einer Brillenschlange, die er in einem Korbe aufbewahrte und die er durch Druck in den Nacken in einen Zauberstab verwandeln konnte, gewisse Erfolge, die auch Mai-Sachme bestimmten, sich das Tier zuweilen von ihm auszuleihen. Im ganzen aber war dieser der erprobten Überzeugung, daß die Magie ganz für sich und in reiner Absonderung selten durchzugreifen vermöge, sondern eines stofflichen Anhaltes profaner Kenntnisse und Mittel bedürfe, um in ihn einzugehen, ihn zu durchdringen und durch ihn

zur Wirkung zu gelangen. So hatten gegen das Übermaß der Flöhe, unter dem zu Zawi-Rê jedermann litt, die Sprüche des Gottespflegers niemals oder doch nur so vorübergehend, daß die Erleichterung auch auf Täuschung beruhen konnte, etwas ausgerichtet; und erst als Mai-Sachme, allerdings unter Beigabe von Sprüchen, viel Natronwasser hatte aussprengen und außerdem überall Holzkohle, mit der zerriebenen Pflanze Bebet gemischt, hatte streuen lassen, nahm die Plage ab. Er war es auch, der das Belegen der Speisenvorräte in den Magazinen mit Katzenfett veranlaßt hatte, nämlich gegen die Mäuse, deren es fast ebenso viele gab wie Flöhe. Seine ruhige Überlegung war gewesen, daß die Mäuse die Katze selbst zu riechen glauben und, dadurch erschreckt, von den Vorräten ablassen würden, was sich auch bewährte.

Der Revierverschlag der Festung war immer reichlich mit Beschädigten und Kranken belegt, denn die Fron in dem fünf Meilen vom Flusse landeinwärts gelegenen Steinbruch war hart, wie Joseph bald belehrt wurde, da er wiederholt einige Wochen dort draußen zu verbringen und über eine Abteilung von Soldaten und Sträflingen beim Hacken, Sprengen, Behauen und Schleppen die Aufsicht zu üben hatte. Denn die einen hatten es nicht besser als die anderen, und die Besatzung von Zawi-Rê, Landeskinder und Fremdstämmige, wurde, soweit sie nicht eben Wachtdienst tat, auch zu nichts anderem verwendet als die Sträflinge und spürte den antreibenden Stock dabei wie sie. Allenfalls wurden Verletzungen, Erschöpfung und das Zurücktreten des Schweißes bei ihnen etwas bereitwilliger anerkannt und ihre Zurückführung ins Festungsspital ein wenig früher verfügt als bei den Verurteilten, die es bis zum Äußersten, das heißt bis zum Umfallen weiterzutreiben hatten, und zwar bis zum dritten Umfallen, denn das erste und zweite Mal galt grundsätzlich als Verstellung.

Übrigens trat in dieser Beziehung unter Josephs Aufseherschaft eine Milderung ein – zuerst nur bei seinem Zuge. Später aber, als sich das Wort erfüllt hatte, daß der Amtmann alle Gefangenen im Gefängnis unter seine Hand befahl und er, wenn er hinauskam in den Bruch, bereits als eine Art von Ober-Inspizient und unmittelbarer Vertreter des Kommandanten erschien, wurde die Milderung allgemein. Denn Joseph gedachte Jaakobs, seines fernen Vaters, dem er gestorben war: wie der das ägyptische Diensthaus immer mißbilligt hatte, und führte ein, daß ein Mann schon nach dem zweiten Umfallen ausgereiht und auf die Insel zurückgebracht wurde; denn daß das erste nur für Verstellung galt, dabei blieb es, es sei denn, daß gleich der Tod eingetreten war.

Der Lazarettschuppen denn also wurde nicht leer von solchen, die sich wanden und wälzten: sei es, daß ein Mann einen Knochen gebrochen hatte oder ›nicht mehr auf seinen Bauch hinuntersehen konnte‹, oder daß sein Leib mit geschwollenen Fliegen- und Mückenstichen bedeckt war wie mit Aussatzbeulen, oder daß ihm der Magen, wenn man den Finger darauf legte, hin und her ging wie das Öl in einem Schlauch, oder daß der Steinstaub eine eitrige Entzündung seiner Augen hervorgerufen hatte; und all dieser Fälle nahm der Hauptmann sich an, indem er vor keinem erschrak und für einen jeden, wenn es nicht der Tod selber war, der ihm entgegentrat, ein Hilfsmittel wußte. Die gebrochenen Knochen schiente er mit Brettchen, der Unfähigkeit des Menschen, auf seinen Bauch hinunterzusehen, suchte er mit Umschlägen von mildem Brei zu steuern, den Stichaussatz bestrich er mit Gänsefett, in das wohltätiges Pflanzenpulver gemischt war, gegen das üble Hin- und Herwandern des Magens verordnete er das Zerkauen von Beeren der Rizinusstaude mit Bier, und für die vielen Augenerkrankungen besaß er eine gute Salbe aus Byblos. Auch einige Zauberei war dabei, zur Unterstützung der Heilmittel und zur Bedrängung des eingeschlüpften Dämons, wohl immer im Spiele; sie bestand aber nicht so sehr in Sprüchen und in der Berührung mit der erstarrten Brillenschlange als in der persönlichen Ausströmung Mai-Sachme's, die eine Ausströmung der Ruhe war und sich auf seiten des Kranken in Beruhigung verwandelte, so daß er nicht mehr vor seiner Krankheit erschrak, was nur schädlich war, sondern aufhörte sich zu wälzen und unwillkürlich des Hauptmanns eigenen Gesichtsausdruck annahm: die gerundeten Lippen leicht geöffnet und die Brauen in klugem Gleichmut emporgezogen. So lagen die Kranken und sahen, mit Ruhe ausgestattet, ihrer Genesung oder dem Tode entgegen; denn auch vor diesem lehrte sie Mai-Sachme's Einfluß nicht zu erschrecken, und selbst wenn schon Leichenfarbe eines Mannes Gesicht bedeckte, ahmte er noch, bei befriedeten Händen, die gelassene Miene des Arztes nach und blickte ruhigen Mundes, unter verständig erhobenen Brauen, dem Leben nach dem Leben entgegen.

So war es ein von Ruhe und Nicht-Erschrecken durchdrungenes Lazarett, in dem Joseph dem Amtmann manchmal zur Seite und auch zur Hand ging; denn von der Aufsicht im Bruch rief dieser ihn bald zurück in den inneren Dienst, und die Redeweise, er habe alle Gefangenen des Gefängnisses unter Josephs Hand gegeben, so daß alles, was da geschah, durch diesen habe geschehen müssen, ist so zu verstehen, daß Potiphars ehemaliger Hausmeier schon bald, etwa ein halbes Jahr nach seiner Einlieferung, wie von selbst und ohne daß eine besondere Ernennung erfolgt wäre, zum Herrn des Überblicks in der Kanzlei und zum Nährvater der ganzen Festung aufwuchs, indem alle Schreibereien und Verrechnungen, deren es, wie überall im Lande, auch hier unendlich viele gab, über die Einkäufe an Korn, Öl, Gerste und Schlachtvieh und ihre Verteilung an die Wacht- und Zuchtmannschaft, über den Brauerei- und Bäckerbetrieb von Zawi-Rê, sogar über die Einnahmen und Ausgaben des Wepwawet-Tempels, über die Ablieferung behauener Steine und so fort, zur Erleichterung derer, die sich bisher dieser Dinge anzunehmen gehabt hatten, durch seine Hände gingen und er einzig dem Platzkommandanten Rechenschaft dafür schuldete, diesem ruhigen Mann, zu dem sein Verhältnis sich von vornherein freundlich angelassen hatte und mit der Zeit das angenehmste wurde.

Denn Mai-Sachme fand das Wort bestätigt, mit dem Joseph ihm geantwortet hatte beim ersten Verhör, das urdramatische Wort des Sich-zu-erkennen-Gebens, das ihn in seiner Ruhe getroffen und ihn ganz ausnahmsweise, in einem sehr weiten und ungenauen Sinn hatte erschrecken lassen, so daß er selbst gefühlt hatte, daß er um die Nasenspitze herum etwas blaß geworden war; und für dieses Erschrecken war der Hauptmann demjenigen gewissermaßen dankbar, der ihm dazu verholfen hatte; denn auf ihrem Grunde verlangte seine Ruhe nach dem Erschrecken, dessen seine kluge Bescheidenheit nicht gewürdigt zu sein glaubte, und wartete darauf, wie er auf das Wiedererscheinen des Mädchens Nechbet in ihrer Enkelin und auf sein drittes Ergriffenwerden von ihr wartete. Weit von Sinn und ungenau war auch sein Gefühl für die Wahrheit des Wortes, mit dem Joseph sich ihm zu erkennen gegeben, und was unter dem ›es‹ zu verstehen war in der stets erschreckenden Formel ›Ich bin's‹, das hätte er nicht zu sagen gewußt, gelangte aber nicht einmal zur Wahrnehmung davon, daß er es nicht zu sagen gewußt hätte, da er fern davon war, eine Rechenschaftslegung darüber für notwendig oder wünschbar zu halten. Das ist der Unterschied zwischen seinen Verpflichtungen und unseren. Mai-Sachme, zu seiner frühen, wenn auch wieder schon sehr späten Zeit, war solcher Rechenschaft gänzlich entbunden und durfte sich in aller Ruhe, wenn auch mit angemessenem Erschrecken, darauf beschränken, zu ahnen und zu glauben. Die Ur-Kunde drückt es so aus, daß der Herr seine Huld zu Joseph geneigt *und* ihn Gnade habe finden lassen vor dem Amtmann über das Gefängnis. Dies ›und‹ könnte so ausgelegt werden, als habe die Huld, die Gott dem Sohne Rahels erwies, eben darin bestanden, daß sein Fronherr ein gnädig Herz für ihn faßte. Das hieße Huld und Gnade in kein ganz richtiges Verhältnis setzen. Es war nicht so, daß Gott dem Joseph die Huld erwiesen habe, den Hauptmann günstig für ihn zu bestimmen; sondern die Sympathie und das Vertrauen, mit einem Wort: der Glaube, den Josephs Erscheinung und Wandel jenem einflößten, ging vielmehr aus dem untrüglichen Gefühl eines guten Mannes für die göttliche Huld, das heißt: für das Göttliche

selbst hervor, das mit diesem Züchtling war, — wie es ja die Art und geradezu das Kennzeichen des guten Menschen ist, das Göttliche mit kluger Andacht wahrzunehmen, ein Sachverhalt, der Güte und Klugheit nahe zusammenführt, ja, eigentlich als dasselbe erscheinen läßt.
Wofür hielt also Mai-Sachme den Joseph? Für etwas Rechtes, für den Rechten, für den Erwarteten; für den Bringer einer neuen Zeit — in dem bescheidenen Sinne zunächst nur, daß dieser aus interessanten Gründen hierher Verbannte dem langweiligen Ort, wo dem Hauptmann seit Jahr und Tag und wer weiß, wie lange noch, Dienst zu tun beschieden war, eine gewisse Unterbrechung der herrschenden Langenweile brachte; daß aber der Befehlshaber von Zawi-Rê die Verwechslung von Redensart und Wirklichkeit so scharf verurteilte und als tiefstehend verwarf, mochte gerade daher kommen, daß er selbst in dieser Verwechslung stark befangen war und, wenn er nicht sehr scharf achtgab, zwischen dem Metaphorischen und Eigentlichen schlecht unterschied. Anders gesagt: Schon leise Andeutungen, Erinnerungen und Hinweise in den Zügen einer Erscheinung genügten ihm, die Fülle und Wirklichkeit des Angedeuteten in ihr zu erblicken, und das war in Josephs Fall die Gestalt des Erwarteten und des Heilbringers, der kommt, um das Alte und Langweilige zu enden und unter dem Jauchzen der Menschheit eine neue Epoche zu setzen. Um diese Gestalt aber, von der Joseph Andeutungen zeigte, webt der Nimbus des Göttlichen — und das ist nun wiederum eine Idee, die die Versuchung in sich trägt, das Metaphorische mit dem Eigentlichen, das Eigenschaftliche mit dem zu verwechseln, wovon die Eigenschaft abgezogen ist. Und ist es eine so irreführende Versuchung? Wo das Göttliche ist, da ist Gott, — da ist, wie Mai-Sachme gesagt haben würde, wenn er überhaupt etwas gesagt und nicht vielmehr nur geahnt und geglaubt hätte, *ein* Gott: in einer Verkleidung allenfalls, die äußerlich und sogar in Gedanken zu respektieren ist, auch wenn die Verkleidung durch ein unwillkürlich bildhübsches und schönes Aussehen zu einer mangelhaften und sozusagen nicht ganz gelungenen Verkleidung wird. Mai-Sachme hätte kein Kind der Schwarzen Erde sein müssen, um nicht zu wissen, daß es Abbilder Gottes, beseelte Götterbilder gibt, die von den nicht beseelten, leblosen grundsätzlich zu unterscheiden und als lebende Bilder Gottes zu verehren sind, wie Chapi, der Stier von Menfe, und wie Pharao selbst im Horizont seines Palastes. Die Vertrautheit mit dieser Tatsache trug nicht weniger dazu bei, die Vermutungen zu bilden, die er über Josephs Natur und Erscheinung hegte, — und wir wissen ja, daß dieser nicht gerade darauf brannte, solchen Vermutungen zu steuern, sondern es im Gegenteil liebte, die Menschen stutzen zu lassen.

Für die Schreibstube und das Archiv war Josephs Erscheinen ein rechter Segen; denn so wenig dem Hauptmann die Nachrede gerecht würde, er habe sich keines Dinges angenommen, – die Ordnung in der Kanzlei, die doch in den Augen der übergeordneten Stellen in Theben so wichtig war, hatte, wie er wohl wußte, unter seinen ruhigen Passionen, der Medizin und der Literatur, tatsächlich zu leiden gehabt, was seinem dienstlichen Ansehen gefährlich gewesen war und ihm gelegentlich schon Briefe so höflich wie unangenehm umschriebenen Verweises aus der Hauptstadt eingetragen hatte. Gerade in dieser Beziehung erwies Joseph sich ihm als der erwartete Kömmling, der Bringer der Wende und der Mann des ›Ich bin's‹. Er war es, der Ordnung in die Papiere brachte, der Mai-Sachme's dem Mora- und Kegelspiel sehr ergebene Kanzlisten lehrte, daß die höhere Abgelenktheit des Kommandanten für sie kein Grund sei, die Geschäfte ihrerseits verstauben zu lassen, sondern im Gegenteil einer, sich ihrer desto emsiger anzunehmen, und der dafür sorgte, daß Rechnungslegungen und Rapporte in die Hauptstadt abgingen, die die Oberen wirklich gerne lasen. Sein Aufseher-Stäbchen war in seiner Hand wie eine zum Zauberstab versteifte Kobraschlange; denn er brauchte nur einen Speicherkegel damit zu berühren, um sogleich aus freier Hand sagen zu können: »Vierzig Sack Emmer gehen hinein«; und brauchte, wenn es zu bestimmen galt, wieviel Ziegel zum Bau einer Rampe gehörten, den Stab nur an seine Stirn zu führen, um sagen zu können: »Fünftausend Ziegel sind dazu nötig.« Das war das eine Mal richtig gewesen, das andere Mal nicht ganz. Aber daß es einmal so auffallend gestimmt hatte, warf seinen Schimmer noch auf die spätere Ungenauigkeit und ließ sie den Leuten so wie richtig vorkommen.
Kurz, Joseph hatte dem Hauptmann nicht gelogen mit seinem ›Ich bin's‹, und es zeigte sich, daß Wirtschaft und Buchführung auch dadurch nicht zu Schaden kamen, daß Mai-Sachme zum Überfluß seine Gegenwart bei ihm im Turme, in seiner Apothekenstube und Schriftstellerei, häufig in Anspruch nahm. Denn er wollte ihn um sich haben und erörterte nicht nur gern solche Fragen mit ihm, wie die wegen der Zahl der Gefäße und wegen der Würmer, ob sie die Ursache oder die Folge der Krankheit seien, sondern er stellte ihn auch an, ihm das Märchen von den zwei Brüdern, so wie Joseph es für seinen ehemaligen Herrn getan, auf feinem Papyrus mit schwarzer und roter Tinte luxuriös abzuschreiben, wozu er ihn nicht nur wegen seiner schmuckhaften Handschrift, sondern auch persönlich und seinem Schicksale nach besonders geeignet fand. Denn besonders als ein Züchtling der Liebe war der Gekommene ihm interessant – welchem Gebiet, das ja auch den Haupttummelplatz alles erfreulichen Schrifttums bildet, der Kommandant eine warme und tiefe, wenn auch ruhige

Anteilnahme entgegenbrachte; und wieviel Zeit Jaakobs Sohn um Mai-Sachme's privater Wünsche willen dem Verwaltungsdienst absparen mußte, ohne diesen zu schädigen, ersieht man daraus, daß der Vogt sich stundenlang mit ihm darüber beriet, wie er es am besten anfange, die Geschichte seiner drei-einigen Liebschaft, die zum Teil noch eine Sache der Erwartung war, auf eine erfreuliche und womöglich sogar erregende, um nicht zu sagen: erschreckende Weise zu Papier zu bringen, wobei die vornehmlichste und viel erörterte Schwierigkeit darin bestand, daß er sie, um das Erwartete vorweg- und mit aufzunehmen, aus dem Geiste eines alten Mannes von mindestens sechzig Jahren würde zu erzählen haben, was wiederum dem gewünschten, aber sowieso schon durch seine natürliche Ruhe gefährdeten Element der Erregung abträglich zu werden drohte.

Daneben aber war Josephs eigenes Abenteuer, das ihn ins Gefängnis gebracht, seine Geschichte mit des Kämmerers Weib, der Gegenstand von Mai-Sachme's belletristischer Sympathie, und Joseph überlieferte sie ihm unter aller Schonung der Heimgesuchten, indem er aber der eigenen Fehler, die er dabei begangen, nicht schonte und sie als entsprechend darstellte den Fehlern, deren er sich vordem gegen seine Brüder und damit gegen seinen Vater, den Herdenkönig, schuldig gemacht, was ihn denn Schritt vor Schritt zurückführte in der Geschichte seiner Jugend und seiner Ursprünge und den klugen runden Augen des Hauptmanns einen fremdartigen und bedeutend verschwimmenden Durchblick gewährte in die Hintergründe der Erscheinung seines Gehilfen, des Sträflings Osarsiph, dessen wunderlichen und offenbar aus Anspielungen gebildeten Namen er sich gefallen ließ und mit der Zartheit des guten Menschen aussprach, obgleich er ihn niemals für des Kömmlings eigentlichen, sondern von vornherein für einen Deck- und Spielnamen und für eine bloße Umschreibung hielt des Wortes ›Ich bin's‹.

Die Geschichte von Potiphars Weib hätte er gern im Geist des erfreulichen Schrifttums zu Papier gebracht und unterhielt sich oft mit Joseph über die Mittel und Wege, wie es am besten anzustellen sei. Es geschah aber immer, daß er beim Schreiben in die musterhafte Geschichte von den zwei Brüdern hineingeriet und diese noch einmal schrieb, woran seine Versuche scheiterten.

So vergingen viele Tage nach diesen, und fast schon ein Jahr war herum, seit Rahels Erster nach Zawi-Rê gekommen war, als ein Zwischenfall in diesem Gefängnis sich ereignete, der nur eine Teilerscheinung war schwerer Ereignisse in der großen Welt und, nicht gleich auf der Stelle, aber etwas späterhin, außerordentliche Veränderungen zeitigen sollte für Joseph und auch für Mai-Sachme, seinen Freund und Fronvogt.

Eines Tages nämlich, als Joseph sich um die gewohnte Frühstunde mit einigen Geschäftspapieren in des Amtmanns Turmwohnung einfand, um sich Entlastung zu holen, wobei es ganz ähnlich zuzugehen pflegte wie zwischen Petepre und dem Alt-Meier Montkaw und auch gewöhnlich schon alles auf ein ›Schon gut, schon gut, mein Lieber‹ hinauslief, sah diesmal Mai-Sachme die Rechnungen gar nicht erst an, sondern wies sie von sich mit seiner Hand, und gleich war seinen ausnehmend hoch gezogenen Brauen und seinen weiter als sonst voneinander getrennten Rundlippen anzusehen gewesen, daß er von einem besonderen Vorfall eingenommen und in den Grenzen seiner natürlichen Ruhe erregt war.
»Davon ein andermal, Osarsiph«, sagte er in Hinsicht auf die Papiere. »Es ist nicht der Augenblick. Wisse, daß nicht alles in meinem Gefangenenhause ist, wie es gestern und vorgestern war. Es hat sich etwas ereignet und hat stattgefunden vor Tag in aller Stille und unter besonderen, leise überbrachten Befehlen. Lerne von mir, daß eine Einlieferung vorgefallen ist – eine mißliche. Zwei Personen sind eingetroffen bei Nacht und Nebel, zu vorläufiger Verwahrung und Sicherstellung – ungewöhnliche Personen, das heißt: hochstehende Personen, womit ich sagen will: ehemals und eben noch hochstehende Personen, gestürzte und in die Patsche geratene Personen. Du hast einen Fall getan, aber sie taten einen tieferen, da sie viel höher standen. Lerne von mir, was ich dir sage, und frage nach Näherem lieber nicht!«
»Wer sind sie aber?« fragte Joseph trotzdem.
»Sie heißen Mesedsu-Rê und Bin-em-Wêse«, antwortete der Amtmann scheu.
»Nun höre!« rief Joseph. »Was sind denn das für Namen! So heißt man doch nicht!«
Er hatte Grund zum Erstaunen, denn Mesedsu-Rê bedeutete: ›Verhaßt dem Sonnengotte‹ – und Bin-em-Wêse hieß ›Schlecht in Theben‹. Das wären sonderbare Eltern gewesen, die ihren Söhnen solche Namen gegeben hätten.
Der Hauptmann hantierte mit irgendwelchen Dekokten, ohne Joseph anzusehen.
»Ich glaubte«, erwiderte er, »du wüßtest, daß man nicht notwendig heißen muß, wie man sich nennt oder zeitweise genannt wird. Die Umstände formen den Namen. Rê selbst wechselt den seinen nach seinen Zuständen. Wie ich sie nannte, so heißen die Herren in ihren Papieren und in den Befehlen, die mir überhändigt sind um ihretwillen. So heißen sie in den Prozeßakten, die geführt werden in ihrer anhängigen Sache, und vor sich selbst heißen sie so gemäß ihren Umständen. Du wirst es nicht besser wissen wollen.«

Joseph überlegte schnell. Er gedachte der drehenden Sphäre, des Oben, das wiederkommt und wieder aufsteigt im Umschwunge, des Austausches des Gesetzten mit dem Entgegengesetzten, gedachte der Umkehrung. ›Verhaßt dem Gotte‹, das war gleich Mersu-Rê, ›Es liebt ihn der Gott‹, und ›Bös in Theben‹ war ›Gut in Theben‹, Nefer-em-Wêse gewesen. Er wußte aber durch Potiphars Freundschaft gut genug Bescheid an Pharao's Hof und unter den Freunden des Palastes Merima't, um sich zu erinnern, daß Mersu-Rê und Nefer-em-Wêse die – übrigens von Ehrentiteln ganz zugedeckten – Namen waren von Pharao's Oberstem Süßigkeitenbereiter, dem Oberbäcker, des Titels ›Fürst von Menfe‹, und seines Vorstehers der Schenktischschreiber, des Obermundschenks, ›Gaugraf von Abôdu‹ geheißen.
»Die wahren Namen«, sagte er, »derer, die da unter deine Hände gegeben sind, die werden wohl lauten: ›Was ißt mein Herr?‹ und ›Was trinkt mein Herr?‹«
»Nun ja, nun ja«, entgegnete der Hauptmann. »Dir braucht man nur einen Zipfel zu reichen, und du hast schon den Mantel ganz – oder glaubst ihn zu haben. Wisse denn, was du weißt, und frage nach Näherem nicht!«
»Was mag geschehen sein?« fragte Joseph trotzdem.
»Laß das!« versetzte Mai-Sachme. »Es heißt«, sagte er, indem er beiseite sah, »daß man auf Kreidestücke gestoßen ist in Pharao's Brot und hat Fliegen gefunden im Wein des guten Gottes. Daß so etwas hängen bleibt an den Höchst-Verantwortlichen, und daß sie in Untersuchungszustand versetzt werden unter Namen, die solchem Zustand gebühren, das kannst du dir selber sagen.«
»Kreidestücke? Fliegen?« wiederholte Joseph.
»Sie sind vor Tag«, fuhr der Hauptmann fort, »unter starker Bedeckung auf einem Reiseschiffe gebracht worden, das das Zeichen der Verdächtigkeit am Buge und auf dem Segel trug, und sind mir in strenge, wenn auch würdige Verwahrung gegeben worden für die Zeit ihres Prozesses, bis ihre Schuld oder Unschuld ermittelt ist, – eine mißliche, verantwortungsvolle Sache. Ich habe sie im Geierhäuschen untergebracht, du weißt, hier rechts herum an der rückwärtigen Mauer, mit dem klafternden Geier am First, das eben leer stand – leer allerdings, nach ihren Gewohnheiten ist es nicht eingerichtet, sie sitzen dort seit morgens früh bei etwas Bitterbier auf je einem gewöhnlichen Soldatenhocker, und weiter bietet das Geierhäuschen keine Bequemlichkeiten. Es ist schwierig mit ihnen, und wie ihre Sache ausgeht, ob man sie bald in Leichenfarbe versetzt oder die Majestät des guten Gottes ihnen etwa wieder das Haupt erhebt, kann niemand sagen. Nach dieser Unsicherheit haben wir sie zu behandeln und ihrem bisherigen Range in gemessenen Grenzen und übrigens nach unserem Vermögen Rechnung zu tragen. Ich will dich ihnen zum Aufwärter

setzen, verstehst du, der ein- oder zweimal am Tage bei ihnen zum Rechten sieht und sich, wenn auch mehr der Form wegen, nach ihren Wünschen erkundigt. Solche Herren bedürfen der Form, und wenn man sie nur nach ihren Wünschen *fragt,* so ist ihnen schon wohler, und weniger wichtig ist's dann, ob auch die Wünsche erfüllt werden. Du hast die Umgangsweise und das savoir vivre«, sagte er mit einer akkadischen Lehnphrase, »mit ihnen zu reden und sie nach ihrer Vornehmheit zugleich und nach ihrer Verdächtigkeit zu behandeln. Meine Leutnante hier wären entweder zu grob oder zu unterwürfig mit ihnen. Und doch gilt es, die rechte Mitte zu halten. Eine düster gefärbte Ehrerbietung wäre nach meiner Meinung am Platze.«
»Der Düsternis«, sagte Joseph, »bin ich nicht so recht Herr und Meister. Man könnte die Ehrerbietung vielleicht etwas spöttisch färben.«
»Auch das möchte gut sein«, versetzte der Hauptmann, »denn wenn du sie so nach ihren Wünschen fragst, so merken sie gleich, daß es mehr spaßig gemeint ist, und daß sie's natürlich hier nicht haben können, oder nur andeutungsweise, wie sie's gewöhnt sind. Immerhin können sie auf ihren Soldatenhockern nicht sitzen bleiben im kahlen Häuschen. Man muß ihnen zwei Bettlager mit Kopfstütze hineinstellen und, wenn nicht zwei, so doch einen Armsessel mit Fußkissen, daß sie wenigstens abwechselnd darauf sitzen können. Ferner mußt du ihren Wesir abgeben ›Was ißt mein Herr?‹ und ihren Wesir ›Was trinkt mein Herr?‹ und halb und halb ihre Ansprüche erfüllen. Verlangen sie Gänsebraten, so gib ihnen einmal einen gerösteten Storch. Verlangen sie Kuchen, so gib ihnen gesüßtes Brot. Und fragen sie nach Wein, so laß sie ein wenig Traubenwasser haben. In allen Stücken ist ein mittleres Entgegenkommen zu zeigen und die Andeutung zu pflegen. Gehe gleich zu ihnen und mach ihnen mit irgendwie gefärbter Ehrerbietung deinen Besuch. Von morgen ab magst du es je einmal morgens und abends tun.«
»Ich höre und gehorche«, sagte Joseph und begab sich vom Turm hinab gegen die Mauer zum Geierhäuschen.
Die Wachen davor hoben ihre Dolchmesser vor ihm auf und grienten mit ihren Bauerngesichtern, denn sie mochten ihn leiden. Dann schoben sie den schweren Holzriegel von der Türe hinweg, und Joseph trat ein zu den Hofherrn, die in dem hohlen Würfel ihres Gehäuses über ihre Mägen gebeugt auf den Hockern saßen und ihre Hände ob ihren Köpfen gefaltet hielten. Er grüßte sie nach verfeinerter Art, nicht ganz so geziert, wie er es einstmals zuerst von Hor-waz, dem Schreiber der großen Tore, gesehen hatte, aber im modischen Stil, indem er den Arm gegen sie aufhob und lächelnd dem formellen Wunsche Ausdruck gab, sie möchten die Lebenszeit des Rê verbringen.

Sie waren aufgesprungen, sobald sie seiner ansichtig geworden, und überschütteten ihn mit Fragen und Klagen.
»Wer bist du, Jüngling?« riefen sie. »Kommst du im guten oder im bösen? Daß du nur kommst! Daß nur überhaupt jemand kommt! Deine Gebärde ist wohlerzogen, sie läßt darauf schließen, daß ein Feingefühl dir innewohnt für die Unmöglichkeit, die Unerträglichkeit, die Unhaltbarkeit unserer Lage! Weißt du, wer wir sind? Hat man dich unterrichtet? Der Fürst von Menfe sind wir, der Gaugraf von Abôdu, Pharao's Oberster Süßigkeiten-Inspektor und der, der noch über dem Ersten Schreiber Seines Schenktisches ist, Sein General-Kellermeister, der Ihm den Becher reicht bei allergrößten Gelegenheiten, – der Bäcker aller Bäcker, der Erzschenk und Herr der Traube im Schmucke des Weinlaubs! Bist du dir darüber klar? Kommst du in diesem Sinne? Machst du dir ein Bild, wie wir gelebt haben – in Gartenhäusern, wo alles mit Blaustein und Grünstein überzogen war, und wo wir auf Daunen schliefen, indessen erlesene Diener uns die Fußsohlen krauten? Was soll aus uns werden in dieser Grube? Man hat uns ins Leere gesetzt, wo wir sitzen seit vor dem Tage hinter Riegeln und niemand sich um uns kümmert! Fluch des Herzens über Zawi-Rê! Nichts, nichts, nichts ist da! Wir haben keinen Spiegel, wir haben kein Schermesser, wir haben kein Schminkkästchen, wir haben kein Badezimmer, wir haben keinen Abtritt, so daß wir unsere Bedürfnisse an uns halten müssen, die durch die Aufregung sogar noch belebt sind, und Schmerzen leiden – wir, der Erzbäcker, der Herr des Weinlaubs! Ist es deiner Seele gegeben, das Himmelschreiende dieses unseres Zustandes zu empfinden? Kommst du, uns zu erlösen und uns das Haupt zu erheben, oder kommst du nur, um zu beobachten, ob unser Elend auch das äußerste ist?«
»Hohe Herren«, antwortete Joseph, »beruhigt euch! Ich komme im guten, denn ich bin des Hauptmanns Mund und Adlat, von ihm betraut mit dem Überblick. Er hat mich euch zum Diener gesetzt, der nach euren Befehlen fragt, und da mein Herr ein guter, ruhiger Mann ist, so mögt ihr aus seiner Wahl auf meine eigenen Gesinnungen schließen. Das Haupt erheben kann ich euch nicht; das kann nur Pharao, sobald eure Unschuld geklärt ist, von der ich in Ehrerbietung annehme, daß sie vorhanden ist und also geklärt werden kann –«
Hier unterbrach er seine Rede und wartete etwas. Sie sahen ihm beide ins Angesicht: der eine mit weinselig in Trauer schwimmenden, aber beherzten Äuglein, der andere weit aufgerissenen, glasigen Blickes, in welchem Lüge und Angst einander jagten.
Es war nicht so, wie man hätte erwarten sollen, daß der Bäcker ein Mehlsack, der Schenke aber gleich einem Rebstock gewesen wäre. Im Gegenteil war die Behäbigkeit auf seiten des Schenken;

er war klein und feist, und feurig gerötet war seine Miene zwischen den Flügeln seines über der Stirne glattgezogenen Kopftuchs, vor welchen seine drallen, mit Steinknöpfen geschmückten Ohren standen. Seinen herausgerundeten Wangen, die jetzt leider von Bartstoppeln starrten, sah man es an, daß sie, geölt und geschabt, recht fröhlich glänzen konnten, – wie denn die gegenwärtige Bestürzung und Trübsal in des Kellermeisters Gesicht den Grundzug von Fröhlichkeit darin nicht gänzlich auszulöschen vermochten. Der Oberbäcker dagegen war lang im Vergleich mit ihm und im Nacken geknickt; sein Antlitz schien fahl, wenn auch vielleicht nur wieder vergleichsweise und auch weil es von einer tiefschwarzen Haartour gerahmt war, woraus die breiten goldenen Ohrringe schauten. Ganz ausgesprochen unterweltliche Züge aber waren nicht zu verkennen in des Bäckers Gesicht: die längliche Nase stand ihm etwas schief, und auch sein Mund war nach einer Seite hin schief verdickt und verlängert; er hing dort mißlich herab, und zwischen den Brauen lagerte dunkel bedrängendes Fluchwesen.

Nun muß man nicht glauben, daß Joseph das unterschiedliche Gepräge der Physiognomien seiner Pflegebefohlenen mit wohlfeiler Parteinahme für die Serenität der einen und mit ebenso billiger Abneigung gegen die fatale Zeichnung der anderen wahrgenommen hätte. Seine Bildung und Frömmigkeit hielten ihn an, die Merkmale beider Art, die lustigen und die bedenklichen, mit dem gleichen Schicksalsrespekt zu beobachten, ja, sie bestimmten ihn, derjenigen Erscheinung, der die Darstellung unterirdischer Bedenklichkeit übertragen war, sogar noch mehr innere Höflichkeit entgegenzubringen als dem Mann der Jovialität.

Übrigens waren die schön gepreßten und mit bunten Knotenbändern reichlich versehenen Hofkleider der Herren von der Reise zerdrückt und unsauber; aber ein jeder trug noch die Insignien seines Hoch-Amtes zur Schau: der Schenk einen Halskragen aus goldenem Weinlaub, der Bäcker ein Brustzeichen von goldenen Ähren, die sich in dem Schneidenrund einer Sichel bogen.

»Nicht ich bin's«, wiederholte Joseph, »der euch das Haupt erheben kann, noch ist es der Amtmann. Alles, was wir tun können, ist, das Unbehagen, dem ihr durch eine dunkle Fügung verfallen seid, so gut und schlecht es gehe, ein wenig herabzusetzen, und ihr müßt verstehen, daß damit schon der Anfang gemacht ist, gerade dadurch, daß es euch in den ersten Stunden an allem fehlte. Denn fortan soll es euch wenigstens an einigem nicht mehr fehlen, und das werdet ihr nach der vollkommenen Entbehrung angenehmer empfinden als alles, was ihr hattet, als ihr euch noch salbtet mit Freudenöl, und was dieser leidige Ort auch

niemals gewähren kann. Ihr seht, in wie guter Meinung es geschah, Herr Gaugraf von Abôdu und Fürst von Menfe, daß man euch vorläufig so kurz hielt. Vor Ablauf einer Stunde werden hier zwei, wenn auch einfache, Bettstellen aufgeschlagen sein. Ein Lehnstuhl, zu abwechselndem Gebrauch, soll sich zu den Hockern gesellen. Ein Schabemesser, leider wohl nur aus Stein — ich bitte deswegen im voraus um Nachsicht —, wird zur Verfügung stehen, und eine sehr gute Augenschminke, schwarz, aber ins Grünliche spielend, weiß der Hauptmann selbst zu bereiten und wird euch auf meine Befürwortung gern und ruhig eine Quantität davon abtreten. Was einen Spiegel betrifft, so war es wieder nur wohl gemeint, daß ihr vorerst keinen hattet, denn es ist viel besser, daß ein solcher erst euer gesäubertes Bild aufnimmt und nicht euer gegenwärtiges. Euer Knecht, womit ich mich selber meine, besitzt einen kupfernen, ziemlich klaren, und wird ihn euch gern für die Dauer eures Aufenthaltes, der ja so oder so nur kurz bemessen sein kann, leihweise überlassen. Es wird euch angenehm sein, daß sein Rahmen und Griff von dem Zeichen des Lebens gebildet werden. Ferner mögt ihr euch zur rechten Seite des Häuschens täglich von zwei Wachsoldaten, die ich dazu anstellen werde, mit Wasser baden lassen und zur linken euren Leibesnöten genügen, was wohl zur Zeit das Vordringlichste ist.«
»Prächtig«, sagte der Mundschenk. »Prächtig für den Augenblick und in Ansehung der Umstände! Jüngling, du kommst wie die Morgenröte nach der Nacht und wie kühlender Schatten nach Sonnengluten. Wohl dir! Gesundheit! Du sollst leben! Dich grüßt der Herr der Traube! Führ uns zur Linken!«
»Was meinst du aber«, fragte der Bäcker, »mit ›So oder so‹ in Verbindung mit unserem Aufenthalt und mit ›kurz bemessen‹?«
»Ich meinte damit«, antwortete Joseph, »›Jedenfalls‹, ›Unbedingt‹ oder ›Ganz gewiß‹. Etwas derart Zuversichtliches meinte ich damit.«
Und er nahm Urlaub für diesmal von den Herren, indem er sich vor dem Bäcker noch etwas ehrerbietiger verneigte als vor dem Mundschenk.
Später am Tag kam er wieder, brachte ihnen ein Brettspiel zur Unterhaltung und erkundigte sich, wie sie gespeist hätten, was sie mehr oder weniger im Sinne von ›Ja, nun!‹ und mit dem Verlangen nach Gänsebraten beantworteten, worauf er ihnen etwas Ähnliches, einen gerösteten Wasservogel, versprach, dazu auch eine Art von Kuchen, wie der leidige Ort ihn eben böte. Ferner sollten sie stundenweise unter Bewachung auf dem Hofe vorm Geierhäuschen nach der Scheibe schießen und Kegel stürzen dürfen, wenn sie beföhlen. Sie dankten ihm sehr, baten ihn auch, dem Hauptmann zu danken für seine milde Veranstaltung, daß

sie nach der völligen Kahlheit des Anfangs einige Andeutungen der Bequemlichkeit nun so angenehm empfänden und hielten ihn, da sie gleich großes Vertrauen zu ihm gefaßt hatten, bei sich fest so lange wie möglich mit ihren Reden und Klagen, heute und an den folgenden Tagen, jedesmal, wenn er sich einstellte, nach ihrem Wohlsein und ihren Befehlen zu fragen, – nur daß sie dabei, in aller Redseligkeit, ebensoviel scheue Zurückhaltung und Verschlossenheit über die Gründe ihres Hierseins bewahrten, wie der Amtmann bei seinen ersten Mitteilungen hatte merken lassen.

Hauptsächlich litten sie unter ihren Verbrecher-Namen und konnten ihn nicht genug bitten, doch ja nicht zu glauben, daß dies in irgendeinem Sinne ihre wahren Namen seien.

»Es ist sehr zart von dir, Usarsiph, lieber Jüngling«, sagten sie, »daß du uns nicht mit den absurden Namen nennst, die man uns angehängt und unter denen man uns in diese Verwahrung gelegt. Aber es genügt nicht, daß du sie nicht über die Lippen bringst, sondern auch innerlich und bei dir selbst darfst du uns nicht so nennen und mußt vielmehr überzeugt sein, daß wir so unanständig nicht heißen, sondern ganz gegenteilig. Das wäre uns schon eine große Hilfe, denn es ängstigt uns ohnehin die Gefahr, daß diese verqueren Namen, da sie geschrieben stehen mit unauslöschlicher Tusche in unseren Papieren und in unseren Prozeßakten in der Schrift der Wahrheit, allmählich Wahrheit annehmen und wir so heißen in alle Ewigkeit!«

»Laßt gut sein, hohe Herren«, antwortete Joseph, »das geht vorüber, und es läuft im Grunde auf Schonung hinaus, daß man euch Decknamen verleiht unter diesen vorläufigen Umständen und eure eigentlichen nicht bloßstellt in der Schrift der Wahrheit. So seid ihr's gewissermaßen gar nicht, die in den Papieren und Anklageschriften stehen, und seid kaum die, die hier sitzen, sondern ›Gottverhaßt‹ und ›Thebens Abhub‹ sind es, die eure Entbehrungen dulden, aber nicht ihr.«

»Ach, wir sind's nun einmal, die sie dulden, wenn auch inkognito«, klagten sie untröstlich dagegen; »und du nennst uns ja auch in deiner Zartheit mit den Behängen von schönen Titeln und Ehrenpreis, womit wir bei Hof überkleidet waren: Erlaucht von Menfe, des Brotes Fürsten, nennst du uns in deiner Artigkeit, und des großen Traubenblutkelterers festliche Eminenz. Wisse aber, wenn du es noch nicht weißt, daß man uns all dieser Namen entkleidet hat, bevor man uns in dieses Gewahrsam brachte, und daß wir praktisch so nackend dastehen, wie wenn die Soldaten uns mit Wasser begießen zur Rechten des Häuschens, – nichts ist zur Zeit von uns übriggeblieben als ›Abschaum‹ und ›Gottverhaßt‹, – das ist das Entsetzliche!«

Und sie weinten.

»Wie ist es nur möglich«, fragte Joseph, indem er beiseite sah, wie es der Hauptmann bei seinen scheuen Eröffnungen getan, »wie ist es nur möglich, und wie in aller Welt mag es geschehen sein, daß Pharao wie ein oberägyptischer Leopard und wie das zürnende Meer gegen euch wurde und sein Herz einen Sandsturm hervorbrachte gleich dem Gebirge des Ostens, derart, daß ihr über Nacht aus euren Ehren fielet und zu uns hinabentrückt wurdet in die Haft der Verdächtigkeit?«
»Fliegen«, schluchzte der Mundschenk.
»Kreidestücke«, sagte der Oberbäcker.
Und dabei sahen sie ebenfalls scheu beiseite, ein jeder in anderer Richtung. Aber es war nicht viel Ausflucht im Häuschen für drei Paar Augen, und so trafen sich die Blicke aus Versehen und fuhren auseinander, um sich, wo sie hinflohen, wieder versehentlich mit anderen zu begegnen, — ein beklemmendes Spiel, welches Joseph durch sein Weggehen beenden wollte, da er sah, daß nichts weiter aus ihnen herauszubekommen war als ›Fliegen‹ und ›Kreidestücke‹. Aber sie wollten ihn nicht gehen lassen, sondern hielten ihn fest mit Reden, die ihn von der Unhaltbarkeit des Schuldverdachtes überzeugen sollten, der ihr Teil geworden, und von der Widersinnigkeit dessen, daß sie sollten Mesedsu-Rê und Bin-em-Wêse heißen.
»Nun bitte ich dich, bester Jüngling von Kanaan, lieber Ibrim«, sagte der Mundschenk. »Höre und sieh, wie könnte denn das wohl sein, und wie könnte ich, Gut-und-fröhlich-in-Theben, wohl etwas zu schaffen haben mit solcher Sache? Es ist absurd und widerspricht aller Ordnung; daß es Verleumdung und Mißverstand ist, schreit aus dem Wesen der Dinge hervor. Ich bin der Chef des Lebenslaubes und trage den Rankenstab vor Pharao, wenn er zum Festmahl schreitet, bei dem das Blut des Osiris strömt. Ich bin der Rufer, der Heil und Gesundheit und Prosit ruft, den Stab überm Kopfe schwingend. Ich bin der Mann des Kranzes, des Kranzes ums Haupt, des Kranzes um den schäumenden Becher! Sieh dir meine Backen an, nun, wo sie geglättet sind, wenn auch mit billigem Messer! Gleichen sie nicht der prallen Beere, wenn die Sonne den heiligen Saft darin kocht? Ich lebe und lasse leben, indem ich ›Zum Wohle‹ rufe und ›Lebe Hoch!‹ Sehe ich aus wie einer, der dem Gotte die Lade vermißt? Habe ich Ähnlichkeit mit dem Esel des Set? Man spannt dieses Tier nicht vor den Pflug mit dem Ochsen, man tut nicht Wolle mit Flachs zusammen im Kleide, der Rebstock trägt keine Feigen, und was nicht paßt, das paßt nun einmal nicht in der Welt! Ich bitte dich, urteile nach deinem gesunden Verstande, der das Gesetzte kennt und das Entgegengesetzte, das Eine und das ganz Andere, das Mögliche und das Unmögliche, — urteile, ob ich mitschuldig sein kann an dieser Schuld und teilhaftig des Unteilhaftigen!«

»Ich sehe wohl«, sagte danach Fürst Mersu-Rê, der Oberbäcker, indem er seitlich blickte, »daß die Worte des Gaugrafen ihren Eindruck auf dich nicht verfehlt haben, Mann von Zahi, begabter Jüngling, denn sie sind zwingend, und dein Urteil wird notwendig zu seinen Gunsten lauten. Darum rufe auch ich nun deine Gerechtigkeit an, überzeugt, daß du nicht hinter dir selbst zurückstehen wirst an Weltvernunft, indem du richtest auch über meinen Fall. Da du einsiehst, daß der Verdacht, unter dem wir Edlen stehen, nicht zu vereinbaren ist mit der Heiligkeit des Erz-Schenken-Amtes, wirst du auch zugeben, daß man ihn ebensowenig, um nicht zu sagen: erst recht nicht in Einklang bringen kann mit der Heiligkeit des meinen, die womöglich noch größer ist. Sie ist die älteste, früheste, frömmste – eine höhere gibt es vielleicht, eine tiefere nicht. Es ist ein Ausbund mit ihr, denn ein Ausbund ist es mit jedem Ding, dem das von ihm selbst abgeleitete Eigenschaftswort gebührt: sie ist die heilige und allerheiligste Heiligkeit! Eine Grotte und Kluft ist es mit ihr, in die man Schweine jagt zur Opferung und wirft Fackeln von oben hinein zur Unterhaltung des Urfeuers, das dort brennt zu erwärmend-fruchtbringender Triebkraft. Darum trage ich eine Fackel vor Pharao und schwinge sie nicht überm Kopf, sondern trage sie ernst und priesterlich vor mir her und vor ihm, wenn er zu Tische geht, um das Fleisch des beerdigten Gottes zu essen, welcher der Sichel entgegensprießt von unten hervor aus der Eide empfangenden Tiefe.«
Hier erschrak der Bäcker, und seine aufgezerrten Augen gingen mit einem Ruck noch weiter beiseite, so daß sie ganz in den Winkeln standen, das eine im äußeren, das andere im inneren Winkel. Es kam häufig vor, daß er über seine eigenen Worte erschrak und sie zurückzunehmen oder abzuändern versuchte, sich aber dabei nur noch tiefer hineinredete. Denn nach unten waren seine Worte gerichtet, und er konnte sie nicht herumdrehen.
»Erlaube mir, ich wollte das nicht sagen«, fing er von neuem an. »Ich wollte es so nicht sagen und hoffe dringend, daß du mich nicht mißhörst, kluger Knabe, dessen Weltverstand wir anrufen zugunsten unserer Unschuld. Ich spreche, aber wenn ich meinen Worten nachhorche, so wird mir bange, sie könnten dir klingen, als ob ich gegen meine Verdächtigkeit eine Weihe ins Feld führte, die so groß und tief ist, daß sie gleichsam schon etwas ins Bedenkliche spielt und darum nicht mehr zur Widerlegung der Verdächtigkeit taugt. Ich bitte dich, nimm all deinen Verstand zusammen und verirre dich nicht in die Meinung, daß die Über-Stärke eines Beweises ihn zur Ohnmacht verdamme als Beweis oder gar bewirke, daß er das Gegenteil beweist! Es wäre schrecklich und für die Gesundheit deines Urteils gefährlich, wenn du auf solche Gedanken kämest! Sieh mich an – wenn auch ich dich

nicht ansehe, sondern nach meinen Beweisen blicke. Ich – schuldig? Ich – in eine solche Sache verwickelt? Bin ich nicht der Oberste des Brotes, der Diener der irrenden Mutter, die mit der Fackel die Tochter sucht, der Fruchtbringerin, Allgeberin, der Erwärmenden, Grünenden, die das betäubende Blut zurückwies und dem Mehltrank den Vorzug gab, die den Menschen den Weizensamen und den Samen der Gerste brachte und zuerst mit gebogenem Pfluge die Scholle brach, daß mit milderer Nahrung mildere Sitte daraus hervorging, da vordem die Menschen Schilfknollen fraßen oder auch einer den anderen? Ihr gehöre ich und stehe heilig für sie, die im Wind auf der Tenne Körner und Spreu auseinander worfelt und das Ehrbare vom Unehrbaren sondert, der Gesetzgeberin, welche das Recht stiftet und maßregelt die Willkür. Überlege nun danach verstandesmäßig, ob ich mich eingelassen haben kann auf eine so finstere Sache! Sprich dein Urteil auf Grund dieser Ungereimtheit, welche nicht so sehr darauf beruht, daß die Sache finster ist, denn auch das Recht, gleich dem Brote, ist eine Sache der Finsternis und an den Schoß gebunden, der unten ist, wo die Rachegöttinnen wohnen, also daß man das heilige Gesetz den Hund der Göttin nennen könnte, noch um so eher, als der Hund in der Tat das ihr heilige Tier ist, von wo aus gesehen man auch mich, der ihr ebenfalls heilig ist, einen Hund nennen könnte . . .«

Hier erschrak er wieder fürchterlich, indem er die Augäpfel in die entgegengesetzten Winkel warf, und versicherte, daß er dies nicht habe sagen oder nicht so habe sagen wollen. Aber Joseph bat sie beschwichtigend alle beide, sie möchten es doch gut sein lassen und sich nicht so in Unkosten stürzen um seinetwillen. Er wisse es zu schätzen, sagte er, und sei geehrt, daß sie ihm ihre Sache vortrügen, oder wenn nicht die Sache, so doch die Gründe, weshalb es nicht ihre Sache gewesen sein könne. Noch weniger aber sei es seine Sache, sich aufzuwerfen zum Richter über sie, sondern nur zu ihrem Aufwärter sei er bestellt, der nach ihren Befehlen frage, wie sie's gewohnt seien. Freilich seien sie überdies gewohnt, daß diese Befehle auch ausgeführt würden, wozu er zu seinem Leidwesen meistens nicht in der Lage sei. Aber wenigstens zur Hälfte hätten sie es auf diese Weise doch, wie sie's gewohnt seien. Und er fragte, ob er das Vergnügen habe, noch irgendeinen Befehl der Herren mit auf den Weg zu nehmen.

Nein, sagten sie traurig, sie wüßten nichts; es fielen einem gar keine Befehle mehr ein, wenn man wisse, daß sie doch keine Folgen hätten. Ach, aber warum er schon gehen wolle! Er solle ihnen lieber sagen, wie lange er meine, daß die Untersuchung ihrer Sache sich wohl hinziehen werde, und wie lange sie in diesem Loche würden auszuharren haben.

Er würde es ihnen sofort getreulich sagen, erwiderte er, wenn er es wüßte. Aber er wisse es begreiflicherweise nicht, und nur einen Überschlag der Vermutung könne er machen: zu dem Ende und unverbindlichen Resultat, daß es dreißig und zehn Tage im ganzen wohl höchstens und mindestens dauern werde, bis ihnen das Los falle.
»Ach, wie lange!« klagte der Mundschenk.
»Ach, wie kurz!« rief der Bäcker, erschrak aber sogleich entsetzlich über seinen Ruf und versicherte, daß er ebenfalls ›wie lange!‹ habe sagen wollen. Aber der Mundschenk dachte nach und bemerkte, Josephs Überschlag und Kalkulation habe tatsächlich Hand und Fuß; denn über dreißig und sieben und drei Tagen, von ihrer Ankunft gerechnet, sei ja Pharao's schöner Geburtstag, und das sei bekanntlich ein Tag der Gnade und des Gerichtes, an welchem auch ihnen mit vieler Wahrscheinlichkeit der Spruch wohl fallen möge.
»Ich habe es meines Wissens nicht bedacht«, antwortete Joseph, »und meine Kalkulation nicht darauf errichtet, sondern es war nur eben so eine Eingebung. Da sich aber nun herausstellt, daß genau auf diesen Zeitpunkt Pharao's Großer Geburtstag fällt, so seht ihr wohl, daß, was ich sage, schon anfängt, in Erfüllung zu gehen.«

Vom stechenden Wurm

Damit ging er und schüttelte den Kopf über seine beiden Pflegebefohlenen und über ihre ›Sache‹, von der ihm schon damals mehr bekannt war, als er sich den Anschein geben durfte. Denn es durfte sich niemand in beiden Ländern den Anschein geben und sich vermessen, mehr davon zu wissen, als den Menschen für zuträglich erachtet wurde; dennoch aber war nicht zu verhindern, daß sich die gefährliche Angelegenheit, so dicht sie von oben her in eine Wolke von Umschreibungen und Vertuschungen, von ›Fliegen‹ und ›Kreidestücken‹ und unkennntlich gemachten Namen wie ›Gottverhaßt‹ und ›Wêsets Abhub‹ gehüllt wurde, sich sehr bald im ganzen Reiche nach seiner Länge und Breite herumsprach und jedermann, mochte er sich auch der vorgeschriebenen Wendungen dafür bedienen, in Kürze Bescheid wußte, was hinter diesen Verkleinerungen und Beschönigungen steckte: eine Geschichte, die bei aller Schaurigkeit der populären Anmutung, um nicht zu sagen eines festlichen Gepräges nicht entbehrte, da sie als die Wiederholung und Wiederkehr, kurzum als das Gegenwärtigwerden eines uralt gegründeten und vertrauten Vorganges erschien.
Geradeheraus gesagt hatte man Pharao nach dem Leben getrachtet – und dies obgleich die Tage der Majestät dieses alten Gottes

offenkundig ohnedies gezählt waren und, wie ihr wißt, Ihre Neigung, sich wieder mit der Sonne zu vereinigen, weder durch die Verordnungen der Zauberer und Körpergelehrten des Bücherhauses, noch sogar durch die Ischtar des Weges hatte aufgehalten werden können, die Ihr Bruder und Schwäher vom Euphrat, Tuschratta, König über das Land Chanigalbat oder Mitanniland, Ihr sorglicherweise gesandt hatte. Daß aber das Große Haus, Si-Rê, der Sohn der Sonne und Herr der Diademe, Neb-ma-Rê-Amenhotpe, alt und krank war und kaum noch Luft bekam, war kein Grund dagegen, daß man ihm etwas antäte, sondern es war, wenn man wollte, ein sehr guter Grund *dafür*, so schaurig natürlich gleichwohl das Unternehmen blieb.
Allbekannt nämlich war, daß ganz ursprünglich Rê selbst, der Sonnengott, König beider Länder oder vielmehr Herrscher auf Erden und über alle Menschen gewesen war und sie im hehrsten Segensglanze regiert hatte, solange seine Jahre noch jung, vollmännlich und spätmännlich gewesen waren, ja, noch bedeutende Zeitstrecken in sein beginnendes und sich erhöhendes Greisenalter hinein. Erst als er höchst greis geworden war und schmerzliche Beschwerden und Gebrechen des Alters, wenn auch in kostbarer Form, der Majestät dieses Gottes genaht waren, hatte er für gut befunden, der Erde abzudanken und sich ins Obere zurückzuziehen. Denn allmählich waren seine Knochen zu Silber, sein Fleisch zu Gold, seine Haare aber zu echtem Lapislazuli geworden, eine sehr schöne Form der Altersversteifung, die aber trotzdem mit allerlei Pein und Krankheit verbunden gewesen war, gegen welche die Götter selbst tausend Heilmittel auszufinden sich bemüht hatten, allein vergebens, da gegen die Versilberung, Vergoldung und Versteinerung eines so hohen Alters kein Kraut gewachsen ist. Aber selbst unter diesen Umständen noch immer hatte der greise Rê an seiner irdischen Herrschaft festgehalten, obgleich er hätte wahrnehmen müssen, daß diese angesichts seiner Altersschwäche sich zu lockern und Furchtlosigkeit, ja – Frechheit rings um ihn her einzureißen begonnen hatte.
Isis zumal, die Große der Insel, Eset, listenreicher als Millionen Wesen, erachtete damals ihre Stunde für gekommen. Ihr Wissen umfaßte Himmel und Erde, wie dasjenige Rê's selbst, des überalterten Königs. Nur eines wußte sie nicht und gebot zur Beeinträchtigung ihrer Wissenschaft nicht darüber: das war der letzte und geheimste Name des Rê, sein äußerster, durch dessen Kenntnis man Gewalt über ihn gewann. Denn er hatte sehr viele, die der Reihe nach immer geheimer wurden, sich aber doch der Erforschung nicht ganz entzogen. Den allerletzten nur und gewaltigsten gab er überhaupt nicht her, und wem er den hätte nennen müssen, der hätte ihn bezwungen und ewig überschwungen, ihn unter sich gebracht durch höchste Wissensmacht.

Darum erdachte und erschuf Eset einen stechenden Wurm, der Rê ins goldene Fleisch stechen sollte, damit die unleidlichen Schmerzen, die der Stich ihm verursachen würde, und von denen die Schöpferin des Wurmes allein ihn würde befreien können, ihn zwängen, der großen Eset seinen Namen zu nennen. Wie sie's aber erdacht, so ward es vollbracht. Der alte Rê wurde gestochen, und unter des Stiches Qualenzwang blieb ihm nichts übrig, als mit einem seiner verborgenen Namen nach dem anderen herauszurücken, immer hoffend, daß die Göttin sich mit einem der schon sehr verborgenen zufriedengeben werde. Das aber tat sie nicht, sondern beutelte ihn aus bis aufs letzte, bis er ihr auch den allergeheimsten genannt hatte und ihre Wissensgewalt über ihn vollkommen war. Danach kostete es sie nichts mehr, ihn vom Stiche zu heilen; doch genas er nur kümmerlich, in den Grenzen, in denen ein so greises Wesen noch zu genesen vermag, und wählte bald darauf das himmlische Altenteil. –
Soweit die Ur-Kunde, die jedem Kinde in Keme bekannt war und die dafür sprach, daß man Pharao etwas antäte, da sein Zustand nachgerade gar zu sehr und bis zur Verwechslung an den jenes müden Gottes erinnerte. Wer sich nun aber den Vorgang von einst besonders und ganz persönlich zu Herzen genommen hatte, war eine gewisse Insassin von Pharao's Frauenhaus gewesen, diesem geschlossenen und wohlbewachten, dem Palaste Merima't in höchster Zierlichkeit angegliederten Pavillon, wohin Pharao sich noch immer manchmal hinübertragen ließ, natürlich nur, um eine oder die andere der dort verwahrten Huldinnen am Kinn zu krauen, sie auch wohl auf dem Brette der dreißig Felder zu überwinden und sich dabei von dem duftigen Corps der übrigen durch Tanz, Gesang und Saitenspiel erfreuen zu lassen. Öfters sogar vergnügte er sich gerade mit derjenigen auf dem Brette, die die Geschichte von Isis und Rê persönlich nahm und sich dazu hinreißen ließ, sie vergegenwärtigen zu wollen. Keine Erzählung, und sei sie der letzten Einzelheiten dieser Geschichte noch so kundig, wüßte ihren Namen zu nennen. Er ist vertilgt und ausgemeißelt aus aller Überlieferung; die Nacht ewigen Vergessens bedeckt ihn. Und doch war diese Frau zuzeiten ein bevorzugter Neben-Liebling Pharao's gewesen und hatte ihm zwölf oder dreizehn Jahre früher, als dieser noch hie und da zu zeugen geruhte, einen Sohn geboren, Noferka-Ptach geheißen – dieser Name ist erhalten –, der als göttlicher Same eine auserlesene Erziehung genoß, und um dessentwillen sie, der Neben-Liebling, berechtigt war, die Geierhaube zu tragen – keine ganz so wundervolle wie Teje, die Große Königliche Gemahlin selbst, aber immerhin eine goldene Geierhaube. Dies und ihre Mutterschwäche für Noferka-Ptach, den göttlichen Samen, wurde dem Weibe zum Verhängnis. Denn die Haube verführte sie dazu, sich mit der listenreichen

Eset zu verwechseln, und in die dadurch vorgezeichneten Gedankengänge mischte die ehrgeizige Affenliebe für ihr teures Halb-Blütchen sich ein, also daß sie in ihrem engen, aber anschlägigen und von Ur-Kunde verwirrten Hirn beschloß, Pharao vom Wurme stechen zu lassen, einen Palast-Umsturz heraufzubeschwören und statt des ohnedies kränkelnden Horus Amenhotep, der geborenen Folgesonne, ihres eigenen Schoßes Frucht, den Noferka-Ptach, auf den Thron der beiden Länder zu setzen.

Wirklich waren die Vorbereitungen zu dem Schlage, dessen Ziel es war, die Dynastie zu stürzen, eine neue Zeit herbeizuführen und jenen nie zu nennenden Neben-Liebling zur Göttin-Mutter zu erheben, schon sehr weit gediehen gewesen. Pharao's Frauenhaus war seine Brutstätte, aber durch einige Haremsbeamte und Offiziere der Torwache, die nach neuen Dingen begierig gewesen, war die Verbindung hergestellt worden einerseits mit dem Palaste selbst, wo eine Anzahl von Freunden, und zwar zum Teil sehr hohe, ein Erster Wagenlenker des Königs, der Verwalter der Obstkammer des Gottes, der Große der Gendarmen, der Vorsteher der Rinderherden, der Oberste der Salben vom Schatzhause des Herrn beider Länder und andere, für das Unternehmen gewonnen wurden — und andrerseits mit der hauptstädtischen Außenwelt, wo durch die Frauen jener Offiziere die männliche Sippschaft von Pharao's Huldinnen ins Einvernehmen gezogen und angehalten wurde, Wêses Bevölkerung mit bösen Reden aufzubringen gegen den alten Rê, der nur noch aus Gold, Silber und Lapislazuli bestand.

Alles in allem waren es zweiundsiebzig Verschwörer, die insgeheim zu dem Plane standen, eine verheißungsvoll vorgeschriebene Zahl: denn zweiundsiebzig Verschwörer waren es einst gewesen, die mit dem roten Set den Usir in die Lade gelockt hatten, und auch diese wiederum schon hatten gut kosmische Gründe dafür gehabt, an Zahl nicht mehr und nicht weniger zu sein als zweiundsiebzig. Denn so viele Fünferwochen sind es ja, welche die dreihundertsechzig Tage des Jahres machen, ohne die Übertage; und zweiundsiebzig Tage hat das dürre Fünftel des Jahres, wenn der Pegel den tiefsten Stand des Ernährers zeigt und der Gott in sein Grab sinkt. Wo also eine Verschwörung stattfindet in der Welt, da ist es üblich und nötig, daß die Zahl der Verschwörer zweiundsiebzig betrage. Und wenn der Anschlag ein Fehlschlag ist, so kann man sicher sein, daß er, wäre diese Zahl nicht eingehalten worden, noch viel gründlicher fehlgeschlagen wäre.

Der gegenwärtige nun war fehlgeschlagen, obgleich er von bestem Vorbilde eingegeben war und alle Anstalten dazu mit größter Umsicht waren getroffen worden. Dem Obersten der Salben war es sogar gelungen, eine Zauberschrift aus Pharao's Bü-

cherei zu entwenden und nach ihren Angaben gewisse Wachsbildchen herzustellen, die, da- und dorthin geschmuggelt, durch die Erzeugung magischer Verwirrung und Verblendung, dem Unternehmen zustatten kommen mußten. Beschlossen war, Pharao im Brot oder Wein oder in beiden zugleich zu vergeben und den daraus erwachsenden Wirrwarr zu einem schlagenden Streich im Palaste zu benützen, welcher, verbunden mit einem Aufstande der drüberen Stadt, zur Ausrufung der neuen Zeit und zur Erhebung des Bastärdchens Noferka-Ptach auf den Thron der Länder geführt hätte. Und dann war alles aufgeflogen. Sei es, daß einer der zweiundsiebzig sich im letzten Augenblick größeren Vorteil für seine Laufbahn und für die Schönheit der Schildereien in seinem Grabe davon versprochen hatte, wenn er die Treue wählte, oder daß ein polizeilicher Lockvogel sich anfangs gleich in die Beratungen eingeschlängelt hatte: die Liste der Verabredeten, peinlich genug zu lesen, da sich eine Reihe von wirklichen Herzensfreunden des Gottes und Betretern des Morgengemaches darunter befanden, war vor Pharao gekommen – im ganzen richtig, wenn auch von einzelnen Irrtümern und Verwechslungen nicht frei –, und die Gegenhandlungen waren schnell, leise und durchgreifend gewesen. Die Isis des Frauenhauses war geschwind von Eunuchen erwürgt, ihr Söhnchen ins äußerste Nubien versandt worden, und während ein geheimer Ausschuß zur Untersuchung des ganzen Planes und jeder Einzelschuld zusammentrat, waren die Bloßgestellten unter der Gesamtbezeichnung ›Abscheu des Landes‹ und dazu noch unter grausamer Entstellung ihrer Eigennamen in verschiedenen Gewahrsamen verschwunden, wo sie unter ungewohnten Bedingungen ihrem Schicksal entgegenharrten.
So aber waren Pharao's Oberster Bäcker und Mundschenk in das Gefängnis geraten, wo Joseph gefangenlag.

Joseph hilft aus als Deuter

Als sie nun schon dreißig und sieben Tage daselbst gesessen hatten und Joseph ihnen wie immer am Morgen aufwartete, um sich zu erkundigen, wie sie geruht hätten, und nach ihren Befehlen zu fragen, fand er die Herren in einer Gemütsverfassung, die zugleich erregt, bedrückt und verärgert zu nennen war. Sie hatten schon angefangen, sich an ihren vereinfachten Zustand zu gewöhnen, und aufgehört zu jammern; denn es ist nicht nötig, daß der Mensch lebe, wie sie gelebt hatten, zwischen Blaustein und Grünstein und mit Dienern zum Krauen der Fußsohlen, sondern mit einem Badeplatz zur Rechten und einem Abtritt zur Linken und etwas Gelegenheit zum Pfeileschießen und Neunestürzen statt der herrschaftlichen Vogeljagd geht es schließlich

auch ganz gut. Heute aber zeigten sie sich ausgesprochen rückfällig in der Verwöhntheit und ergingen sich, sobald nur Joseph zu ihnen getreten war, in den alten bitteren Klagen darüber, wie ihnen doch alles und selbst das Notwendigste abgehe, und wie sich ihr Leben dahier, so redlich sie auch sich mit ihm zu befreunden versucht hätten, doch immer wieder als ein Hundeleben herausstelle.
Sie hätten geträumt diese Nacht, sagten sie auf Josephs teilnehmende Frage, beide gleichzeitig, ein jeglicher seinen eigenen Traum; und es seien Träume von der sprechendsten Lebendigkeit gewesen, höchst eindringlich, unvergeßlich und von ganz eigentümlichem Geschmack für die Seele, wahre Sinn-Träume mit dem Zeichen ›Versteh mich recht‹ an der Stirne, und welche nach Auslegung geradezu schrien. Zu Hause hätten sie jeder einen eigenen Traumdeuter gehabt, gewiegte Experten für allerlei Ausgeburten der Nacht, mit Augen für jede Einzelheit eines Gesichtes, dem ein Anspruch auf Bedeutung und Vorbedeutung anzumerken gewesen sei, ausgestattet überdies mit den besten Traum-Katalogen und -Kasuistiken babylonischer sowohl wie einheimischer Herkunft, worin sie nur hätten nachzuschlagen brauchen, wenn ihnen selbst die Idee ausgegangen wäre. Notfalls, in schwer zu erschließenden und nicht dagewesenen Fällen, hätten sie, die Herren, ein Consilium von Tempel-Propheten und Schriftgelehrten zusammenrufen können, das mit vereinten Kräften der Sache bestimmt auf den Grund gekommen wäre. Kurzum, in jedem Falle seien sie prompt, zuverlässig und herrschaftlich bedient worden. Aber nun und hier?! Da hätten sie nun geträumt, ein jeder seinen besonderen, höchst auffallend betonten und eigentümlich gewürzten Traum, von dem ihm die Seele voll sei, und niemand sei da, in dieser verfluchten Grube, der ihnen die Träume deute und sie bediene, wie sie's gewohnt seien. Das sei eine Entbehrung, weit härter als die von Daunen, Gansbraten und Vogeljagd, und lasse sie ihre unleidliche Reduziertheit recht bis zu Tränen empfinden.
Joseph hörte ihnen zu und schob die Lippen ein wenig empor.
»Ihr Herren«, sagte er, »wenn es euch für den Anfang tröstlich sein kann, daß jemand euch euren Kummer nachfühlt, so seht ihr in mir einen, der das tut! Überdies aber könnte dem Mangel, der euch bedrückt und beleidigt, allenfalls abzuhelfen sein. Ich bin als euer Diener und Pfleger bestellt und bin sozusagen für alles da, warum nicht auch schließlich für Träume? Ich bin nicht ganz unbewandert auf diesem Gebiet und darf mich einer gewissen Familiarität mit Träumen rühmen — nehmt das Wort nicht für ungut, nehmt es für zutreffend, denn in meiner Familie und Sippe ist allezeit viel und anzüglich geträumt worden. Mein Vater, der Herdenkönig, hatte an bestimmter Stelle, auf Reisen,

einen Traum ersten Ranges, der sein ganzes Wesen für immer mit Würde gefärbt hat, und von dem ihn erzählen zu hören ein außerordentliches Vergnügen war. Und ich selbst hatte in meinem Vorleben so viel mit Träumen zu tun, daß ich unter meinen Brüdern sogar einen Necknamen hatte, der auf diese Eigenheit gutmütig anspielte. Ihr habt im Vorliebnehmen so große Übung gewonnen – wie wäre es, wenn ihr mit mir vorliebnähmet und mir eure Träume erzähltet, daß ich versuche, sie euch zu deuten?«

»Ja, aber!« sagten sie. »Alles gut. Du bist ein freundlicher Jüngling und hast auch eine Art, mit deinen hübschen, ja schönen Augen schleierig in eine Weite zu blicken, da du von Träumen sprichst, daß wir beinahe Vertrauen fassen könnten in deine Fähigkeit, uns auszuhelfen. Bei alledem aber ist es doch zweierlei, zu *träumen* und *Träume zu deuten*!«

»Sagt das nicht«, erwiderte er. »Sagt es nicht ohne weiteres! Mit der Träumerei möchte es wohl ein Rundes und Ganzes sein, worin Traum und Deutung zusammengehören und der Träumer und Deuter nur scheinbar zweie und unvertauschbar, in Wirklichkeit aber vertauschbar und geradezu ein und derselbe sind, denn sie machen zusammen das Ganze aus. Wer da träumt, der deutet auch, und wer da deuten will, der muß geträumt haben. Ihr habt unter sehr üppigen Umständen überflüssiger Geschäftsteilung gelebt, Herr Fürst des Brotes und Exzellenz Erzschenk, so daß ihr träumtet und die Deutung eurer Hauspropheten Sache sein ließet. Im Grunde aber und von Natur ist jedermann seines Traumes Deuter, und nur aus Eleganz läßt er sich mit der Deutung bedienen. Ich will euch das Geheimnis der Träumerei verraten: die Deutung ist früher als der Traum, und wir träumen schon aus der Deutung. Wie käme es auch sonst, daß der Mensch es ganz wohl weiß, wenn der Deuter ihm falsch deutet, und daß er ruft: ›Pack dich, du Stümper! Ich will einen anderen Deuter haben, der mir Wahrheit deutet!‹ Nun denn, versucht es mit mir, und wenn ich stümpere und euch nicht nach dem eigenen Wissen deute, so jagt mich davon mit Schimpf und Schande!«

»Ich will nicht erzählen«, sagte der Oberbäcker. »Ich bin es besser gewöhnt und ziehe es vor zu darben, wie in allen Stücken, so auch in diesem, ehe daß ich dich Unbestallten zum Deuter nähme!«

»Ich will erzählen!« sagte der Mundschenk. »Denn wahrlich, ich bin so begierig nach Deutung, daß ich mit dem ersten besten vorliebnehme, besonders wenn er so vielversprechend schleierig zu blicken versteht und einige Familiarität mit Träumen nachweisen kann. Mach dich bereit, Jüngling, zu hören und zu deuten, aber nimm dich zusammen, wie auch ich mich äußerst zusammennehmen muß, um meinem Traume die rechten Worte zu finden und nicht sein Leben zu töten durch meine Erzählung. Denn er war so überaus lebendig und deutlich und von unnachahmlicher Würze, – da man denn leider ja weiß, wie so ein Traum einschnurrt in Worten und nur noch die Mumie und das dürre Wikkelbild ist dessen, was er war, als man ihn träumte und als er grünte, blühte und fruchtete wie der Weinstock, der vor mir war in diesem meinem Traume, in dessen Erzählung ich mich damit bereits betreffe. Denn mir war, ich wäre mit Pharao in seinem Weingarten und in der gebogenen Laube seines Weingartens, wo mein Herr ruhte. Und vor mir war ein Weinstock, ich sehe ihn noch, es war ein absonderlicher Weinstock und hatte drei Reben. Versteh mich: Er grünte und hatte Blätter gleich Menschenhänden, aber wiewohl in der Laube schon alles voll Trauben hing, blühte und fruchtete dieser noch nicht, sondern das geschah erst vor meinen Augen im Traum. Siehe nämlich: Er wuchs vor ihnen und begann zu blühen, indem er liebliche Blütenbüschel hervorsandte zwischen seinem Laube, und seine drei Reben trieben Trauben, die reiften zusehends mit Windesschnelle, und ihre purpurnen Beeren wurden prall wie meine Backen und strotzend wie keine sonst ringsumher. Da freute ich mich und pflückte von den Trauben mit der Rechten, denn in der Linken hielt ich Pharao's Becher, der halb voll gekühlten Wassers war. Darein drückte ich mit Gefühl den Saft der Beeren, wobei ich mich, glaub' ich, erinnerte, daß du, Jüngling, uns manchmal ein wenig Rebsaft in Wasser drückst, wenn wir Wein befehlen, und gab den Becher Pharao in seine Hand. Und das war alles«, schloß er kleinlaut, enttäuscht von seinen Worten.

»Es ist nicht wenig«, antwortete Joseph, indem er die Augen öffnete, die er geschlossen gehalten hatte, während er ihm mit geneigtem Ohr lauschte. »Da war der Becher, und war klares Wasser darin, und du drücktest eigenhändig den Saft der Beeren hinein vom Stock mit den drei Reben und gabst ihn dem Herrn der Kronen. Das war reine Gabe und waren keine Fliegen darin. Soll ich dir deuten?«

»Ja, deute!« rief jener. »Ich kann's kaum erwarten.«

»Dies ist die Deutung«, sprach Joseph. »Drei Ranken, das sind drei Tage. Über drei Tage wirst du das Wasser des Lebens empfangen, und Pharao wird dein Haupt erheben und den Schandnamen von dir nehmen, daß du ›Gerecht in Theben‹ heißest wie zuvor, und wird dich wieder an dein Amt stellen, daß du ihm den Becher in die Hand gebest nach der vorigen Weise, da du sein Schenk warst. Und das ist alles.«

»Vorzüglich«, rief da der Dicke. »Das ist eine liebe, vorzügliche, mustergültige Deutung, ich bin bedient damit wie noch nie im Leben, und du hast, süßer Jüngling, meiner Seele damit einen unnennbaren Dienst erwiesen. Drei Reben – drei Tage! Wie du

das so glatthin aussprichst, du Kluger! – Und ›Ehrlich in Theben‹ wieder und nach der vorigen Weise und wieder Pharao's Freund! Ich danke dir, Liebling, ich danke dir recht, recht sehr.«
Und er saß da und weinte vor Freude.
Joseph aber sprach zu ihm: »Gaugraf von Abôdu, Nefer-em-Wêse! Ich habe dir wahrgesagt nach deinem Traum – es war leicht geschehen und ist gern geschehen. Ich freue mich, daß ich dir freudige Deutung geben konnte. Bald wirst du umringt werden um deiner Reinigung willen; ich aber hier in der Enge bin der erste Gratulant. Euer Diener und Hofmeister war ich durch siebenunddreißig Tage und will's noch drei Tage sein nach des Hauptmanns Verordnung, indem ich nach eueren Befehlen frage und euch Andeutungen der Bequemlichkeit verschaffe, so gut es die Umstände erlauben. Ich bin zu euch eingetreten morgens und abends ins Geierhäuschen und war euch wie ein Engel Gottes, wenn ich mich so ausdrücken darf, in dessen Brust ihr euer Leid schütten konntet, und der euch tröstete über das Ungewohnte. Nach mir aber habt ihr nicht viel gefragt. Und doch bin ich auch nicht für dieses Loch geboren, noch hab' ich's mir zum Aufenthalte gewählt, sondern bin hierher geraten, ich weiß nicht wie, und eingelegt worden als Königssklave und Sträfling für eine Schuld, die nur eine Verdrehung ist vor Gott. Euch war die Seele zu voll von eigenem Leide, als daß ihr auch noch viel Sinn und Frage hättet haben können für meines. Vergiß mich aber nicht und meine Dienste, Gaugraf-Oberschenk, sondern gedenke meiner, wenn du in der Herrlichkeit sitzest wie zuvor! Erwähne mich vor Pharao und mach ihm bemerklich, daß ich hier sitze aus purer Verdrehung, und bitte für mich, daß er mich gnädig aus diesem Zuchthause führe, wo ich nicht gerne bin. Denn gestohlen, schlechthin gestohlen bin ich worden schon als Knabe aus meiner Heimat hinab nach Ägyptenland und gestohlen hinab in diese Grube – und bin wie der Mond, wenn ein widerwärtiger Geist ihn festhielte auf seiner Bahn, daß er sie nicht glänzend dahinziehen könnte, den Göttern, seinen Brüdern, voran. Willst du das für mich tun, Gaugraf-Oberschenk, und mich dort erwähnen?«
»Aber ja, aber tausendmal ja!« rief der Dicke. »Ich verspreche dir's, daß ich dich erwähnen will bei erster Gelegenheit, wenn ich wieder vor Pharao stehe, und will ihn erinnern jedes folgende Mal, wenn's sein Geist nicht gleich aufnimmt! Das wäre des Erdferkels, wenn ich nicht dein gedenken und dich nicht erwähnen wollte zum besten, denn ob du gestohlen hast oder gestohlen bist, das ist mir ganz einerlei, erwähnt sollst du sein, erwähnt und begnadigt, du Honigjunge!«
Und er umarmte Joseph und küßte ihn auf den Mund und auf beide Wangen.

»Daß ich auch geträumt habe«, sagte der Lange, »das scheint hier ganz in Vergessenheit geraten zu sein. Ich habe nicht gewußt, Ibrim, daß du ein so geschickter Deuter bist, ich hätte sonst deine Aushilfsdienste nicht von mir gewiesen. Jetzt bin ich geneigt, dir auch meinen Traum zu erzählen, so gut das in Worten geschehen kann, und du sollst ihn mir deuten. Mach dich bereit, zu hören!«

»Ich höre«, antwortete Joseph.

»Was mir träumte«, begann der Bäcker, »war dies, und es war das Folgende. Es träumte mir – aber da siehst du, wie spaßhaft es zuging in meinem Traum, denn wie kam ich, der Fürst von Menfe, der seinen Kopf doch wahrhaftig nicht in den Backofen steckt, wie kam ich dazu, daß ich wie ein Bäckerjunge und wie ein Austräger von Kipfeln und Kringeln – genug aber, siehe, ich ging daher in meinem Traum und trug auf meinem Haupte drei Körbe mit Weißgebäck, einen über dem anderen, von der flachen Art und fein ineinandergestellt, ein jeder mit allerlei Backwerk belegt aus der Palastbäckerei, und in dem obersten lag frei die gebackene Speise für Pharao, die Waffeln und Brezeln. Da kamen Vögel geflogen mit Schwingenschwung, die Krallen zurückgelegt im Fluge, mit vorgestreckten Hälsen und Glotzaugen, und krächzten. Und diese Vögel erfrechten sich und stießen hin und fraßen von der Speise auf meinem Kopfe. Ich wollte die freie Hand heben, um damit über den Körben zu wedeln und das Geschmeiß zu verscheuchen, doch gelang es mir nicht, lahm herab hing die Hand. Und sie hackten drein, und war um mich ihr Wehen, das nach Vogel roch mit fauliger Penetranz ...« Hier erschrak der Bäcker nach seiner Art, entfärbte sich und suchte zu lächeln mit seinem mißlichen Mundwinkel. »Das heißt«, sagte er, »du darfst dir die Vögel und ihren Windgeruch noch ihre Schnäbel und Glotzaugen auch wieder nicht allzu garstig vorstellen. Es waren Vögel wie andere mehr, und wenn ich sagte: sie hackten – ich erinnere mich nicht genau, ob ich so sagte, aber es mag sein –, so war das ein etwas lebhaft gewähltes Wort, um dir meinen Traum begreiflich zu machen. Sie pickten, hätte ich sagen sollen. Die Vöglein pickten mir aus dem Korbe, denn sie dachten wohl, ich wollte sie füttern, da ja der oberste Korb auf meinem Haupte nicht zugedeckt war und war kein Tuch darüber gebreitet, – kurz, alles verhielt sich recht natürlich in diesem meinem Traum, mit Ausnahme dessen, daß ich, der Fürst von Menfe, selber die Backwaren auf dem Kopfe trug, und allenfalls noch dessen, daß es mir nicht gelingen wollte, zu wedeln, aber vielleicht wollt ich's nicht, weil mich die gastenden Vöglein freuten. Und das war alles.«

»Soll ich dir nun deuten?« fragte Joseph.

»Wie dir's beliebt«, antwortete der Bäcker.

»Drei Körbe«, sprach Joseph, »das sind drei Tage. In dreien Tagen wird Pharao dich aus diesem Hause führen und wird dir das Haupt erheben, indem er dich ans Holz heftet und an den Pfahl, der da aufrecht steht, und die Vögel des Himmels werden dein Fleisch von dir essen. Und das ist leider alles.«
»Was sagst du da!« rief der Bäcker, saß nieder und verbarg das Gesicht in den Händen, und zwischen seinen beringten Fingern sprangen die Tränen hervor.
Joseph aber tröstete ihn und sprach:
»Weine nicht allzusehr, Erlaucht-Großbäcker, und zerfließe du auch nicht in Freudentränen, Meister vom Kranze! Sondern nehmt es beide mit Würden, wie's nun einmal ist und wie ihr seid und wie euch geschieht! Mit der Welt ist es auch ein Rundes und Ganzes und hat ein Oben und Unten, ein Gut und Böse, aber man soll nicht allzuviel Wesens machen von dieser Zweiheit, denn im Grunde ist Ochs wie Esel und sind vertauschbar und machen zusammen das Ganze aus. Seht's an den Tränen, die ihr beide vergießt, daß der Unterschied zwischen euch Herren nicht gar so groß ist. Du, Eminenz-Prositrufer, überhebe dich nicht, denn nur sozusagen bist du gut, und ich glaube, deine Unschuld besteht darin, daß man gar nicht an dich herangetreten ist von wegen des Bösen, weil du eine Plaudertasche bist und man dir nicht traute, so daß du vom Bösen nichts zu wissen bekamst. Auch wirst du nicht meiner gedenken, wenn du in dein Reich kommst, obgleich du's versprochen hast, ich sage es dir im voraus. Oder erst sehr spät wirst du's tun, wenn du mit der Nase gestoßen wirst auf mein Andenken. Wenn du dann meiner gedenkst, so denke daran, wie ich's dir im voraus sagte, daß du nicht meiner gedenken wirst. Du aber, Bäckermeister, verzweifle nicht! Denn ich glaube, du hast dich dem Bösen verschworen, weil du's für ehrwürdig vorgeschrieben hieltest und es mit dem Guten verwechseltest, wie es denn wohl geschehen mag. Siehe, du bist des Gottes, wenn er unten ist, und dein Genoß ist des Gottes, wenn er oben ist. Aber Gottes seid ihr beide, und Haupterhebung ist Haupterhebung, sei's auch am Kreuz- und Querpfahl des Usir, an dem man wohl auch einmal einen Esel erblickt, zum Zeichen, daß Set und Osiris derselbe sind.«
So Jaakobs Sohn zu den Herren. Drei Tage aber, nachdem er ihnen ihre Träume gedeutet, wurden sie abgeholt aus dem Gefängnis, und beiden wurde das Haupt erhoben, dem Schenken in Ehren, dem Bäcker in Schanden, denn er wurde ans Holz geheftet. Der Schenke aber vergaß Josephs vollständig, da er nicht an das Gefängnis denken mochte und also denn auch an jenen nicht.

Zweites Hauptstück
Die Berufung

Neb-nef-nezem

Nach diesen Geschichten blieb Joseph noch zwei Jahre im Kerker und in seiner zweiten Grube, damit er das Alter erreichte und dreißig würde, ehe er daraus hervorgezogen wurde in höchster, ja atemloser Eile, da es nun Pharao selbst gewesen war, der geträumt hatte. Denn nach zwei Jahren hatte Pharao einen Traum – er hatte *zwei* Träume; aber da sie im wesentlichen auf das gleiche hinausliefen, so kann man auch sagen, Pharao habe *einen* Traum gehabt, das ist gleichviel und ist das wenigste, – die Hauptsache und das herauszuhebende Moment ist vielmehr, daß, wenn es hier ›Pharao‹ heißt, das Wort nicht mehr – persönlich genommen nicht mehr – dieselbe Meinung hat, wie zu der Zeit, als Bäcker und Mundschenk ihre Wahrträume träumten. Denn Pharao heißt es immer, und immer ist Pharao; zugleich aber kommt und geht er, wie die Sonne immer ist, aber ebenfalls geht und kommt; und inzwischen, das heißt sehr bald, nachdem Josephs Pfleglingen, den beiden Herren, auf gegensätzliche Art das Haupt war erhoben worden, war Pharao eben gegangen und gekommen – womit wir darauf anspielen, was Joseph alles versäumte, während er im bôr und im Gefängnis lag, oder wovon doch nur ein schwaches Echo zu ihm hinab gelangte: einen Thronwechsel nämlich, den klagevollen Abschied eines Weltentages und den jauchzenden Anbruch neuer Zeit, von der sich die Menschen eine Wendung zum Glücke erwarteten, möge auch die vorige, in den Grenzen des Irdischen, recht glücklich gewesen sein, und der sie zutrauen, daß nun das Recht das Unrecht vertreiben und ›der Mond richtig kommen werde‹ (als ob er nicht schon vorher richtig gekommen wäre), kurz, daß man von nun an in Lachen und Staunen leben werde, – Grund genug für alles Volk, um wochenlang zu springen und zu trinken, nämlich nach einer Trauerfrist in Sack und Asche, die aber keineswegs bloß heuchelndem Anstande, sondern aufrichtigem Kummer über den Hingang der alten Zeit zuzuschreiben ist. Denn der Mensch ist ein konfuses Wesen. –
So viele Jahre wie sein Erzschenk und der General-Intendant seines Backwesens zu Zawi-Rê Tage verbracht hatten, nämlich vierzig, hatte Amuns Sohn, der Sohn Thutmose's und des mitanischen Königskindes, Neb-ma-Rê-Amenhotpe III. – Nimmuria gethront, gebaut und geprunkt, da starb er und vereinigte sich mit der Sonne, nachdem er zuletzt noch die trübe Erfahrung mit den zweiundsiebzig Verschwörern gemacht, die ihn in die Lade

hatten locken wollen. Nun kam er ohnedies in die Lade, in eine wundervolle, versteht sich, mit Nägeln aus reinem Gold beschlagene, und kam hinein, gesalzen und asphaltiert, dauerhaft gemacht für die Ewigkeit mit Wacholderholz, Terpentin, Zedernharz, Styrax und Mastix und gewickelt mit vierhundert Ellen Leinwandbinden. Siebzig Tage währte die Zubereitung, bis der Osiris fertig war und auf einem goldenen, von Rindern gezogenen Schlitten, auf welchem das Ruderboot stand, das seinerseits den löwenfüßigen, von einem Baldachin überdachten Schragen trug, unter Vorantritt von Räucherern und Wasserspendern und begleitet von einem dem Anschein nach völlig gebrochenen Gefolge zu seiner zimmerreichen und mit allen Bequemlichkeiten ausgestatteten Ewigen Wohnung im Berge gebracht werden konnte, vor deren Tür ihm ein Gottesdienst gewidmet, nämlich die ›Öffnung des Mundes‹ mit dem Fuße des Horuskalbes an ihm vollzogen wurde.

Die Königin und der Hofstaat wurden nicht mehr in die Viel-Zimmer-Wohnung miteingemauert, damit sie bei dem Toten verhungerten und vermoderten; die Zeiten, da man dies für notwendig oder nur schicklich gehalten, waren längst vorbei, die Sitte war vergessen und überall abgekommen – warum? Was hatte man dagegen, und weshalb lag es nun jeder Seele fern? Man erging sich sattsam im Urtümlichen und zauberte emsig, stopfte alle Körperöffnungen des hohen Kadavers mit Abwehr-Amuletten voll und hantierte mit dem Kalbsfuß-Instrument nach unverbrüchlicher Umständlichkeit. Aber den Hofstaat miteinzumauern – nein, nichts davon, das gab es nicht mehr; nicht nur, daß man sich dessen weigerte und nicht mehr schön fand, was einmal schön gewesen war, – man wollte nicht einmal mehr wissen, daß man der Sitte je gefrönt und sie schön gefunden hatte, und weder die ehemals Eingesperrten, noch die sie eingesperrt hatten, wandten der Sache nur einen Gedanken zu. Offenbar paßte sie nicht mehr in das Licht des gegenwärtigen Tages, nenne man diesen nun spät oder früh, – und das ist sehr merkwürdig. Viele mögen in dem Alt-Schönen selbst, dem Lebendig-mit-Einmauern, das Merkwürdige sehen. Allein viel merkwürdiger ist, daß es eines Tages nach allgemeiner, stillschweigender und sogar gedankenloser Übereinkunft schlechthin nicht mehr in Betracht kam. –

Die Hofleute saßen, die Köpfe auf ihren Knien, und alles Volk trauerte. Dann aber erhob sich das Land von der Negergrenze bis zu den Mündungen und von Wüste zu Wüste, um der neuen Zeitrechnung zuzujauchzen, die kein Unrecht mehr kennen und unter welcher der Mond richtig kommen würde; zur jubelnden Begrüßung der Folgesonne erhob es sich, eines lieblich-unschönen Knaben, der, wenn man recht gezählt hatte, erst fünfzehn Jahre

alt war, weshalb denn auch Teje, die Göttin-Witwe und Horus-Mutter, noch eine Weile die Zügel der Herrschaft statt seiner führen würde, — und zu den großen Festen seiner Inthronisation und Bekrönung mit den Kronen von Ober- und Unterägypten, zelebriert in schwerer Ausführlichkeit teils im Palaste des Westens zu Theben, teils, und nach ihren heiligsten Abschnitten, an der Krönungsstätte Per-Mont, wohin sich Jung-Pharao und seine Frau Mutter, groß an Federn, mit Prunkgefolge auf der himmlischen Barke ›Stern beider Länder‹ unter dem Jauchzen der Ufer ein Stückchen stromaufwärts begaben. Als er von dort zurückkehrte, trug er die Titulatur: ›Starker Kampfstier, Günstling der beiden Göttinnen, groß an Königtum in Karnak; goldener Falke, der die Kronen erhoben hat zu Per-Mont; König von Ober- und Unterägypten; Nefer-cheperu-Rê-Wanrê, was da heißt: ‹Schön an Gestalt ist Er, der Einzig und dem er das Einzige ist›; der Sonne Sohn, *Amenhotpe*; göttlicher Herrscher von Theben, groß an Dauer, lebend in alle Ewigkeit, geliebt von Amun-Rê, dem Herrn des Himmels; Hoherpriester des im Horizont Jubilierenden kraft seines Namens ‹Glut, die da ist in Atôn›.‹
So hieß Jung-Pharao nach seiner Krönung, und war dies Gefüge, wie Joseph und Mai-Sachme übereinkamen, das mühsam ausgleichende Ergebnis langer und zäher Verhandlungen zwischen dem Atum-Rê's verbindlichem Sonnensinne zuneigenden Hof und Amuns eifernd lastender Tempelmacht, welche ein paar tiefe Verbeugungen vor dem Herrn des Hergebrachten erzielt hatte, aber nur gegen deutlich durchschimmernde Zugeständnisse an den zu On an der Spitze des Dreiecks, also daß sich der Königsknabe sogar zum Großen des Schauens des Rê-Horachte geweiht, ja, den wider-herkömmlich lehrhaften Namen ›Atôn‹ in das Schleppgewand seiner Titel gewoben hatte ... Seine Mutter, die Göttin-Witwe, nannte ihren Starken Kampfstier, der mit einem solchen nicht die leiseste Ähnlichkeit hatte, kurzweg ›Meni‹. Das Volk aber hatte, so hörte Joseph, einen anderen Namen für ihn, einen zarten und zärtlichen. ›Neb-nef-nezem‹ hieß es ihn, ›Herr des süßen Hauches‹ — es war nicht mit Bestimmtheit zu sagen, warum. Vielleicht weil bekannt war, daß er die Blumen liebte seines Gartens und gern sein Näschen in ihrem Duft begrub.
Joseph also versäumte diese Dinge und allen damit verbundenen Freudentaumel im Loch, und daß Mai-Sachme's Soldaten sich drei Tage lang betrinken durften, war alles, wodurch die Ereignisse hinabspielten in sein Gefängnis. Er war nicht dabei und sozusagen auf Erden nicht gegenwärtig, als der Tag wechselte, das Morgen zum Heute und damit das Höchste von morgen zum Höchsten von heute wurde. Er wußte nur, daß es geschehen war, und von unten her aus seiner Grube gab er acht auf das Höchste. Er wußte, daß Neb-nef-nezems kindliches Ehegeschwister, eine

Prinzessin von Mitanniland wiederum, die ihm noch sein Vater brieflich beim König Tuschratta gefreit hatte, gen Westen entschwunden war, kaum daß sie das Land ihrer Bestimmung erreicht hatte, – nun, an solches Entschwinden war Meni, der Starke Kampfstier, gewöhnt. Um ihn herum war immer viel gestorben worden. All seine Geschwister waren gestorben, teils vor seiner Geburt schon, teils da er lebte, darunter ein Bruder, und nur ein spät nachgeborenes Schwesterchen war da, die aber auch eine so starke Neigung gen Westen bekundete, daß man sie kaum zu sehen bekam. Auch sah er selber nicht aus wie einer, der immer und ewiglich leben sollte, den Sandstein- und Kalkstein-Bildern nach zu urteilen, welche die Jünger des Ptach von ihm verfertigten. Da es aber sehr dringlich war, daß er das Sonnengeschlecht fortpflanze, bevor auch er etwa von dannen ging, war er noch zu Lebzeiten Nebmarê-Amenhoteps wiedervermählt worden: mit einem ägyptischen Edelkinde, Nofertiti geheißen, die nun seine Große Gemahlin und Herrin der beiden Länder geworden war, und der er den strahlenden Zunamen ›Nefernefruatôn‹, ›Schön über alle Schönheit ist der Atôn‹, verliehen hatte.
Auch dieses Hochzeitsfest schon, bei dem die Ufer jauchzten, hatte Joseph drunten versäumt, aber er wußte davon und gab acht auf das junge Höchste. Er hörte zum Beispiel von Mai-Sachme, seinem Hauptmann, der amtlich manches erfuhr, daß Pharao, gleich nachdem er zu Per-Mont die Kronen erhoben, mit Erlaubnis seiner Mutter den Befehl gegeben hatte, in höchster Schnelle den Bau eines Hauses des Rê-Horachte-Atôn zu Karnak zu vollenden, den schon sein gen Westen gegangener Vater in Auftrag gegeben hatte, und vor allen Dingen in den offenen Hof dieses Tempels einen außergewöhnlich riesigen Obelisken aus Quadern auf hohem Unterbau zu errichten, dessen an die Lehrmeinungen von On an der Spitze des Dreiecks sich anschließender Sonnensinn dem Amun offenbar die Stirne bieten sollte. Nicht als ob Amun an und für sich etwas gegen die Nachbarschaft anderer Götter gehabt hätte. Rings um seine Größe herum gab es zu Karnak ja viele Häuser und Schreine: für Ptach, den Gewickelten, für Min, den Starrenden, für Montu, den Falken, und manchen anderen; und Amun duldete ihren Dienst nicht nur mit Wohlwollen in seiner Nähe, sondern die Vielheit der Götter Ägyptens war seinem bewahrenden Sinn geradezu wert und wichtig – unter der Voraussetzung natürlich, daß Er, der Schwere, König über Alle war, der König der Götter, und daß sie ihm von Zeit zu Zeit aufwarteten, wogegen er sogar bereit war, ihnen bei schicklicher Gelegenheit einen Gegenbesuch abzustatten. Von Aufwartung aber konnte hier nicht die Rede sein, da kein Bild vorhanden sein würde in dem befohlenen Groß-Schrein

und Sonnenhause, außer dem Obelisken, der anmaßend hoch zu werden drohte und so tat, als lebte man noch zur Zeit der Pyramiden-Erbauer, wo Amun klein und Rê sehr groß gewesen war in seinen Lichtorten, und als hätte nicht Amun seitdem den Rê in sich aufgenommen, so daß er Amun-Rê geworden war, der Reichsgott und König der Götter, unter denen Rê-Atum nebenher, für sein Teil und auf seine Art, allenfalls fortbestehen mochte oder vielmehr, bewahrenderweise, sogar fortbestehen *sollte* – aber nicht in anmaßendem Sinn und nicht, indem er als ein neuer Gott, genannt Atôn, ein denkerisches Aufhebens von sich machte, wie es nur Amun-Rê selber zukam, oder richtiger, auch ihm nicht, da denken überhaupt unangebracht war und bei der Tatsache seinen Stillstand zu nehmen hatte, daß eben Amun der König war über die hergebrachte Vielheit der Götter Ägyptens.

Bei Hofe aber war schon unter König Nebmarê modischerweise viel gedacht und ins Blaue spekuliert worden, und das schien jetzt überhandnehmen zu sollen. Jung-Pharao hatte einen Erlaß herausgegeben und in Steine zum Gedenken der Obeliskenerrichtung graben lassen, der ein Zeugnis klügelnder Bemühtheit war, das Wesen der Sonnengottheit auf eine neue und wider-herkömmliche Weise, und zwar mit soviel Schärfe, daß ihr Gewundenheit nicht erspart blieb, zu bestimmen. »Es lebt«, lautete die Bestimmung, »Rê-Hor der beiden Lichtorte und frohlockt im Lichtorte in seinem Namen ›Schu‹, welches ist der Atôn.« –

Das war dunkel, obgleich es von Helligkeit handelte und sehr hell zu sein wünschte. Es war kompliziert, obgleich es auf Vereinfachung und Vereinheitlichung ausging. Rê-Horachte, ein Gott unter den Göttern Ägyptens, war dreifach von Gestalt: tierisch, menschlich und himmlisch. Sein Bild war eines Menschen Bild mit einem Falkenkopf, auf dem die Sonnenscheibe stand. Aber auch als Himmelsgestirn war er dreifach in seiner Geburt aus der Nacht, im Zenith seiner Männlichkeit und im westlichen Tode. Er lebte ein Leben der Geburt, des Sterbens und der Wieder-Erzeugung, ein in den Tod blickendes Leben. Wer aber Ohren hatte, zu hören, und Augen, die Schrift der Steine zu lesen, der verstand, das Pharao's lehrhafte Botschaft das Leben des Gottes nicht so aufgefaßt wissen wollte, nicht als ein Kommen und Gehen, ein Werden, Vergehen und Wieder-Werden, nicht als ein auf den Tod abgestelltes und darum phallisches Leben, ja überhaupt nicht als Leben, insofern Leben stets auf den Tod abgestellt ist, sondern als reines Sein, als die wechsellose, keinem Auf und Ab unterworfene Quelle des Lichts, aus deren Bild der Mensch und der Vogel hinkünftig entfielen, so daß nur die pure, lebenstrahlende Sonnenscheibe übrigblieb, mit Namen Atôn.

Dies wurde verstanden oder auch nicht verstanden, auf jeden Fall aber aufgeregt besprochen in Stadt und Land, von solchen, bei denen die Voraussetzungen vorhanden waren, sich darüber zu äußern, und von solchen, bei denen diese Voraussetzungen vollkommen fehlten, so daß sie nur schwätzten. Geschwätzt wurde davon bis in Josephs Grube hinein; sogar Mai-Sachme's Soldaten beschwatzten es und die Sträflinge im Bruch, sobald sie Atem hatten, und soviel verstanden alle, daß es dem Amun-Rê ein Ärgernis war, wie auch der große Obelisk, den man ihm vor die Nase setzte, und weitergehende Verfügungen Pharao's, die mit der denkerischen Namensbestimmung verbunden waren und wirklich sehr weit gingen. So sollte das Revier, worin das neue Sonnenhaus aufwuchs, den Namen ›Glanz des großen Atôn‹ führen; ja, es ging das Gerücht, Theben selbst, Wêset, die Amunstadt, sollte von nun an ›Stadt des Glanzes Atôns‹ geheißen sein, worüber des Schwätzens kein Ende war. Die Sterbenden selbst in Mai-Sachme's Lazarettschuppen kamen mit letzter Kraft darauf zu sprechen – von denen, die nur an Stich-Aussatz und Augenkrätze litten, gar nicht zu reden, so daß des Hauptmanns Ruhe-System in ernstliche Gefahr geriet.

Der Herr des süßen Hauches, so schien es, konnte sich nicht genugtun und betrieb seine Sache; das heißt: die Sache seines lehrhaft geliebten Gottes, also den Bau des Tempels, mit einer Hast und Dringlichkeit, daß alle Steinmetzen von Jebu, der Elefanteninsel, bis zum Delta hinab in Bewegung gesetzt wurden. Und doch war diese umfassende Geschäftigkeit nicht genug, dem Hause Atôns die Bauart zukommen zu lassen, die Ewigen Wohnungen gebührte. Pharao hatte es so eilig, und so getrieben war er von Ungeduld, daß er auf die Verwendung jener sorgfältig zu behauenden und schwer heranzuschaffenden Großblöcke verzichtete, mit denen man Gottesgräber baute, und Befehl gab, den Tempel des wechsellosen Lichtes aus kleinen Steinen, die man einander zuwerfen konnte, aufzuführen, so daß dann viel Mörtel und Steinkitt heranmußte, um die Wände für die bemalten Tief-Schildereien zu glätten, von denen sie glänzen sollten. Darüber spöttelte Amun, wie man allgemein hörte.

Die Ereignisse also spielten hinab zu dem ungegenwärtigen Sohne Jaakobs schon dadurch, daß auch Mai-Sachme's Fron-Bruch von Pharao's hastigem Bauen stärkstens beansprucht war, und Joseph mußte viel dort sein mit dem Aufseherstab, um achtzugeben, daß Hacke und Sprengbolzen ohn' Unterlaß gehandhabt wurden, damit der Amtmann keine unangenehm verblümten Briefe von den Ämtern erhalte. Im übrigen führte jener sein erträgliches Straf-Leben weiter zu Zawi-Rê an des ruhigen Hauptmanns Seite, und eintönig war es, wie dessen Redeweise, doch von Erwartung gespeist. Denn viel gab es zu erwarten,

Näheres und Ferneres, — zunächst das Nähere. Die Zeit verging ihm, wie sie eben vergeht, auf die bekannte Weise, die man weder als schnell noch langsam bezeichnen kann; denn sie vergeht langsam, besonders wenn man in der Erwartung lebt, und sieht man hin, so ist sie sehr schnell vergangen. Er lebte dort, bis er, übrigens ohne recht acht darauf zu geben, dreißig geworden war. Da kam der Tag der Atemlosigkeit und des Flügelboten, ein Tag, der Mai-Sachme fast das Erschrecken gelehrt hätte, wäre er nicht schon immer besonderer Dinge für Joseph gewärtig gewesen.

Der Eilbote

Eine Barke traf ein mit geschwungenem Lotossteven und Purpursegel — sie flog heran, leicht wie sie war, getrieben von fünf Ruderern an jeder Seite, gezeichnet mit dem Zeichen des Königtumes, ein Eilboot aus Pharao's Eigen-Flottille. Es legte an mit Eleganz an der Lände von Zawi-Rê, und ein Mann hüpfte hervor, ein junger, leicht ebenfalls, schlank wie die Eilbarke, die ihn getragen, mit magerem Gesicht und mit langen, sehnigen Beinen. Seine Brust ging rasch unter dem Linnen, er war atemlos oder schien es zu sein, will sagen: er tat so, als ob er es wäre. Denn es war kein echter Grund zur Atemlosigkeit, da er ja zu Schiffe gefahren und nicht gelaufen war; es war eine gemachte und demonstrative, eine pflichtschuldige Atemlosigkeit. Allerdings lief oder flog er dann mit solcher Geschwindigkeit durch die Tore und Höfe von Zawi-Rê, indem er mit kurzen, keineswegs lauten und dennoch die Wachen in tatenlose Bestürzung versetzenden Rufen jeden Aufenthalt von sich abwehrte, sich freie Bahn schuf und bedingungslos sofort nach dem Hauptmann verlangte, — es heißt also: er lief oder flog so schnell dahin gegen die Zitadelle, die man ihm wies, daß trotz seiner Schlankheit die gemachte Atemlosigkeit wohl zur wirklichen werden mochte. Denn die kleinen Flügelpaare aus Goldblech, die er hinten an seinen Sandalen und an seiner Kappe trug, konnten ihm natürlich nicht ernstlich von der Stelle helfen, sondern waren nur das äußere Abzeichen seiner Eilfertigkeit.

Joseph, der in der Schreibstube beschäftigt war, nahm diese Ankunft, Bewegung und Lauferei sehr wohl wahr, zollte ihnen aber keine Beachtung, auch als man ihn darauf hinwies. Er fuhr fort, mit dem Kanzlei-Vorsteher Papiere durchzugehen, bis ein Söldner, auch schon atemlos, gerannt kam und ihm die Weisung überbrachte, auch das Wichtigste liegen zu lassen und sofort vor den Hauptmann zu kommen.

»Das will ich«, sagte er, ging aber doch das Papier, das er eben in Händen hielt, mit dem Kanzlisten zu Ende durch, bevor er sich, natürlich nicht schleichenden, aber auch nicht überstürzten Schrittes – vielleicht weil er gewärtigte, daß bald überhaupt keine rasche und lose Bewegung ihm mehr gebühren würde –, auf den Turm zum Hauptmann begab.

Mai-Sachme's Nasenspitze war etwas weißlich verfärbt, als Joseph das Apothekengemach betrat, seine starken Brauen waren höher als gewöhnlich emporgezogen, und seine gerundeten Lippen standen getrennt.

»Da bist du«, sagte er mit verminderter Stimme zu Joseph. »Du hättest schon hier sein sollen. Laß dich bedeuten!« Und er wies mit der Hand auf den Flügelmann, der bei ihm stand – oder eigentlich nicht stand, nämlich nicht ruhig stand, sondern Arme, Kopf, Schultern und Beine regte, derart, daß er gleichsam auf der Stelle hin und her lief, um sich in Atem oder vielmehr in Atemlosigkeit zu halten. Zuweilen erhob er sich auf die Zehenspitzen, als wolle er auffliegen.

»Dein Name ist Usarsiph«, fragte er leise und in hastenden Worten, indem er seine nahe zusammenliegenden, geschwinden Augen auf Joseph richtete, »des Hauptmanns Gehilfe, der Aufsicht führt, und dem die Pflege vertraut war gewisser Bewohner des Geierhäuschens dahier vor zwei Jahren?«

»Ich bin's«, sagte Joseph.

»Dann mußt du mit mir kommen, wie du da bist«, antwortete jener und verstärkte die Bewegung seiner Glieder. »Ich bin Pharao's Erster Läufer, sein Eilbote bin ich und kam mit dem Eilboot. Mit mir mußt du's unverzüglich besteigen, daß ich dich zu Hofe bringe, denn du mußt vor Pharao stehen!«

»Ich?« fragte Joseph. »Wie könnte das sein? Ich bin zu gering dafür.«

»Gering oder nicht, es ist Pharao's schöner Wille und Befehl. Atemlos überbrachte ich ihn deinem Hauptmann, und atemlos mußt du dem Rufe folgen.«

»Ich bin in dieses Gefängnis gelegt worden«, erwiderte Joseph, »allerdings verdrehterweise, und sozusagen bin ich gestohlen hier hinab. Aber ich liege als Fronsklave hier, und wenn man auch meine Fesseln nicht sieht, so sind sie vorhanden. Wie könnte ich hinausgehen mit dir durch diese Mauern und Tore auf dein Eilboot?«

»Das kommt alles nicht im geringsten auf«, hastete der Läufer, »gegen den schönen Befehl. Der läßt das alles augenblicklich in Luft zergehen und zerreißt im Nu alle Fesseln. Vor Pharao's wundervollem Willen besteht überhaupt nichts, aber sei ruhig, es ist mehr als unwahrscheinlich, daß du wirst bestehen vor ihm, und mehr als wahrscheinlich, daß man dich baldigst zurückbringt hierher an deinen Fronort. Du wirst nicht klüger sein als Pharao's größte Gelehrte und Zauberer vom Bücherhause und nicht

beschämen die Schauenden, Weissager und Deuter vom Hause des Rê-Horachte, die das Sonnenjahr erfanden.«
»Das steht bei Gott, ob Er mit mir ist oder nicht«, antwortete Joseph. »Hat Pharao etwa geträumt?«
»Du bist nicht da zu fragen, sondern zu antworten«, sagte der Eilbote, »und wehe, wenn du's nicht kannst. Dann wirst du vermutlich tiefer fallen als bloß in dieses Gefängnis zurück.«
»Warum soll ich so geprüft werden«, fragte Joseph, »und wie weiß Pharao von mir, daß er seinen schönen Befehl nach mir aussendet hier hinab?«
»Man hat dich genannt und erwähnt und auf dich hingewiesen in der Verlegenheit«, antwortete jener. »Frühestens unterwegs magst du Näheres lernen. Jetzt mußt du mir atemlos folgen, daß du unverzüglich vor Pharao stehst.«
»Wêset ist weit«, sagte Joseph, »und weit ist Merima't, der Palast. So schnell auch dein Eilboot sei, Eilbote, — Pharao wird zu warten haben, bis sich sein Wille erfüllt und ich vor ihm stehe zur Prüfung, so daß er vielleicht seinen schönen Befehl schon vergessen hat, bis ich komme, und ihn selber gar nicht mehr schön findet.«
»Pharao ist nahe«, versetzte der Läufer. »Der schönen Sonne der Welt gefällt es, zu On an der Spitze des Dreiecks zu scheinen; man hat sich in der Barke ›Stern beider Länder‹ dorthin begeben. In wenigen Stunden fliegt und flitzt mein Eilboot mit uns ans Ziel. Auf, und kein Wort mehr.«
»Ich muß mich aber scheren lassen zuvor und bessere Kleider anlegen, wenn ich vor Pharao stehen und vor ihm bestehen soll«, sagte Joseph. Er hatte nämlich im Gefängnis sein eigenes Haar getragen und als Anzug nur sehr gewöhnliches Leinen von der gröberen Sorte. Der Läufer aber antwortete:
»Das kann zu Schiffe geschehen, während wir fliegen und flitzen. Es ist gesorgt für alles. Wenn du denkst, ein Tun und Eilen dürfe das andere verzögern und müsse nicht alles zusammengepackt werden in der Zeit, damit man sie spare, so weißt du nicht, was Atemlosigkeit ist unter Pharao's schönem Befehl.«
Da wandte sich denn der Berufene an den Amtmann zum Abschied und nannte ihn ›mein Freund‹ dabei.
»Du siehst, mein Freund«, sagte er, »wie es steht und wie es mit mir dahingehen soll nach dreien Jahren. Eilend lassen sie mich aus dem Loch und ziehen mich hervor aus dem Brunnen nach altem Muster. Dieser Eilbote meint, ich werde zurückfallen herunter zu dir, aber ich glaube das nicht, und da ich's nicht glaube, so wird's auch nicht sein. Darum leb' wohl und nimm meinen Dank für die Güte und Ruhe, mit der du mir den Stillstand meines Lebens, diese Pönitenz und Dunkelheit, erträglich gemacht hast, und dafür, daß ich dein Bruder sein durfte in der Erwar-

tung. Denn du wartetest auf Nechbets drittes Erscheinen, und ich war meiner Dinge gewärtig. Lebe aber wohl nicht auf lange! Jemand hat meiner gedacht nach langem Vergessen, als er mit der Nase gestoßen wurde auf mein Andenken. Ich aber will dein gedenken ohne Vergessen, und wenn meines Vaters Gott mit mir ist, woran ich nicht zweifle, um Ihn nicht zu kränken, so sollst auch du aus dieser Höhle und Langenweile gezogen sein. Es gibt drei schöne Dinge und Denkzeichen, die dein Fronknecht hegt; sie heißen ›Entrückung‹, ›Erhöhung‹ und ›Nachkommenlassen‹. Wenn mich Gott erhöht – und ich müßte fürchten, Ihn zu beleidigen, wenn ich es nicht bestimmt erwartete, – so verspreche ich dir, dich nachkommen zu lassen, daß dir belebendere Umstände zuteil werden, unter denen deine Ruhe nicht Gefahr läuft, in Schläfrigkeit auszuarten und auch die Aussichten auf das dritte Erscheinen sich verbessern. Soll das ein Wort sein zwischen dir und mir?«
»Habe Dank auf alle Fälle!« sagte Mai-Sachme und umarmte ihn, was er bisher nicht hatte tun dürfen, und wovon ihm schwante, daß es ihm auch später wieder, aus entgegengesetzten Gründen, nicht mehr zukommen würde. Nur gerade jetzt, in der Stunde der Abholung, war der rechte Moment dafür. »Einen Augenblick«, sagte er, »glaubte ich, daß ich erschräke, als dieser Bote gelaufen kam. Aber ich bin nicht erschrocken, und mein Herz schlägt ruhig, denn wie soll einen außer Fassung bringen, worauf man gefaßt war? Die Ruhe ist weiter nichts, als daß der Mensch auf alles gefaßt sei, und wenn es kommt, so erschrickt er nicht. Etwas anderes ist's mit der Rührung – für sie bleibt Raum auch in der Fassung, und es rührt mich sehr, daß du meiner gedenken willst, wenn du in dein Reich kommst. Die Weisheit des Herrn von Chmunu sei mit dir! Lebe wohl!«
Der Eilbote hatte, von einem Bein auf das andere hüpfend, den Hauptmann diese Worte nur gerade zu Ende sprechen lassen, da nahm er Joseph bei der Hand und lief mit ihm, Atemlosigkeit zur Schau stellend, vom Turme hinunter durch die Höfe und Gänge von Zawi-Rê zum Eilboot, in das sie sprangen und das sogleich mit enormer Geschwindigkeit mit ihnen davonflitzte, während Joseph in dieser Schnelligkeit unter dem Dach des kleinen Kajüten-Pavillons auf dem Achterdeck nicht nur geschoren, geschminkt und umgekleidet wurde, sondern, in Zusammenlegung damit, auch noch von dem Beflügelten einiges darüber zu hören bekam, was sich zu On, der Sonnenstadt, zugetragen hatte und weshalb er geholt worden war: daß nämlich der Pharao wirklich höchst wichtig geträumt hatte, aber von den herbeigerufenen Traumpropheten völlig im Stiche gelassen worden sei, was große Verlegenheit und Ungnade hervorgerufen habe, so daß schließlich Nefer-em-Wêse, der Große des Schenktisches, vor Pharao geredet und seiner, nämlich Josephs, Erwähnung getan

habe, in dem Sinne, wenn irgendeiner, so vermöge er es vielleicht, hier aus der Verlegenheit zu helfen, man solle es auf den Versuch doch ankommen lassen. Was eigentlich Pharao geträumt habe, das wußte der Eilbote nur in offenbar entstellter und sehr konfuser Form zu berichten, wie es eben aus dem Ratssaal, wo die Gelehrten ihre Niederlage erlitten hatten, zum Hofgesinde sich durchgesprochen hatte: die Majestät dieses Gottes, hieß es, habe geträumt, einmal, daß sieben Kühe sieben Ähren fräßen, und das andere Mal, daß sieben Kühe gefressen würden von sieben Ähren, – kurzum ein Zeug, wie es keinem Menschen auch nur im Traume einfällt, aber ein wenig half es dem Joseph doch auf den Weg, und seine Gedanken umspielten die Denkbilder der Nahrung, der Hungersnot und der Vorsorge.

Von Licht und Schwärze

Was sich in Wirklichkeit begeben und zu Josephs Berufung geführt hatte, war dies.

Vor einem Jahr – gegen Ende des zweiten Jahres, das Joseph im Gefängnis verbracht hatte – war Amenhotpe, der Vierte seines Namens, sechzehn Jahre alt und damit volljährig geworden, so daß die Vormundschaft Teje's, seiner Mutter, abgelaufen gewesen und die Regierung der Länder selbsttätig auf den Nachfolger Nebmarê's, des Prächtigen, übergegangen war. Damit hatte ein Zustand sein Ende gefunden, den das Volk und alle Beteiligten im Zeichen der frühen Morgensonne, des jungen, nachtgeborenen Tages erblickt hatten, wo der leuchtende Sohn noch mehr Sohn als Mann, noch der Mutter gehörig und ihres Fittichs Schützling ist, bevor er sich zur Vollmacht und Mittagshöhe seiner Männlichkeit erhebt. Da tritt Eset, die Mutter, zurück und begibt sich der Herrschaft, ob ihr auch alle Würde der Gebärerin, der Erstgewesenen, bleibt, der Quelle von Leben und Macht, und immer der Mann ihr Sohn. Ihm überläßt sie die Macht; aber er übt sie aus für sie, wie sie sie ausübte für ihn.

Teje, die Muttergöttin, die geherrscht und das Leben der Länder gehütet hatte schon in den Jahren, da ihr Gemahl der Vergreisung des Rê verfallen war, tat den geflochtenen Bart des Usir von ihrem Kinn, den sie getragen hatte, wie Hatschepsut, der Pharao mit Brüsten, und übergab ihn dem jungmännlichen Sonnensohn, dem er nicht viel weniger sonderbar zu Gesichte stand als ihr, wenn er ihn bei höchst feierlichen Gelegenheiten umband – bei solchen nämlich, die ihn gleichzeitig zwangen, geschwänzt zu erscheinen, will sagen: hinten an seinem Schurz einen Schakalschwanz zu befestigen, dies tierische Attribut, das aus irgendwelchen vergessenen, aber im Dunkel aufbewahrten und heiliggehaltenen Ur-Gründen zum altstrengsten Ornat des Königs ge-

hörte, und von dem man bei Hofe wußte, daß er Jung-Pharao verhaßt war, weil es nicht günstig auf seinen Magen wirkte, den Ur-Schwanz zu tragen, und Seine Majestät dabei zu Übelkeiten neigte, die ihn sehr blaß, ja grünlich machten — was aber zu den Anwandlungen gehörte, denen sein Befinden ohnedies, ganz von selbst und auch ohne den Ur-Schwanz ausgesetzt war . . .
Alle Beobachtung müßte täuschen, wenn nicht die Übertragung der Königsgewalt von der Gebärerin auf den Sohn von Zweifeln begleitet gewesen wäre, ob man nicht besser täte, sie zu verschieben oder überhaupt davon abzusehen und die junge Sonne unter dem Schutz des Fittichs ein für allemal zu belassen. Die Gottesmutter selbst hegte diese Zweifel, ihre obersten Ratgeber hegten sie, und ein Gewaltiger, den wir kennen, suchte sie zu nähren: Beknechons, der Gestrenge, der Große Prophet und Oberste Hausbetreter des Amun. Nicht daß er ein Diener der Krone gewesen wäre und etwa noch, wie mehrere seiner Vorgänger es wirklich getan, das Amt des Wesirs, des Hauptes der Länderverwaltung, mit dem des Hohenpriesters verbunden hätte. Schon König Nebmarê, Amenhotep der Dritte, hatte sich bewogen gesehen, die geistliche von der bürgerlichen Gewalt zu trennen und weltliche Männer als Wesire des Südens und Nordens einzusetzen. Aber als Mund des Reichsgottes hatte Beknechons ein Recht auf das Ohr der Regentin, und sie lieh es ihm mit gebotener Höflichkeit, wenn auch wohl wissend, daß es die Stimme politischer Nebenbuhlerschaft war, der sie es neigte. Sie hatte entschiedenen Anteil gehabt an jenem Beschluß ihres Gemahls, das bedrohlich Vereinigte zu trennen; denn notwendig schien ihr, die Macht des schweren Kollegiums von Karnak zurückzudämmen und einem Übergewicht vorzubeugen, das nicht seit gestern drohte, und dessen Abwehr ein königliches Erbgeschäft alter Tage war. Daß Tutmose, Meni's Ältervater, zu Füßen der Sphinx seinen Verheißungstraum geträumt und sie vom Sande befreit hatte, indem er den Herren des vorzeitlichen Riesenbildes, Harmachis-Chepere-Atum-Rê, seinen Vater nannte, dem er die Krone verdanke, war, wie jeder verstand und wie auch Joseph wohl zu verstehen gelernt hatte, nichts als die hieroglyphische Umschreibung dieser Abwehr gewesen, die religiöse Fassung politischer Selbstbehauptung. Und niemandem entging, daß die Hervorbildung des neuen Gestirngottes Atôn, die schon am Hofe des Sohnes Tutmose's ihren Anfang genommen hatte, und um die des Enkels Gedanken so liebevoll bemüht waren, darauf abzielte, Amun-Rê aus seiner gewalttätigen Verbindung mit der Sonne, der er seine Allgemeingültigkeit verdankte, zu lösen und seine Übermacht auf den Rang einer Lokalgröße, des Stadtgottes von Wêset zurückzuführen, der er vor jenem politischen Schachzug gewesen war.

Es heißt die Einheit der Welt verkennen, wenn man Religion und Politik für grundverschiedene Dinge hält, die nichts miteinander zu schaffen hätten noch haben dürften, so daß das eine entwertet und als unecht bloßgestellt wäre, wenn ihm ein Anschlag vom anderen nachgewiesen würde. In Wahrheit tauschen sie das Gewand, wie Ischtar und Tammuz das Schleiergewand tragen im Austausch, und das Weltganze ist es, das redet, wenn eines des anderen Sprache spricht. Auch redet es noch in anderen Sprachen, zum Beispiel durch die Werke des Ptach, die Bildungen des Geschmacks, der Geschicklichkeit und des Weltschmucks, die für eine ganz eigene Sache zu erachten, welche aus der Welteinheit fiele und mit Religion und Politik nichts zu schaffen hätte, ebenso närrisch wäre. Joseph wußte sehr wohl, daß Jung-Pharao – sogar ganz auf eigene Hand und ohne das beratende Zutun seiner Frau Mutter – den Angelegenheiten der bildenden Weltverzierung eine eifrige, ja eifernde Aufmerksamkeit widmete, – nämlich in genauem Zusammenhang mit der Anstrengung, die er es sich kosten ließ, den Gott Atôn nach seiner Wahrheit und Reinheit hervorzudenken, – und daß er Veränderungen und verwunderlichen Lockerungen des Altverharrenden auf diesem Gebiete nachhing, wie sie seiner Meinung nach den Wünschen und der Gesinnung dieses seines geliebten Gottes entsprachen. Das war ihm ganz offenbar eine Herzenssache, die er um ihrer selbst willen, nach seiner Überzeugung von dem, was wahr und lustig war in der Welt der Bilder, betrieb.

Aber hatte es deshalb nichts mit Religion und Politik zu tun? Seit Menschengedenken, oder, wie die Kinder Kemes zu sagen liebten: seit Millionen Jahren unterstand die Bilderwelt heilig bindenden und, wenn man wollte, allerdings etwas steifen Gesetzen, deren bewahrender Schutzherr Amun-Rê war in seiner Kapelle, oder, für ihn, seine schwere Priesterschaft. Diese Fesselung der Gestalten zu lockern oder gar völlig aufzuheben um einer neuen Wahrheit und Lustigkeit willen, die Gott Atôn dem Pharao offenbart hatte, war ein Stirnschlag für Amun-Rê, den Herrn einer Religion und Politik, welche mit einer bestimmten geheiligten Bildgesinnung unlöslich zusammenhingen. In Pharao's lockernden Lehrmeinungen darüber, wie man bilden solle, redete das Weltganze die Sprache des schönen Geschmacks, eine Sprache unter anderen, in denen sich's ausdrückt. Denn mit dem Ganzen der Welt und ihrer Einheit hat der Mensch es immer und an jedem Punkte zu tun, ob er es weiß oder nicht.

Für Amenhotep nun, den Königsknaben, der es wissen mochte, war das Weltganze augenscheinlich etwas zuviel; seine Kräfte schienen zu zart dafür, er trug zu schwer daran. Oft war er blaß und grünlich, auch ohne daß der Tierschwanz ihm zugemutet worden wäre, und Kopfschmerzen quälten ihn, daß er die Augen nicht offenhalten konnte und ein über das andere Mal erbrechen mußte. Dann war er gezwungen, tagelang im Dunkeln zu liegen – er, dessen ganze Liebe das Licht und die in liebkosend-lebenspendende Hände endigenden Strahlen seines Vaters Atôn, diese goldene Verbindung des Himmels mit der Erde, waren. Selbstverständlich war es bedenklich, wenn ein regierender König jeden Augenblick durch solche Anfälligkeiten an der Erfüllung seiner Repräsentationspflichten, als da sind: Opferhandlungen und Einweihungen, sogar an dem Empfang seiner Großen und seiner vortragenden Räte gehindert war. Doch leider noch mehr: Man konnte nie wissen, was Seiner Majestät mitten in der Erfüllung dieser Pflichten, im Angesicht seiner Großen und Räte oder gar des zu Hauf gekommenen Volkes unversehens zustoßen mochte. Es mochte dabei geschehen, daß Pharao, die Daumen von den vier anderen Fingern umklammert und die Augäpfel unter den halbgeschlossenen Lidern weggedreht, in eine nicht geheuere Abwesenheit fiel, die zwar nicht lange dauerte, aber die in Gang befindliche Handlung oder Beratung immerhin auf eine verstörende Weise unterbrach. Er selbst erklärte diese Zufälle als jähe Heimsuchungen durch seinen Vater, den Gott, und fürchtete sie weniger, als er ihnen mit einer gewissen erwartungsvollen Begierde entgegensah! Denn bereichert um authentische Belehrungen und Offenbarungen über die schöne und wahre Natur des Atôn kehrte er aus ihnen an den Tag zurück.

Es ist also nicht zu verwundern noch zu bezweifeln, daß der Beschluß erwogen worden war, es auch nach eingetretener Volljährigkeit der jungen Sonne bei dem morgendlichen Zustande der Überschattung durch den nächtlichen Fittich sein Bewenden haben zu lassen. Dieser Beschluß war jedoch nicht zur Reife gediehen, man hatte ihn, gegen die Vorstellungen Amuns, zuletzt von der Hand gewiesen. Soviel auch dafür, sprachen übergewichtige Gründe dagegen. Unratsam war es, der Welt zuzugestehen, daß Pharao krank oder so kränklich war, daß er die Regierung nicht ausüben konnte; das war dem Wohle des erblich herrschenden Sonnengeschlechtes entgegen und hätte gefährliche Mißverständnisse im Reich und in den tributpflichtigen Bezirken zeitigen können. Dazu aber trug Pharao's Anfälligkeit ein Gepräge, das nicht erlaubte, einen gültigen Grund für seine fortdauernde Bevormundung darin zu sehen: ein heiliges Gepräge, das seiner Volkstümlichkeit eher zustatten kam, als daß es ihr Abtrag getan hätte, und das man, statt einen Grund der Unmündigkeit daraus zu machen, viel besser gegen Amun ausnutzte, dessen geheimes Vorhaben, die Doppelkrone mit seinem Feder-Kopfputz zu vereinigen und selbst die Dynastie zu stellen, im Hintergrund aller Dinge lauerte.

Darum denn hatte die mütterliche Nacht dem Sohne die volle

Herrschgewalt seiner mittäglichen Männlichkeit überlassen. Genaueste Beobachtung aber lehrt, daß dieser selbst, Amenhotpe, dem Ereignis zwiespältige Gefühle entgegenbrachte, daß er nicht nur Stolz und Freude, sondern auch Beklemmung darüber empfand und alles in allem vielleicht lieber unter dem Fittich verblieben wäre. Aus einem Einzelgrunde hatte er den Termin seiner Volljährigkeit sogar mit Grauen erwartet: es war der, daß hergebrachterweise Pharao zu Beginn seiner Regierung in seiner Eigenschaft als oberster Feldherr persönlich einen Kriegs- und Plünderzug, sei es ins Asiatische oder in die Negerländer, unternahm, nach dessen glorreicher Beendigung er an der Grenze feierlich empfangen wurde und, in die Hauptstadt zurückgekehrt, dem starken Amun-Rê, der die Fürsten von Zahi und Kusch unter seine Füße geworfen in ihrem Ländern, nicht nur einen fetten Teil der Beute zum Opfer brachte, sondern ihm auch mit eigener Hand ein halbes Dutzend Gefangene möglichst hohen und notfalls künstlich erhöhten Ranges schlachtete.
Zu dieser ganzen Förmlichkeit aber wußte der ›Herr des süßen Hauches‹ sich völlig außerstande und wurde sofort, verzerrten Gesichts, von Blässe und Grünlichkeit befallen, wenn davon die Rede war oder wenn er nur daran dachte. Er verabscheute den Krieg, der die Sache Amuns sein mochte, aber weit entfernt war, diejenige ›meines Vaters Atôn‹ zu sein, der sich seinem Sohn vielmehr in einem jener heilig-bedenklichen Abwesenheitszustände ausdrücklich als ›Herr des Friedens‹ zu erkennen gegeben hatte. Meni konnte weder mit Roß und Wagen zu Felde ziehen, noch plündern, noch den Amun mit Beute beschenken, noch ihm fürstliche oder angeblich fürstliche Gefangene schlachten. Er konnte und wollte das alles nicht einmal andeutungsweise und zum Scheine tun, und er weigerte sich, an den Tempelwänden und Torwegen abgebildet zu werden, wie er vom hohen Streitwagen mit Pfeilen in erschreckte Feinde schoß, oder wie er ein Rudel von solchen mit einer Hand an ihren Schöpfen hielt und mit der anderen die zerschmetternde Keule über ihnen schwang. Das alles war ihm, das heißt: seinem Gotte und daher ihm, unerträglich und unmöglich. Hof und Staat mußten sich klar darüber sein, daß der Antritts-Plünderungszug auf keinen Fall stattfinden konnte, und am Ende war er mit guten Worten zu umgehen. Man konnte mitteilen, die Länder des Erdkreises rings umher lägen Pharao ohnedies in solcher Ergebenheit zu Füßen, und ihre Tribute strömten so pünktlich und in solchem Überfluß, daß sich jeder Kriegszug erübrige und Pharao seinen Regierungsantritt gerade dadurch zu verherrlichen wünsche, daß nichts dergleichen stattfinde. Und so geschah es.
Aber auch nach dieser Erleichterung blieben Meni's Gefühle gemischt beim Eintritt seiner Mittäglichkeit. Er verhehlte sich nicht,

daß er es als Selbstherrscher mit dem Weltganzen nach seinem vollen Umfange und in allen seinen Sprachen und Redeweisen unmittelbar zu tun bekam, während ihm bis dahin vergönnt gewesen war, es nur unter einem bestimmten und innig bevorzugten Gesichtswinkel, dem religiösen, ins Auge zu fassen. Nicht in Anspruch genommen von irdischen Geschäften, hatte er unter den Blumen und Fremdbäumen seines Gartens von seinem liebevollen Gotte träumen, ihn hervordenken und darüber nachsinnen dürfen, wie sein Wesen am besten in einen Namen zu fassen und im Bilde anzudeuten sei. Das war verantwortungsvoll und anstrengend genug gewesen, aber er liebte es und ertrug gern die Kopfschmerzen, die es ihm machte. Nun mußte er tun und bedenken, was ihm ganz ungeliebte Kopfschmerzen machte. Allmorgendlich, wenn ihm der Schlaf noch in Haupt und Gliedern lag, erschien vor ihm der Wesir des Südens, ein hoher Mann mit einem Kinnbärtchen und zwei goldenen Halsringen, namens Ramose, begrüßte ihn einleitend mit einer feststehenden, litaneiartigen und sehr blumig-langatmigen Ansprache und setzte ihm dann mehrere Stunden lang an der Hand wunderbar gefertigter Schriftrollen mit laufenden Verwaltungsgeschäften zu, mit Gerichtsurteilen, Steuerregistern, neuen Kanalanlagen, Fundamentlegungen, Fragen der Bauholzbeschaffung, Fragen der Errichtung von Steinbrüchen und Bergwerken in der Wüste und so fort, indem er Pharao mitteilte, was dessen schöner Wille in all diesen Beziehungen sei, und dann den schönen Willen mit aufgehobenen Händen bewunderte. Es war Pharao's schöner Wille, die und die Wüstenstraße zu bereisen, um geeignete Plätze für Brunnen und Haltestationen zu bezeichnen, die vorher schon von anderen, welche mehr davon verstanden, festgesetzt worden waren. Es war sein bewundernswert schöner Wille, den Stadtgrafen von El-Kab vor sein Gesicht kommen zu lassen und ihn ins Verhör zu nehmen, warum er seine Amtssteuer an Gold, Silber, Rindvieh und Leinwand so unpünktlich und sogar unvollständig an das Schatzhaus zu Theben zahle. Gleich übermorgen ins elende Nubien aufzubrechen war sein erhabener Wille auch, um dort die feierliche Gründung oder Eröffnung eines Tempels vorzunehmen, der meist dem Amun-Rê gewidmet war und also für sein Gefühl keineswegs die Erschöpfung und Kopfschmerzen lohnte, die die beschwerliche Reise ihm zufügte.

Überhaupt nahm der obligate Tempeldienst, das schwerfällige Ritual des Reichsgottes einen großen Teil seiner Zeit und seiner Kräfte in Anspruch. Das hatte nach außen hin sein schöner Wille zu sein, war es aber innerlich keineswegs, da es ihn hinderte, an den Atôn zu denken und ihm außerdem die Gesellschaft Beknechons', des volkszüchtigen Amunsmannes auferlegte, den er nicht leiden konnte. Umsonst hatte er seiner Hauptstadt den

Namen ›Stadt des Glanzes Atôns‹ zu verleihen versucht; beim Volke drang dieser Name nicht durch, die Priesterschaft ließ ihn nicht aufkommen, und Wêset war und blieb nun einmal Nowet-Amun, die Stadt des großen Widders, der durch den Arm seiner königlichen Söhne die Fremdländer unterworfen und Ägypten reich gemacht hatte. Schon damals ging Pharao heimlich mit dem Gedanken um, seine Residenz von Theben wegzuverlegen, wo das Bild Amun-Rê's von allen Wänden, Torwegen, Säulen und Obelisken leuchtete und sein Auge ärgerte. Allerdings dachte er noch nicht an die Gründung einer neuen und eigenen, ganz dem Atôn geweihten Stadt, sondern faßte nur die Übersiedelung des Hofs nach On an der Spitze des Dreiecks ins Auge, wo er sich viel wohler fühlte. Er besaß dort, in der Nähe des Sonnentempels, einen angenehmen Palast, nicht so glänzend wie Merima't im Westen von Theben, aber mit allen Bequemlichkeiten versehen, deren seine Zartheit bedurfte; und oft hatten die Hofchronisten Reisen des Guten Gottes zu Schiff und Wagen nach On hinab zu verzeichnen. Zwar saß dort der Wesir des Nordens, der die Verwaltung und Gerichtsbarkeit aller Gaue zwischen Siût und den Mündungen unter sich hatte und sich ebenfalls beeilte, ihm Kopfschmerzen zu machen. Aber der Amunsräucherei wenigstens, unter der Aufsicht Beknechons', war Meni hier überhoben und genoß es sehr, sich mit den lehrhaften Spiegelköpfen vom Hause des Atum-Rê-Horachte über die Natur dieses herrlichen Gottes, seines Vaters, und über sein inneres Leben zu unterhalten, das trotz seines ungeheuren Alters noch so frisch und regsam war, daß es sich der schönsten Wandlungen, Läuterungen und Fortbildungen fähig erwies und daß, wenn man es so ausdrücken durfte, aus dem alten Gotte, mit Hilfe menschlicher Gedankenarbeit, langsam, aber immer vollendeter, ein neuer, unsagbar schöner, hervortrat, nämlich der wundervolle, aller Welt leuchtende Atôn.

Wenn man sich ihm ganz hätte hingeben und nur sein Sohn, Geburtshelfer, Verkünder und Bekenner hätte sein dürfen, statt außerdem noch König von Ägypten und der Nachfolger derer zu sein, die Kemes Grenzsteine weit hinaus gesetzt und es zum Weltreich gemacht hatten. Ihnen und ihren Taten war man verpflichtet; man war verpflichtet auf sie und auf ihre Taten, und es stand zu vermuten, daß man Beknechons, den Amunsmann, der dies beständig hervorhob, darum nicht leiden konnte, weil er recht hatte mit seiner Hervorhebung. Will sagen: Jung-Pharao selbst vermutete dies; es war eine Vermutung seines heimlichsten Gewissens. Er vermutete, daß es nicht nur ein anderes war, ein Weltreich zu gründen, und ein anderes, einem Weltgott ins Leben zu helfen, sondern daß diese zweite Beschäftigung möglicherweise auch in einem irgendwie gearteten Widerspruch stand

zu der königlichen Aufgabe, die ererbte Schöpfung zu bewahren und aufrechtzuerhalten. Auch die Kopfschmerzen, die ihm die Augen zudrückten, wenn die Wesire des Südens und Nordens ihm mit Reichsgeschäften zusetzten, waren mit Vermutungen verbunden, dahingehend, oder eigentlich nicht bis ganz dahin gehend, aber in der Richtung verlaufend, daß jene, nämlich die Kopfschmerzen, nicht so sehr in Ermüdung und Langerweile gründeten, als vielmehr in der undeutlichen, aber beunruhigenden Einsicht in den Widerstreit zwischen der Hingabe an die geliebte Atôn-Theologie und den Aufgaben eines Königs Ägyptenlandes. Mit anderen Worten: es waren Gewissens- und Konflikts-Kopfschmerzen, und sie wurden dazu noch als solche verstanden, was sie nicht besser, sondern schlimmer machte und das Heimweh verstärkte nach dem Zustande der morgendlichen Überschattung durch den Fittich der mütterlichen Nacht.
Kein Zweifel, damals war nicht nur er besser aufgehoben gewesen, sondern auch das Land. Denn ein Erdenland und sein Gedeihen ist immer besser aufgehoben bei der Mutter, möge auch das Überirdische besser aufgehoben sein in den Gedanken des Sohnes. Dies war Amenhoteps heimliche Überzeugung, und es war wohl der Geist Ägyptenlandes selbst, der Isisglaube der Schwarzen Erde, der sie ihm einflößte. In seinen Gedanken unterschied er zwischen dem stofflichen, irdischen, natürlichen Wohl der Welt und ihrem geistig-geistlichen, wobei er die unbestimmte Befürchtung hegte, diese beiden Anliegen möchten nicht nur nicht übereinstimmen, sondern vielmehr einander von Grund aus widerstreiten, so daß es eine schlimme, Kopfschmerzen erzeugende Schwierigkeit bedeutete, mit beiden auf einmal betraut, zugleich König und Priester zu sein. Das stofflich-natürliche Wohl und Gedeihen war Sache des Königs oder eigentlich: – es war viel besser einer Königin Sache und Sorge, die Sorge und Sache der Mutter, der Großen Kuh, – damit der Priester-Sohn in Freiheit und ohne Verantwortung fürs stoffliche Wohl dem geistigen nachhängen und seine Sonnengedanken spinnen könne. Die königliche Verantwortung fürs Stoffliche drückte Jung-Pharao. Die Idee seines Königtums war ihm verbunden mit der Vorstellung der schwarzen ägyptischen Ackerkrume, zwischen Wüste und Wüste, – schwarz und fruchtbar von schwängernder Feuchte. Er aber hatte seine Schwärmerei fürs reine Licht, für den goldenen Sonnenjüngling der Höhe, – und er hatte kein gutes Gewissen dabei. Immerfort erstattete der Wesir des Südens, dem alles gemeldet wurde, sogar der Frühaufgang des Hundssterns, der anzeigt, daß die Wasser zu schwellen beginnen, – immerfort hielt dieser Ramose ihn auf dem laufenden über den Stand des Stromes, die Aussichten der Überschwemmung, der Befruchtung, der Ernte, und Meni, so aufmerksam, ja besorgt er zuhörte, kam es

vor, als hätte der Mann sich lieber, wie früher, an die Mutter, die Isis-Königin, damit wenden sollen, die diesen Dingen verwandter war, in deren Obhut sie besser geborgen waren. Dennoch kam auch für ihn, wie für das Land, alles darauf an, daß es mit den schwarzen Dingen der Fruchtbarkeit seine segensvolle Richtigkeit habe und kein Versagen und Ausfall sich dabei ereignete; es blieb an ihm hängen, wenn dergleichen vorkam. Nicht umsonst hielt das Volk sich einen König, der Gottes Sohn war, und also in Gottes Namen doch wohl eine Sicherung darstellte gegen das Stocken heilig-notwendiger Vorgänge, auf die sonst niemand einen Einfluß hatte. Fehlschläge und Gemeinschaden im Bereich der Schwärze bedeuteten notwendig eine Enttäuschung für das Volk in Hinsicht auf ihn, dessen bloße Existenz dem hätte vorbeugen sollen, und eine Erschütterung seines Ansehens, das er doch notwendig brauchte, um der schönen Lehre, der Lehre Atôns und seiner himmlischen Lichtnatur, zum Siege zu verhelfen.
Das war eine Klemme und eine Beklemmung. Er hatte kein Verhältnis zur unteren Schwärze, sondern liebte einzig das obere Licht. Ging's aber nicht glatt und gut mit der nahrhaften Schwärze, so war's um seine Autorität geschehen als Lehrer des Lichtes. Darum waren Jung-Pharao's Empfindungen so zwiegespalten, als die mütterliche Nacht den Fittich von ihm nahm und ihm das Königtum überließ.

Die Träume des Pharao

Nun also hatte Pharao sich wieder einmal nach dem lehrhaften On begeben, aus unüberwindlichem Verlangen, dem Bannkreise Amuns zu entkommen und sich mit den Blankschädeln des Sonnenhauses über Harmachis-Chepere-Atum-Rê, den Atôn, zu unterhalten. Die Hofchronisten hatten in gebückter Haltung und mit gespitzten Mündern zärtlich aufgeschrieben, wie Seine Majestät diesen schönen Beschluß geäußert, worauf er einen großen Wagen aus Elektron bestiegen habe, zusammen mit Nofertiti, genannt Nefernefruatôn, der Königin der Länder, deren Leib fruchtbar war, und die den Arm um ihn geschlungen hatte, — und wie er leuchtend den schönen Weg dahingeflogen sei, gefolgt, in anderen Wagen, von Teje, der Mutter Gottes, von Nezemmut, der Schwester der Königin, von Baketatôn, seiner eigenen Schwester, und vielen Kämmerlingen und Damen des Weiberhofs, mit Wedeln von Straußenfedern auf ihren Rücken. Auch die himmlische Barke ›Stern beider Länder‹ hatte streckenweise zur Reise gedient, und die Chronisten hatten verzeichnet, wie Pharao unter ihrem Baldachin eine gebratene Taube verzehrt, auch der Königin das Knöchlein gehalten, davon sie speiste, und ihr Zuckerwerk in den Mund geschoben habe, nachdem er es in Wein getaucht.

Zu On war Amenhotep in seinem Palaste im Tempelbezirke eingekehrt und hatte dort die erste Nacht, erschöpft von der Reise, traumlos geschlafen. Den folgenden Tag hatte er damit begonnen, dem Rê-Horachte ein Opfer von Brot und Bier, Wein, Vögeln und Weihrauch darzubringen, hatte danach den Wesir des Nordens angehört, der lange vor ihm redete, und dann, der Kopfschmerzen ungeachtet, die er sich dabei zugezogen, den ganzen Rest des Tages den ersehnten Gesprächen mit Hausbetretern des Gottes gewidmet. Der Hauptgegenstand dieser Beratungen, der Amenhotep gerade damals tief beschäftigte, war der Vogel Bennu gewesen, auch ›Sproß des Feuers‹ genannt, weil es hieß, daß er mutterlos und eigentlich auch sein eigener Vater sei, da Sterben und Entstehen für ihn dasselbe seien, indem er sich nämlich in seinem Nest aus Myrrhen verbrenne und aus der Asche als junger Bennu wieder hervorgehe. Dies geschehe, behaupteten einige Lehrer, alle fünfhundert Jahre, und zwar im Sonnentempel zu On, woselbst der Vogel, der seiner Gestalt nach ein reiherähnlicher Adler und golden-purpurn von Farbe sein sollte, von Osten her, aus Arabien oder auch Indien kommend, zu diesem Geschäft sich einfinde. Andere aber wollten wissen, er bringe ein Ei dorthin, aus Myrrhen gemacht und so groß er es tragen könne, worin er seinen verstorbenen Vater, also eigentlich sich selbst, verschlossen habe, und lege es auf den Sonnenaltar nieder. Diese beiden Aussagen mochten nebeneinander bestehen – es besteht so vieles nebeneinander, und verschiedene Dinge mögen gleich wahr und nur verschiedene Ausdrucksformen derselben Wahrheit sein. Was aber Pharao erstens zu wissen oder was er doch zu erörtern wünschte, war, wie weit die Zeitperiode von fünfhundert Jahren, die zwischen den Geburten und Ei-Niederlegungen des Feuersprossen lag, wohl vorgeschritten sei, und wie weit man sich also von seinem letzten Eintreffen einerseits und von seiner nächsten Ankunft andererseits befinde, kurz, an welchem Punkte des Phönix-Jahres man halte. Die Meinung der Priester ging überwiegend dahin, daß man ungefähr in der Mitte des Zeitraums schweben müsse; denn wenn man noch nahe an seinem Anfange stände, so müßte eine Erinnerung an das letzte Erscheinen Bennu's vorhanden sein, was nicht der Fall sei. Befände man sich aber nahe dem Ende und Wiederbeginn der Periode, so müßte mit der nahen oder gar unmittelbar bevorstehenden Rückkehr des Zeitvogels zu rechnen sein. Man rechne aber nicht damit, zu eigenen Lebzeiten diese Erfahrung zu machen, und darum sei jener Mittel-Schluß geboten. Ja, einige gingen so weit, zu vermuten, man werde allezeit in der Mittelschwebe verharren, und das Geheimnis bestehe eben darin, daß der Abstand von der letzten Wiederkehr des Phönix einerseits und seiner nächsten andererseits immer derselbe und immer ein mittlerer sei. Doch war nicht

dies Geheimnis für Pharao die Hauptsache und der brennende Punkt. Der brennende Punkt, zu dessen Erörterung er hauptsächlich gekommen war, und den er denn auch den halben Tag mit den Spiegelköpfen erörterte, war die Lehraussage, daß das Myrrhen-Ei des Feuervogels, in das er den Körper seines Vaters verschließe, dadurch, daß er dies tue, *nicht schwerer werde.* Denn er mache es ohnedies so groß und schwer, daß er es eben noch tragen könne, und wenn er es auch noch zu tragen vermöge, nachdem er den Vater darin verschlossen, so sei klar, daß es durch dessen Körper an Gewicht nicht zunehme.
Das war ein aufregendes und entzückendes Faktum in Jung-Pharao's Augen, der angelegentlichsten Erörterung wert und von Weltwichtigkeit. Fügte man einem Körper einen anderen hinzu, und er wurde nicht schwerer durch ihn, so hieß das, daß es unstoffliche Körper gab, — anders und besser gesagt: unkörperliche Wirklichkeiten, immaterielle wie das Sonnenlicht, — wieder anders und noch besser gesagt: es gab das Geistige; und dieses Geistige war ätherisch verkörpert in dem Bennu-Vater, den das Myrrhen-Ei aufnahm, indem es dadurch seinen Charakter als Ei in der aufregendsten und bedeutsamsten Weise veränderte. Das Ei überhaupt war ein Ding entschieden weiblicher Spezifität, einzig die Weibchen unter den Vögeln legten Eier, und nichts konnte mütterlich-weiblicher sein als das große Ei, aus dem einst die Welt hervorgegangen. Bennu aber, der Sonnenvogel, mutterlos und sein eigener Vater, formte sein Ei selbst, ein Gegen-Weltei, ein männliches Ei, ein Vater-Ei, und legte es als eine Kundgebung von Vatertum, Geist und Licht auf den Alabaster-Tisch der Sonnengottheit nieder.
Nicht genug hatte Pharao diese Angelegenheit und die Bedeutung, die sie für die zu erdenkende Natur des Atôn besaß, mit den Sonnen-Kalendermännern vom Tempel des Rê erörtern können. Er tat es bis tief in die Nacht, er tat es bis zum Exzeß, er schwelgte in goldener Immaterialität und Vatergeist, und als die Hausbetreter schon übermüdet waren und ihnen die Blankköpfe herabfielen, war er des Gespräches noch immer nicht satt und fand den Entschluß nicht, sie zu entlassen, als fürchtete er sich, allein zu bleiben. Endlich denn beurlaubte er die Nickenden und Wankenden dennoch und suchte sein Schlafzimmer auf, wo der Aus- und Ankleidesklave, ein älterer Mann, der schon dem Knaben zugeteilt gewesen war und ihn ›Meni‹ nannte, obgleich er es sonst an formellen Ehrfurchtsbezeigungen nicht fehlen ließ, schon längst im Ampelschein auf ihn wartete. Dieser macht' es ihm zart und rasch für die Nacht bequem, warf sich auf die Stirn und zog sich zurück, um außen auf der Schwelle zu schlafen. Pharao seinerseits, in die Kissen geschmiegt seiner kunstgewerblichen Bettstatt, die auf einem Podium inmitten des Zimmers stand, die

Rückwand geschmückt mit feinster, Schakale, Steinböcke und Bes-Figuren darstellender Elfenbeinarbeit, fiel fast sofort in den Schlaf der Erschöpfung – für kurze Zeit. Denn nach ein paar Stunden tiefer Betäubung begann er zu träumen und träumte so kraus, beängstigend und absurd-lebendig, wie nur früher als Kind mit Halsweh-Fieber. Er träumte aber durchaus nicht vom gewichtlosen Bennu-Vater und vom unstofflichen Sonnenstrahl, sondern von ganz Gegenteiligem.

Im Traume stand er am Ufer Hapi's, des Ernährers, an einsamer Stelle, da war Sumpf und Reute. Er trug die rote Kronmütze von Unter-Ägypten und hatte den Bart umgebunden, und am Oberschurz hing ihm der Tierschwanz. Ganz allein stand er an der Stelle, mit schwerem Herzen und hielt den Krummstab im Arm. Da rauschte es auf nicht weit vom Ufer und tauchte aus der Flut hervor siebenfältig: Sieben Kühe stiegen ans Land, die wohl im Wasser gelegen hatten nach Art von Büffelkühen, und ging immer eine hinter der anderen her in einer Zeile, zu siebenen ohne den Stier: es war kein Stier da, nur eben die sieben Kühe. Prachtvolle Kühe, weiß, schwarz, mit hellerem Rücken, auch grau mit hellerem Bauch, auch zwei gescheckte, mit Zeichen gefleckte, – so schöne, glatte und fette Kühe, mit strotzenden Eutern und bewimperten Hathor-Augen und hochgeschwungenem Leier-Gehörn, und fingen an, gemächlich im Ried zu weiden. Der König hatte nie so herrliches Rindvieh gesehen, im ganzen Lande nicht; es war ein Staat mit der blanken Gedeihlichkeit ihrer Leiber, und Meni's Herz wollte froh werden bei ihrem Anblick, ward's aber nicht, sondern blieb schwer und besorgt – um sich alsbald danach sogar mit Schrecken und Graus zu füllen. Denn nicht riß die Zeile ab nach diesen Sieben. Noch mehr der Kühe kamen aus dem Wasser hervor, und gab keine Unterbrechung zwischen diesen und jenen: sieben andere Kühe stiegen ans Land, auch ohne Stier, aber welcher Stier hätte die auch gemocht? Dem Pharao schaudert's vor dem Vieh, es waren die häßlichsten, magersten, verhungertsten Kühe, die er zeit seines Lebens erblickt – die Knochen standen ihnen aus der faltigen Haut, ihre Euter waren wie leere Säcke mit fadenförmigen Zitzen; abschreckend und überaus niederschlagend war ihr Anblick, kaum schienen die Elenden sich auf den Beinen halten zu können und ließen dann doch ein schamlos freches, zudringlich mörderisches Gebaren sehen, das man ihrer Hinfälligkeit nicht zugetraut hätte, und das doch wieder auch nur zu gut zu ihr paßte, denn es war des Hungers wüstes Gebaren. Pharao sieht: die Jammer-Herde macht sich an die blanke heran, die scheußlichen Kühe bespringen die wundervollen, wie Kühe es wohl machen, wenn sie den Bullen spielen, und dabei frißt und schlingt das Elendsvieh das Prachtvieh in sich hinein und vertilgt's reinweg von der Weide – steht aber

danach auf dem Fleck so ausgemergelt wie je zuvor und ist ihm von Füllung nichts anzumerken.
Hier endete dieser Traum, und Pharao fuhr aus dem Schlaf in Schweiß und Sorge. Er setzte sich auf, blickte schlagenden Herzens umher im mild beleuchteten Schlafgemach und fand, daß es ein Traum gewesen, aber ein so beredter und nahegehender, daß seine Zudringlichkeit wie die des verhungerten Flußviehs gewesen war und dem Träumer kalt in den Gliedern lag. Er mochte sein Bett nicht mehr, stand auf, zog den weißwollenen Nachtrock an und ging im Zimmer umher, indem er dem zudringlichen, zwar unsinnigen, aber handgreiflich deutlichen Traume nachsann. Gern hätte er den Kammersklaven geweckt, um ihm den Traum zu erzählen, oder vielmehr, um zu versuchen, ob, was er gesehen, in Worten wiederzugeben sei. Doch war er zu zartfühlend, den Alten zu stören, den er bis tief in die Nacht hatte warten lassen, und setzte sich in den kuhfüßigen Armstuhl zur Seite des Bettes, hüllte sich enger in den mond-milden Nachtmantel und schlummerte, die Füße auf dem Schemel, in einen Winkel des Stuhles gedrückt, unvermerkt wieder ein.
Kaum war er aber entschlafen, so träumte er wieder, – es half nichts, abermals oder immer noch stand er einsam am Ufer mit Krone und Schweif, und ist da ein geackerter Feldfleck von schwarzer Erde. Und er sieht: die Fruchterde kräuselt sich und wirft sich ein wenig auf, und ein Halm wächst hervor, an dem sprießen sieben Ähren, eine nach der anderen, alle an einem Halm, fette und pralle Ähren, strotzend von Frucht und nicken gülden in Trächtigkeit. Da will sich das Herz erheitern, kann's aber nicht, denn an dem Halm sprießt es nach hinterdrein: noch einmal sieben Ähren kommen hervor, trostlose Ähren, taub, tot und dürr, versengt vom Ostwind, geschwärzt von Kornbrand und Rost, und wie sie lumpig hervorgehen unter den fetten, so schwinden diese dahin, als schwänden sie in jene hinein, und ist nicht anders, als ob die Kummer-Ähren die fetten verschlängen, gleichwie vorhin die Elendskühe die blanken verschlangen, und werden auch nicht fetter und voller davon. Dieses sah Pharao handgreiflich mit Augen, fuhr auf im Stuhl und fand, daß es wieder ein Traum gewesen.
Ein lächerlich krauser Traum noch einmal, von stiller Tollheit, aber so zudringlich nahehin zum Gemüte redend, mit Warnung und Weisung, daß Pharao danach bis zum glücklicherweise schon nahen Morgen überhaupt nicht mehr schlafen konnte, noch auch nur schlafen wollte, sondern immerfort, zwischen Bett und Lehnstuhl wechselnd, der deutungsbedürftigen Deutlichkeit dieses an einem Halme gewachsenen Traumpaares nachsann, – fest entschlossen schon jetzt, dergleichen Träume auf keinen Fall schweigend hingehen zu lassen und sie für sich zu behalten, sondern

einen casus daraus zu machen und Lärm zu schlagen um ihretwillen. Er hatte Krone, Krummstab und Schwanz getragen dabei, es waren Königsträume, von Reichsbelang ohne Zweifel, höchst auffällige, mit Sorge getränkte Träume, es war ganz unvermeidlich, sie an die große Glocke zu hängen und alles aufzubieten, um ihnen beizukommen und ihnen auf den Grund ihrer offenbar bedrohlichen Meinung zu sehen. Meni war geradezu empört über seine Träume und haßte sie, je länger, je mehr. Ein König ließ sich nicht solche Träume gefallen – obgleich sie auch wieder wohl nur einem Könige zustoßen konnten. Unter ihm, Nefer-cheperu-Rê-Wanrê-Amenhotep, durfte dergleichen sich nicht ereignen, daß irgendwelche Greuel-Kühe so schöne, fette fraßen und trostlose Brand-Ähren so gülden-pralle verschlangen; nichts durfte geschehen, was im Bereich des Geschehens dieser abscheulichen Bilderrede entsprach. Denn an ihm würde es hängenbleiben, sein Ansehen würde erschüttert sein, die Ohren und Herzen würden sich der Verkündigung des Atôn verschließen, und Amun würde der Nutznießer sein. Dem Lichte drohte Gefahr von seiten der Schwärze, dem Geistig-Gewichtlosen drohte solche vom Stofflichen her, das stand über allem Zweifel. Seine Aufregung war groß; sie nahm die Gestalt des Zornes an, und dieser ballte sich immer wieder zu dem Beschluß, daß die Gefahr enthüllt und erkannt werden müsse, damit man ihr begegnen könne.

Der erste, dem er die Träume erzählt hatte, so gut sie sich eben erzählen ließen, war der Alte gewesen, der auf der Schwelle geschlafen hatte und ihn nun ankleidete, ihm das Haar machte, das Kopftuch band. Der hatte nur verwundert den Kopf geschüttelt und dann gemeint, das komme davon, wenn der Gute Gott so spät zu Bette gehe, nachdem er sich den Sinn erhitzt mit endlosen ›Spekulanzien‹, wie er sich volkstümlich-dümmerlich ausdrückte. Eigentlich faßte er wohl unwillkürlich die Sorgen-Träume als eine Art von Strafe dafür auf, daß Meni seinen alten Diener so lange hatte warten und wachen lassen. »Ach, Schäfchen!« hatte Pharao ärgerlich lachend gesagt, indem er ihn leicht mit der flachen Hand vor die Stirn gestoßen, und war zur Königin gegangen, der aber übel war von ihrer Schwangerschaft und die ihm schlecht zugehört hätte. Danach hatte er Teje, die Göttin-Mutter, aufgesucht und sie am Schminktisch unter den Händen der Kammerfrauen gefunden. Auch ihr hatte er die Träume erzählt und dabei die Erfahrung gemacht, daß sie sich mit der Zeit nicht leichter erzählten, sondern daß es ihm jedesmal saurer wurde – auch hatte er wenig Trost und Zuspruch bei ihr gefunden . . . Teje zeigte sich stets etwas spöttisch, wenn er mit Königssorgen zu ihr kam – daß es sich um eine solche hier handle, war ihm gewiß, und im voraus hatte er's ausgesprochen –, worauf sogleich auf dem mütterlichen Gesicht das mokante Lächeln erschienen war.

Obgleich doch König Nebmarê's Witwe freiwillig und nach reiflicher Überlegung die Regentschaft niedergelegt und dem Sohne die Herrschgewalt seiner Mittäglichkeit übertragen hatte, konnte sie ihre Eifersucht auf diese Herrschgewalt nicht verbergen, und das Peinliche für Meni war, daß er alles merkte, also daß ihm auch jene Bitterkeit nicht entging, deren Äußerungen er gerade dadurch hervorrief, daß er sie durch die kindliche Bitte um Beistand und Rat zu besänftigen suchte. »Was kommt deine Majestät zu mir, der Abgedankten?« pflegte Teje zu sagen. »Du bist Pharao, so sei es auch und stehe auf deinen Füßen, statt auf meinen. Halte dich an deine Diener, die Wesire des Südens und Nordens, wenn du nicht weiter weißt, und laß dir von ihnen deinen Willen künden, wenn du ihn nicht kennst, aber nicht von mir, der Alten und Ausgedienten.«
Ähnlich hatte sie sich auch jetzt zu den Träumen verhalten. »Ich bin der Macht und Verantwortung zu entwöhnt, mein Freund«, hatte sie lächelnd geantwortet, »um beurteilen zu können, ob du mit Recht diesen Geschichten so viel Gewicht beimissest. ›Verborgen ist die Finsternis‹, steht geschrieben, ›wenn reichlich ist Helligkeit‹. Erlaube der Mutter, sich zu verbergen. Erlaube mir sogar meine Meinung darüber zu verbergen, ob diese Träume würdige Träume und deiner Stellung angemessen sind. Gefressen? Verschlungen? Die einen Kühe die anderen? Die tauben Ähren die vollen? Das ist kein Traumgesicht, denn man kann es nicht sehen und sich kein Bild davon machen, im Wachen nicht und meiner Meinung nach auch nicht im Schlaf. Wahrscheinlich hat deiner Majestät etwas ganz anderes geträumt, was du vergessen hast und an dessen Stelle du jetzt das Unbild dieser unausführbaren Gefräßigkeit setzest.«
Vergebens hatte Meni versichert, daß er es wirklich so und nicht anders mit Traumesaugen deutlich gesehen habe, und daß die Deutlichkeit voll von Bedeutung gewesen sei, welche nach Deutung schreie. Vergebens hatte er ihr von seiner Herzensfurcht gesprochen vor der Schädigung, welche ›die Lehre‹, das heißt: der Atôn leiden würde, wenn die Träume ungehindert sich selber deuteten; will sagen: sich erfüllten und die Wirklichkeitsgestalt annähmen, von der sie die seherische Verkleidung gewesen. Er hatte wieder einmal die Erfahrung gemacht, daß die Mutter im Grunde kein Herz hatte für seinen Gott, und daß sie nur mit dem Verstande, nämlich aus politisch-dynastischen Gründen seine Parteigängerin war. In seiner zärtlichen Liebe, seiner geistigen Leidenschaft für Ihn, hatte sie den Sohn immer bestärkt; aber einmal mehr merkte er heute, wie er es längst gemerkt hatte, und wie er dank seiner Empfindlichkeit leider alles merkte, daß das nur aus Kalkül geschehen war, und daß sie sein Herz ausnutzte als eine Frau, die das Weltganze ausschließlich unter dem

staatsklugen Gesichtswinkel sah und nicht, wie er, vor allem unter dem religiösen. Das kränkte Meni und tat ihm weh. Er verließ die Mutter, bedeutet von ihr, wenn er wirklich sein Kuh- und Ährengesicht für staatswichtig halte, so möge er sich damit während der Morgenaudienz an Ptachemheb, den Wesir des Nordens, wenden. Im übrigen fehle es nicht an Traumdeutern hier am Ort.
Nach den Traumgelehrten hatte er längst geschickt und erwartete sie mit Ungeduld. Doch ging ihrem Empfange derjenige des Großen Beamten voran, der kam, um Pharao's Angelegenheiten des ›Roten Hauses‹, das heißt des Schatzhauses von Unter-Ägypten, vorzutragen, aber schon nach dem Begrüßungshymnus unterbrochen wurde, um die mit nervös gequälter Stimme und mit stockend suchenden Worten vorgetragene Erzählung der Träume zu vernehmen, nebst der Aufforderung, sich über zwei Fragen zu äußern: erstens, ob auch er, wie sein Herr, sie für reichswichtig halte, und zweitens, bejahenden Falles, in welcher Beziehung und Hinsicht. Er hatte sich nicht zu äußern gewußt oder vielmehr sich sehr wohlgesetzt, in längerer Rede, dahin geäußert, daß er sich nicht zu äußern vermöge und mit den Träumen nichts anzufangen wisse, – worauf er sich den Schatzangelegenheiten zuzuwenden versucht hatte. Aber Amenhotep hatte ihn bei den Träumen festgehalten, offenbar unwillig und unfähig, von etwas anderem zu sprechen oder von etwas anderem zu hören, und ihm nur immer begreiflich machen wollen, wie sprechend-eindringlich oder eindringlich-sprechend sie gewesen seien, – wovon er nicht abgelassen hatte, bis die Gelehrten und Wahrsager waren gemeldet worden.
Der König, erfüllt, ja besessen, wie er nun einmal war von seinem nächtlichen Erleben, hatte eine Zeremonie erster Ordnung aus dem Empfange gemacht – der dann, der Sache nach, so kläglich verlief. Er hatte nicht nur dem Ptachemheb befohlen, dabei zugegen zu bleiben, sondern auch verordnet, daß alle Würdenträger seines Hofs, die ihn nach On begleitet hatten, der Deutungsaudienz beiwohnten. Es war da etwa ein Dutzend sehr vornehmer Herren: der Große Hausvorsteher, der Vorsteher der Königlichen Kleider, der Palast-Oberwäscher und -Bleicher, der so betitelte Sandalenträger des Königs, eine ansehnliche Charge, der Perückenchef des Gottes, der zugleich ›Hüter der Zauberreichen‹, das heißt der beiden Kronen und Geheimrat des königlichen Schmuckes war, der Vorsteher aller Pferde des Pharao, der neue Oberbäcker und ›Fürst von Menfe‹, namens Amenemopet, der Obervorsteher der Schenktischschreiber, Nefer-em-Wêse, der eine Zeitlang Bin-em-Wêse geheißen hatte, und mehrere Wedelträger zur Rechten. Diese alle hatten sich in der Halle des Rats und der Vernehmung einzufinden und hielten sich in zwei gleichen Gruppen zu seiten von Pharao's schönem Stuhl, der eine

Stufe hoch unter einem von dünnen, bebänderten Pfeilern getragenen Baldachin stand. Vor ihn wurden die Propheten und Traumspezialisten geführt, sechs an der Zahl, die alle in näherer oder weiterer Beziehung zum Tempel des Horizontbewohners standen, und von denen ein paar auch an der gestrigen Phönix-Beratung teilgenommen hatten. Leute wie sie warfen sich nicht mehr, wie das wohl vorzeiten üblich gewesen, vor dem Stuhle auf ihren Bauch, um die Erde zu küssen. Es war noch derselbe Stuhl wie zur Zeit der Pyramidenerbauer und wie noch viel früher, ein kastenartiger Sessel mit niedriger Rückenlehne, vor der ein Kissen stand; nur etwas mehr Zier und Figur war daran als in Urzeiten. Aber obgleich der Stuhl prächtiger und Pharao mächtiger geworden war, küßte man nicht mehr die Erde vor ihnen, das gab es nicht mehr. Es stand damit wie mit der lebendigen Beisetzung des Hofstaates im Königsgrabe – es war nicht mehr guter Ton. Die Zauberer hoben nur anbetend die Arme auf und murmelten in ziemlich unrhythmischem Durcheinander eine Langformel frommer Begrüßung, worin sie dem König versicherten, daß er eine Gestalt habe wie sein Vater Rê und beide Länder mit seiner Schönheit erhelle. Denn die Strahlen seiner Majestät drängen bis in die Höhlen, und sei kein Ort, der sich dem durchdringenden Blick seines Auges entzöge, noch einer, wohin das Feingehör seiner Millionen Ohren nicht dränge, – er höre und sehe alles, und was immer aus seinem Munde hervorgehe, gleiche den Worten des Horus im Horizont, da seine Zunge die Waage der Welt und seine Lippen genauer seien als das Zünglein an der richtigen Waage des Thot. Er sei Rê in seinen Gliedern (redeten sie mit ungleich lauten Stimmen durcheinander) und Chepre in seiner wahren Gestalt, das lebende Bild seines Vaters Atum von On in Unterägypten – »o Nefer-cheperu-Rê-Wanrê, du Herr der Schönheit, durch den wir atmen!«

Einige wurden früher fertig als die anderen. Dann schwiegen alle und lauschten. Amenhotep dankte ihnen, sagte ihnen erst allgemein, aus welchem Anlaß er sie habe rufen lassen, und fing dann an, vor dieser Versammlung von ungefähr zwanzig teils vornehmen, teils gelehrten Personen seine vertrackten Träume zu erzählen – zum vierten Mal. Es war ihm eine Pein, er errötete und stotterte beim Erzählen. Das durchdringende Gefühl von der drohenden Bedeutsamkeit der Geschichte hatte ihn bestimmt, sie so öffentlich zu machen. Nun bereute er es, denn er verhehlte sich nicht, daß, was so ernst gewesen war und für sein innerliches Gemüt auch so ernst blieb, sich nach außen hin lächerlich ausnahm. In der Tat, wie sollten so schöne und starke Kühe es sich gefallen lassen, daß so schwache und elende sie auffräßen? Und wie und womit sollten die einen Ähren die anderen fressen? Es hatte ihm aber so geträumt, so und nicht anders! Die Träume waren frisch, natürlich und eindrucksvoll gewesen bei Nacht; am Tag und in Worten nahmen sie sich aus wie schlecht präparierte Mumien mit zerstörten Gesichtern; man konnte sich nicht damit sehen lassen. Er schämte sich und kam mühsam zu Ende. Dann sah er die Traumgelehrten schüchtern-erwartungsvoll an.

Sie hatten bedeutend mit ihren Köpfen genickt, aber allmählich, bei einem nach dem anderen, war das nachdenkliche Nicken in die seitliche Bewegung verwunderten Kopfschüttelns übergegangen. Es seien absonderliche und kaum je dagewesene Fälle von Träumen, hatten sie durch ihren Ältesten erklären lassen; die Deutung sei mühsam. Nicht, daß sie an ihr verzweifelten – die Träume müßten erst noch geträumt werden, die sie nicht auszulegen vermöchten. Allein sie müßten um eine Bedenkfrist und um die Gnade bitten, sich zum Konsilium zurückziehen zu dürfen. Auch seien Kompendien herbeizuschaffen, in denen nachgeschlagen werden müsse. Es sei kein Mensch so gelehrt, die ganze Traum-Kasuistik zu überblicken. Gelehrt sein, so erlaubten sie sich zu bemerken, heißt nicht, alles Wissen im Kopfe zu haben; es sei nicht Raum dafür im Kopfe; sondern es heiße, im Besitze der Bücher zu sein, in denen das Wissen geschrieben stehe. Und sie besäßen sie.

Amenhotep hatte ihnen Urlaub zum Konsilium bewilligt. Dem Hofe war der Befehl geworden, sich in Bereitschaft zu halten. Der König hatte zwei volle Stunden – so lange dauerte die Beratung – in großer Unruhe verbracht. Dann war die Versammlung erneuert worden.

»Pharao lebe Millionen Jahre, geliebt von Ma'at, der Herrin der Wahrheit, in Erwiderung seiner Liebe zu ihr, die da ohne Falsch!« Sie stehe ihnen, den Experten, persönlich zur Seite, da sie das Ergebnis verkündeten und die Deutung brächten vor Pharao, den Schutzherrn der Wahrheit. Zum ersten: Die sieben schönen Kühe bedeuteten sieben Prinzessinnen, die Nefernefruatôn-Nofertiti, die Königin der Länder, nach und nach gebären werde. Daß aber das fette Vieh vom klapprigen sei verschlungen worden, besage, daß diese sieben Töchter alle noch zu Lebzeiten Pharao's sterben würden. Das solle nicht heißen, beeilten sie sich hinzuzufügen, daß die Königstöchter in jungen Jahren sterben würden. Es werde eben Pharao eine solche Dauer beschieden sein, daß er all seine Kinder, so alt sie auch würden, überleben werde.

Amenhotep sah sie offenen Mundes an. Wovon sie sprächen, fragte er sie mit verminderter Stimme. – Sie antworteten, es sei ihnen vergönnt gewesen, die Deutung des ersten Traumes zu liefern. – Aber diese Deutung, hatte er, immer mit schwacher Stimme, erwidert, stehe zu seinem Traum in gar keiner Beziehung, sie habe überhaupt nichts damit zu tun. Er habe sie nicht gefragt, ob die Königin ihm einen Sohn und Thronfolger oder

eine Tochter und weitere Töchter gebären werde. Er habe sie nach der Deutung der schmucken und der häßlichen Kühe gefragt. – Die Töchter, versetzten sie, seien eben die Deutung. Er dürfe nicht erwarten, in der Deutung des Kuhtraumes wieder Kühe vorzufinden. In der Deutung verwandelten sich die Kühe in Königstöchter.
Pharao hielt den Mund nicht mehr offen, er hielt ihn sogar recht fest geschlossen und hatte ihn auch nur wenig geöffnet, als er sie aufgefordert hatte, zum zweiten zu kommen.
Zum zweiten sagten sie. Die sieben vollen Ähren seien sieben blühende Städte, die Pharao bauen werde; die sieben dürren und struppigen aber seien – die Trümmer davon. Wohlgemerkt, erläuterten sie hastig, alle Städte fielen unweigerlich mit der Zeit in Trümmer. Pharao werde eben solchen Bestand haben, daß er noch die Trümmer der von ihm selbst erbauten Städte mit Augen sehen werde.
Da nun war Meni's Geduld zu Ende. Sein Schlaf war ungenügend, das Wiedererzählen der vertrocknenden Träume peinlich, das zweistündige Warten auf den Wahrspruch der Doktoren entnervend gewesen. Nun war er so durchdrungen davon, daß diese Deutungen bare Stümpereien seien und ellenweit an der wahren Bedeutung seiner Gesichte vorbeigingen, daß er seinen Zorn nicht länger bemeisterte. Er fragte noch, ob es so, wie die Weisen es sagten, in ihren Büchern stände? Als sie ihm aber antworteten, ihre Darbietungen seien eine stichhaltige Verbindung von dem, was in den Büchern stehe, mit den Eingebungen ihres eigenen Kombinationsvermögens, sprang er vom Sessel auf, was ganz unerhört war während einer Audienz, so daß die Hofherren die Schultern hochzogen und den Mund mit der hohlen Hand bedeckten, und hieß, Tränen in der Stimme, die furchtbar erschrokkenen Propheten Hudler und Nichtswisser.
»Fort!« rief er beinahe schluchzend. »Und nehmt mit euch, statt reichlichen Lobgoldes, das meine Majestät euch angewiesen hätte, wenn Wahrheit aus eurem Munde gekommen wäre, Pharao's Ungnade! Eure Deutungen sind Lug und Trug, Pharao weiß es, denn Pharao hat geträumt, und wenn er auch die Deutung nicht weiß, so weiß er doch zu unterscheiden zwischen wahrer Deutung und einer so minderwertigen. Aus meinem Angesicht!«
Von zwei Palastoffizieren waren die bleichen Gelehrten hinausgeführt worden. Meni aber hatte, ohne sich wieder zu setzen, seinem Hof erklärt, dieser Mißerfolg werde ihn keinesfalls bestimmen, die Sache auf sich beruhen zu lassen. Die Herren seien leider Zeugen eines beschämenden Versagens gewesen, aber, bei seinem Zepter!, schon für den morgigen Tag werde er andere Traumkundige einberufen, diesmal vom Hause Djehuti's, des Schreibers Thots, des neunmal Großen, des Herrn von Chmunu.

Von den Geweihten des weißen Pavians sei würdig-wahrere Deutung dessen zu erwarten, wovon die innere Stimme ihm sage, daß es um jeden Preis gedeutet werden müsse.
Die neue Befragung hatte am nächsten Tage unter denselben Umständen stattgefunden. Sie war noch kläglicher verlaufen als die vorige. Wieder hatte Pharao unter inneren Schwierigkeiten und solchen der Zunge seine Traum-Mumien öffentlich dargestellt, und wieder hatte es bei den Leuchten ein großes Nicken und Schütteln gegeben. Nicht zwei, sondern drei lange Stunden hatten König und Hof auf das Ergebnis des geheimen Konsiliums zu warten gehabt, das auch die Söhne des Thot sich ausgebeten; und dann waren diese Fachmänner nicht einmal untereinander einig, sondern nach ihrer Meinung von den Träumen gespalten gewesen. Zwei Deutungen, verkündete ihr Ältester, lägen vor für jeden Traum, und diese allerdings seien die einzigen überhaupt in Betracht kommenden; andere seien nicht denkbar. Nach einer Theorie waren die sieben fetten Kühe sieben Könige vom Samen Pharao's, die sieben häßlichen dagegen sieben Fürsten des Elends, die sich gegen dieselben erheben würden. Dies liege aber in weiter Ferne. Andererseits könnten die schönen Kühe ebenso viele Königinnen sein, die entweder Pharao selbst oder einer seiner späten Nachfolger in sein Frauenhaus aufnehmen werde, und die (worauf die sieben ausgemergelten Kühe hindeuteten) unglücklicherweise eine nach der anderen sterben würden.
Und die Ähren?
Die sieben güldenen Ähren bedeuteten nach der Überzeugung der einen sieben Helden Ägyptens, die später einmal in einem Kriege von der Hand sieben feindlicher und, wie die verkohlten Ähren andeuteten, an Macht viel geringerer Kämpfer fallen würden. Die anderen hielten daran fest, daß die sieben vollen und die sieben hohlen Ähren gleich vierzehn Kindern seien, die Pharao von jenen Königinnen des Auslands empfangen werde. Allein ein Streit werde unter ihnen entbrennen, und umbringen würden dank überlegener Tücke die sieben schwächeren Kinder die sieben stärkeren. –
Diesmal war Amenhotep nicht einmal mehr vom Audienzsessel aufgesprungen. Gebeugt war er darauf sitzen geblieben, sein Angesicht in den Händen bergend, und die Hofleute rechts und links vom Baldachin hatten ihre Ohren hingehalten, um zu erlauschen, was er in seine Hände murmelte. »O Pfuscher! Pfuscher!« hatte er zu wiederholten Malen geflüstert und dann dem Wesir des Nordens, der ihm am nächsten stand, gewinkt, daß er sich zu ihm hinabbeuge und einen leisen Auftrag entgegennehme. Ptachemheb entledigte sich dieses Auftrags, indem er den Experten mit lauter Stimme verkündete, Pharao wünsche zu wissen, ob sie sich nicht schämten.

Sie hätten ihr Bestes gegeben, antworteten sie.
Da mußte der Wesir sich abermals zum König hinabbeugen, und diesmal zeigte sich, daß er den Auftrag empfangen hatte, den Zauberern mitzuteilen, sie hätten den Saal zu räumen. In großer Verwirrung, indem sie sich wechselseitig anblickten, als wollte einer den anderen fragen, ob ihm so etwas schon einmal vorgekommen sei, entfernten sich diese Männer. Der zurückbleibende Hof stand in banger Betretenheit, denn Pharao saß immer noch niedergebeugt, mit der Hand die Augen beschattend. Als er sie endlich davon hinwegnahm und sich aufrichtete, zeichnete Gram sich auf seinem Gesichte ab, und sein Kinn zitterte. Er sagte den Hofleuten, er hätte sie gern geschont, und er stürze sie nur mit Widerstreben in Schmerz und Trauer, aber er könne ihnen die Wahrheit nicht verhehlen, daß ihr Herr und König tiefunglücklich sei. Seine Träume hätten das unverkennbare Gepräge der Reichswichtigkeit gehabt, und ihre Deutung sei eine Lebensfrage. Die empfangenen Auslegungen aber seien ohnmächtiges Zeug gewesen; sie paßten im geringsten nicht zu seinen Träumen, und diese erkennten sich nicht darin wieder, wie Traum und Deutung sich ineinander wiedererkennen müßten. Nach dem Mißlingen dieser zwei groß angelegten Versuche müsse er daran zweifeln, die wahrhaft entsprechende Deutung, die er als solche sofort erkennen würde, zu gewinnen. Das aber heiße, daß man gezwungen sei, es den Träumen zu überlassen, sich selber zu deuten und, möglicherweise zum schwersten Schaden von Staat und Religion, ohne jede vorbeugende Maßnahme in schlimme Erfüllung zu gehen. Den Ländern drohe Gefahr; der Pharao aber, dem dies offenbar sei, werde, des Rates und Beistandes bar, auf seinem Throne allein gelassen.
Nur einen Augenblick noch hatte nach diesen Worten das beklommene Schweigen angedauert. Dann war es geschehen, daß Nefer-em-Wêse, der Obermundschenk, der lange mit sich gekämpft, aus dem Chor der Freunde hervorgetreten war und um die Gunst ersucht hatte, vor Pharao zu reden. »Ich gedenke heute meiner Sünden«, mit diesem Wort läßt die Überlieferung ihn seinen Vortrag beginnen; der Ausspruch ist in den Lüften hängengeblieben, man hört ihn noch heute. Es meinte aber der Großkelterer damit nicht Sünden, die er nicht begangen hatte; denn fälschlich war er einst ins Gefängnis gekommen und hatte nicht teilgehabt an dem Plan, den vergreisten Rê von Esets Schlange beißen zu lassen. Eine andere Sünde meinte er, nämlich die, daß er jemandem fest versprochen hatte, ihn zu erwähnen, aber sein Wort nicht gehalten hatte, denn er hatte den Jemand vergessen. Nun gedachte er seiner und sprach von ihm vor dem Baldachin. Er erinnerte Pharao (der sich kaum daran erinnerte) an das ›ennui‹ (so drückte er sich mit einem abschwächenden Lehnwort aus),

das er, der Schenke, vor zweien Jahren, noch unter König Nebmarê, gehabt habe, indem er versehentlich zusammen mit einem, den man besser nicht nenne, einem Gottverhaßten, dessen Seele samt seinem Körper zerstört worden, nach Zawi-Rê, der Insel-Festung, geraten sei. Dort sei ihnen ein Jüngling zur Aufwartung bestellt gewesen, ein chabirischer, von Asien, des Hauptmanns Gehilfe, mit dem schrulligen Namen Osarsiph, Sohn eines Herdenkönigs und Gottesfreundes im Osten, diesem geboren von einer Lieblichen, was man ihm denn auch recht wohl angesehen habe. Dieser Jüngling nun sei die stärkste Begabung auf dem Gebiet der Traum-Exegese gewesen, die ihm, ›Vortrefflich-in-Theben‹, all seiner Lebtage vorgekommen. Denn gleichzeitig hätten sie beide geträumt, sein schuldiger Genosse und er, der Reine, – sehr schwierige, vielsagende Träume, ein jeder den seinen, und seien um kunstgerechte Deutung äußerst verlegen gewesen. Jener Usarsiph aber, der vorher von seiner Gabe nie ein Wesen gemacht, habe ihnen freihändig und mit Leichtigkeit ihre Träume gedeutet und dem Bäcker gekündet, er werde ans Holz kommen, ihm selbst dagegen, daß er um seiner strahlenden Reinheit willen in Gnade werde aufgenommen und wieder werde an sein Amt gestellt werden. Aufs Haar so sei es gekommen, und heute gedenke er, Nefer, seiner Sünde: nämlich daß er nicht schon längst auf dieses im Schatten lebende Talent aufmerksam gemacht und mit dem Finger darauf gewiesen habe. Er stehe nicht an, der Überzeugung Ausdruck zu geben, daß, wenn irgend jemand Pharao's bedeutende Träume zu deuten vermöge, es dieser mutmaßlich noch immer zu Zawi-Rê vegetierende Jüngling sei.

Bewegung unter den Königsfreunden, Bewegung auch in Pharao's Miene und Gestalt. Noch ein paar Fragen und Antworten, gewechselt rasch zwischen ihm und dem Dicken, – und dann war der schöne Befehl ergangen, sofort habe der Erste Eil- und Flügelbote sich mit dem Eilboot aufzumachen nach Zawi-Rê und den wahrsagenden Fremdling mit höchster Zeitersparnis nach On zu bringen vor Pharao's Angesicht.

Drittes Hauptstück
Die Kretische Laube

Die Einführung

Als Joseph anlangte in der Stadt des Blinzelns, der tausendjährigen, war wieder Saatzeit und Zeit der Bestattung des Gottes, wie damals, als er seinen zweiten Fall getan in die Grube, und war drei große Tage darin gewesen unter leidlichen Umständen, beim ruhigen Hauptmann Mai-Sachme. Mit rechten Dingen ging's zu: genau drei Jahre waren herum, am selben Punkte des Kreislaufs hielt man, wie damals, und eben hatten wieder die Kinder Ägyptens das Fest der Erd-Aufreißung und der Errichtung des göttlichen Rückgrats gefeiert, die Woche hin vom zweiundzwanzigsten bis zum letzten Tage des Choiak.

Joseph freute sich, das goldene On wiederzusehen, wo er einst, vor drei und zehn Jahren, als ein Knabe durchgezogen war mit den Ismaelitern auf ihrem Wege, den sie ihn führten, und sich mit ihnen von den Sonnendienern über die schöne Figur des Dreiecks hatte belehren lassen und über Rê-Horachte's milde Natur, des Herrn des weiten Horizontes. Durch den Dreiecksraum der lehrhaften Stadt mit den vielen gleißenden Sonnenmalen ging es wieder, zur Seite des Eilboten, gegen die Spitze hin, nämlich den großen Obelisken am Schluß- und Schnittpunkt der Schenkelseiten, dessen golden alles überblitzende Kantenhaube sie schon von weitem gegrüßt hatte.

Jaakobs Sohn, der so lange nichts als die Mauern seines Gefängnisses gesehen, hatte keine Muße, seine Augen zu brauchen und sich am Bild der geschäftigen Stadt und ihrer Leute zu ergötzen, — von außen schon war ihm keine gewährt durch seinen Führer, den Flügelboten, der keine Minute verlor und immer nur zu atemloser Eile trieb; aber auch innerlich und von Gemütes wegen war ihm nicht Muße gegeben zum Gucken. Denn noch ein Umlauf ging in sich selber, und eine andere Wiederkehr noch wollte eintreten: er würde wieder vorm Höchsten stehen. Einst war es Peteprê gewesen, vor dem ihm zu reden gewährt gewesen war im Palmgarten, der Höchste im nächsten Umkreise, und es hatte gegolten. Nun war es Pharao selbst, der Allerhöchste hier unten, vor dem er reden sollte, und in noch höherem Grade galt es diesmal. Was es aber galt, das war, dem Herrn behilflich zu sein bei seinen Plänen und sie nicht linkisch zu durchkreuzen, was eine große Narrheit gewesen wäre und eine Schimpfierung des Weltganges aus Mangel an Glauben. Nur schwankender Glaube daran, daß Gott hoch hinaus wollte mit ihm, würde die Ursache der Ungeschicklichkeit und schlechten Wahrnehmung der herbeigeführten Gelegenheit sein können; und darum war Joseph zwar gespannt auf das Kommende und hatte nicht Blick für den Handel und Wandel der Stadt, aber seine Erwartung war Zuversicht, und Furcht war nicht in ihr, denn jenes Glaubens, der Ursach war aller frommen Geschicklichkeit, daß nämlich Gott es heiter, liebevoll und bedeutend meinte mit ihm, war er gewiß.

Wir, die wir ihn ebenfalls mit Spannung begleiten, obgleich wir wissen, wie alles kam, wollen ihm keinen Vorwurf machen aus seinem Vertrauen, sondern ihn nehmen, wie er war, und wie wir ihn längst schon kennen. Es gibt Erwählte, welche aus zweifelnder Demut und Selbstverwerfung nie an ihre Erwählung zu glauben vermögen, sie mit Zorn und Zerknirschung von sich weisen und ihren Sinnen nicht trauen, ja sich gewissermaßen sogar in ihrem Unglauben gekränkt fühlen, wenn sie sich trotzdem zuletzt in der Erhöhung sehen. Und es gibt andere, denen in aller Welt nichts selbstverständlicher ist als ihre Erwähltheit, — bewußte Götterlieblinge, welche sich über gar nichts wundern, was ihnen an Erhöhung und Lebenskronen nur immer zufallen mag. Welchem Erwählten-Geschlecht man nun den Vorzug geben möge, dem Ungläubig-Heimgesuchten oder dem Präsumptuosen, — Joseph zählte zum zweiten, und immerhin muß man noch froh sein, daß er wenigstens nicht zu dem dritten gehörte, das auch noch vorhanden ist: den Heuchlern nämlich vor Gott und den Menschen, die unwürdig tun sogar vor sich selbst, und in deren Munde das Wort ›Gnade‹ dennoch mehr Hoffart birgt als alle Segenszutraulichkeit der Unerstaunten. —

Pharao's Absteige-Palast zu On lag östlich des Sonnentempels, verbunden mit ihm durch eine Allee von Sphinxen und Sykomoren, auf welcher der Gott dahinzog, wenn er seinem Vater zu räuchern gedachte. Das Lebenshaus war leicht und lustig hingezaubert, ohne Verwendung von Stein, welcher nur Ewigen Wohnungen zukommt, aus Ziegeln und Holz gemacht, wie alle Lebenshäuser, aber natürlich so lieblich und voller Zier, wie Kemes kostbare Hochkultur sich's nur hatte erträumen mögen, verwahrt in seinen Gärten von blendend weißer Umfassungsmauer, vor deren erhöhtem Durchlaß an vergoldeten Flaggenstangen bunte Wimpelbänder sich im leichten Winde regten.

Es war über Mittag, die Zeit des Mahls schon vorüber. Das Eilboot hatte auch nachts nicht geruht, doch noch den Morgen gebraucht, um On zu erreichen. Auf dem Platze vorm Mauertor war ein Getümmel, denn viel Volk aus der Stadt hatte sich dahin aufgemacht, nur um herumzustehen und auf ein Schauspiel zu warten, und Haufen von Polizeisoldaten, Torwächtern und Wagenlenkern, die schwatzend bei ihren scharrenden, prustenden und manchmal hell aufwiehernden Gespannen standen, versperrten den Weg, wozu noch allerlei Höker und Händler kamen, die gefärbtes Zuckerwerk, Schmalzgebackenes, Gedenk-Skarabäen und zollhohe Statuetten des Königs und der Königin feilhielten. Nicht ohne Mühe bahnten der Eilbote und der, den er brachte, sich ihren Weg. »Befehl! Befehl! Empfang, Empfang!« rief jener ein übers andere Mal, indem er die Leute durch seine berufsmäßige Atemlosigkeit, die er unterwegs denn doch abgestellt hatte, in Schrecken zu setzen suchte. Er rief es auch den im inneren Hofe ihnen entgegenlaufenden Dienern zu, so daß sie die Brauen hochzogen und sich zufriedengaben, und führte Joseph an den Fuß einer Freitreppe, zu deren Häupten, vor dem Eingangstor des auf erhöhter Plattform errichteten Lustbaus, ein Palastbeamter, sichtlich etwas wie ein Unter-Haushofmeister, sich aufgepflanzt hatte und matten Blickes zu ihnen herniedersah. Er bringe den Weissager von Zawi-Rê, sprach der Bote in fliegenden Worten die Stufen hinauf, den ›man‹ in höchster Eile herbeizuschaffen befohlen habe; worauf der Mann, nicht minder matt, den Joseph prüfend von oben bis unten maß, als stehe es nach dieser Erklärung noch irgend bei ihm, ob er ihn zulassen sollte oder nicht — und winkte ihm dann, — wiederum mit einem Ausdruck eigenen Entschlusses, als ob er ihn auch hätte ablehnen können. Schnell schärfte der Bote dem Joseph noch ein, er möge gleichfalls sehr rasch und keuchend atmen, wenn er vor Pharao komme, damit dieser den schönen Eindruck habe, daß er ohne Rast den ganzen Weg her vor sein Angesicht gelaufen sei, was aber Joseph sich nicht ernstlich gesagt sein ließ. Er dankte dem Langbeinigen für Abholung und Geleit und stieg die Stufen zu dem Beamten empor, der zu seiner Begrüßung nicht mit dem Kopfe nickte, sondern denselben schüttelte, dann aber ihn aufforderte, ihm zu folgen.

Sie durchschritten den buntfarbig und szenisch ausgemalten, von vier mit Bändern umwundenen Ziersäulen getragenen Vorbau und kamen in eine gleichfalls von Rundsäulen aus poliertem Edelholz schimmernde Brunnenhalle, wo Bewaffnete Wache hielten, und die sich nach vorne und nach den Seiten in breiten Pfeiler-Durchlässen öffnete. Geradeaus führte der Mann den Joseph durch einen Zwischen-Raum, der drei tiefe Türen nebeneinander hatte, und führte ihn durch die mittlere. So kamen sie in eine sehr große Halle, in der man wohl zwölf Säulen zählte, und deren himmelblaue Decke mit fliegenden Vögeln bemalt war. Ein offenes Häuschen in Gold und Rot, gleich einem Garten-Belvedere, stand in der Mitte, darinnen ein Tisch, von Armsesseln mit bunten Kissen umgeben. Schurzdiener besprengten und kehrten den Boden hier, trugen Fruchtteller davon, versahen die Räucherschalen und Lampen der Dreifüße, die mit breitgehenkelten Alabastervasen abwechselten, ordneten goldgetriebene Becher auf den Büfett-Tafeln und schüttelten die Kissen auf. Es war klar, daß Pharao hier gespeist und sich nun an einen Ort der Ruhe, sei es im Garten oder im tieferen Hause, zurückgezogen hatte. Dem Joseph war dies alles viel weniger neu und erstaunlich, als sein Führer wohl meinte, der ihn von Zeit zu Zeit prüfend von der Seite betrachtete.

»Weißt du dich zu benehmen?« fragte er, während sie rechtshin die Halle verließen und einen Blumenhof betraten, in dessen verzierten Estrich vier Wasserbecken eingelassen waren.

»Allenfalls und im Notfall«, antwortete Joseph lächelnd.

»Nun, der Notfall wäre denn wohl gekommen«, erwiderte der Mann. »Du weißt also wenigstens für den Anfang den Gott zu begrüßen?«

»Ich wollte, ich wüßte es nicht«, versetzte Joseph, »denn allerliebst müßte es sein, es von dir zu lernen.«

Der Beamte blieb ernst vorderhand, lachte dann plötzlich, was man gar nicht für möglich gehalten hätte, und zog dann freilich sein in die Breite gegangenes Gesicht gleich wieder zu trockenem Ernste zusammen.

»Du scheinst mir eine Art von Schalksnarr und Spaßmacher zu sein«, sagte er, »so ein Schelm und Rinderdieb, über dessen Streiche man lachen muß. Ich nehme an, daß dein Sehen und Deuten auch nur Schelmerei ist und eines Quacksalbers Marktgeschrei?«

»Oh, nichts von mir in Hinsicht aufs Sehen und Deuten«, erwiderte Joseph. »Denn es steht nicht bei mir und ist nicht meines und läuft mir wohl nur einmal so unter. Auch habe ich mir bisher nicht eben gar viel daraus gemacht. Aber seit Pharao mich eilends rufen ließ deswegen, habe ich für mein Teil angefangen, höher davon zu denken.«

»Das soll wohl eine Belehrung sein«, fragte der Hausmann, »nach meiner Seite? Pharao ist mild und jung und voller Gnade. Daß einen die Sonne bescheint, ist noch kein Beweis, daß er kein Spitzbube ist.«

»Sie bescheint uns nicht nur, sie läßt uns erscheinen«, antwortete Joseph im Gehen, »den einen so, den anderen anders. Mögest du dir in ihr gefallen!«

Der Mann sah ihn von der Seite an, und zwar wiederholt. Zwischendurch sah er geradeaus, wandte dann aber mit einer gewissen Raschheit, als habe er vergessen, nach etwas zu sehen, oder müsse schnell etwas nachprüfen, was er gesehen hatte, wieder den Kopf nach dem Geführten, so daß dieser schließlich gezwungen war, den Seitenblick zu erwidern. Er tat es lächelnd und mit einem Nicken, das auszudrücken schien: ›Ja, ja, so steht es, wundere dich nicht, du hast ganz recht gesehen.‹ Schnell und gleichsam erschrocken drehte der Mann seinen Kopf wieder vorwärts.

Aus dem Blumenhof waren sie in einen von oben beleuchteten

Gang gelangt, dessen eine Wand mit Ernte- und Opferszenen bemalt war, und dessen andere durch Pfeilertüren in verschiedene Gemächer blicken ließ, auch in die Halle des Rats und der Vernehmung, mit dem Baldachin, deren Bestimmung der Hofmeister dem Joseph im Vorbeigehen erläuterte. Er war gesprächiger geworden. Sogar teilte er seinem Begleiter mit, wo er Pharao finden werde.

»Man hat sich nach dem Lunch in den kretischen Gartensaal begeben«, sagte er, »kretisch, weil solch ein Fremdkünstler des Meeres ihn ausgeschmückt hat. Man hat die königlichen Oberbildhauer Bek und Auta bei sich, um sie zu belehren. Auch die Große Mutter ist dort. Ich werde dich im Vorzimmer dem diensthabenden Kämmerling überhändigen, daß er dein Eintreffen melde.«

»So wollen wir's machen«, sagte Joseph, und es war weiter nichts daran, was er sagte. Aber im Weitergehen geriet der Mann an seiner Seite, nachdem er wieder einmal den Kopf geschüttelt, plötzlich in ein lautloses und andauerndes Kichern, fast krampfhaft zu nennen, das ihm sichtlich die Bauchdecke in vielen kurzen Stößen erschütterte, und dessen er auch dann noch nicht ganz Herr geworden schien, als sie das am Ende des Ganges gelegene Vorzimmer betraten, wo ein kleiner, gebückter Höfling mit wundervollem Schurz-Überfall und einem Wedel im Arm sich von der Spalte des mit goldenen Bienen bestickten Türvorhangs löste, an dem er gehorcht hatte. Dem Hausmeister schwankte noch immer die Stimme auf eigentümlich jammernde Weise vom innerlichen Kichern, als er dem Kämmerling, der ihnen schwänzelnd entgegengetrippelt kam, erklärte, wen er bringe.

»Ah, der Berufene, der Erharrte, der Besserwisser«, sagte der Kleine lispelnd und mit hoher Stimme, »der es besser weiß als die Gelehrten des Bücherhauses. Gut, gut, ex-qui-sit!« sagte er und blieb immer krumm dabei, vielleicht weil er so geboren war und sich nicht geraderichten konnte, vielleicht nur, weil der zierliche Hofdienst ihn an diese Haltung gewöhnt hatte. »Ich werde dich melden, sofort werde ich dich melden, wie sollte ich nicht? Auf dich wartet der ganze Hof. Pharao ist zwar beschäftigt, dich aber werde ich trotzdem unverweilt melden. Ich werde Pharao unterbrechen, werde ihm ins Wort fallen um deinetwillen mitten in einer Belehrung für seine Künstler, um ihm deine Ankunft zu künden. Hoffentlich wundert dich das ein bißchen. Möge jedoch die Verwunderung nicht bis zur Verwirrung gehen, damit du nicht Dummheiten sagst, wozu du aber vielleicht der Verwirrung gar nicht bedarfst. Ich mache dich aufmerksam im voraus, daß Pharao außerordentlich reizbar ist gegen Dummheiten, die man ihm über seine Träume sagt. Ich gratuliere. Du hießest also –?«

»Osarsiph hieß ich«, antwortete der Befragte.

»So heißest du, willst du sagen, so heißest du! Wunderlich genug, daß du andauernd so heißest. Ich gehe dich anzumelden mit deinem Namen. Merci, mein Freund«, sagte er achselzuckend zu dem Verwalter, der sich entfernte, und schlüpfte seinerseits gebückt durch den Vorhang.
Gedämpft vernahm man Stimmen dort drinnen, eine jugendlich sanfte und spröde zumal, die dann verstummte. Wahrscheinlich hatte der Bückling sich schwänzelnd und lispelnd an Pharao's Ohr gemacht. Er kehrte zurück, die Brauen hochgezogen, und flüsterte:
»Pharao ruft dich!«
Joseph trat ein.
Eine Loggia empfing ihn, nicht groß genug, den Namen ›Gartensaal‹, den man ihr gegeben, ganz zu verdienen, aber von seltener Schönheit. Gestützt von zwei Säulen, die mit farbigem Glas und funkelnden Steinen ausgelegt und von so natürlich gemaltem Weinlaub umwunden waren, daß es wie wirkliches schien, mit einem Fußboden, dessen Quadrate teils auf Delphinen reitende Kinder, teils Tintenfische zeigten, tat sich der Raum in drei großen offenen Fenstern gegen Gärten auf, deren ganze Lieblichkeit er in sich einbezog. Man sah dort leuchtende Tulipanbeete, wunderlich blühende Fremdsträucher und mit Goldstaub bestreute Wege, die zu Lotosteichen führten. Weit ging das Auge hinaus in eine Insel-, Brücken- und Kiosk-Perspektive, und empfing von dort den Blitz der Fayenceziegel, mit denen das ferne Sommerhäuschen geschmückt war. Die Verandahalle selbst strahlte von Farben. Ihre Seitenwände waren mit Malereien bedeckt, die von aller Landesüblichkeit abwichen. Fremde Leute und Sitten waren dort anschaulich gemacht, offenbar solche der Inseln des Meeres. Frauen in bunten und starren Prunkröcken saßen und wandelten, den Busen entblößt im enganliegenden Mieder, und ihre Haare, über dem Stirnband gekräuselt, fielen in langen Flechten auf ihre Schultern. Pagen in nie gesehener Ziertracht, Spitzkrüge in Händen, warteten ihnen auf. Ein Prinzchen mit Wespentaille und zweifarbigem Beinkleid, in Lammfellstiefeln, auf dem Lockenkopf einen Kronenputz mit bunt wallenden Federn, zog in Selbstgefälligkeit zwischen abenteuerlich blühenden Gräsern dahin und schoß mit Pfeilen nach flüchtigen Jagdtieren, deren Lauf so dargestellt war, daß ihre Hufe nicht den Boden berührten, sondern frei darüber hinflogen. Anderwärts schlugen Akrobaten Luftpurzelbäume über die Rücken tobender Stiere hinweg, zur Unterhaltung von Damen und Herren, die ihnen aus Pfeilerfenstern und von Balkonen herab zuschauten.
Von demselben Fremdgeschmack waren die Gegenstände der Augenweide und des schönen Handwerks geprägt, die den Aufenthalt schmückten: irdene Vasen, schimmernd bemalt, mit Gold

eingelegte Elfenbein-Reliefs, getriebene Prunkbecher, ein schwarzsteinerner Stierkopf mit goldenen Hörnern und Augen aus Bergkristall. Während der Eintretende die Hände erhob, machte sein Blick eine ernst-bescheidene Runde über die Szene und über die Personen hin, deren Anwesenheit ihm verkündet worden war.

Amenhotep-Nebmarê's Witwe thronte ihm gerade gegenüber auf hohem Stuhl mit hohem Schemel, gegen das Licht, vor dem mittleren der tiefreichenden Bogenfenster, so daß ihr ohnedies bronzefarben gegen das Gewand abstechender Teint durch die Verschattung noch dunkler schien. Dennoch erkannte Joseph ihre eigentümlichen Züge wieder, wie er sie vordem bei königlichen Ausfahrten das eine und andere Mal erblickt: das fein gebogene Näschen, die aufgeworfenen, von Furchen bitterer Weltkunde eingefaßten Lippen, die gewölbten, mit dem Pinsel nachgezogenen Brauen über den kleinen, schwarzglänzenden, mit kühler Aufmerksamkeit blickenden Augen. Die Mutter trug nicht die goldene Geierhaube, in der Jaakobs Sohn sie im Öffentlichen gesehen. Ihr gewiß schon ergrautes Haar — denn sie mußte ihres Alters gegen Ende Fünfzig sein — war in ein silbriges Beuteltuch gehüllt, das den goldenen Streifen einer Stirn- und Schläfenspange frei ließ, und von dessen Scheitel zwei ebenfalls goldene Königsschlangen — gleich zwei, als hätte sie auch die ihres in den Gott eingegangenen Gemahles übernommen — sich herabringelten und sich vor der Stirn aufbäumten. Runde Scheiben aus dem gleichen bunten Edelgestein, aus dem auch ihr Halskragen gefertigt war, schmückten ihre Ohren. Die kleine, energische Gestalt saß sehr gerade, sehr aufgerichtet und wohlgeordnet, sozusagen im alten, hieratischen Stil, die Oberarme auf den Lehnen des Sessels, die Füßchen auf dem Hochschemel geschlossen nebeneinander gestellt. Ihre klugen Augen begegneten denen des verehrend Eintretenden, wandten sich aber, nachdem sie flüchtig an dessen Gestalt heruntergeglitten waren, in begreiflicher und selbst gebotener Gleichgültigkeit gleich wieder ihrem Sohne zu, wobei die lebensbitteren Falten um ihren vortretenden Mund sich zu einem spöttischen Lächeln formten, der knabenhaft aufgeregten Neugier wegen, mit der dieser dem Empfohlenen und Erwarteten entgegensah.

Der junge König über Ägyptenland saß zur Linken vor der Bilderwand auf einem löwenfüßigen, mit Kissen reichlich und weichlich ausgestatteten Armstuhl mit schräger Lehne, von der er den Rücken weggehoben hatte, indem er, lebhaft vorgebeugt, die Füße unter den Sitz geschoben, die Armlehnen mit seinen schlanken, skarabäusgeschmückten Händen umfaßt hielt. Man muß hinzufügen, daß diese wie zum Aufspringen bereite Haltung gespannter Aufmerksamkeit, mit der Amenhotep, rechtshin gewandt, die grau verschleierten Augen möglichst weit geöffnet, den eingetroffenen Deuter seiner Träume betrachtete, nicht sogleich voll ausgebildet war, sondern sich im Lauf einer Minute – so lange dauerte dies – stufen- und ruckweise entwickelte und auf den Grad steigerte, daß Pharao sich schließlich wirklich etwas vom Sessel erhoben und sein Schwergewicht ganz den klammernden Händen übergeben hatte, deren Knöchelspiel die Anspannung deutlich zeigte. Dabei glitt ein Gegenstand, der ihm im Schoße gelegen, eine Art von Saitenspiel, mit leise schollerndem und klingendem Geräusch zu Boden – schnell aufgenommen und ihm wieder dargereicht von einem der Männer, die vor ihm standen, der Bildmeister einem, die er belehrte. Der Mann mußte es ihm eine Weile hinhalten, bis er, die Augen schließend, es annahm und sich in die Kissen seines Stuhles zurücksinken ließ, indem er die Haltung wieder einnahm, in der er offenbar vorher sich mit den Meistern besprochen hatte: eine außerordentlich lässige, weiche und überbequeme Haltung, denn der Sitz seines Stuhles war ausgehöhlt für ein Kissen, das aber zu nachgiebig war, als daß Pharao nicht darin hätte versinken sollen, und so saß er nicht nur sehr schräg, sondern auch sehr tief, ließ eine Hand schlaff über die Armlehne hängen, indes er mit dem Daumen der anderen leise die Saiten der wunderlichen kleinen Hohlharfe in seinem Schoße rührte, und schlug die hochgezogenen Knie im Linnen übereinander, so daß sein einer Fuß in ziemlicher Höhe wippte. Die goldene Stange der Sandale ging zwischen der großen und zweiten Zehe durch.

Das Kind der Höhle

Nefer-cheperu-Rê-Amenhotep war damals so alt, wie Joseph, der nun als ein Dreißigjähriger vor ihm stand, gewesen war, als er ›ein Hirte des Viehs ward mit seinen Brüdern‹ und den Vater ums bunte Kleid beschwatzte, nämlich siebzehn. Doch schien er älter, nicht nur, weil in seiner Zone die Menschen rascher reifen, auch nicht allein durch die Anfälligkeit seiner Gesundheit, sondern auch kraft seiner frühen Verpflichtung auf das Weltganze, vielfältiger Eindrücke, die, aus allen Himmelsgegenden kommend, seine Seele bestürmt hatten, und seiner eifrig-schwärmerischen Bemühtheit um das Göttliche. Bei der Beschreibung seines Gesichts unter der runden blauen Perücke mit Königsschlange, die er heute über der Leinenkappe trug, dürfen die Jahrtausende uns nicht von dem zutreffenden Gleichnis abschrecken, daß es aussah wie das eines jungen, vornehmen Engländers von etwas ausgeblühtem Geschlecht: langgezogen, hochmütig und müde, mit nach unten ausgebildetem, also keineswegs mangelndem und dennoch schwachem Kinn, einer Nase, deren schmaler, etwas eingedrückter Sattel die breiten, witternden Nüstern desto auffallender machte, und tief träumerisch verhängten Augen, von denen er die Lider nie ganz aufzuheben vermochte, und deren Mattigkeit in bestürzendem Gegensatz stand zu der nicht etwa aufgeschminkten, sondern von Natur krankhaft blühenden Röte der sehr vollen Lippen. So war eine Mischung schmerzlich verwickelter Geistigkeit und Sinnlichkeit in diesem Gesicht – auf der Stufe des Knabenhaften und vermutlich sogar des zu Übermut und Ausgelassenheit Geneigten. Hübsch und schön war es mitnichten, aber von beunruhigender Anziehungskraft; man wunderte sich nicht, daß Ägyptens Volk ihm Zärtlichkeit erwies und ihm blumige Namen gab.

Auch nicht schön, sondern eher seltsam und teilweise etwas aus der Form gegangen war auch Pharao's die Mittelgröße kaum erreichende Körpergestalt, wie sie da, in der leichten, wenn auch auserlesen kostbaren Kleidung sehr deutlich erkennbar, in einer Lässigkeit, die nicht Unmanier, sondern einen oppositionellen Lebensstil bedeutete, in den Kissen hing: der lange Hals, die von einem wundervollen Stein-Blütenkragen halb bedeckte schmale und weiche Brust, die dünnen, von getriebenen Goldreifen eingefaßten Arme, der von jeher etwas vortretende Bauch, freigegeben von dem vorn tief unter dem Nabel ansetzenden, hinten aber hoch den Rücken hinaufreichenden Schurz, dessen prachtvoller Vorderbehang mit Uräen und Bandfransen geschmückt war. Dazu waren die Beine nicht nur zu kurz, sondern auch sonst noch ohne Verhältnis, da die Oberschenkel entschieden zu voll, die unteren aber fast hühnerartig mager erschienen. Amenhotep hielt einen Bildhauer an, diese Eigentümlichkeit nicht nur nicht zu beschönigen, sondern sie, um der teueren Wahrheit willen, sogar noch zu übertreiben. Sehr schön und nobel gebildet dagegen waren Hände und Füße, besonders die langfingrigen und elegantempfindsamen Hände mit Resten von Salböl in den Nagelbetten. Daß die beherrschende Leidenschaft dieses verwöhnten, die Köstlichkeit seiner Geburt offenbar mit Selbstverständlichkeit hinnehmenden Knaben die Erkenntnis des Höchsten sein sollte, war sonderbar zu denken, und Abrahams schauend beiseite stehender Enkel wunderte sich, in wie unterschiedlicher Menschlichkeit, ganz fern und fremd die eine der anderen, die Gottessorge doch auf Erden erscheine.

Amenhotep also hatte sich den beiden Kunstmeistern wieder zugewandt, um sie zu verabschieden, – einfachen, kräftigen Männern, von denen der eine damit beschäftigt war, die auf ein Postament gestellte unfertige Tonstatuette, die er dem Auftraggeber vor Augen geführt hatte, in ein feuchtes Tuch zu schlagen.

»Mache es, guter Auta«, hörte Joseph die sanfte und spröde, etwas zu hoch liegende, dabei leicht weihevoll getragene, aber abwechselnd damit in ein hastigeres Zeitmaß fallende Stimme wieder, auf die er schon draußen gelauscht, »mache es, wie Pharao dich angewiesen, mache es lieb, lebendig und schön, wie mein Vater am Himmel es will! Noch sind Fehler in deiner Arbeit, — nicht Fehler des Handwerks, — du bist sehr tüchtig — aber Fehler des Geistes. Meine Majestät hat sie dir nachgewiesen, und du wirst sie verbessern. Du hast meine Schwester, die Süße Prinzessin Baketatôn, noch zu sehr in der alten, toten Weise gebildet, dem Vater zuwider, dessen Willen ich weiß. Mache sie lieb und leicht, mache sie nach der Wahrheit, die das Licht ist, und in der Pharao lebt, denn er hat sie in sein Innres gesetzt! Laß sie eine Hand mit einer Frucht des Gartens, einem Granatapfel, zum Munde führen und laß ihre andere Hand lose herabhängen — nicht die steife Fläche zum Körper gewandt, sondern die gerundete Fläche nach hinten —, so will es der Gott, der in meinem Herzen ist und den ich kenne, wie keiner ihn kennt, weil ich aus ihm hervorgekommen bin.«

»Dieser Knecht«, antwortete Auta, indem er mit einer Hand die lettene Figur umwickelte und die andere gegen den König aufhob, »wird es genau machen, wie Pharao gebietet und es mich zu meinem Glück gelehrt, — der Einzige des Rê, das schöne Kind des Atôn.«

»Danke dir, Auta, danke dir lieb und freundlich. Es ist wichtig, verstehst du? Denn wie der Vater in mir ist und ich in ihm, so sollen alle eines werden in uns, das ist das Ziel. Dein Werk aber, im rechten Geiste geschaffen, kann vielleicht ein wenig dazu beitragen, daß alles eins werde in ihm und mir. — Und du, guter Bek . . .«

»Bedenke Auta«, ließ sich hier die fast männlich tiefe Stimme der Göttin-Witwe von ihrem Hochsitze her vernehmen, »bedenke immer, daß Pharao es schwer hat, sich uns verständlich zu machen, und daß er wohl etwas mehr sagt, als er meint, damit das Verständnis ihm bis zu dem Gemeinten folge. Was er meint, ist nicht, daß du die Süße Prinzessin Baketatôn essend darstellen sollst, wie sie in die Frucht beißt; sondern du sollst ihr den Granatapfel nur in die Hand geben und sie den Arm leise heben lassen, so daß man vermuten mag, sie wolle das Obst allenfalls zum Munde führen, das wird des Neuen genug sein und ist das Gemeinte, wohin Pharao dich bringen will, wenn er sagt, daß du sie sollst davon essen lassen. Auch mußt du etwas von dem abziehen, was seine Majestät von der hängenden Hand sagte, daß du die gehöhlte solltest gänzlich nach hinten kehren. Drehe sie nur leicht vom Körper weg, nur zur Hälfte, das ist das Gemeinte und wird dir Lob und Tadel genug eintragen. Dies zur Verständigung.«

Ihr Sohn schwieg einen Augenblick.

»Hast du verstanden?« fragte er dann.

»Ich habe«, antwortete Auta.
»So wirst du verstanden haben«, sagte Amenhotep, indem er auf das leierartige Gerät in seinem Schoße niederblickte, »daß die Große Mutter natürlich etwas weniger sagt, als sie meint, indem sie meine Worte zu dämpfen sucht. Du kannst die Hand mit der Frucht schon ziemlich weit gegen den Mund führen, und was die freie betrifft, so ist's ja ohnehin nur eine halbe Drehung, wenn du ihre Fläche vom Körper wegdrehst nach hinten, denn ganz nach außen herum dreht niemand die Fläche, und du würdest gegen die lichte Wahrheit verstoßen, wenn du's so machtest. Da siehst du, wie weislich die Mutter mein Wort gedämpft hat.«
Verschmitzt lächelnd blickte er auf vom Gerät, wobei er kleine, zu blasse, zu durchsichtige Zähne zwischen den vollen Lippen zeigte, und blickte zu Joseph hinüber, der ihm entgegenlächelte. Übrigens lächelten auch die Königin und die Handwerksmeister.
»Und du, guter Bek«, fuhr er fort, »reise, wie ich dir's auftrug! Reise nach Jebu, reise ins Elefantenland und hole vom roten Granit, der dort wächst, eine schöne Menge, und zwar von dem allerherrlichsten, der mit Quarz und schwärzlichem Glimmer durchsetzt ist, du weißt schon, an welchem mein Herz hängt. Siehe, der Pharao will das Haus seines Vaters zu Karnak schmücken, daß es Amuns Haus übertreffe, wenn nicht an Größe, so doch an Kostbarkeit des Gesteines, und der Name ›Glanz des großen Atôn‹ sich immer mehr einbürgere für seinen Distrikt, als Übergang dazu, daß vielleicht Wêset selbst, die ganze Stadt, eines Tages einmal den Namen ›Stadt des Glanzes Atôns‹ annehmen möchte im Munde der Menschen. Du kennst meine Gedanken, und ich vertraue auf deine Liebe zu ihnen. Reise, du Guter, reise sogleich! Pharao wird hier sitzen in seinen Kissen, und du wirst in die Ferne reisen stromauf und die Beschwerden tragen, die es kostet, den roten Stein zu gewinnen und ihn in schöner Menge hinabzuschleppen und -zuschiffen nach Theben. So ist es, und so sei es denn auch. Wann wirst du reisen?«
»Morgen früh«, antwortete Bek, »wenn ich Weib und Haus versorgt. Und die Liebe zu unserem Süßen Herrn, dem schönen Kinde des Atôn, wird mir Reise und Mühen so leicht machen, als säße ich in den weichsten Kissen.«
»Gut, gut, und geht nun, ihr Männer! Packt ein und geht, ein jeder zu seinem Werke. Pharao hat wichtige Geschäfte; nur äußerlich ruht er in den Kissen, innerlich ist er höchst angespannt, eifrig und sorgenvoll. Eure Sorgen sind zwar schön, aber gering im Vergleich mit seinen. Lebt wohl und geht!«
Er wartete, bis die Meister sich verehrend zurückgezogen hatten, sah aber unterdessen schon Joseph an.
»Tritt nahe, Freund!« sagte er, als der Bienenvorhang sich hinter ihnen geschlossen hatte. »Tritt, bitte, näher heran, lieber Chabire

von Retenu, fürchte dich nicht und erschrick nicht vor deinen Tritten, komm nur ganz nahe! Dies ist die Mutter Gottes, Teje, die Millionen Jahre lebt. Und ich bin Pharao. Aber denke nicht weiter daran, daß du nicht erschrickst. Pharao ist Gott und Mensch, aber er legt so viel Gewicht aufs zweite wie aufs erste, ja es freut ihn, es freut ihn zuweilen bis zum Trotz und bis zum Zorne, den Menschen hervorzukehren und darauf zu bestehen, daß er ein Mensch ist wie alle, von einer Seite gesehen; es freut ihn, den Griesgramen ein Schnippchen zu schlagen, die da wollen, daß er sich immer nur ebenmäßig als Gott gehabe.«
Und damit schlug er wirklich mit seinen schlanken Fingern ein Schnippchen in der Luft.
»Aber ich sehe, du fürchtest dich nicht«, fuhr er fort, »und erschrickst nicht vor deinen Tritten, sondern tust sie mit gelassener Anmut zu mir her. Das ist angenehm, denn vielen schwindet die Seele, wenn sie vor Pharao stehen sollen, ihr Herz verläßt sie, es geben ihnen die Knie nach, und sie können nicht Leben von Tod unterscheiden. Du bist nicht vom Schwindel gerührt?«
Joseph schüttelte lächelnd den Kopf.
»Das kann drei Gründe haben«, sagte der Königsknabe. »Entweder ist es so, weil deine Abstammung edel ist in ihrer Art, oder weil du in Pharao den Menschen siehst, wie er es gern hat, wenn es mit dem Hintergedanken seiner Göttlichkeit geschieht, oder aber, weil du fühlst, daß auf dir selbst ein Abschein des Göttlichen liegt, denn du bist schön und wunderhübsch, wie ein Bild, meine Majestät bemerkte es gleich, als du eintratest, und obgleich es mich nicht überraschte, da man mir gesagt hatte, daß du der Sohn einer Lieblichen seiest, erregte es doch meine Aufmerksamkeit. Bezeugt es doch, daß der dich liebt, der die Schönheit der Gestalt schafft durch sich selbst allein, der den Augen Leben und Sehkraft verleiht durch Seine Schönheit, für Seine Schönheit. Man kann die Schönen die Lieblinge des Lichts nennen.«
Er betrachtete Joseph wohlgefällig, mit schrägem Kopfe.
»Ist er nicht wunderhübsch und schön wie ein Lichtgott, Mamachen?« fragte er Teje, die ihre Wange auf drei Finger ihrer kleinen, dunklen, von Steinen blitzenden Hand stützte.
»Du hast ihn der Weisheit und Deutungskunst wegen vor dich berufen, die man ihm nachsagt«, erwiderte sie ins Leere blikkend.
»Das hat miteinander zu tun«, sagte Amenhotep rasch und eifrig einfallend. »Darüber hat Pharao viel nachgesonnen und viel vernommen und sich unterredet mit Sendboten, die ihn besuchten, oft und weither aus der Fremde, Magiern, Priestern und Eingeweihten, die ihm Kunde brachten aus Ost und West von den Gedanken der Menschen. Denn was muß er nicht alles verneh-

men und wohin nicht lauschen, um zu prüfen, zu wählen und das Nutzbare nutzbar zu machen zur Vollendung der Lehre und zur Errichtung des Bildes der Wahrheit nach dem Willen seines Vaters am Himmel! Schönheit, Mamachen und du, lieber Amu, hat mit Weisheit zu tun, nämlich durch das Mittel des Lichtes. Denn das Licht ist das Mittel und ist die Mitte, von wo Verwandtschaft strahlt nach drei Seiten hin: zur Schönheit, zur Liebe und zur Erkenntnis der Wahrheit. Diese sind eins in ihm, und das Licht ist ihre Dreieinigkeit. Fremde trugen mir die Lehre zu von einem anfänglichen Gott, aus Flammen geboren, einem schönen Gott des Lichts und der Liebe, und sein Name war ›Erstgeborener Glanz‹. Das ist ein herrlicher, nutzbarer Beitrag, denn es erweist sich darin die Einerleiheit von Liebe und Licht. Licht aber ist Schönheit sowohl wie Wahrheit und Wissen, und wollt ihr das Mittel der Wahrheit wissen, so ist's die Liebe. – Von dir nun sagt man, wenn du einen Traum hörst, daß du ihn deuten kannst?« fragte er Joseph errötend, da seine eigenen schwärmerischen Worte ihn beschämten und verwirrten.
»Nichts von mir, o Herr, in diesem Zusammenhang!« antwortete Joseph. »Nicht ich kann's. Gott allein kann es, und er tut es zuweilen durch mich. Alles hat seine Zeit, Träume und Deuten. Da ich ein Knabe war, träumte ich, und feindliche Brüder schalten mich den Träumer. Jetzt, wo ich schon ein Mann bin, kam die Zeit des Deutens. Meine Träume deuten sich mir, und allenfalls gibt mir's Gott, daß ich Träume deute der anderen.«
»Bist du also ein prophetischer Jüngling, ein sogenanntes inspiriertes Lamm?« erkundigte sich Amenhotep. »Es scheint, daß man dich in diese Ordnung einzureihen hat. Wirst du mit den letzten Worten tot umfallen, nachdem du dem König in Verzückung die Zukunft gekündet, daß er dich feierlich bestatte und deine Weissagungen aufzeichnen lasse, um sie der Nachwelt zu überliefern?«
»Nicht leicht«, sprach Joseph, »ist die Frage des Großen Hauses zu beantworten, nicht mit ja, nicht mit nein, höchstens mit beidem. Deinen Knecht erstaunt es und trifft ihn rührend ins Herz, daß du geruhst, ein Lamm, nämlich das inspirierte, in ihm zu sehen. Denn ich bin dieses Namens kindlich gewohnt von meinem Vater, dem Gottesfreunde, her, der mich ›das Lamm‹ zu nennen pflegte, und zwar, weil meine liebliche Mutter, um die er diente zu Sinear überm verkehrt Fließenden, die Sternenmagd, die mich gebar im Zeichen der Jungfrau, Rahel hieß, das ist: Mutterschaf. Dies aber berechtigt mich nicht, deiner Annahme, Großer Herr, unbedingt zuzustimmen und zu sprechen: ›Ich bin's‹; denn ich bin's und bin's nicht, eben weil *ich* es bin, das will sagen: weil das Allgemeine und die Form eine Abwandlung erfahren, wenn sie sich im Besonderen erfüllen, also, daß unbekannt wird das

Bekannte und du's nicht wiedererkennst. Erwarte nicht, daß ich tot umsinken werde bei meinem letzten Wort, weil es sich so gehört. Dieser dein Knecht, den du aus der Grube riefst, erwartet es nicht, denn es gehört nur zur Form, nicht aber zu mir, in dem sie sich abwandelt. Auch werde ich nicht in Verzückung schäumen, nach dem Muster des prophetischen Jünglings, wenn Gott mir gibt, dem Pharao wahrzusagen. Da ich ein Knabe war, verzückte es mich wohl, und ich schuf Sorge dem Vater, indem ich die Augen rollte, gehörnten Nacktläufern gleich und Orakellallern. Das hat der Sohn von sich abgetan, seit er etwas zu Jahren kam, und hält's mit dem Gottesverstande, auch wenn er deutet. Deutung ist Verzückung genug; man muß nicht auch noch dabei geifern. Deutlich und klar sei das Deuten, kein Aulasaukaulala.«

Er hatte beim Sprechen nicht nach der Mutter geschaut, aber aus dem Augenwinkel sah er nun, daß sie Zustimmung nickte auf ihrem Hochsitz. Sogar ließ sie die fast männlich tiefe, energische Stimme ihres zierlichen Körpers vernehmen und äußerte:

»Hörens- und Beherzigenswertes spricht der Fremde vor Pharao.«

Darauf durfte Joseph nur fortfahren, denn der König schwieg für den Augenblick und ließ den Kopf hängen mit der schmollenden Miene eines milde gescholtenen Knaben.

»Es hängt aber«, ging der Belobte weiter, »die Gefaßtheit beim Deuten und Weissagen nach dem Dafürhalten dieses Geringen damit zusammen, daß es ein Ich ist und ein Einzig-Besonderes, durch das die Form und das Überlieferte sich erfüllen, – dadurch wird ihnen meines Erachtens das Siegel der Gottesvernunft zuteil. Denn das musterhaft Überlieferte kommt aus der Tiefe, die unten liegt, und ist, was uns bindet. Aber das Ich ist von Gott und ist des Geistes, der ist frei. Dies aber ist gesittetes Leben, daß sich das Bindend-Musterhafte des Grundes mit der Gottesfreiheit des Ich erfülle, und ist keine Menschengesittung ohne das eine und ohne das andere.«

Amenhotep nickte seiner Mutter mit hohen Augenbrauen zu und applaudierte, indem er eine Hand gerade aufstellte und mit zwei Fingern der anderen leicht gegen die Fläche schlug.

»Hörst du, Mamachen?« sagte er. »Das ist ein einsichtiger, hochbegabter Jünglingsmann, den meine Majestät da kommen ließ. Erinnere dich, bitte, daß ich es war, der ihn aus eigenem Entschlusse zu Hofe rief! Pharao ist auch sehr begabt und fortgeschritten für seine Jahre, aber es ist ungewiß, ob er dies, mit dem bindenden Muster der Tiefe und der Würde von oben her, so zu ordnen und auszumachen gewußt hätte. – Also bist du nicht an das bindende Muster des schäumenden Lammes gebunden«, fragte er, »und wirst Pharao nicht das Herz zermalmen mit der hergebrachten Verkündigung greulichen Elends, das kommen soll,

und des Einbruchs der Fremdvölker, daß da wird das Unterste zuoberst gekehrt werden?« Er schauderte. »Man kennt das«, sagte er mit erbleichenden Lippen. »Aber meine Majestät muß sich ein wenig schonen und erträgt schlecht das Wilde, sondern braucht das Liebe und Zarte. Das Land ist zugrunde gegangen, es lebt in Aufruhr, Beduinen durchziehen es, arm und reich sind vertauscht, die Gesetze haben aufgehört, der Sohn erschlägt den Vater und wird vom Bruder erschlagen, das Wild der Wüste trinkt aus den Wasserläufen, man lacht das Lachen des Todes, Rê hat sich abgewandt, man weiß nicht, wann Mittag ist, denn man erkennt nicht den Schatten der Sonnenuhr, die Bettler essen die Opfergaben, der König wird gefangen hinweggeschleppt, und nur der Trost bleibt, daß es danach durch Errettersmacht wieder besser wird. Pharao wird also dies Lied nicht hören müssen? Darf er hoffen, daß die Modelung des Hergebrachten durch das Besondere solche Schrecknisse ausschließen wird?«
Joseph lächelte. Es war hier, daß er die verzeichnete, oft als gewandt und höflich gerühmte Antwort gab:
»Gott wird doch Pharao Gutes weissagen.«
»Du sagst ›Gott‹«, forschte Amenhotep. »Du sagtest es mehrmals schon. Welchen Gott meinst du? Da du von Zahi bist und von Amu, nehme ich an, daß du den Ackerstier meinst, den sie Baal, den Herrn, nennen im Osten?«
Josephs Lächeln wurde verschwiegen. Er schüttelte den Kopf dazu.
»Meine Väter, die Gottesträumer«, sagte er, »schlossen ihren Bund mit einem andern Herrn.«
»Dann kann es nur Adonai, der Bräutigam, sein«, sagte der König schnell, »um den die Flöte klagt in den Schluchten, und der aufersteht. Du siehst, Pharao weiß sehr genau Bescheid unter den Göttern der Menschen. Alles muß er kennen und prüfen und ein Goldwäscher sein, der das Körnchen Wahrheit aus dem Absurden läutert, damit es helfe, die Lehre zu vervollkommnen von seinem ehrwürdigen Vater. Pharao hat es schwer, aber auch gut, sehr gut, und so ist's königlich. Ich habe das ausgemacht dank meiner Begabtheit. Wer es schwer hat, soll es auch gut haben, aber nur er. Denn es nur gut zu haben, ist ein Ekel; aber es nur schwer zu haben, ist auch nicht das Rechte. Wie meine Majestät beim großen Tributfest in dem schönen Kiosk der Erscheinung sitzt neben der Süßen Gemahlin, und die Boten der Völker, Mohren, Libyer und Asiaten führen in unaufhörlichem Zuge die Abgaben der Welt, Gold in Barren und Ringen, Elfenbein, Silber in Vasenform, Straußenfedern, Rinder, Byssus, Geparden und Elefanten an mir vorüber, – also auch sitzt der Herr der Kronen nur da in der Schönheit seines Palastes inmitten der Welt und empfängt in gebührender Bequemlichkeit den Gedankentribut der bewohn-

ten Erde. Denn, wie mir schon zu erwähnen gefiel: es lösen die Sänger und Seher fremder Götter einander ab, die an meinen Hof kommen aus sämtlichen Gegenden, von Persien, dessen Gärten man rühmt, und wo man glaubt, daß einst die Erde plan und eben sein wird und alle Menschen einerlei Lebensart, Recht und Sprache haben werden; von India, vom Land, wo der Weihrauch wächst, vom sternkundigen Babel und von den Inseln des Meeres. Sie alle besuchen mich, sie ziehen vorüber an meinem Stuhl, und meine Majestät unterhält sich mit ihnen, wie sie sich jetzt mit dir, dem besonderen Lamm, unterhält. Sie tragen mir das Frühe und Späte vor, das Alte und Neue. Zuweilen hinterlassen sie merkwürdige Souvenirs und göttliche Abzeichen. Siehst du das Spielwerk hier?« Und er hob das gewölbte, besaitete Ding aus seinem Schoß und zeigte es Joseph.
»Ein Lautenspiel«, stellte dieser fest. »Es ist wohl angebracht, daß Pharao das Zeichen der Anmut und Güte in seinen Händen hält.«
Er sagte dies aber, weil das Schriftzeichen für das ägyptische ›Nofert‹, was zugleich Anmut und Güte bedeutet, die Laute ist.
»Ich sehe«, versetzte der König, »daß du dich auf die Künste des Thot verstehst und ein Schreiber bist. Ich denke, daß das mit der Würde des Ich zusammenhängt, worin sich das bindende Muster der Tiefe erfüllt. Aber dies Stück ist noch für anderes ein Zeichen, als nur für Anmut und Güte, nämlich für eines fremden Gottes Verschmitztheit, der ein Bruder des Ibisköpfigen sein mag oder sein anderes Selbst, und der als Kind dies Spielwerk erfand, da er einem Tiere begegnete. Kennst du die Schale?«
»Es ist einer Schildkröte Schale«, bekannte Joseph.
»Du hast recht«, bestätigte Amenhotep. »Diesem weisen Tier begegnete das durchtriebene Gott-Kind, das in einer Höhle der Felsen geboren war, und es fiel seinem Witze zum Opfer. Denn es raubte ihm keck den Hohlschild und spannte Saiten darüber, und auch ein Paar Hörner, wie du siehst, befestigte es daran: da gab es die Leier. Ich sage nicht, daß dies hier dasselbe Spielzeug ist, das der Gott-Schalk verfertigte. Auch der Mann behauptete das nicht, der es mir brachte und schenkte, ein Seefahrer von Kreta. Nur nachgebildet mag es jenem wohl sein zum spaßhaft frommen Gedenken und war nur eine Beigabe zu den mancherlei Stückchen, die der Kreter dem Pharao von dem Wickelkinde der Höhle erzählte. Denn immer machte der Kleine sich auf und davon aus der Höhle und seinen Windeln, um Stückchen zu treiben. So stahl er, man glaubt es nicht, die Rinder des Sonnengottes, seines älteren Bruders, vom Hügel weg, wo sie weideten, da jener untergegangen war. Ihrer fünfzig nahm er und trieb sie in die Kreuz und Quere herum, damit er ihre Spuren verwirrte; seine eigenen aber entstellte er, indem er sich ungeheure Sandalen

aus Zweiggeflecht unter die Füße band, — so waren es Riesenspuren, die er hinterließ, und zugleich gar keine, und so war es wohl recht; denn er war zwar ein Kind, aber ein Gott, und so waren Spuren von undeutlicher Riesengröße seiner Kindheit ganz angemessen. Die Rinder trieb er davon und barg sie in einer Höhle — einer anderen, als wo er geboren; es gibt dort viele —, nicht ohne zuvor unterwegs am Flusse zwei Kühe geschlachtet und an einem gewaltigen Feuer gebraten zu haben. Die aß er auf, der Säugling, — es war ein kindisches Riesenmahl und paßte zu seinen Spuren.
Dies alles getan«, fuhr Amenhotep in überbequemer Haltung fort, »schlüpfte das diebische Kind in seine Mutterhöhle zurück und in seine Windeln. Als aber der Sonnengott wieder aufging und die Rinder vermißte, sagte er sich selber wahr, denn er war ein weissagender Gott, und erfuhr, daß nur sein neugeborener Bruder dies angestellt haben könne. Zu ihm trat er in die Höhle, von Zorn entbrannt. Der Räuber jedoch, der ihn hatte kommen hören, kuschelte sich ganz klein zusammen in seinen göttlich duftenden Windeln und heuchelte den Schlummer der Unschuld, seine Erfindung, die Leier, im Arm. Und wie natürlich wußte der Gleisner zu lügen, da ihn der Sonnenbruder, ungetäuscht durch seine Kniffe, ob des Diebstahls drohend zur Rede stellte! ›Ganz andere Sorgen habe ich‹, stammelte er, ›als du denkst: süßer Schlaf und Muttermilch sind's und Windelbänder um meine Schultern und warme Bäder.‹ Und dann schwur er, dem Seefahrer zufolge, gar einen großen Eid, daß er von den Kühen nichts wisse. — Langweile ich dich auch nicht, Mamachen?« unterbrach er sich, gegen die thronende Göttin gewandt.
»Seit ich der Sorge ledig bin um die Regierung der Länder«, antwortete sie, »habe ich viel übrige Zeit. Ich kann sie mir ebensogut mit dem Anhören fremder Göttergeschichten vertreiben wie mit etwas anderem. Nur scheint mir die Welt verkehrt: gewöhnlich läßt sich ein König erzählen. Deine Majestät aber erzählt selbst.«
»Warum sollte sie nicht?« erwiderte Amenhotep. »Pharao muß lehren. Und auch, was er gelernt hat, drängt es ihn immer gleich, andere zu lehren. Was eigentlich meine Mutter beanstandet«, fuhr er fort, indem er ihr, ein paar Finger gegen sie ausstrekkend, gleichsam ihre eigenen Worte erläuterte, »ist sicherlich, daß Pharao säumt, diesem verständig inspirierten Lamm seine Träume zu erzählen, um endlich die Wahrheit darüber zu hören. Denn daß ich wahre Deutung von ihm erfahren werde, dessen hat seine befriedigende Person und haben auch einige seiner Äußerungen mich fast schon gewiß gemacht. Auch fürchtet meine Majestät sich nicht davor, denn dieser hat ja versprochen, daß er mir nicht nach dem Schema der schäumenden Jünglinge weissagen

und mich nicht entsetzen wird mit solchen Verkündigungen, wie daß die Bettler die Opfergaben essen werden. Weißt du aber nicht und kennst nicht die wunderliche Verhaltungsweise des Gemüts, daß wohl der Mensch, wenn die Erfüllung seines begehrtesten Wunsches endlich herangekommen ist, sich die Erfüllung freiwillig noch etwas versagt? ›Nun ist's ohnedies da‹, sagt er wohl, ›und liegt nur an mir, daß es eintrete; nun kann ich's ebensogut noch etwas anstehen lassen, denn das Begehren und Wünschen ist mir auf eine Art selber lieb geworden, und ist gewissermaßen schade darum.‹ Das ist so Menschenart, und da Pharao großen Wert darauf legt, ein Mensch zu sein, so macht er es auch so.«
Teje lächelte.
»Wie deine liebe Majestät es macht«, sagte sie, »so wollen wir's schön heißen. Da dieser Wahrsager dich nicht fragen darf, so frage ich dich: ging der Meineid dem schlimmen Säugling so durch, oder was weiter ereignete sich?«
»Dies«, antwortete Amenhotep, »dieses – meinem Gewährsmann zufolge –: Es brachte der Sonnenbruder den Dieb gefesselt vor ihren Vater, den großen Gott, daß jener gestehe und dieser ihn strafe. Aber dort ebenfalls leugnete der Schelm mit größter List und gab scheinfromme Rede. ›Hoch verehr' ich die Sonne‹, lispelte er, ›und die anderen Götter, und dich liebe ich und fürchte diesen. – Du aber, schütze den Jüngeren, hilf mir Kleinem!‹ So verstellte er sich und kehrte schlau die schöne Eigenschaft des Jüngeren hervor, zwinkerte aber dabei mit einem Auge dem Vater zu, so daß der lauthin lachen mußte über den Ausbund und ihm nur befahl, dem Bruder die Rinder zu zeigen und ihm herauszugeben das Diebsgut, wozu sich jener denn auch verstand. Als nun zwar der Ältere die Schlachtung bemerkte von zweien der Kühe, entbrannte sein Zorn aufs neue. Aber während er schalt und drohte, spielte der Kleine auf seinem Klangwerk – diesem hier –, und zu dem Spiel nahm sich sein Singen so lieblich aus, daß das Schelten erstarb und dem Sonnengott nur noch nach einem der Sinn stand: die Leier zu haben. Und sein wurde sie; denn beide schlossen einen Vertrag: Dem Räuber blieben die Rinder, und das Saitenspiel trug der Bruder davon – der hält es nun ewig.«
Er schwieg und blickte lächelnd auf die Erinnerungsgabe in seinem Schoße nieder.
»Auf recht lehrreiche Weise«, sagte die Mutter, »hat Pharao es noch etwas anstehen lassen, daß sein sehnlichster Wunsch sich erfülle.«
»Lehrreich ist es«, erwiderte der König, »indem es bekundet, daß Götter-Kinder nur verstellte Kinder sind – sie sind's nur aus Schelmerei. Der aus der Höhle trat denn auch, sobald er nur woll-

te, als heiter gewandter Jüngling daher, auskunftsreich und um handlichen Rat nie verlegen, ein Helfer der Götter und Menschen. Was erfand er nicht alles noch, nach der Meinung der Leute dort, was vorher nicht da war: Schrift und rechnende Zahl, dazu auch den Ölbau und die klug beschwatzende Rede, die auch den Trug nicht scheut, doch trügt sie mit Anmut. Mein Gewährsmann, der Seefahrer, hielt ihn hoch als seinen Patron. Denn er sei ein Gott des freundlichen Zufalls, sagte er, und des lachenden Fundes, Segen spendend und Wohlstand, so redlich oder ein bißchen auch fälschlich erworben, wie es das Leben erlaube, ein Ordner und Führer, der durch die Windungen führe der Welt, rückwärts lächelnd mit aufgehobenem Stabe. Selbst die Toten führe er, sagte der Mann, in ihr Mondreich, und selbst die Träume noch, denn der Herr des Schlafes sei er zu alldem, der die Augen der Menschen schließe mit jenem Stabe, ein milder Zauberer am Ende gar in aller Schläue.«

Pharao's Blick fiel auf Joseph – der stand vor ihm, den hübschen und schönen Kopf in den Nacken gelehnt und zugleich ein wenig zur Schulter geneigt und sah schräg hinauf zur Bilderwand, mit einem gelösten und zerstreuten Lächeln, des Ausdrucks, als müßte er dies alles nicht notwendig hören.

»Sind dir die Geschichten des Gott-Schalks bekannt, Wahrsager?« fragte Amenhotep.

Der Befragte wechselte eilig die Haltung. Ausnahmsweise hatte er sich unhöfisch benommen und gab zu erkennen, daß er sich dessen bewußt sei. Sogar tat er dies in etwas übertriebener Weise, so daß Pharao, der immer alles merkte, nicht nur den Eindruck hatte, dies erschrockene Sich-Besinnen sei gespielt, sondern dazu noch den, daß es auf diesen Eindruck abgesehen gewesen sei. Er ließ seine Frage andauern, indem er die verschleierten grauen Augen, möglichst weit offen, auf Joseph gerichtet hielt.

»Bekannt, höchster Herr?« erwiderte dieser. »Ja und nein, – erlaube deinem Knecht die doppelte Antwort!«

»Du suchst öfters um solche Erlaubnis nach«, stellte der König fest, »oder vielmehr: Du nimmst sie dir. All deine Rede ist auf das Ja gestellt, und in einem damit aufs Nein. Soll mir das gefallen? Du bist der Schäumende Jüngling und bist es nicht, eben weil *du* es bist. Der Gott der Stückchen ist dir bekannt und ist es nicht, eben weil – was? War er dir bekannt oder nicht?«

»Auch dir, Herr der Kronen«, antwortete Joseph, »war er bekannt in gewissem Sinne von je, da du ihn ja einen fernen Bruder des Ibisköpfigen nanntest, Djehuti's, des mondbefreundeten Schreibers, und sogar sein anderes Selbst. War er dir also bekannt oder nicht? Er war dir vertraut. Das ist mehr als bekannt, und in der Vertrautheit heben auch mein Ja und Nein sich auf und sind ein und dasselbe. Nein, ich kannte das Höhlenkind nicht, den Herrn der Stückchen. Niemals hat der weise Eliezer mir, meiner Väter Ältester Knecht und mein Lehrer, der von sich sagen durfte, die Erde sei ihm entgegengesprungen auf der Brautfahrt für das verwehrte Opfer, meines Vaters Vater – verzeih! Dies alles führt zu weit, es kann dir dein Diener die Welt nicht erzählen in dieser Stunde. Und doch geht ihm das Wort der erhabenen Mutter nach und klingt ihm im Ohre: es sei Gebühr in der Welt, daß sich der König erzählen lasse, nicht daß er erzähle. Von Stückchen wüßte ich mehrere, die dir beweisen würden, dir und der Großen Frau, daß der Geist des Gott-Schalks unter den Meinen immer zu Hause war und mir vertraut ist.«

Amenhotep sah mit einer scherzenden Gebärde des Kopfes, die besagte: ›Ei, soll man's glauben?‹ zu seiner Mutter hinüber.

»Die Göttin erlaubt dir«, versetzte er dann, »uns von den Stückchen eins oder zwei zu künden, wenn du glaubst, uns damit erfreuen zu können, bevor du deutest.«

»Man hat den Atem von dir«, sagte Joseph, sich neigend. »Ich nutze ihn, dich zu zerstreuen.«

Und mit verschränkten Armen, indem er öfters beschreibend die Hand hob aus der Verschränkung, redete er vor Pharao und sprach:

»Rauh war Esau, mein Oheim, der Bergbock, meines Vaters Zwilling, der sich den Vortritt erzwang vor ihm bei ihrer Geburt, – rot von Zotteln war er, der Taps, aber jener war glatt und fein, zeltfromm und seiner Mutter Sohn, klug in Gott, ein Hirte, da Esau ein Jäger. Immer schon war Jaakob gesegnet, lang vor der Stunde, wo mein Ahn, der Vater der beiden, den vererbten Segen zu verspenden beschloß, denn er nahm ab zum Tode. Blind war der Greis, die alten Augen wollten ihm nicht mehr gehorchen, sie wollten's nicht, und nur noch mit den Händen sah er, tastend statt sehend. Vor sich rief er den Roten, seinen Ältesten, den er zu lieben sich anhielt. ›Geh und schieß mir ein Wildbret mit deinem Bogen‹, sprach er, ›ehrlicher Zottelsohn, mein Erstgeborener, und koch mir ein Würzgericht aus der Beute, daß ich esse und segne dich, mächtig gestärkt zum Segen vom Mahle!‹ – Jener ging und jagte. Doch unterdessen wickelt' die Mutter dem Jüngeren Felle vom Böcklein um seine glatten Glieder und gab ihm ein Essen, köstlich gewürzt, vom Fleische der Böcklein: Damit ging er zum Herrn ins Zelt und sprach: ›Da bin ich wieder, mein Vater, Esau, dein Rauhrock, der dir gejagt und gekocht; iß denn und segne den Erstling!‹ – ›Laß dich besehen mit sehenden Händen‹, sprach der Blinde, ›ob du auch wirklich Esau bist, mein Rauhrock, denn sagen kann's jeder!‹ Und er betastete ihn und fühlte die Felle – überall, wo kein Kleid war, da war's rauh, wie Esau, wenn auch nicht rot – das konnten die Hände nicht sehen, und die Augen wollten's nicht. ›Ja, kein

Zweifel, du bist's‹, sprach dieser Greis, ›dein Vlies ist mir deutlich. Rauh oder glatt, das ist's, und wie gut, daß man die Augen nicht braucht, diesen Unterschied wahrzunehmen: Die Hände genügen. Esau bist du, so atze mich, daß ich dich segne!‹ Und er roch und aß und gab dem Falschen, der der Richtige war, die Fülle des unwiderruflichen Segens. Den nahm Jaakob dahin. Und dann kam Esau vom Weidwerk, hochgebläht und prahlend mit seiner großen Stunde. Öffentlich kocht' und würzt' er sein Wildbret und trug's zum Vater, kam aber übel an, der Geprellte, drinnen im Zelt, denn als ein Betrüger ward er empfangen, der falsche Rechte, da ihm der rechte Falsche längst zuvorgekommen durch Mutterlist. Nur einen Wüstenfluch empfing er, da nach verspendetem Segen nicht anderes mehr übrig. War das ein Spaß und Gelächter, als er niedersaß laut greinend mit hängender Zunge und dicke Tränen kollern ließ in den Staub, der untertretene Tölpel, den der Geist des Vielgewandten beschuppt, des Wohlvertrauten.«

Sohn und Gebärerin lachten – diese sonor-altstimmig, jener hell und sogar etwas fistelnd. Beide schüttelten sie die Köpfe dazu.

»Nein, was für eine barocke Geschichte!« rief Amenhotep. »Eine barbarische Schnurre – vorzüglich in ihrer Art, wenn auch etwas beklemmend, daß man nicht weiß, was für ein Gesicht dazu machen und es einem die Miene verzieht mit Lachen und Mitleid. Der falsche Rechte, sagst du – und der Falsche, der recht war? Aber das ist nicht schlecht, vertrackt ist's und witzig. Bewahre doch die obere Güte einen jeden davor, recht zu sein und doch falsch, daß er am Ende nicht greinend sitzen muß und seine Tränen im Staube kollern! Wie gefällt dir die Mutter, Mamachen? Fellchen vom Bock um die Glattheit – so half sie dem Alten und seinen sehenden Händen, daß er den Rechten segne, nämlich den Falschen! Nun sage selbst, ob es nicht ein originelles Lamm ist, das ich bestellte! – Noch ein zweites Stückchen, Chabire, gibt meine Majestät dir frei, daß ich sehe, ob nicht das erste nur zufällig gut war, und ob dir wirklich der Geist des Vielgewandten mehr als bekannt ist, nämlich vertraut. Laß hören!«

»Was Pharao befiehlt«, sagte Joseph, »ist schon erfüllt. Fliehen mußte der Gesegnete vor der Wut des Geprellten, reisen mußte er und reiste gen Naharajim, in das Land Sinear, wo ihm Verwandte lebten: Laban, der Erdenkloß, ein finsterer Geschäftsmann, und seine Töchter, eine rot von Augen, die andere lieblicher als ein Stern, die ward sein ein und alles, außer Gott. Aber dienen ließ der harte Baas ihn um die Sternenjungfrau sieben Jahr, die gingen ihm hin wie Tage, und da sie abgedient, fügt' ihm der Oheim erst die andere bei im Dunkeln, die er nicht wollte, und dann allerdings auch die Rechte, Rahel, das Mutterschaf, die mich gebar in übernatürlichen Schmerzen, und Dumuzi hießen sie mich, den rechten Sohn. Dies nebenbei. Als nun die Sternenjungfrau von mir genesen, wollte der Vater hinweg mit mir und den Zehnen, die ihm die Unrechte und die Mägde geboren, — oder er tat, als ob er es wollte vor dem Oheim, dem's nicht behagte, denn ihm fruchtete Jaakobs Segen. ›Gib mir alles, was sprenklich fällt in der Herde!‹ sprach dieser zu jenem. ›Das soll mein sein, aber dein alles, was einfärbig — da hast du meine bescheidene Bedingung.‹ Und sie vertrugen sich so. Was aber tat Jaakob? Er nahm Stäbe von Baum und Busch und schälte weiße Streifen in ihre Rinde, scheckig zu sehen. Die legte er in die Rinnen, wo das Kleinvieh trank und sich zeugend besprang nach dem Trunke. Immer ließ er sie Sprenkliches sehen bei diesem Geschäft, das tat's ihnen an durch die Augen, und Gesprenkeltes warfen sie ihm, das nahm er zu eigen. So ward er über die Maßen reich, und Laban hatte das Nachsehn, in die Patsche gelegt vom Geist des anschlägigen Gottes.«

Wieder erheiterten Mutter und Sohn sich sehr, die Köpfe schüttelnd. Dem König trat eine Ader kränklich hervor auf der Stirn beim Lachen, und in seinen halbverhüllten Augen schimmerten Tränen.

»Mamachen, Mamachen«, sagte er, »meine Majestät ist sehr amüsiert! Scheckig geschälte Stäbe nahm er und tat's ihnen an damit durch die Augen! Sagt man nicht, daß einer sich scheckig lacht über ein ausnehmend gutes Stückchen? So jetzt Pharao. Lebt er noch, dein Vater? Das war ein Ausbund. Du bist also eines Schelmen Sohn und einer Lieblichen?«

»Auch die Liebliche war eine Schelmin und Diebin«, ergänzte Joseph. »Stückchen waren nicht fremd ihrer Lieblichkeit. Stahl sie ja doch, dem Gatten zulieb, die Götzen des finsteren Vaters, die versteckte sie in der Spreu der Kamele, saß darauf und sprach mit süßer Stimme: ›Unpäßlich bin ich und erleide die Regel, darum kann ich nicht aufstehen.‹ Laban aber suchte sich halb zuschanden.«

»Eins übers andere!« rief Amenhotep, wobei seine Stimme sich im Lachen brach. »Nein, höre, Mamachen, du bist mir Antwort schuldig, ob ich da nicht ein wirklich originelles Lamm vor mich bestellt habe, schön und spaßig ... Dies ist der Augenblick«, bestimmte er plötzlich. »Jetzt ist Pharao aufgelegt, die Deutung zu hören seiner schweren Träume von diesem besonnenen Jüngling. Eh diese Tränen herzlicher Unterhaltung völlig trocknen in meinen Augen, will ich sie hören! Denn solange meine Augen noch naß vom ungewohnten Lachen, fürcht' ich die Träume nicht, noch ihre Deutung, wie immer sie laute. Dieser Schelmensohn wird ja Pharao weder so Dummes weissagen, wie die Pedanten vom Bücherhaus, noch auch ganz Fürchterliches. Und selbst wenn die Wahrheit schlimm, die er sagt, wird sie aus diesem heiteren

Munde nicht so kommen, daß die Tränen in meinen Augen ihren Sinn auf einmal gänzlich verändern. Wahrsager, brauchst du ein Gerät oder Werkzeug für deine Arbeit? Einen Kessel vielleicht, der die Träume empfängt, und aus dem die Deutung steigt?«
»Gar nichts«, antwortete Joseph. »Ich brauche nichts zwischen Himmel und Erde zur Verrichtung meines Geschäftes. Freierdings deute ich schlecht und recht, wie es der Geist mir eingibt. Pharao braucht nur zu erzählen.«
Und der König räusperte sich, sah etwas verlegen zu seiner Mutter hinüber und entschuldigte sich bei ihr mit einer kleinen Verneigung, daß sie die Träume noch einmal hören müsse. Dann, mit den feuchten Augen blinzelnd, in denen die Lachtränen langsam trockneten, erzählte er gewissenhaft seine abgestandenen Gesichte zum sechsten Male – erstens und zweitens.

Pharao weissagt

Joseph lauschte ohne Affektation, in anständiger Haltung. Daß er die Augen geschlossen hielt, während Pharao schilderte, war alles, wodurch er Verinnerlichung und tiefe Versammlung seines Wesens auf das Erzählte merken ließ; und er tat ein übriges, indem er seine Augen noch eine Weile geschlossen hielt, als Amenhotep geendet hatte, und nun verhaltenen Atems wartete. So weit ging er, daß er jenen da noch etwas warten ließ und die Augen geschlossen hielt, während er die des Königs voller Erwartung auf sich gerichtet wußte. Es war sehr still in der kretischen Loggia. Nur die Göttin-Mutter hustete sonor und klapperte mit ihren Behängen.
»Schläfst du, Lamm?« fragte Amenhotep endlich mit zaghafter Stimme.
»Nein, hier bin ich«, antwortete Joseph, indem er ohne Übereilung die Augen öffnete vor Pharao. Allerdings sah er eher sozusagen durch diesen hindurch, als daß er ihn angesehen hätte, oder vielmehr: sein Blick brach sich nachdenklich an des Königs Person und ging in sich selber, was den schwarzen Rahel-Augen sehr gut stand.
»Und was sagst du zu meinen Träumen?«
»Deinen Träumen?« erwiderte Joseph. »Deinem Traume, meinst du. Zweimal träumen heißt nicht zwei Träume haben. Du träumtest einerlei Traum. Daß du ihn zweimal träumtest, erst in der einen Gestalt und dann in der anderen, hat nur den Sinn der Versicherung, daß dein Traum sich gewißlich erfüllen wird, und zwar bald. Ferner ist seine zweite Form nur die Erläuterung und die nähere Bestimmung dessen, was die erste gemeint.«
»Das hat meine Majestät sich doch gleich gedacht!« rief Amenhotep. »Mutter, das war mein erster Gedanke, was das Lamm da

sagt, daß beide Träume im Grunde nur einer seien! Mir träumte das blühende Vieh und das garstige, und dann war es, als ob jemand sagte: ›Hast du mich auch recht verstanden? So ist's gemeint!‹ Und mir träumten danach die Ähren, die prallen, die brandigen. Spricht doch auch wohl ein Mensch, sich auszudrükken, und versucht's dann noch einmal: ›Mit anderen Worten‹, sagt er, ›so und so‹. Mamachen, das ist ein guter Anfang der Deutung, den der prophetische Jüngling, der nicht schäumende, da gemacht hat. Diesen Anfang haben die Pfuscher vom Bücherhause gleich verfehlt, und so konnte auch nachher nichts Gutes mehr kommen. Nun denn, fahre fort, Prophet, und deute! Was ist die einige Meinung meines doppelten Königstraums?«

»Einerlei ist die Meinung, wie die beiden Länder, und doppelt der Traum, wie deine Krone«, entgegnete Joseph. »Wolltest du das nicht sagen mit deinen letzten Worten, und sagtest es nur ungefähr, nicht aber von ungefähr? Was du meintest, verrietest du mit dem Wort ›Königstraum‹. Krone und Schweif trugst du in deinem Traum, im Dunkeln hab' ich's vernommen. Nicht Amenhotep warst du, sondern Nefer-cheperu-Rê, der König. Gott sprach zum König durch seine Träume. Er zeigte Pharao an, was er vorhat in der Zeit, damit er es wisse und seine Maßregeln treffe gemäß der Weisung.«

»Absolut!« rief Amenhotep wieder. »Nichts war mir klarer! Mutter, nichts war meiner Majestät gewisser von Anfang an, als was das besondere Lamm da sagt: daß nicht ich es war, der träumte, sondern der König, – soweit das eben zu trennen ist und sofern nicht eben ich nötig war, damit der König träume. Hat nicht Pharao es gewußt und dir geschworen gleich am Morgen, daß der Doppeltraum reichswichtig war und darum unbedingt zu deuten? Aber er wurde dem König gesandt, nicht, sofern er den Vater, sondern sofern er die Mutter der Länder; denn des Königs Geschlecht ist doppelt. Dinge der Notdurft betraf mein Traum und der unteren Schwärze – ich wußte und weiß es. Aber weiter weiß ich noch nicht«, besann er sich plötzlich. »Was ist das, daß meine Majestät ganz und gar vergißt, daß sie weiter noch gar nichts weiß, und daß die Deutung noch aussteht? Du hast eine Art«, wandte er sich an Joseph, »es einem fröhlich vorkommen zu lassen, als sei alles schon schönstens gelöst und getan, da du mir bisher doch nur wahrgesagt hast, was ich ohnedies wußte. Aber was bedeutet mein Traum, und wessen wollte er mich bedeuten?«

»Pharao irrt«, erwiderte Joseph, »wenn er meint, er wüßte es nicht. Dieser Knecht vermag nichts anderes, als ihm wahrzusagen, was er schon weiß. Sahst du die Kühe nicht, wie sie aus der Flut stiegen, eine nach der anderen, in einer Zeile, und folgten einander auf dem Fuße, erst die fetten und dann die mageren, so daß kein Unterbruch war in ihrer Folge und Reihe? Was steigt

so heraus aus dem Behältnis der Ewigkeit, eins nach dem anderen, nicht nebeneinander, sondern im Gänsemarsch, und ist keine Lücke zwischen dem Gehenden und Kommenden und kein Unterbruch in der Zeile?«
»Die Jahre!« rief Amenhotep, indem er vorstoßend mit den Fingern schnippte.
»Selbstverständlich«, sprach Joseph. »Das braucht aus keinem Kessel zu steigen, und darüber gibt es kein Schäumen und Augenverdrehen, daß die Kühe Jahre sind, sieben und sieben. Und die Ähren, die danach wuchsen, eine nach der anderen, in gleicher Zahl, die werden dann wohl etwas ganz verschiedenes und ungeheuer schwer zu Erratendes sein?«
»Nein!« rief Pharao und schnippte von neuem. »Sie sind Jahre ebenfalls.«
»Nach der Gottesvernunft allerdings«, antwortete Joseph, »und der sollte man wohl allerwege die Ehre geben. Daß aber aus den Kühen Ähren wurden, in der zweiten Gestalt deines Traumes, sieben trächtige und sieben taube, – da muß nun wohl ein Kessel her, groß wie der Mond, daß uns heraussteige, wie das zusammenhängt, und welche nähere Bewandtnis es danach hat mit der Schönheit der sieben Kühe, die zuerst kamen, und der Häßlichkeit derer, die ihnen folgten. Pharao sei so gnädig, einen Kessel kommen zu lassen auf einem Dreifuß.«
»Aber geh doch mit deinem Kessel!« rief wieder der König. »Ist denn dies der Augenblick, von einem Kessel zu reden, und brauchen wir wohl einen solchen? Die Bewandtnis liegt ja klar auf der Hand und ist durchsichtig wie ein Edelstein reinsten Wassers! Mit der Schönheit und Häßlichkeit der Kühe hat es Ähren-Bewandtnis und die Bewandtnis von Wuchs und Mißwuchs.« Er hielt inne und sah mit offenen Augen in die Lüfte hinaus. »Sieben fette Jahre werden kommen«, sprach er entgeistert, »und sieben der Teuerung.«
»Sicher und ohne Verzug«, sagte Joseph, »denn zweimal ward dir's verkündigt.«
Pharao richtete die Augen auf ihn.
»Du bist nicht tot umgefallen nach der Weissagung«, sagte er mit einer gewissen Bewunderung.
»Klänge es nicht so gräßlich und sträflich«, erwiderte Joseph, »so müßte man sagen, es sei verwunderlich, daß Pharao nicht tot umfällt, denn er hat geweissagt.«
»Nein, das sagst du nur so und hast es mir nur so vorkommen lassen, als ein Schelmensohn«, widersprach Amenhotep, »als ob ich selber geweissagt hätte und meine Träume gedeutet. Warum konnt' ich es denn nicht zuvor, ehe du kamst, und wußte nur, was falsch war, nicht aber, was recht? Denn daß diese Deutung recht, darüber besteht nicht der leiseste Zweifel in meiner Seele,

und genau erkennt mein einiger Traum sich in der Deutung wieder. Du bist wahrlich ein inspiriertes Lamm, aber von ausgesprochener Besonderheit. Denn du bist kein Sklave des bindenden Musters der Tiefe und hast mir nicht erst Fluchzeit und dann Segenszeit wahrgesagt, sondern umgekehrt, erst den Segen und dann die Heimsuchung, das ist das Originelle!«
»Du warst es, Herr der Länder«, antwortete Joseph, »und es lag an dir. Denn du hast geträumt, nämlich zuerst die fetten Kühe und Ähren und dann die erbärmlichen, und bist der einzig Originelle.«
Amenhotep arbeitete sich aus der Höhlung seines Stuhles empor und sprang auf die Füße. Mit schnellen Schritten trat er auf seinen sonderbaren dickdünnen Beinen, deren Oberschenkel durch den Batist schienen, vor den Sitz seiner Mutter.
»Mutter«, sprach er, »es ist an dem, meine Königsträume sind mir gedeutet, und ich weiß nun die Wahrheit. Wenn ich an den gelehrten Bettel denke, den man meiner Majestät vordem als Wahrheit verkaufen wollte, an die Töchter, die Städte, die Könige und die vierzehn Kinder, so lächert's mich, da es mich vorher seiner Minderwertigkeit wegen zur Verzweiflung trieb; nun aber, wo ich dank diesem prophetischen Jüngling die Wahrheit weiß, kann ich drob lachen. Ernst allerdings ist die Wahrheit. Meiner Majestät wurde angezeigt, daß sieben reiche Jahre kommen werden in ganz Ägyptenland, und nach denselben werden sieben Jahre teure Zeit kommen, von solcher Art, daß man der vorherigen Fülle ganz vergessen wird, und wird die Teuerung das Land verzehren, gleich wie die mageren Kühe die fetten verzehrten und die brandigen Ähren die goldenen, denn das war zugleich die Ansage davon, daß man nichts mehr wissen wird von der Fülle im Lande vor der teuren Zeit, die nachher kommt und wird mit ihrer Schwere das Gedächtnis der Fülle verzehren. Das ist es, was Pharao geoffenbart wurde durch seine Träume, die einer waren, und die ihm zugeführt wurden als der Mutter des Landes. Daß es mir dunkel blieb bis auf diese Stunde, begreife ich kaum. Nun ist's an den Tag gebracht mit Hilfe dieses echten, aber eigentümlichen Lammes. Denn wie ich nötig war, damit der König träume, so war er nötig, damit das Lamm weissage, und ist unser Sein nur der Treffpunkt von Nicht-Sein und Immer-Sein, und unser Zeitliches nur das Mittel der Ewigkeit. Aber doch auch nicht nur! Denn es fragt sich und ist das Problem, das ich wohl den Denkern vorlegen möchte von meines Vaters Hause: ob das Zeitlich-Einzige und Besondere mehr Wert und Würde empfängt vom Ewigen her – oder dieses von seiten des Einzig-Besonderen. Das ist eine Frage von der schönen Art derer, die sich nicht lösen lassen, so daß ihrer Betrachtung vom Abend- zum Morgengrauen kein Ende gesetzt ist ...«

Da er Teje den Kopf schütteln sah, brach er ab.
»Meni«, sagte sie, »deine Majestät ist unverbesserlich. Du hast uns zugesetzt mit deinen Träumen, die dir für reichswichtig galten, und die du durchaus gedeutet wissen wolltest, damit sie nicht ungehindert sich selber deuteten. Nun aber, da du die Deutung hast oder zu haben glaubst, tust du, als wäre damit alles getan, vergissest der Verkündigung, noch während du selber sie aussagst, und verlierst dich in schöne Unlösbarkeiten und in das Fernliegend-Abgezogenste. Ist das mütterlich? Kaum möchte ich's väterlich nennen, und nicht kann ich warten, bis dieser hier an seinen Ort zurückgekehrt ist und wir allein sind, daß ich dich unwillig mahne vom Throne der Mutter herab. Es ist möglich, daß dieser Wahrsager sein Handwerk versteht, und was er aussagt, ist möglich. Daß nach wechselnd reichen und leidlichen Zeiten der Ernährer ausblieb und den Fluren den Segen verweigerte zu wiederholten Malen, so daß Mangel und Teuerung die Länder umschlangen, das ist vorgekommen; es ist wahrlich vorgekommen, sogar siebenmal hintereinander, die Annalen ehemaliger Königsgeschlechter verzeichnen es. Es kann wieder vorkommen, und darum hat dir's geträumt. Vielleicht aber hat dir's geträumt, weil es wieder vorkommen soll. Ist dies deine Meinung, mein Kind, so muß die Mutter sich wundern, daß du dich des Besitzes der Deutung zwar freust und dir etwas damit weißt, daß du sie in gewissem Sinn selbst hervorgebracht hast, aber statt sofort alle deine Ratgeber und Großen zusammenzurufen zum Kronrat, um mit ihnen auf Maßnahmen zu sinnen, wie man dem drohenden Übel etwa begegnen könnte, sofort in so luxuriöse Betrachtungen abgleitest, wie die vom Treffpunkt des Nicht-Seins und Immer-Seins.«
»Aber Mamachen, wir haben Zeit!« rief Amenhotep mit lebhafter Gebärde. »Wo keine Zeit ist, da kann man sich freilich keine nehmen, aber wir können es, denn vor uns liegt Zeit in Fülle. Sieben Jahre! Das ist ja eben das ganz Vorzügliche, weswegen man tanzen und sich die Hände reiben möchte, daß dieses persönliche Lamm nicht ans leidige Schema gebunden war und nicht Fluchzeit geweissagt hat vor der Segenszeit, sondern die Segenszeit erst, so lang wie sieben Jahre! Du schöltest mich recht, wenn morgen die Dürre begönne und die Zeit der runzlichten Kühe. Da wäre freilich kein Augenblick zu verlieren, daß man auf den Behelf sänne und die vorbeugende Maßnahme – obgleich meine Majestät sich offen gestanden gegen Mißwuchs gar keine geeignete Maßnahme vorstellen kann. Da uns aber zuvor sieben Jahre der Fettigkeit vergönnt sind im Reich der Schwärze, während derer die Liebe des Volks zu Pharao's Muttertum wachsen wird wie ein Baum, unter dem er sitzen kann und seines Vaters Lehre verkünden, so sehe ich nicht, weshalb wir am ersten Tage gleich

... Deine Augen reden, Wahrsager«, unterbrach er sich, »und du blickst so dringlich drein. Hast du unserer gemeinsamen Deutung etwas hinzuzufügen?«
»Nichts«, antwortete Joseph, »als die Bitte, deinen Knecht um an seinen Ort zu entlassen, in das Gefängnis, darin er fronte, und in die Grube, daraus du ihn zogst um deiner Träume willen. Denn sein Geschäft ist beendigt, und seine Gegenwart ziemt sich nicht länger am Orte der Größe. Im Loch wird er leben und zehren von der goldenen Stunde, da er vor Pharao stand, der schönen Sonne der Länder, und vor der Großen Mutter, die ich an zweiter Stelle nenne nur aus der Not des Wortes, das der Zeit gehört und verwiesen ist aufs Nacheinander, ungleich dem Bilde, das sich des Nebeneinander erfreut. Da aber die Nennung der Zeit gehorcht, gebührt dem König die erste, aber die zweite ist nicht die zweite, denn die Mutter war vor dem Sohne. Soviel zur Reihenfolge. Wohin meine Wenigkeit nun aber zurückkehrt, dort werde ich in meinen Gedanken dieses Gespräch der Großen weiterführen, in das mich in Wirklichkeit einzumischen sträflich wäre. ›Pharao hatte wohl recht‹, werde ich lautlos zu mir selber sagen, ›sich der Umkehrung zu freuen und der schönen Frist, die vor der Fluchzeit kommt und den Jahren der Dürre. Aber wie recht hatte nicht auch die Mutter, die vor ihm war, mit ihrer Meinung und Mahnung, daß sogleich vom Tage der Segensfrist an, und vom Tage der Deutung, Sinnen und Ratschlag dem kommenden Übel gelten müsse – nicht um's zu verhüten, – man verhütet nicht Gottes Ratschlag, – aber ihm vorzudenken und vorzubauen kraft der Voraussicht. Denn die Segensfrist, die uns verheißen ist, hat ja nicht nur den Sinn des Aufschubs und des Atemholens zum Tragen der Heimsuchung, sondern ist der Raum der Vorsorge und das einzige Mittel zu Maßnahmen, um dem schwarzen Vogel des Ungemachs allenfalls die Schwingen zu stutzen und das kommende Übel aufzufangen, ihm entgegenzuwirken und es möglicherweise nicht nur in Schranken zu halten, sondern ihm vielleicht noch Segen abzugewinnen obendrein.‹ So oder ähnlich werde ich im Verlies zu mir selber sagen, da meine Worte ins Gespräch der Großen zu werfen mehr als unstatthaft wäre. ›Ein wie großes und herrliches Ding‹, werde ich leise rufen, ›ist nicht die Vorsorge, die am Ende gar noch das Verhängnis zum Segen zu wenden vermag! Und wie gnädig ist Gott, daß er dem König einen so weiten Überblick gewährt in der Zeit durch seine Träume, – nicht nur über sieben Jahre, sondern gleich über vierzehn, – darin liegt die Gewährung und das Gebot der Vorsorge! Denn die vierzehn sind *eine* Zeit, wiewohl zweimal sieben, und fangen nicht in der Mitte an, sondern am Anfang, das ist heute, und ist heute der Tag des Überblicks über das Ganze. Überblick aber ist wissende Vorsorge.‹«

»Das ist doch wundersam«, bemerkte Amenhotep. »Hast du nun gesprochen oder hast du nicht gesprochen? Du hast gesprochen, indem du nicht sprachst und uns nur deine Gedanken belauschen ließest, nämlich die, die du erst zu denken gedenkst. Und ist doch so gut, als hättest du gesprochen. Mir scheint, du hast da eine Schalks-Erfindung gemacht und etwas aufgebracht, was es noch nicht gab.«

»Alles gibt es einmal zum ersten Mal«, erwiderte Joseph. »Aber sehr lange schon gibt es die wissende Vorsorge und die verständige Nutzung der Frist. Hätte Gott die Fluchzeit gesetzt vor die Segenszeit und sie begänne morgen, so wäre kein Rat, und nichts wäre zu tun, und was die Spreujahre angerichtet unter den Menschen würde auch von der folgenden Fülle nicht gutgemacht. Nun aber ist's umgekehrt, und es ist Zeit – nicht, daß man damit geude, sondern daß man den Mangel gutmache durch die Fülle und einen Ausgleich schaffe zwischen Fülle und Mangel, indem man die Fülle spart, um den Mangel damit zu nähren. Das ist die Weisung, die in der Reihenfolge liegt, daß zuerst die fetten Kühe hervorstiegen und dann die dürren, und ist der Herr des Überblicks berufen und bestellt zum Ernährer des Mangels.«

»Du meinst, aufhäufen soll man Speise und in die Scheuern sammeln?« fragte Amenhotep.

»In größtem Stile!« sprach Joseph mit Festigkeit. »In ganz anderem Maße, als es je geschehen ist, seit die Länder bestehen! Der Herr des Überblicks sei der Zuchtmeister der Fülle. Er bedrücke sie streng und nehme ihr je und je, solange sie währt, was er braucht, um Herr zu sein auch des Mangels hernach. Pharao ist die Quelle der Fülle, und leicht wird die Liebe des Volkes es tragen, daß er die Fülle bewirtschaftet mit drückender Strenge. Kann er aber austeilen im Mangel, wie wird da die gläubige Liebe des Volks erst wachsen, daß er sitzen möge in ihrem Schatten und lehren! Der Herr des Überblicks sei der Schattenspender des Königs.«

Da er dies gesagt, begegneten Josephs Augen von ungefähr denen der Großen Mutter, der kleinen, dunklen, die immer noch aufrecht und göttlich geordnet auf ihrem Hochstuhle saß mit geschlossenen Füßen, – ihren klugen, scharfblickenden Augen, die, dunkel im Dunklen glänzend, auf ihn gerichtet waren, während die Furchen um ihren aufgeworfenen Mund ein spöttisches Lächeln bildeten. Er senkte ernsthaft die Lider vor diesem Lächeln, nicht ohne ein sittsames Blinzeln.

»Habe ich dich recht belauscht«, sagte Amenhotep, »so meinst du und fällst der Mutter bei in diesem Punkt, daß ich sogleich und ohne mir Zeit zu nehmen eine Vergatterung einberufe meiner Großen und Ratgeber, damit sie ausmachen, wie man die Fülle züchtigt zur Meisterung des Mangels?«

»Pharao«, erwiderte Joseph, »hat nicht eben viel Glück gehabt mit den Vergatterungen, als es die Deutung galt seines Kron-Traumes, des doppelten. Er deutete selbst – da fand er die Wahrheit. Ihm allein ward Verkündigung gesandt und bereitet der Überblick – ihm allein steht es zu, den Überblick zu bewirtschaften und die Fülle zu maßregeln, die vor der Dürre kommt. Ungewöhnliche und nie getroffene Maßregeln müssen das sein, ihrem Umfange nach, da Vergatterungen nur auf mäßig-übliche zu verfallen pflegen. *Einer* hat geträumt und gedeutet – *einer* beschließe und führe aus.«

»Pharao führt nicht aus, was er beschließt«, ließ Teje, die Mutter, sich kühl vernehmen, indem sie zwischen Joseph und dem Sohne hindurchsah. »Das ist eine unwissende Vorstellung. Gesetzt auch, er beschlösse auf eigene Hand, was den Träumen nach zu beschließen – nämlich zuvor gesetzt, daß man nach diesen Träumen beschließen soll –, so wird er die Ausführung in die Hände der Großen legen, die dazu bestellt sind: der beiden Wesire des Südens und Nordens, der Verwalter der Kornhäuser und Viehhöfe und der Vorsteher des Schatzhauses.«

»Genau so«, sagte Joseph mit Erstaunen, »gedachte ich in der Höhle zu mir zu sprechen, wenn ich in Gedanken das Gespräch der Großen fortsetzen würde, und aufs Tüttelchen diese Worte einschließlich der ›unwissenden Vorstellung‹ wollte ich gegen mich vorbringen und sie der Großen Mutter in den Mund legen zu meiner Strafe. Es macht mich groß vor mir, daß sie buchstäblich sagt, was ich sie hätte sagen lassen, im Loche mit mir allein. Ihr Wort nehm' ich mit mir, und wenn ich lebe und zehre dort unten von dieser hehren Stunde, will ich im Geiste antworten und sprechen: ›Unwissend sind alle meine Vorstellungen, aber eine Ausnahme gibt's: zu denken, Pharao, die schöne Sonne der Länder, führe selber aus, was er beschließt, und überlasse nicht vielmehr geprüften Dienern die Ausführung, indem er spricht: ‹Ich bin Pharao! Du sollst sein wie ich und Vollmacht haben von mir in dieser Sache, darin ich dich geprüft, und sollst Mittler sein zwischen mir und den Menschen, gleichwie der Mond Mittler ist zwischen Sonne und Erde, daß du zum Segen wendest das Verhängte für mich und die Länder›, – nein, so umfassend ist meine Unwissenheit nicht, diese Ausnahme muß sie leiden, und deutlich höre ich im Geiste Pharao so sprechen – nicht zu mehreren, sondern zu einem.‹ Und ich werde weiter sagen, wenn niemand mich hört: ›Mehrere sind nicht gut in solchem Falle; *einer* sei's, wie der Mond *einer* ist unter den Sternen, der Mittler zwischen Oben und Unten, der die Träume der Sonne kennt. Außerordentliche Maßregeln müssen schon bei der Wahl dessen beginnen, der sie tätigen soll – sonst werden sie nicht außerordentlich sein, sondern mäßig-üblich und ungenügend. Denn warum?

Weil sie nicht aus dem Glauben und aus der wissenden Vorsorge werden getätigt werden. Erzähle den Mehreren deine Träume – sie werden sie glauben und nicht glauben, eines jeden wird nur ein Teil Glaube und ein Teil Vorsorge sein, und alle Teile zusammen machen den ganzen Glauben nicht aus und ergeben die volle Vorsorge nicht, die vonnöten, und die nur bei *einem* sind. Darum sehe Pharao nach einem verständigen und weisen Manne, in dem der Geist der Träume ist, der Geist des Überblicks und der Geist der Vorsorge, und setze ihn über Ägyptenland mit dem Worte: ‹Sei wie ich›, daß es von ihm wie im Liede heiße: ‹Er war's, der alles sah bis an des Landes Grenzen und der die Fülle züchtigte mit nie getroffenen Maßregeln, um Schatten zu spenden dem König in Tagen des Mangels.›‹ Dies sind meine zukünftigen Worte, die ich sprechen werde bei mir in der Grube, da sie hier vor den Göttern zu sprechen der gröblichste Vorwitz wäre. Entläßt nun Pharao den Knecht von seinem Angesicht, daß er aus der Sonne gehe in seinen Schatten?«
Und Joseph tat eine Wendung gegen den Bienenvorhang und eine Gebärde des Armes dorthin, die fragte, ob er hindurchgehen dürfe. Daß die Augen der Göttin-Mutter scharf auf ihn blickten und die weltkundigen Falten um ihre Lippen sich zum spöttischen Lächeln vertieften, danach sah er absichtlich nicht hin.

»Ich glaub' nicht dran!«

»Bleib«, sagte Amenhotep. »Verzieh noch etwas, mein Freund! Du hast da recht artig auf deiner Erfindung geklimpert, daß man sprechen kann, ohne zu sprechen, oder nicht sprechen und doch sprechen, indem man seine Gedanken belauschen läßt, und hast mich, außer daß du meine Majestät auf die Deutung brachtest der Kron-Träume, auch noch mit dieser Neuerung erfreut. Pharao kann dich nicht gehen lassen unbelohnt, du denkst doch wohl das nicht. Es fragt sich nur, wie er dir lohnen soll, – darüber ist meine Majestät sich noch nicht im reinen; denn daß ich dir zum Beispiel nur diese Schildkröten-Leier schenkte, die Erfindung des Herrn der Stückchen, das wäre zuwenig meiner Meinung nach und gewiß auch nach deiner. Nimm sie immerhin vorläufig, mein Freund, nimm sie in den Arm, sie steht dir zu Gesichte. Der Gewandte ließ sie dem wahrsagenden Bruder, und du bist ein Wahrsager ebenfalls, übrigens auch gewandt. Außerdem aber denke ich sehr daran, dich an meinem Hof zu behalten, wenn du willst, und eine schöne Titulatur für dich festzusetzen, wie etwa ›Erster Traumdeuter des Königs‹ oder so, etwas Prächtiges, das deinen wahren Namen zudecken und ganz vergessen machen soll. Wie heißt du eigentlich? Ben-ezne vermutlich, oder Nekatija, nehme ich an?«

»Wie ich heiße«, antwortete Joseph, »so hieß ich nicht, und weder meine Mutter, die Sternenjungfrau, noch mein Vater, der Gottesfreund, nannten mich so. Aber seit feindliche Brüder mich in die Grube stießen und ich dem Vater starb, da ich hinabgestohlen ward in dieses Land, hat, was ich bin, einen anderen Namen angenommen: es heißt nun Osarsiph.«
»Das ist interessant«, urteilte Amenhotep, der sich in die Kissen seines überbequemen Stuhles zurückbegeben hatte, während Joseph, die Gabe des Seefahrers im Arme, vor ihm stand. »Du bist also der Meinung, daß man nicht immer gleich heißen, sondern seinen Namen den Umständen anpassen soll, je dem gemäß, was aus einem wird und wie man sich befindet? Mamachen, was sagst du dazu? Ich glaube, meiner Majestät gefällt es, denn mir gefallen die überraschenden Ansichten, bei denen die andern alle, die nur abgedroschene Ansichten kennen, den Mund aufsperren, da man bei den ihren allerdings auch den Mund aufsperrt, aber vor Gähnen. Pharao selbst heißt schon viel zu lang, wie er heißt, und längst steht sein Name mit dem, was er ist und wie er sich befindet, in schlechtem Einklang, so daß er im stillen für sich schon einige Zeit mit dem Gedanken verkehrt, sich einen neuen und richtigeren Namen beizulegen, den alten und irreführenden aber abzulegen. Ich habe dir von diesem Vorhaben noch nie gesprochen, Mamachen, weil es unbequem gewesen wäre, es dir unter vier Augen zu eröffnen. Aber in Gegenwart dieses Wahrsagers Osarsiph, der auch einmal anders hieß, eröffne ich dir's, es ist eine gute Gelegenheit. Gewiß will ich's nicht überstürzen, es muß nicht gleich morgen sein. Aber geschehen muß es eines baldigen Tages, denn wie ich heiße, das wird zur Lüge täglich mehr und zum Anstoß bei meinem Vater am Himmel. Es ist eine Schande und auf die Dauer nicht zu ertragen, daß mein Name den Namen des Amun trägt, des Thronräubers, der vorgibt, den Rê-Horachte verzehrt zu haben, den Herrn von On und den Ahn der Könige Ägyptens, und nun als Reichsgott thront und als Amun-Rê. Du mußt verstehen, Mamachen, daß es meine Majestät auf die Dauer schwer belästigt, nach ihm zu heißen, statt einen Namen zu führen, der dem Atôn gefällt; denn aus ihm bin ich hervorgegangen, in dem vereinigt ist, was war und was sein wird. Siehe, Amuns ist das Gegenwärtige, aber meines Vaters ist das Gewesene und das Zukünftige, und wir beide sind alt und jung auf einmal, von ehemals und dereinst. Pharao ist ein Fremdling in der Welt, denn er ist daheim in der Urzeit, da die Könige ihre Arme zu Rê, ihrem Vater, erhoben, der Zeit Hor-em-achets, des Sphinxen. Und daheim ist er in der Zeit, die kommen soll und die er verkündigt, da alle Menschen zur Sonne aufblicken werden, dem alleinigen Gott, ihrem gütigen Vater, nach der Lehre des Sohnes, der im Besitz seiner Vorschriften ist,

da er aus ihm kam und in seinen Adern sein Blut fließt. Sieh her, du!« sagte er zu Joseph. »Tritt nahe und sieh!« Und er zog den Batist von seinem mageren Arm und zeigte jenem das blaue Geäder an der Innenseite des Unterarms. »Das ist das Blut der Sonne!«

Der Arm zitterte merklich, obgleich Amenhotep ihn mit der anderen Hand unterstützte. Doch zitterte diese Hand eben gleichfalls. Joseph betrachtete achtungsvoll das Vorgewiesene und zog sich dann wieder etwas zurück vom königlichen Stuhl. Die Göttin-Mutter sagte:

»Du erregst dich, Meni, es ist der Gesundheit deiner Majestät nicht zuträglich. Nach dem Deutungsgeschäft und all diesem Austausch solltest du ruhen und dir Zeit nehmen von der Zeit, die dir gegeben ist, deine Entschlüsse reifen zu lassen, sowohl was die Maßregeln betrifft gegen das möglicherweise Kommende, wie in der sehr ernsten Sache der Namensänderung, die du erwägst, wie auch, nebenbei, einer angemessenen Belohnung wegen für diesen Wahrsager. Suche dein Bett auf!«

Allein der König wollte das nicht. »Mamachen«, rief er, »ich bitte recht lieb und schön, verlange das nicht von mir, jetzt, wo ich so vielversprechend im Zuge bin! Ich versichere dich, meine Majestät ist vollkommen kräftig, und keine Spur von Ermüdung macht sich mir bemerkbar. Erregt bin ich vor Wohlsein, und mir ist wohl vor Erregung. Du sprichst genau wie die Wärterinnen in meiner Kindheit – wenn ich am lustigsten war, so sprachen sie: ›Übermüde bist du, Erbe der Länder, und mußt ins Bette.‹ Fuchsteufelswild konnt' es mich damals machen, und vor Wut konnt' ich strampeln. Nun bin ich groß und danke dir ehrerbietig für deine Sorge. Aber ich habe das deutliche Gefühl, daß dieser Empfang noch zu weiteren schönen Ergebnissen führen kann, und daß meine Entschlüsse viel besser als im Bette im Gespräch mit diesem gewandten Wahrsager reifen werden, dem ich allein schon dafür dankbar bin, daß er mir Gelegenheit gab, dich mein Vorhaben wissen zu lassen, einen wahreren Namen anzunehmen, der den Namen des Einzigen trägt, nämlich Echnatôn, damit es meinem Vater wohlgefällt, wie ich heiße. Alles muß nach ihm heißen, und nicht nach Amun, und wenn die Herrin der Länder, die den Palast mit Schönheit füllt, die süße Titi, demnächst glücklich niederkommt, so soll das Königskind jedenfalls Merytatôn genannt sein, ob es nun ein Prinz ist oder eine Prinzessin, damit es geliebt sei von dem, der die Liebe ist, – ganz gleich, ob ich mir dadurch einen unangenehmen Empfang zuziehe des Großmächtigen von Karnak, der kommen und vorstellig werden wird und mich langstielig bedrohen mit dem Zorne des Widders – den kann ich tragen. Ich will alles gern tragen um der Liebe willen zu meinem Vater am Himmel.«

»Pharao«, sagte die Mutter, »du läßt außer acht, daß wir nicht allein sind und diese Dinge, die mit Klugheit und Mäßigung zu handhaben sind, wohl besser nicht vor den Ohren dieses Wahrsagers aus dem Volke erörtern.«
»Laß das gut sein, Mamachen!« erwiderte Amenhotep. »Der ist in seiner Art von einer edlen Herkunft, das hat er uns selbst zu verstehen gegeben – der Sohn eines Schelmen und einer Lieblichen, was etwas ausgesprochen Anziehendes für mich hat, und daß er schon als Kind das Lamm genannt wurde, bezeugt auch eine gewisse Eleganz. Kinder aus niederen Schichten werden nicht so genannt. Außerdem habe ich den Eindruck, daß er vieles zu verstehen und auf vieles zu erwidern vermag, besonders aber den, daß er mich liebt und mir zu helfen bereit ist, wie er mir schon geholfen hat beim Deuten der Träume und auch durch seine originelle Ansicht, daß man sich nennen soll je nach den Umständen und nach Befinden. Es wäre alles recht schön und gut, wenn mir nur der Name besser gefiele, mit dem er sich nennt ... Ich will nicht unfreundlich sein und dich nicht betrüben«, wandte er sich an Joseph, »aber es betrübt mich meinesteils, was für einen Namen du angenommen hast – Osarsiph, das ist ja ein Totenname, wie wenn man den verstorbenen Stier Osar-Chapi nennt, und trägt den Namen des Totenherrn, Usirs, des Fürchterlichen, auf dem Richterstuhl und mit der Waage, der nur gerecht ist, aber gnadenlos, und vor dessen Spruch die verängstigte Seele zittert. Es ist alles nur Verängstigung mit diesem alten Glauben, der selber tot ist, ein Osar-Glaube, und meines Vaters Sohn glaubt nicht daran!«
»Pharao«, hörte man wieder die Stimme der Mutter, »ich muß dich aufs neue berufen und dich zur Vorsicht mahnen und brauche keinen Anstand zu nehmen, es im Beisein dieses fremden Traumdeuters zu tun, da du ihn eines so ausgedehnten Empfanges würdigst und seine bloße Aussage, er sei als Kind ›das Lamm‹ genannt worden, als Zeichen seiner höheren Herkunft nimmst. So möge er hören, daß ich dich zu Maß und Weisheit verwarne. Es ist genug, daß du die Kraft Amuns zu mindern trachtest und dich wider die Allgemeinheit seiner Herrschaft setzest, indem du ihm, wenn möglich, Schritt für Schritt die Einheit entziehst mit Rê, dem Horizontbewohner, der der Atôn ist – schon dazu bedarf es aller Klugheit und Politik der Welt, eines kühlen Kopfes bedarf es dazu, und hitzige Überstürzung ist vom Übel. Aber hüte sich deine Majestät, auch noch den Glauben des Volkes anzutasten an Usir, den unteren König, an dem es hängt wie an keiner anderen Gottheit, weil alle gleich vor ihm sind und jeder hofft, in ihn einzugehen mit seinem Namen. Schone die Neigung der vielen, denn was du gibst dem Atôn durch die Schmälerung Amuns, das nimmst du ihm wieder durch Usirs Verletzung!«

»Ach, ich versichere dich, Mamachen, das bildet das Volk sich nur ein, daß es so hängt am Usiri!« rief Amenhotep. »Wie soll es denn daran wohl hängen, daß die Seele, die nach dem Richterstuhl wandert, sieben mal sieben Gefilde des Schreckens durchschreiten muß, von Dämonen belagert, die sie auf Schritt und Tritt nach dreihundertsechzig schwer zu behaltenden Zaubersprüchen verhören – all diese muß die arme Seele am Schnürchen haben und aufsagen können einen jeden am rechten Ort, sonst kommt sie nicht durch und wird schon vorher gefressen, bevor sie zum Stuhle gelangt, wo sie aber auch alle Aussicht hat, gefressen zu werden, wenn nämlich ihr Herz zu leicht befunden wird auf der Waage, und wird diesesfalls dem Ungetüm überliefert, dem Hund von Amente. Ich bitte dich, wo ist denn da etwas, daran zu hängen – es ist ja aller Liebe und Güte zuwider meines Vaters am Himmel! Vor Usir, dem Unteren, sind alle gleich – ja, gleich im Schrecken! Vor Ihm aber sollen alle gleich sein in der Freude. So ist's mit der Allgemeinheit auch des Amun und des Atôn. Auch Amun will allgemein sein mit Hilfe des Rê und will die Welt vereinigen in seiner Anbetung. Darin sind sie eines Sinnes. Aber eins machen will Amun die Welt in der Dienstbarkeit starren Schreckens, was eine falsche und finstere Einheit ist, die mein Vater nicht will, denn er will seine Kinder vereinigen in Freude und Zärtlichkeit!«
»Meni«, sagte die Mutter gedämpft, »es wäre besser, du schontest dich, und deine Majestät spräche nicht so viel von Freude und Zärtlichkeit. Erfahrungsgemäß sind dir diese Worte gefährlich und bringen dich außer dir.«
»Ich spreche, Mamachen, ja nur vom Glauben und Nicht-Glauben«, antwortete Amenhotep, indem er sich wieder aus dem Kissen emporarbeitete und auf seine Füße trat. »Von diesen spreche ich, und meine Begabung sagt mir, daß Nicht-Glauben beinahe noch wichtiger ist als Glauben. Zum Glauben gehört eine Menge Nicht-Glauben, denn wie soll einer das Rechte glauben, solange er Irrwitz glaubt? Will ich das Volk das Rechte lehren, muß ich ihm manchen Glauben nehmen, an dem es hängt, – das ist vielleicht grausam, doch grausam aus Liebe, und mein Vater am Himmel wird mir's verzeihen. Ja, was ist herrlicher, das Glauben oder das Nicht-Glauben, und welches muß vor dem andern kommen? Zu glauben, ist eine große Wonne der Seele. Doch nicht zu glauben, das ist beinah glückseliger noch als das Glauben, – ich hab's entdeckt, meine Majestät hat's erfahren, und an die Angstgefilde und die Dämonen und an Usiri mit seinen gräßlich Benannten und an die Fresserin dort unten glaube ich nicht, ich glaub' nicht dran! Glaub' nicht dran! Glaub' nicht dran!« sang und trällerte Pharao, indem er sich, auf seinen sonderbaren Beinen tänzelnd, um sich selber drehte

und bei ausgebreiteten Armen mit den Fingern beider Hände schnippte.
Danach war er außer Atem.
»Warum hast du dir einen solchen Totennamen gegeben?« fragte er keuchend, indem er bei Joseph stehenblieb. »Hält dich dein Vater für tot, so bist du's doch nicht.«
»Schweigen muß ich ihm«, antwortete Joseph, »und heiligte mich dem Schweigen mit meinem Namen. Wer da heilig und aufgespart ist, der ist es den Unteren. Du kannst vom Heiligen und Geweihten nicht das Untere trennen, – ihm gehört es, – und eben darum liegt auf ihm der Schein, der von oben ist. Jedes Opfer bringt man den Unteren, aber es ist das Geheimnis, daß man es eben damit recht erst den Oberen bringt. Denn Gott ist das Ganze.«
»Er ist das Licht und die süße Sonnenscheibe«, sagte Amenhotep im Rührung, »deren Strahlen die Länder umarmen und sie mit Liebe fesseln, – schwach läßt er die Hände werden vor Liebe, und nur die Bösen, deren Glaube nach unten geht, haben starke Hände. Ach, wieviel mehr ging' es auf der Welt nach Liebe und Güte, wär' nicht der Glaube ans Untere und an die Fresserin mit den malmenden Zähnen! Das redet keiner Pharao aus, daß die Menschen vieles nicht täten und nicht für wohlgefällig hielten, es zu tun, wenn sie nicht abwärts glaubten. Weißt du wohl, meines irdischen Vaters Großvater, König Acheperurê, hatte sehr starke Hände und konnt' einen Bogen spannen damit, den konnte sonst niemand spannen im ganzen Land. Da zog er aus, die Könige Asiens zu schlagen und fing ihrer sieben lebendig: die hing er am Bug seines Schiffes verkehrt herum auf, die Köpfe nach unten, – ihr Haar wallte nieder, und glotzten allesamt in die Welt mit umgestellten, blutrünstigen Augen. Es war aber nur der Anfang von dem, was er alles mit ihnen tat, und was ich nicht sage, er aber tat es sogar. Es war die erste Geschichte, die meine Wärter dem Kinde erzählten, ihm Königsgeist einzuflößen, – ich aber schrie aus dem Schlaf vom Eingeflößten, und mußten die Ärzte vom Bücherhause mir anderes dagegen einflößen, ein Gegengift. Glaubst du nun aber, Acheperurê hätte das alles gemacht mit seinen Feinden, ohne er hätte die Schrekkensgefilde geglaubt und die Gespenster und Usiri's gräßlich Benannte nebst dem Hund von Amente? Laß dir sagen: die Menschen sind ein ratlos Geschlecht. Sie wissen nichts zu tun aus sich selbst, und nicht das allergeringste fällt ihnen von selber ein. Immer ahmen sie nur die Götter nach, und je wie das Bild ist, das sie sich von ihnen machen, danach tun sie. Reinige die Gottheit, und du reinigst die Menschen.«
Joseph gab nicht Antwort auf diese Rede, bevor er zur Mutter hinübergeblickt und in ihren Augen, die auf ihn gerichtet waren,

gelesen hatte, daß eine Gegenrede von seiner Seite ihr lieb sein würde.

»Schwerer als schwer«, sagte er dann, »ist es, Pharao zu erwidern, denn er ist aus der Maßen begabt, und was er spricht, ist wahr, so daß man nur nicken und ›richtig, richtig‹ murmeln oder auch ganz verstummen könnte und alle Rede bei der Wahrheit könnte entschlummern lassen, die er ausgesagt. Und doch weiß man, daß Pharao nicht liebt, das Gespräch entschlummern und am Wahren stocken zu lassen, sondern wünscht, daß es sich davon löse und weiter gehe, noch über das Wahre hinaus, und vielleicht zu fernerer Wahrheit führe. Denn was wahr ist, ist nicht die Wahrheit. Die ist unendlich fern, und unendlich alles Gespräch. Eine Wanderung ist es ins Ewige und löst sich rastlos, oder doch nach nur kurzer Rast und nach einem ungeduldigen ›Richtig, richtig!‹ aus jeder Wahrheitsstation, wie der Mond sich löst aus seinen Stationen in ewiger Wanderung. Dies aber bringt mich zwingend, ob ich will oder nicht, und ob es statthaft ist oder ganz fehl am Ort, auf meines irdischen Vaters Großvater, den wir zu Hause immer mit einem nicht so ganz irdischen Namen nannten und ihn den Mondwanderer hießen, wohl wissend übrigens, daß er in Wirklichkeit Abirâm geheißen hatte, was da bedeutet: ›Mein Vater ist erhaben‹, allenfalls aber auch ›Vater des Erhabenen‹, und war aus Ur in Chaldäa gekommen, dem Land des Turmes, wo es ihm nicht gefallen und er's nicht ausgehalten hatte, — nie hielt er's irgendwo aus, daher die Bezeichnung, die wir ihm gaben.«

»Siehst du wohl, Mutter«, fiel hier der König ein, »daß mein Wahrsager von guter Herkunft ist in seiner Weise? Nicht nur, daß er selbst ›das Lamm‹ genannt wurde, sondern er hatte auch einen Ur-Großvater, dem man überirdische Namen gab. Leute aus niederen Schichten und aus der großen Mischung pflegen ihren Ur-Großvater gar nicht zu kennen. — Also war er ein Wanderer nach der Wahrheit, dein Ur-Großvater?«

»Von solcher Rüstigkeit«, versetzte Joseph, »daß er am Ende Gott entdeckte und einen Bund mit Ihm machte, daß sie heilig würden der eine im anderen. Aber rüstig war er auch sonst, ein Mann starker Hände, und als Räuberkönige vom Osten einfielen brennend und brandschatzend und seinen Bruder Lot fortführten gefangen, da zog er kurz und entschlossen aus gegen sie mit dreihundertachtzehn Mann und Eliezer, seinem Ältesten Knecht, also dreihundertneunzehn, und schlug ihre Kräfte, daß er sie bis über Damaschki trieb und Lot, seinen Bruder, aus ihren Händen befreite.«

Die Mutter nickte, und Pharao schlug die Augen nieder.

»Zog er zu Feld«, fragte er, »bevor er Gott entdeckt hatte, oder nachher?«

»Mittendrin«, antwortete Joseph. »Mitten in der Arbeit daran und ungeschwächt durch diese. Was willst du machen mit Räuberkönigen, die brennen und brandschatzen? Den Frieden Gottes kannst du ihnen nicht beibringen, sie sind zu dumm und böse dazu. Du kannst ihnen nur beibringen, indem du sie schlägst, daß sie spüren: der Friede Gottes hat starke Hände. Bist du doch auch Gott Verantwortung schuldig dafür, daß es auf Erden halbwegs nach seinem Willen geht und nicht ganz und gar nach den Köpfen der Mordbrenner.«

»Ich sehe wohl«, sagte Amenhotep knabenhaft verstimmt, »wärst du von meinen Wärtern einer gewesen, als ich ein Kind war, so hättest du mir auch Geschichten erzählt von abwärtshängenden Haaren und umgestellten Augen voll Blut.«

»Sollte es vorkommen«, fragte Joseph und wandte sich an sich selber mit dieser Frage, »daß Pharao irrt und daß trotz außerordentlicher Begabtheit und Frühreife seine Vermutungen fehlgehen? Man sollte es nicht denken, doch scheint es mit unterzulaufen, zum Zeichen, daß er seine menschliche Seite hat außer der göttlichen. Denn die ihn mit jenen Ruhmesgeschichten beschwerten«, fuhr er im Selbstgespräch fort, »die standen ja für Krieg und Schwerteslust unbedingt und um ihretwillen; sein Wahrsager aber, des Mondwanderers Spät-Enkel, sucht Botschaft zu bringen dem Kriege vom Frieden Gottes und legt beim Frieden ein Wort für die Rüstigkeit ein, als ein Handelsmann zwischen den Sphären und ein Mittler zwischen oben und unten. Dumm ist das Schwert, doch möcht' ich die Sanftmut nicht klug nennen. Klug ist der Mittler, der ihr Rüstigkeit rät, daß sie am Ende nicht dumm dastehe vor Gott und den Menschen. Wollte ich doch, ich dürft' es Pharao sagen, was ich da denke!«

»Ich habe gehört«, sagte Amenhotep, »was du zu dir selber sagtest. Das ist abermals so ein Stückchen und eine Erfindung von dir, daß du zu dir selber sprichst und tust, als hätte der andere keine Ohren. Du hältst das Geschenk des Seefahrers im Arm – mag sein, daß dir daher die Späße kommen, und daß vom Geist des Gott-Schalks etwas in deine Worte dringt.«

»Es mag sein«, versetzte Joseph. »Pharao spricht das Wort der Stunde. Es mag sein, es ist möglich und nicht ganz von der Hand zu weisen, man muß damit rechnen, daß der Gewandte zugegen ist und Pharao an sich gemahnen will, nämlich, daß er es war, der ihm die Träume zuführte von unten herauf an sein Königslager, und der auch ein Führer hinab ist bei aller Heiterkeit, des Mondes Freund und der Toten. Ein freundlich Wort legt er beim Oberen ein fürs Untere und beim Unteren für das Obere, der verbindliche Mittler zwischen Himmel und Erde. Denn das Unvermittelte ist ihm zuwider, und ein Wissen hat er voraus vor allen Wesen, dieses: daß einer recht sein kann und doch falsch.«

»Kommst du auf den Oheim zurück«, fragte Amenhotep, »den falschen Rechten, der dicke Tränen in den Staub mußte kollern lassen unterm Gelächter der Welt? Laß die Geschichte an ihrem Ort! Sie ist spaßhaft, aber beklemmend. Mag es doch sein, daß das Spaßhafte immer beklemmend ist und uns der Odem nur frei und selig geht von goldenem Ernste.«
»Pharao sagt es«, erwiderte Joseph, »und möge er der Rechte sein, es zu sagen! Ernst und streng ist das Licht, und die Kraft, die von unten zu ihm hinauf strebt in seine Lauterkeit, — Kraft muß sie wahrlich sein und von Mannesart, nicht bloße Zärtlichkeit, sonst ist sie falsch und zu früh daran, und es gibt Tränen.«
Er sah nicht zur Mutter hinüber nach diesen Worten, nicht mit vollem Auge, aber so weit sah er hinüber, daß er sehen konnte, ob sie Beifall nickte oder nicht. Sie nickte nicht, aber er glaubte wahrzunehmen, daß sie ihn unverwandt betrachtete, was vielleicht noch besser war als Nicken.
Amenhotep hatte nicht zugehört. Er lehnte an seinem Stuhl in einer seiner übermäßig gelösten Stellungen, die tendenziös gegen den alten Stil und Amuns Strenge gerichtet waren: den Ellbogen auf die Rücklehne gestützt, die andere Hand in der vom Standbein herausgetriebenen Hüfte, die Fußspitze des Spielbeins aufgestellt, und hing seinen eigenen Worten nach.
»Ich glaube«, sagte er, »meine Majestät hat da etwas sehr Begabtes geäußert, worauf man lauschen sollte: über Spaß und Ernst, das Beklemmende und die Glückseligkeit. Spaß- und geisterhaft und nicht geheuer ist auch des Mondes Mittlertum zwischen Himmel und Erde. Aber goldenen Ernstes und ohne Falsch sind die Strahlen Atôns, die sie in Wahrheit verbinden, in gütige Hände endigend, die des Vaters Schöpfung liebkosen. Gott allein ist das Sonnenrund, von dem sich Wahrheit ergießt in die Welt und verläßliche Liebe.«
»Alle Welt lauscht auf Pharao's Worte«, antwortete Joseph, »und niemand überhört ein einziges von ihnen, wenn er lehrt. Das mag anderen geschehen, selbst wenn ihre Worte einmal ausnahmsweise sollten ebenso beherzigenswert sein wie die seinen, aber niemals dem Herrn der Kronen. Seine goldene Rede gemahnt mich an eine unserer Geschichten, nämlich, wie Adam und Eva, die Ersten, sich entsetzten vor der ersten Nacht. Tatsächlich glaubten sie, die Erde solle wieder wüst werden und leer. Denn es ist das Licht, das die Dinge sondert und ein jedes an seinen Ort stellt — Raum schafft es und Zeit, aber die Nacht bringt die Unordnung wieder herbei, das Durcheinander und das Tohuwabohu. Unbeschreiblich erschraken die beiden, als der Tag im Abendrot starb und das Dunkel von allen Seiten heranschlich. Und schlugen sich in ihr Angesicht. Aber Gott gab ihnen zwei

Steine: einen von tiefer Dunkelheit und einen von Todesschatten. Die rieb er aneinander für sie, und siehe, heraus sprang Feuer, Feuer des Schoßes, innerstes Ur-Feuer, jung wie der Blitz und älter als Rê, das brannte an Dürrem fort und ordnete ihnen die Nacht.«

»Recht schön, recht gut!« sagte der König. »Ich sehe wohl, ihr habt nicht nur schalkhafte Geschichten. Schade, daß du nicht auch von dem Glücke der Ersten erzähltest am neuen Morgen, als wieder der ganze Gott ihnen erstrahlte und aus der Welt trieb die finstere Ungestalt, denn ihre Tröstung muß unbeschreiblich gewesen sein. Licht, Licht!« rief er, indem er sich aus seiner hängenden Stellung löste und, bald stockend, bald eilend, sich im Saale hin und her zu bewegen begann, wobei er die geschmückten Arme zuweilen bis über den Kopf erhob, zuweilen auch beide Hände aufs Herz drückte. »Selige Helligkeit, die sich das Auge schuf, ihr zu begegnen, Blick und Erblicktes, Zu-sich-Kommen der Welt, die nur durch dich von sich weiß, Licht, du liebende Unterscheidung! Ach, Mamachen, und du, lieber Wahrsager, wie herrlich über alle Herrlichkeit und wie einzig im All ist der Atôn, mein Vater, und wie schlagen meine Pulse vor Stolz und Rührung, weil ich aus ihm hervorging und er mich vor allen seine Schönheit und Liebe begreifen ließ! Denn wie er einzig ist an Größe und Güte, so bin ich einzig an Liebe zu ihm, sein Sohn, den er mit seiner Lehre betraute. Wenn er aufgeht in der Himmelsflut und emporsteigt aus dem Gotteslande im Osten, funkelnd gekrönt als König der Götter, so jauchzen alle Geschöpfe, die Paviane beten an mit erhobenen Händen und alles Wild preist ihn im Springen und Laufen. Denn jeder Tag ist Segenszeit und ein Freudenfest nach der Fluchzeit der Nacht, wo er sich hinweggewandt und die Welt in Selbstvergessenheit sinkt. Es ist schaudervoll, wenn die Welt ihrer selbst vergißt, möge es auch erforderlich sein um ihrer Erquickung willen. Es liegen die Menschen in ihren Kammern, die Häupter verhüllt, sie atmen durch ihre Münder und sieht ein Auge das andere nicht. Unvermerkt zieht ihnen der Dieb die Habe unter den Häuptern weg, die Löwen schweifen, und alle Schlangen stechen. Aber er kommt und schließt den Menschen die Münder, er nimmt die Lider von ihren Augensternen und richtet sie auf, daß sie sich waschen und zu ihren Kleidern greifen und an ihr Werk gehen. Hell ist die Erde, die Schiffe segeln stromauf und stromab, und jede Straße liegt offen in seinem Licht. Im Meere springen die Fische vor ihm, denn auch zu ihnen hinab dringen seine Strahlen. Fern ist er, ach, unermeßlich fern, aber seine Strahlen sind dessenungeachtet auf Erden wie in dem Meer und fesseln die Wesen mit seiner Liebe. Denn ohne daß er so hoch und fern wäre, wie wäre er über allem und überall in Seiner Welt, die er gegliedert hat und in verschiedenartiger Schönheit ausgebreitet: die Länder Syrien und Nubien und Punt und das Land Ägypten; die Fremdländer, wo der Nil an den Himmel gesetzt ist, daß er auf ihre Leute herabfalle und Wellen schlage auf den Bergen wie das Meer und die Felder bewässere in ihren Städten, da er für uns aus der Erde quillt und die Wüste düngt, daß wir essen. Ja, wie mannigfaltig, o Herr, sind deine Werke! Du hast die Jahreszeiten gemacht und Raum und Zeit mit Millionen Gestalten bevölkert, daß sie in dir leben und ihre Lebenszeit vollbringen, die du gibst, in Städten, Dörfern und Siedelungen, auf den Landstraßen und an den Flüssen. Du unterschiedest sie und gabst ihnen mancherlei Zungen, daß sie besondere Worte sprechen zu abweichenden Bräuchen, doch alle von dir umfangen. Einige sind braun, andere rot, wieder andere schwarz und noch andere wie Milch und Blut – so abgetönt offenbaren sie sich in dir und sind deine Offenbarung. Sie haben krumme Nasen oder auch platte oder selbst solche, die geradeaus dahingehen aus dem Gesicht; sie kleiden sich bunt oder weiß, in Wolle oder Flachs, je nachdem sie es wissen und meinen; aber das alles ist kein Grund zu wechselseitigem Gelächter und zur Gehässigkeit, sondern nur interessant und ein Grund allein zur Liebe und Anbetung. Du grundgütiger Gott, wie freudevoll und gesund ist alles, was du schufst und ernährst, und welches herzsprengende Entzücken hast du Pharao dafür eingeflößt, deinem geliebten Sohn, der dich verkündet. Du hast den Samen gemacht in den Männern und gibst Atem dem Knaben im Leibe der Frau. Du beruhigst ihn, daß er nicht weine, du gute Wärterin und innere Amme! Du schaffst, wovon die Mücken leben, desgleichen die Flöhe, der Wurm und der Sproß des Wurms. Es wäre genug für das Herz und fast schon zuviel, daß das Vieh zufrieden ist auf deiner Weide, daß Bäume und Pflanzen im Safte stehen und Blüten treiben zu Dank und Preis, während unzählige Vögel andächtig über den Sümpfen flattern. Aber wenn ich an das Mäuslein denke in seinem Loch, wo du ihm bereitet, was es braucht – da sitzt es mit seinen Perläuglein und putzt sich die Nase mit beiden Pfötchen –, so gehen die Augen mir über. Und gar nicht darf ich ans Küchlein denken, das schon in der Schale piept, aus der es hervorbricht, wenn Er es vollkommen gemacht hat, – da kommt es heraus aus dem Ei und piept soviel es kann, indem es herumläuft vor Ihm auf seinen Füßen in größter Eilfertigkeit. Besonders daran darf ich mich nicht erinnern, sonst muß ich mir das Gesicht trocknen mit feinem Batist, denn es ist überschwemmt von Liebestränen ... Ich möchte die Königin küssen«, rief er plötzlich und blieb stehen, das Antlitz nach oben gerichtet. »Man rufe sogleich Nofertiti, die den Palast mit Schönheit füllt, die Herrin der Länder, mein süßes Ehgemahl!«

Jaakobs Sohn war vom Stehen vor Pharao schon fast so müde, wie er einst gewesen war, als er den Stummen Diener hatte abgeben müssen für die Alten im Lusthäuschen. Gerade hierfür schien Jung-Pharao bei allem Zartgefühl für die Mücken, die Küken, das Mäuslein und den Sohn des Wurmes keinen Sinn zu haben, – es war ein königliches und teilweise vergeßliches Zartgefühl. Weder er noch gar die Mutter-Göttin auf ihrem Hochstuhl kamen darauf – und konnten wohl auch nicht darauf kommen –, ihn etwas niedersitzen zu heißen, wozu seine Glieder große Lust verspürten, und wozu mehrere artige Taburetts in der kretischen Loggia eingeladen hätten. Es war recht beschwerlich, aber wenn man weiß, was es gilt, nimmt man manches in Kauf und steht seine Sache durch – ein Wort, das selten oder nie treffender am Platze war, als in diesem so frühzeitigen Falle.

Die Göttin-Witwe übernahm es, in die Hände zu klatschen, als der Sohn seinen Wunsch verkündet. Der Kämmerling aus dem Vorzimmer schlüpfte gebückt und mit süßer Gebärde durch den Bienenvorhang. Er verdrehte die Augen, als Teje ihm zuwarf: »Pharao ruft die Große Gemahlin«, – und entschwand. Amenhotep stand mit dem Rücken gegen den Saal vor einem der großen Bogenfenster und blickte sehr rasch atmend mit Leib und Brust von seiner Lobpreisung der Sonnenschöpfung über die Gärten hin. Seine Mutter, ihm zugewandt, betrachtete ihn besorgt. Nur wenige Minuten vergingen, bis die erschien, nach der er verlangt hatte, sie konnte nicht weit gewesen sein. Eine kleine Tür, die vorher nicht sichtbar gewesen, öffnete sich mitsamt den Bildern zur Rechten in der Wand, zwei Dienerinnen fielen an ihrer Schwelle nieder, und zwischen ihnen schwebte mit bläßlichem Lächeln und vorsichtigen Trittchen, die Lider gesenkt, den langen Hals in ängstlicher Lieblichkeit vorgeschoben, die Sonnenfrucht tragende Königin der Länder herein. Sie sagte nichts während ihres kurzen Auftritts. Das Haar von einer blauen Kappe bedeckt, die ihren Hinterkopf rundlich verlängerte und neben der ihre großen, dünnen und feingedrechselten Ohren standen, in dem ätherischen Plissee ihres Gewandflusses, der Nabel und Schenkel durchscheinen ließ, während die Brust von einem Schulter-Überfall und vom glitzernden Blütenkragen bedeckt war, näherte sie sich zögernd dem jungen Gatten, der sich, noch immer etwas keuchend, mit gerührter Bewegung nach ihr umwandte.

»Da bist du, goldene Taube, mein süßes Bettgeschwister!« sagte er mit zitternder Stimme, umfing sie und küßte sie auf Augen und Mund, wobei ihrer beider Stirnschlangen sich ebenfalls küßten. »Ich mußte dich sehen und dir, wenn auch nur flüchtig, Liebe erweisen, es kam gesprächsweise so über mich. War dir mein Ruf nicht beschwerlich? Ist dir nicht übel im Augenblick von deinem heiligen Zustand? Meine Majestät tut wohl unrecht, dich danach zu fragen, denn mit der Frage rühre ich an dein Inneres, das sich gerade dadurch erinnern und zur Übelkeit aufgeregt werden könnte. Du siehst, mit welcher Feinheit der König alles versteht. Ich wäre nur dem Vater so dankbar, wenn du heute vermocht hättest, unser erlesenes Frühstück bei dir zu behalten. Nichts mehr davon ... Du siehst dort die Ewige Mutter thronen, und dieser da mit der Leier ist ein fremder Zauberer und Wahrsager, der mir meine reichswichtigen Träume gedeutet hat und schalkhafte Geschichten weiß, so daß ich ihn möglicherweise in einer höheren Charge am Hofe behalten werde. Er hat im Gefängnis gelegen, aus Irrtum offenbar, wie das vorkommt. Auch Nefer-em-Wêse, mein Mundschenk, hat irrtümlich im Gefängnis gelegen, während sein Genosse, der verstorbene Fürst des Gebäckes, schuldig war. Von zweien, die im Gefängnis liegen, scheint einer immer unschuldig zu sein, und von dreien zweie. Das sage ich als Mensch. Als Gott und König aber sage ich, daß Gefängnisse trotzdem notwendig sind. Als Mensch denn auch küsse ich dich heiligen Liebling hiermit wiederholt auf Augen, Wangen und Mund, und du darfst dich nicht wundern, daß ich es in Gegenwart nicht nur der Mutter, sondern auch des wahrsagenden Fremdlings tue, da du weißt, daß Pharao es liebt, ausdrücklich den Menschen hervorzukehren. Ich denke darin sogar noch weiterzugehen. Du weißt das noch nicht, auch Mamachen weiß es noch nicht, darum nehme ich die Gelegenheit wahr, es euch anzukündigen. Ich habe vor und gehe mit dem Gedanken um, eine Lustfahrt auf der königlichen Barke ›Stern beider Länder‹ anzuberaumen, zu der das Volk, aus Neugier teils und teils auf Befehl, an beiden Ufern zusammenströmen soll. Da will ich, ohne Amuns Ersten vorher gefragt zu haben, mit dir sitzen, heiliger Schatz, unter dem Baldachin und dich auf meinen Knien halten und dich des öfteren recht innig küssen vor allem Volk. Das wird ein Ärger sein dem von Karnak, aber dem Volk wird es Jubel entlocken und wird ihm eine schöne Lehre bringen nicht nur über unser Glück, sondern, was die Hauptsache ist, auch über Wesen, Geist und Güte meines Vaters am Himmel. Ich freue mich, daß ich diesen Vorsatz nun ausgesprochen habe. Denke aber nicht, daß ich dich deswegen herbeirief! Die Mitteilung ist mir nur so untergelaufen. Ich rief dich einzig und allein aus plötzlich unüberwindlicher Sehnsucht, dir Zärtlichkeit zu erweisen. Das ist geschehen. Geh denn, mein Kronschatz! Pharao ist aus der Maßen beschäftigt und hat über Dinge von hohem Belang zu ratschlagen mit dem lieben, unsterblichen Mamachen und mit diesem Jüngling-Mann, der, mußt du wissen, vom Schlage des inspirierten Lammes ist. Geh, hüte dich sorgfältig vor Stoß und Schreck! Laß dich zerstreuen mit Tanz und Saitenspiel! Es soll unter allen Umständen Merytatôn heißen, wenn du glücklich niederkommst, und wenn es dir recht ist. Ich sehe, es ist dir recht. Dir ist immer alles recht, was Pharao meint. Wollte doch nur die ganze Welt es sich recht sein lassen, was er meint und lehrt, so stünde es besser um sie. Ade, Schwanenhals, Morgenwölkchen, goldumsäumt, – so lange!«

Die Königin entschwebte wieder. Hinter ihr schloß sich die Bildertür, fugenlos. Amenhotep kehrte gerührt und verschämt auf seinen Kissenstuhl zurück.

»Glückliche Länder«, sagte er, »denen eine solche Herrin zuteil ward, und ein Pharao, den sie so glücklich macht! Habe ich recht, das zu sagen, Mamachen? Stimmst du mir zu, Wahrsager? Wenn du an meinem Hofe bleibst als Traumdeuter des Königs, so werde ich dich vermählen, das ist mein Beschluß. Ich werde dir selbst die Braut erlesen, deiner Charge gemäß, aus den höheren Ständen. Du weißt nicht, welche Annehmlichkeit es ist, vermählt zu sein. Für meine Majestät ist es, wie dir mein Plan, die öffentliche Lustfahrt betreffend, gezeigt hat, geradezu Ausdruck und Schaubild meines menschlichen Teils, an dem ich hange, mehr, als ich sagen kann. Denn siehe, Pharao ist nicht hochmütig – und wer in aller Welt sollte es also sein? An dir, mein Freund, spüre ich leider, bei übrigens gefälligen Sitten, eine Art Hochmut, – ich sage: eine Art, denn ich kenne deinen Hochmut nicht, vermute aber, daß er mit dem zusammenhängt, was du uns anzeigtest, daß du auf eine Weise aufgespart und geheiligt seist, nämlich dem Schweigen und dem Unteren, als ob dir ein Opferkranz um die Stirn läge aus einem Grün namens ›Rühr mich nicht an‹ – gerade deswegen kam mir der Gedanke, dich zu vermählen.«

»Ich bin in der Hand des Höchsten«, antwortete Joseph. »Was er mir tut, wird Wohltat sein. Pharao weiß nicht, wie notwendig mir Hochmut war, daß er mich schützte vor Übeltat. Aufgespart bin ich Gott allein, der meines Stammes Bräutigam ist, und wir sind die Braut. Wie es aber von dem Sterne heißt: ›Am Abend ein Weib und am Morgen ein Mann‹, so tritt wohl, ist es an dem, aus der Braut der Freier hervor.«

»Dem Sohn des Schelmen und der Lieblichen mag eine solche Doppelnatur zukommen«, sagte der König weltmännisch. »Doch«, setzte er hinzu, »laß uns ernst und nicht spielend reden vom Wichtigsten! Euer Gott, wer ist er und was ist es mit ihm? Versäumt hast du, oder vermieden, mich darüber ins klare zu setzen. Deines Vaters Ältervater, sagst du, hat ihn entdeckt? Das klingt, als hätte er den wahren und einzigen Gott gefunden. Sollte es möglich sein, daß so fern von mir und so lange vor mir ein Mann es ausmachte, daß der wahre und einzige Gott das

Sonnenrund ist, der Schöpfer von Blick und Erblicktem, mein ewiger Vater am Himmel?«
»Nein, Pharao«, antwortete Joseph lächelnd. »Beim Sonnenrund blieb er nicht stehen. Er war ein Wanderer, und selbst die Sonne war nur eine Station seiner mühsamen Wanderschaft. Unruhvoll war er und ungenügsam – nenne es Hochmut, daß er so war, so versiehst du das Tadelwort mit dem Zeichen der Ehre und Unentbehrlichkeit. Denn des Mannes Hochmut war, daß der Mensch solle allein dem Höchsten dienen. Darum ging sein Trachten über die Sonne hinaus.«
Amenhotep hatte sich verfärbt. Vorgebeugt saß er, auch den Kopf in der blauen Perücke noch vorgestreckt, und preßte sein Kinn mit den Fingerspitzen zusammen.
»Mamachen, jetzt gib acht! Um alles in der Welt, gib acht!« stieß er leise hervor, wandte aber dabei nicht etwa den Kopf seiner Mutter zu, sondern seine grauen Augen waren starr und ohne Lidschlag an Joseph geheftet, so angestrengt, als wollten sie die Schleier zerreißen, die über ihnen lagerten.
»Weiter, du!« sagte er. »Halt! Halt und weiter! Er blieb nicht stehen? Er drang über die Sonne hinaus? Sprich! Oder ich spreche selbst, weiß ich auch nicht, was ich sprechen werde.«
»Er machte es sich schwer aus notwendigem Hochmut«, sprach Joseph, »darum wurde er gesalbt. Er überkam viele Versuchungen der Anbetung, denn anbeten wollte er, aber das Höchste und den Höchsten allein, nur so schien's ihm schicklich. Erde, die Mutter, versuchte ihn, die die Früchte bringt und das Leben erhält. Aber er sah ihre Notdurft, die nur der Himmel stillt, und so wandte sein Blick sich nach oben. Ihn versuchte der Wolken Gewühl, das Sturmgetüm, der Prasselregen, der blaue Blitz, der ins Nasse fährt, des Donners polternde Stimme. Er aber schüttelte den Kopf ob ihrer Zumutung, denn seine Seele lehrte ihn, sie alle seien nur zweiten Ranges. Nichts Besseres waren sie, seiner Seele zufolge, als er selbst, – vielleicht geringer sogar, obgleich gewaltig. Gewaltig, meinte er, sei auch er in seiner Art, vielleicht gewaltiger, und seien sie über ihm, so nur im Raum, nicht aber im Geiste. Sie anbeten, fand er, heiße zu nah und niedrig beten, und lieber gar nicht, sagte er sich, als zu nah und zu niedrig, denn das sei ein Greuel.«
»Gut«, sagte Amenhotep, fast ohne Stimme und knetete sein Kinn. »Gut, halt, nein, weiter! Mutter, gib acht!«
»Ja, was versuchte den Ahn nicht alles an großen Erscheinungen!« fuhr Joseph fort. »Der Sterne Heer war auch darunter, der Hirt und die Herde. Die waren wohl fern und hoch und groß ihr Wandel. Doch sah er sie zerstieben vorm Winken des Morgensterns – der allerdings schön war, von zwiefacher Beschaffenheit und reich an Geschichten, doch schwach nur, zu schwach für das,

was er ankündigte, so daß er davor erblaßte und hinschwand. Armer Morgenstern!«
»Spare dein Mitleid!« gebot Amenhotep. »Hier gilt es Triumph! Denn wovor erblaßte er, und wer erschien gemäß seiner Verkündigung?« fragte er so stolz und drohend er konnte.
»Nun, freilich, die Sonne«, erwiderte Joseph. »Welch eine Versuchung für den, der anzubeten begehrt! Vor ihrer Güte und Grausamkeit bückten sich rings die Völker der Erde. Wie gut, welche Rast und Wohltat, die eigene Andacht der ihren zu einen und sich gemeinsam mit ihnen zu bücken! Allein des Ahnen Vorsicht war grenzenlos und unerschöpflich sein Vorbehalt. Nicht, sprach er, kommt es auf Rast und Wohltat an, sondern darauf allein, nur ja die große Ehrengefahr zu vermeiden, daß sich der Mensch zu früh und nicht vorm Letzthöchsten bücke. ›Gewaltig bist du‹, sprach er zu Schamasch-Maruduk-Baal, ›und ungeheuer ist deine Segens- und Fluchgewalt. Doch etwas ist in mir Wurm, das dich übersteigt und das mich warnt, das Zeugnis für das zu nehmen, wovon es zeugt. Je größer das Zeugnis, desto größer der Fehl, wenn ich mich verführen lasse, es anzubeten statt des Bezeugten. Göttlich ist das Zeugnis, aber nicht Gott. Auch ich bin ein Zeugnis nebst meinem Dichten und Trachten, das über die Sonne geht zu dem, wovon es gewaltiger zeugt als sogar sie, und dessen Glut größer ist denn der Sonne Glut.‹«
»Mutter«, flüsterte Amenhotep, ohne die Augen von Joseph zu wenden, »was habe ich gesagt? Nein, nein, ich habe es nicht gesagt, ich habe es nur gewußt, es ist mir gesagt worden. Als es mich letzthin ergriff und mir Offenbarung zuteil wurde zur Verbesserung der Lehre – denn sie ist nicht vollendet, nie habe ich behauptet, daß sie fertig sei –, da hörte ich meines Vaters Stimme, die zu mir sprach: ›Ich bin die Glut des Atôn, die in ihm ist. Aber Millionen Sonnen konnte ich speisen aus meinen Gluten. Nennst du mich den Atôn, so wisse, daß verbesserungsbedürftig ist die Benennung, und daß du mich damit nicht bei meinem letzten Namen nennst. Mein letzter Name aber ist: Der Herr des Atôn.‹ So hörte es Pharao, des Vaters geliebtes Kind, und brachte es mit aus der Ergriffenheit. Aber er schwieg darüber und vergaß es mittelst des Schweigens. Pharao hat Wahrheit in sein Herz gesetzt, denn der Vater ist die Wahrheit. Aber haftbar ist er für den Triumph der Lehre, daß alle Menschen sie annehmen, und er ängstigt sich, daß, eine Lehre so zu verbessern und zu reinigen, daß sie nur noch lautere Wahrheit sei, bedeuten könnte, sie unlehrbar zu machen. Dies ist eine schwere Angst und Not, die man keinem begreiflich macht, auf dem nicht soviel Haftbarkeit liegt wie auf Pharao, und leicht ist's, ihm zu sagen: ›Du hast nicht Wahrheit in dein Herz gesetzt, sondern die Lehre.‹ Aber die Lehre ist das einzige Mittel, die Menschen näher zu

bringen zur Wahrheit. Man soll sie verbessern; tut man es aber in dem Grade, daß sie untauglich wird als Mittel der Wahrheit, – ich frage den Vater und euch: Wird nicht dann erst der Vorwurf wahr, daß man die Lehre ins Herz geschlossen habe zum Schaden der Wahrheit? Seht, der Pharao zeigt den Menschen das Bild des ehrwürdigen Vaters, von seinen Künstlern gemacht: die goldene Scheibe, von der Strahlen hinabgehen auf seine Schöpfung, in süße Hände endigend, die die Schöpfung liebkosen. ›Betet an!‹ spricht er. ›Dies ist der Atôn, mein Vater, dessen Blut in mir rollt, und der sich mir offenbarte, der aber euer aller Vater sein will, daß ihr schön und gut in ihm werdet.‹ Und er fügt hinzu: ›Verzeiht, liebe Menschen, daß ich streng bin mit euren Gedanken! Ich schonte gern eure Einfalt. Aber es muß sein. Darum sage ich euch: Nicht das Bild sollt ihr anbeten, indem ihr es anbetet, und nicht ihm Hymnen singen, indem ihr singt, sondern dem, wovon es das Bild ist, versteht ihr wohl?, dem wirklichen Sonnenrund, meinem Vater droben am Himmel, der der Atôn ist, denn das Bild ist's noch nicht.‹ Schon das ist hart; es ist eine Zumutung den Menschen, und von hundert begreifen es zwölfe. Sagt aber der Lehrer nun gar: ›Noch eine Anstrengung muß ich euch ansinnen über diese hinaus um der Wahrheit willen, so leid es mir tut um eure Einfalt. Denn das Bild ist des Bildes Bild und eines Zeugnisses Zeugnis. Nicht das wirkliche Sonnenrund droben am Himmel sollt ihr meinen, wenn ihr seinem Bilde räuchert und Lob singt, – auch dieses nicht, sondern den Herrn des Atôn, der die Glut ist in ihm, und der seine Wege lenkt‹, – das geht zu weit und ist zuviel für eine Lehre, von zwölfen versteht es nicht einer mehr. Nur Pharao selber versteht es, der außer aller Zahl ist, und doch soll er lehren die Zahlreichen. Dein Urvater, Wahrsager, hatte es leicht, obgleich er sich's schwer machte. Er durfte sich's schwer machen nach Belieben und strebte der Wahrheit nach um seiner selbst und um seines Stolzes willen, denn er war nur ein Wanderer. Ich aber bin ein König und Lehrer, ich darf nicht denken, was ich nicht lehren kann. Aber ein solcher lernt gar bald, das Unlehrbare nicht erst zu denken.«

Hier räusperte sich Teje, die Mutter, klapperte mit ihrem Gehänge und sprach, indem sie geradeaus in die Lüfte sah:

»Pharao ist zu loben, wenn er Glaubens-Staatsklugheit übt und die Einfalt der Zahlreichen schont. Darum warnte ich ihn, nicht die Anhänglichkeit des Volkes zu kränken an Usiri, den unteren König. Auch ist zwischen Schonung und Wissen kein Widerspruch, und nicht braucht Lehrertum das Wissen zu dämpfen. Nie haben Priester die Menge alles gelehrt, was sie wußten. Sie teilten ihr das Zuträgliche mit und behielten weislich im heiligen Bezirke zurück, was jenen nicht frommte. So waren Wissen und

Weisheit zugleich in der Welt, Wahrheit und Schonung. Die Mutter empfiehlt, daß es so bleibe.«
»Dank, Mamachen«, sagte Amenhotep, indem er sich ihr bescheiden zuneigte. »Dank für den Beitrag. Er ist sehr wertvoll und wird für ewige Zeiten in Ehren gehalten werden. Allein wir sprechen von verschiedenen Dingen. Meine Majestät spricht von den Fesseln, die das Lehren dem Gottesgedanken auferlegt. Die deine aber von geistlicher Staatsklugheit, die Lehre und Wissen scheidet. Pharao aber will nicht hochmütig sein, und es ist kein Hochmut größer als der solcher Scheidung. Nein, kein Hochmut ist in der Welt wie der, des Vaters Kinder zu scheiden in Eingeweihte und Uneingeweihte und doppelt zu lehren: weislich für die Menge und wissend im inneren Bezirk. Sprechen sollen wir, was wir wissen, und zeugen, was wir gesehen haben. Pharao will nichts, als die Lehre verbessern, was ihm erschwert wird durchs Lehren. Und doch ist zu mir gesagt worden: ›Nenne mich nicht den Atôn, denn es ist verbesserungsbedürftig. Nenne mich den Herrn des Atôn.‹ Ich aber vergaß es durch Schweigen. Siehe jedoch, was tut der Vater seinem geliebten Sohn? Er sendet ihm einen Boten und Traumdeuter, der ihm seine Träume deutet, Träume von unten und Träume von oben, reichswichtige Träume und himmelswichtige, daß er in ihm erwecke, was er weiß, und ihm deute, was ihm gesagt wurde. Ja, wie liebt der Vater sein Kind, den König, der aus ihm hervorkam, daß er einen Wahrsager zu ihm herniedersendet, dem es von langer Hand überliefert ist, es gebühre dem Menschen, aufs Letzthöchste zu dringen!«
»Meines Wissens«, äußerte Teje kühl, »kam dein Wahrsager von unten herauf, aus einem Gefängnisloch, und nicht von oben.«
»Ah, das ist meiner Meinung nach bloße Schelmerei, daß er von unten kam«, rief Amenhotep. »Und außerdem wollen Oben und Unten vor dem Vater nicht viel besagen, der hinabgeht und zum Oberen das Untere macht, denn wo er leuchtet, ist oben. Daher deuten denn auch seine Boten untere und obere Träume mit gleicher Gewandtheit. Weiter, Wahrsager! Habe ich ›Halt‹ gesagt? Ich habe ›Weiter‹ gesagt! Wenn ich ›Halt‹ sagte, so meinte ich ›Weiter‹! Jener Wanderer aus Osten, von dem du stammst, machte nicht bei der Sonne halt, sondern drang über sie hinaus?«
»Ja, im Geiste«, antwortete Joseph lächelnd. »Denn im Fleische war er ja nur ein Wurm auf Erden, schwächer als das meiste neben und über ihm. Und doch verweigerte er's, sich zu bücken und anzubeten auch nur vor einer dieser Erscheinungen, denn sie waren Werk und Zeugnis wie er. Alles Sein, sprach er, ist Werk, und vor dem Werk ist der Geist, von dem zeugt es. Wie könnte ich eine so große Narrheit begehen und einem Werke räuchern,

sei es auch noch so gewaltig, – ich, der ich ein Zeugnis bin wissentlich, die anderen aber sind's eben nur und wissen's nicht? Ist nicht etwas in mir von dem, wofür alles Seiende zeugt, vom Sein des Seins, das größer ist als seine Werke, und ist außer ihnen? Es ist außer der Welt, und ist es der Raum der Welt, so ist doch die Welt nicht sein Raum. Fern ist die Sonne, wohl dreihundertsechzigtausend Meilen fern, und ihre Strahlen sind doch bei uns. Der ihr aber die Wege wies, ist ferner als fern und doch nah in demselben Maß – näher als nah. Fern oder nah, das gilt gleichviel vor ihm, denn er hat keinen Raum, noch eine Zeit, und ist gleich die Welt in ihm, so ist doch er nicht in der Welt, sondern im Himmel.«

»Hast du das gehört, Mama?« fragte Amenhotep mit kleiner Stimme und Tränen in den Augen. »Hast du die Botschaft gehört, die mein himmlischer Vater mir sendet durch diesen Jüngling-Mann, dem ich gleich etwas ansah, als er hereinkam, und der mir meine Träume deutet? Denn ich will es nur sagen, daß ich nicht alles gesagt habe, was mir gesagt wurde in der Ergriffenheit, sondern indem ich's verschwieg, hab' ich's vergessen. Als ich aber hörte: ›Nicht den Atôn sollst du mich nennen, sondern den Herrn des Atôn‹, da vernahm ich auch dies noch: ›Rufe mich nicht an als deinen Vater *am* Himmel, es ist verbesserungsbedürftig. Deinen Vater *im* Himmel sollst du mich heißen!‹ So hab' ich's gehört und verschloß es in mir, weil mir vor der Wahrheit bangte um der Lehre willen. Aber den ich aus dem Gefängnis zog, der öffnet das Gefängnis der Wahrheit, daß sie daraus hervortritt in Schönheit und Licht und sich Lehre und Wahrheit umarmen, wie ich diesen umarme.«

Und mit nassen Wimpern arbeitete er sich empor aus seinem vertieften Stuhl, umarmte Joseph und küßte ihn.

»Ja«, rief er, indem er aufs neue, die Hände auf dem Herzen, in der kretischen Halle auf und ab zu eilen begann, vom Bienenvorhang bis zu den Fenstern und wieder zurück, – »ja, ja, im Himmel und nicht am Himmel, ferner als fern, und näher als nah, das Sein des Seins, das nicht in den Tod blickt, das nicht wird und stirbt, sondern ist, das stehende Licht, das nicht aufgeht noch untergeht, die unwandelbare Quelle, aus der all Leben, Licht, Schönheit und Wahrheit quillt, – das ist der Vater, so offenbart er sich Pharao, Seinem Sohn, der Ihm am Busen liegt, und dem Er alles zeigt, was Er gemacht hat. Denn Er hat alles gemacht, und Seine Liebe ist in der Welt, und die Welt kennt Ihn nicht. Pharao aber ist ein Zeuge und trägt Zeugnis von Seinem Licht und Seiner Liebe, daß durch ihn alle Menschen selig werden und glauben mögen, ob sie auch jetzt noch die Finsternis mehr lieben als das Licht, das in ihr scheint. Denn sie verstehen es nicht, darum sind ihre Taten übel. Aber der Sohn, der aus dem Vater kam,

wird es sie lehren. Goldener Geist ist das Licht, Vatergeist, und zu Ihm ringt die Kraft sich empor aus Muttertiefen, daß sie sich läutere in seiner Flamme und Geist werde im Vater. Unstofflich ist Gott, wie Sein Sonnenschein, Geist ist Er, und der Pharao lehrt euch, Ihn im Geiste und in der Wahrheit anzubeten. Denn der Sohn kennt den Vater, gleich wie der Vater ihn kennt, und will königlich alle belohnen, die Ihn lieben und an Ihn glauben und Seine Gebote halten, – groß machen will er sie und vergolden am Hof, weil sie den Vater lieben im Sohne, der aus Ihm kam. Denn meine Worte sind nicht mein, sondern meines Vaters, der mich gesandt hat, damit alle eins werden im Lichte und in der Liebe, so wie ich und der Vater eins sind . . .«
Er lächelte allzu selig und erblich zugleich auf den Tod, lehnte sich, die Hände auf dem Rücken, gegen die Bilderwand, schloß die Augen und blieb so zwar aufrecht, war aber augenscheinlich nicht mehr zugegen.

Der verständige und weise Mann

Teje, die Mutter, trat die Stufe hinab von ihrem Stuhl in den Saal und näherte sich mit kurzen und festen Schritten dem Fortgeholten. Sie betrachtete ihn einen Augenblick, strich ihm in flüchtiger Liebkosung mit dem Rücken der Finger über die Wange, was er offenbar nicht gewahr wurde, und wandte sich dann zu Joseph.
»Er wird dich erhöhen«, sagte sie mit bitterem Lächeln. Aber ihr aufgeworfener Mund und seine Falten waren wohl so eingerichtet, daß ihr Lächeln immer nur bitter sein konnte.
Joseph sah erschrocken zu Amenhotep hinüber.
»Unbesorgt«, sagte sie, »er hört uns nicht. Er ist heilig unpaß und abwesend, es ist nicht schlimm. Ich wußte, daß es dies Ende nehmen werde, da er soviel von Freude und Zärtlichkeit sprach. Das läuft immer hierauf hinaus und manchmal auf Heilig-Schlimmeres. Schon als er vom Mäuschen und Küken sprach, wußte ich, daß es so kommen werde, mit Bestimmtheit aber, als er dich küßte. Du mußt das im Licht seiner heiligen Anfälligkeit sehen.«
»Pharao liebt es, zu küssen«, bemerkte Joseph.
»Ja, zu sehr«, erwiderte sie. »Ich glaube, du bist klug genug, zu verstehen, daß es eine Gefahr ist für das Reich, das einen übermächtigen Gott im Innern und außen lauernde Neider hat, Zinspflichtige dazu, die Aufruhr sinnen. Darum billigte ich es, daß du ihm von der Rüstigkeit deines Ahnen sprachst, den das Gottesdenken nicht schwächte.«
»Ich bin kein Kriegsmann«, sagte Joseph, »und auch der Ahn war es nur bei dringendster Gelegenheit. Mein Vater war zelt-

fromm und zu tiefem Sinnen geneigt, und ich bin sein Sohn von der Rechten. Unter meinen Brüdern allerdings, die mich verkauften, sind mehrere, die sich beträchtlicher Roheiten fähig erwiesen haben. Kriegshelden waren die Zwillinge, die wir so nennen, obgleich sie ein Jahr auseinander sind. Aber auch Gaddiel, der Sohn der Kebse, ging, zu meiner Zeit wenigstens, mehr oder weniger geharnischt.«

Teje schüttelte den Kopf.

»Du hast eine Art«, sagte sie, »von deiner Sippe zu reden – als Mutter möchte ich sie verzogen nennen. Alles in allem weißt du dir viel, wie es scheint, und fühlst dich jeder Erhöhung gewachsen?«

»Laß es mich so wenden, Große Frau«, antwortete Joseph, »daß keine mich überrascht.«

»Desto besser für dich«, erwiderte sie. »Ich sage dir ja, daß er dich erhöhen wird, wahrscheinlich recht unmäßig. Er weiß es noch nicht, aber wenn er zurückkehrt, wird er es wissen.«

»Pharao hat mich erhöht«, antwortete Joseph, »indem er mich dieses Gottesgesprächs würdigte.«

»Papperlapapp«, machte sie ungeduldig. »Du hast's darauf angelegt und dich ihm untergeschoben vom ersten Worte an! Vor mir brauchst du das Kind nicht zu spielen oder das Lamm, wie die dich nannten, die dich verzogen. Ich bin eine politische Frau, es lohnt nicht, Unschuldsmienen vor mir zu ziehen. ›Süßer Schlaf und Muttermilch‹, nicht wahr, ›Windelbänder und warme Bäder‹, das sind deine Sorgen. Geh mir doch! Ich habe nichts gegen die Politik, ich schätze sie und mache dir's nicht zum Vorwurf, daß du deine Stunde nutztest. Euer Gottesgespräch war ja ein Göttergespräch auch wohl, und du erzähltest nicht übel von jenem Schalksgott, einem diebsschlauen Weltkind, dem Herrn des Vorteils.«

»Verzeih, Große Mutter«, sagte Joseph, »es war Pharao, der von ihm erzählte.«

»Empfindlich und empfänglich ist Pharao«, versetzte sie. »Was er erzählte, gab deine Gegenwart ihm ein. Dich empfand er und sprach von dem Gott.«

»Ich war ohne Falsch gegen ihn, Königin«, sagte Joseph, »und werde es bleiben, was immer er über mich beschließen möge. Bei Pharao's Leben, ich werde nie seinen Kuß verraten. Es ist lange her, seit ich den letzten Kuß empfing. Zu Dotan war es, im Tal, da küßte mich mein Bruder Jehuda vor den Augen der Kinder Ismaels, meiner Käufer, um ihnen zu zeigen, wie wert ihm die Ware sei. Den Kuß hat dein lieber Sohn ausgelöscht mit dem seinen. Mir aber ist seitdem das Herz voll von dem Wunsch, ihm zu dienen und ihm zu helfen, wie ich's vermag und soweit immer er mich dazu ermächtigt!«

»Ja, diene und hilf ihm!« sagte sie, indem sie ganz nahe an ihn herantrat mit ihrer kleinen festen Person und ihm die Hand auf die Schulter legte. »Versprichst du's der Mutter? Wisse, es ist eine hohe, ängstliche Not mit dem Kinde – aber du weißt es. Du bist schmerzhaft klug und hast sogar vom falschen Rechten gesprochen, indem du dem Vielgewandten das Wissen zuschobst, daß einer recht sein kann und doch falsch.«

»Man wußte und kannte es bisher noch nicht«, antwortete Joseph. »Es ist eine Schicksalsgründung, daß einer recht sein kann auf dem Weg, aber der Rechte nicht für den Weg. Das gab's nicht bis heute, wird's aber von nun an immer wieder geben. Ehrfurcht gebührt jeder Gründung. Und Liebe gebührt ihr, wenn sie so liebenswert ist wie dein holder Sohn!«

Ein Seufzer kam von Pharao's Seite, und die Mutter wandte sich nach ihm um. Er regte sich, blinzelte, löste den Rücken von der Wand, und in seine Wangen und Lippen kehrte die natürliche Farbe zurück.

»Beschlüsse«, ließ er sich vernehmen. »Hier müssen Beschlüsse gefaßt werden. Meine Majestät hat es dort geltend gemacht, daß ich keine Zeit mehr hatte und zurückkehren müsse zu sofortiger königlicher Beschlußfassung. Verzeiht meine Abwesenheit«, sagte er lächelnd, indem er sich von der Mutter zu seinem Stuhle geleiten ließ und in die Kissen sank. »Verzeih du, Mamachen, und auch du, lieber Wahrsager! Pharao«, setzte er in lächelnder Überlegung hinzu, »brauchte sich nicht zu entschuldigen, denn er ist unumschränkt, und außerdem ist er nicht gegangen, sondern wurde geholt. Aber er entschuldigt sich trotzdem, aus Freundlichkeit. Nun jedoch zu den Geschäften! Wir haben Zeit, allein zu verlieren haben wir keine. Nimm deinen Sitz, Ewige Mutter, wenn ich dich ehrfürchtig bitten darf! Es ziemt sich nicht, daß du auf deinen Füßen bist, wo der Sohn ruht. Nur der Jüngling mit dem unteren Namen möge noch etwas stehen vor Pharao bei den Geschäften, die uns aus meinen Träumen erwachsen – sie kamen auch von unten, aus der Sorge ums Obere kamen sie, – er aber scheint mir gesegnet von unten herauf und von oben herab. – Du bist also der Meinung, Osarsiph«, fragte er, »daß man die Fülle muß züchtigen zugunsten des Mangels, der nach ihr kommt, und muß in die Scheuern sammeln ungeheuer, um austeilen zu können in den dürren Jahren, damit nicht das Obere Schaden leide mit dem Unteren?«

»Genau so, lieber Herr«, antwortete Joseph, – eine der Etikette ganz fremde Anrede, die sogleich blanke Tränen in Pharao's Augen brachte. »Das ist die stumme Weisung der Träume. Der Scheuern und Kornkammern können es gar nicht genug sein, es sind ihrer viele im Lande, aber zu wenige. Neue müssen gebaut werden überall, daß ihre Zahl ist wie die Sterne am Himmel. Und

überall müssen Amtsleute eingesetzt sein, die Fülle in Zucht zu nehmen und die Abgabe einzutreiben – nicht nach willkürlicher Schätzung, die sich wohl bestechen läßt mit Geschenken, sondern nach einem festen und heiligen Schlüssel –, und Brot aufschütten in Pharao's Kornhäusern, daß es ist wie der Sand am Meer, zum Vorrat in den Städten, und müssen es verwahren, damit man Nahrung vorbereitet finde in den teuren Jahren und nicht das Land vor Hunger verderbe zum Nutzen Amuns, der Pharao beim Volke verzeigen und sprechen würde: ›Der König ist schuld, und das ist die Strafe für neuernde Lehre und Anbetung.‹ Wenn ich aber sage: austeilen, so mein' ich's nicht einmal für allemal, sondern austeilen soll man den Kleinen und Armen, den Großen und Reichen aber soll man verkaufen. Denn Spreuzeit heißt teure Zeit, und ist der Nil klein, so sind groß die Preise, und teuer soll man verkaufen den Reichen, daß man den Reichtum beuge und beuge alles, was sich im Lande noch groß dünkt neben Pharao – nur er sei reich in Ägyptenland und werde golden und silbern!«
»Wer soll verkaufen?« rief Amenhotep erschrocken. »Gottes Sohn, der König?«
Aber Joseph erwiderte:
»Beileibe nicht! Denn hier denke ich nun an den verständigen und weisen Mann, den Pharao sich ersehen muß unter seinen Dienern, an ihn, der erfüllt ist vom Geist der Vorsorge, den Herrn des Überblicks, der alles sieht bis an des Landes Grenzen und noch darüber hinaus, weil des Landes Grenzen nicht seine Grenzen sind. Den setze Pharao ein und setze ihn über Ägyptenland mit dem Worte: ›Sei wie ich‹, damit er die Fülle züchtige, solange sie währt, und den Mangel ernähre, wenn er kommt. Er sei wie der Mond zwischen Pharao, unserer schönen Sonne, und der unteren Erde. Er soll die Scheuern erstellen, soll lenken das Heer der Amtsleute und den Schlüssel der Einziehung festsetzen. Ermessen soll er und befinden, wo zu verteilen ist und wo zu verkaufen, soll machen, daß die Kleinen essen und Pharao's Lehren lauschen, und soll die Großen beuteln zugunsten der Kronen, daß Pharao silbern und golden werde über und über.«
Die Göttin-Mutter lachte ein wenig auf ihrem Stuhl.
»Du lachst, Mamachen«, sagte Amenhotep. »Aber meine Majestät findet es wirklich interessant, was der Wahrsager da wahrsagt. Pharao sieht von oben herab auf diese unteren Dinge, aber es interessiert ihn in hohem Grade, was der Mond da spaß- und geisterhaft anstellt auf Erden. Sage mir mehr, Wahrsager, da wir im Rate sind, von dem Mittelsmann, dem heiter-anschlägigen Jüngling, wie er es deiner Meinung nach halten und treiben sollte, wenn ich ihn eingesetzt!«
»Ich bin nicht Kemes Kind und nicht des Jeôr Sohn«, antwortete

Joseph, »sondern kam von weitem. Aber der Rock meines Leibes ist längst ganz aus ägyptischem Stoff gemacht, denn schon mit siebzehn zog ich hernieder mit den Führern, die Gott mir bestellt, den Midianitern, und kam nach No-Amun, deiner Stadt. Obgleich ich weit her bin, weiß ich doch dies und das von des Landes Umständen und von seinen Geschichten, wie alles kam, und wie aus den Gauen das Reich wurde und aus dem Alten das Neue, worin vom Alten und Vormaligen noch Reste sich trotzig behaupten, unstimmig den Läuften. Denn Pharao's Väter, Wêsets Fürsten, die die fremden Könige schlugen und austrieben und zum Krongut machten die Schwarze Erde, diese mußten den Gauherren und Klein-Königen, die ihnen im Streite geholfen, mit Land-Gaben und hohen Namen lohnen, also daß etliche davon sich Könige nennen neben Pharao bis auf den heutigen Tag und trotzig auf ihrem Grunde sitzen, der nicht Pharao's ist den Läuften zuwider. Da diese Geschichten und Umstände mir nicht unbekannt sind, habe ich leicht weissagen, wie Pharao's Mittler, der Herr des Überblicks und der Preise, es halten und wozu er die Gelegenheit nutzen wird. Er wird den stolzen Gauherren und überständigen Landkönigen Preise machen die sieben Spreujahre hin, wenn sie nicht Brot noch Saat haben, er aber hat die Fülle davon, – gewürzte Preise, daß ihnen sollen die Augen übergehen und sollen ausgezogen sein bis aufs Letzte, so daß ihr Land endlich auch den Kronen zufallen wird, wie es sich schickt, und aus Trutz-Königen Pächter werden.«
»Gut!« sagte die Göttin-Mutter tief und energisch.
Pharao war sehr erheitert.
»Was für ein Schelm, dein Mittler-Jüngling und Mond, Zauberer!« lachte er. »Meine Majestät wäre nicht drauf gekommen, findet es jedoch vorzüglich. Sagst du aber nichts wahr für den Mann, meinen Statthalter, in betreff der Tempel, die da überreich und schwer sind im Lande, daß er sie ebenfalls beuteln und ausziehen wird nach Gebühr und nach Schelmenart? Vor allem wünschte ich, daß Amuns Schwere gebeutelt werde, und daß mein Geschäftsmann ihm gleich, der nie hat zinsen müssen, die Abgabe auferlege nach dem gemeinen Schlüssel!«
»Wenn der Mann äußerst verständig ist, was ich voraussehe«, erwiderte Joseph, »so wird er die Tempel schonen und aus dem Spiel lassen die Götter Ägyptens bei der Abgabe zu Zeiten der Fülle, da es uralter Brauch ist, daß Gottesgut nicht steuert. Amun vor allem soll nicht aufgereizt sein gegen das Werk der Vorsorge und im Volk nicht wiegeln gegen die Aufschüttung, daß es glaube, gegen die Götter sei alles gerichtet. Kommt die Fluchzeit, so werden sie die Preise zu zahlen haben des Herrn der Preise, das ist genug, und werden nichts bekommen vom Segen des Krongeschäfts, so daß Pharao schwerer und goldener

werden soll als sie alle, wenn der Mittler nur halbwegs sein Amt versteht.«

»Weise!« nickte die Mutter-Göttin.

»Wenn ich mich aber in dem Manne nicht täusche«, fuhr Joseph fort, »– und wie sollte ich, da Pharao ihn erwählen wird –, so wird der Mann sein Augenmerk auch über des Landes Grenzen richten und zusehen, daß Untreue gedämpft und Wankelmut gefesselt werde an Pharao's Thron. Als Abram, mein Ahn, nach Ägypten herabkam mit seinem Weibe Sarai (was nämlich Heldin und Königin heißt) – als sie herabzogen, war Hungersnot bei ihnen zu Hause und Teuerung in den Ländern Retenu, Amor und Zahi. In Ägypten aber war Fülle. Muß es aber verschieden sein jedesmal? Wenn die Zeit kommt der mageren Kühe für uns hier – wer sagt uns, daß nicht vielleicht Spreuzeit sein wird auch dortzulande? Pharao's Träume waren so warnungsstark, daß wohl ihr Sinn könnte der ganzen Erde gelten und wäre eine Sache damit wie mit der Flut. Dann werden die Völker gepilgert kommen herunter nach Ägyptenland, um Brot und Saat hier zu nehmen, denn Pharao hat aufgehäuft. Es werden Leute kommen, Leute von überall her und von wer weiß wo, die man hier zu sehen nie gewärtigt hatte; sie werden kommen, genötigt von Not, und vor den Herren des Überblicks treten, deinen Geschäftsmann, und zu ihm sprechen: ›Verkaufe uns, sonst sind wir verkauft und verraten, denn wir und unsere Kinder sterben Hungers und wissen nicht länger zu leben, ohne, du verkaufst uns aus deinen Scheuern!‹ Dann wird der Verkäufer ihnen antworten und mit ihnen umgehen je nachdem, was es für Leute sind. Wie er aber umgehen wird mit diesem und jenem Stadtkönige Syriens und Fenechierlandes, das getraue ich mich wahrzusagen. Denn ich weiß wohl, daß der eine und andere Pharao, seinen Herrn, nicht liebt, wie er sollte, und wankel ist in seiner Treue zu ihm, also daß er auf beiden Achseln trägt und Pharao zwar Ergebenheit heuchelt, zugleich aber mit den Chetitern äugelt und packelt um seines Eigenvorteils willen. Solche wird der Mann kirre machen durch das Geschäft, wenn es kommt, wie ich sehe. Denn nicht nur Silber und Holz wird er sie zahlen lassen für Brot und Saat, sondern ihre Söhne und Töchter werden sie herabliefern müssen als Zahlung oder Gewähr nach Ägyptenland, wenn sie leben wollen, und werden an Pharao's Stuhl gebunden sein, daß fortan Verlaß ist auf ihre Treue.«

Amenhotep hüpfte auf seinem Stuhl vor Vergnügen wie ein Junge.

»Mamachen«, rief er, »denkst du an Milkili, den König von Aschdod, der mehr als wankel ist und von Gesinnung so häßlich, daß er Pharao nicht von ganzer Seele liebt und auf Verrat und Abfall sinnt, wie mir geschrieben wurde? Ich denke die ganze

Zeit an ihn. Alle wollen sie, daß ich Truppen sende gegen Milkili und mein Schwert färbe – Hor-em-heb, mein oberster Oberst, fordert es zweimal am Tag. Ich aber will's nicht, denn der Herr des Atôn will kein Blut. Hast du nun gehört, wie dieser hier, der Sohn des Schelmen, uns wahrsagt, daß wir bald vielleicht solche bösen Könige zur Treue werden anhalten und fest an Pharao's Stuhl werden binden können ganz ohne Blut, auf dem bloßen Geschäftswege? Vorzüglich, vorzüglich!« rief er und schlug wiederholt mit der Hand auf die Armlehne. Plötzlich wurde er ernst und stand feierlich auf vom Stuhl, saß aber, von einem Bedenken befallen, gleich noch einmal nieder.

»Es ist eine Schwierigkeit«, sagte er verdrießlich, »Mamachen, mit dem Amt und Range, die ich meinem Freunde, dem Mittler, dem Mann der Vorsorge und der Austeilung, verleihen will. Denn wo ist Platz für ihn im Staate? Der Staat ist leider komplett, und sind besetzt alle schönsten Ämter. Wir haben die beiden Wesire und haben die Vorsteher der Kornspeicher und Rinderherden, dazu den Großen Schreiber des Schatzhauses und alles das. Wo ist denn für meinen Freund das Amt, woran ich ihn stellen kann, und ein Name, wie er ihm zukommt?«

»Das wäre das wenigste«, gab gelassen die Mutter zurück, indem sie gleichgültig das Haupt abwandte. »Oft fand es statt in der Vorzeit und auch in der neueren, und es ist ein Hergebrachtes, das, wenn es deiner Majestät gefällt, jeden Tag wieder aufgenommen werden könnte, daß zwischen Pharao und den Großen des Staates ein Mittler stand und Oberster Mund, das Haupt der Häupter und Vorsteher aller Vorsteher, durch den des Königs Worte gingen, der Stellvertreter des Gottes. Der Oberste Mund ist etwas ganz Übliches. Man muß nicht Schwierigkeiten sehen, wo keine sind«, sagte sie und wandte den Kopf noch weiter ab.

»Das ist ja auch wahr!« rief Amenhotep. »Ich wußte es und hatte es nur vergessen, weil lange kein Oberster Mund mehr da war und kein Mond zwischen Himmel und Erde, und die Wesire des Südens und Nordens die Höchsten waren. Danke dir, Mamachen, recht lieb und herzlich!«

Und neuerdings stand er vom Stuhle auf, sehr feierlichen Gesichts.

»Tritt näher zum König«, sagte er, »Usarsiph, du Bote und Freund! Tritt nahe heran hier vor mich und laß dir sagen! Der gute Pharao fürchtet, dich zu erschrecken. Darum bitte ich dich, fasse dich für das, was Pharao dir zu sagen hat! Fasse dich im voraus, schon bevor du meine Worte gehört hast, daß du nachher nicht etwa in Ohnmacht sinkst, weil dir zumute ist, als trüge ein geflügelter Stier dich zum Himmel! Hast du dich gefaßt? Dann höre: – *Du bist dieser Mann!* Du selbst bist es und kein anderer, den ich erwähle, und erhöhe dich an meine Seite zum Herrn des

Überblicks, in dessen Hände oberste Vollmacht gegeben sei, daß du die Fülle züchtigst und die Länder ernährst in den Jahren der Dürre. Kannst du dich darüber wundern, und kann mein Beschluß dich ganz und gar überraschen? Du hast mir meine unteren Träume gedeutet ohne Buch und Kessel, genau wie ich fühlte, daß man sie deuten müsse, und bist nach der Weissagung nicht tot umgefallen, wie sonst inspirierte Lämmer pflegen, was mir ein Zeichen ist, daß du aufgespart bist, die Maßnahmen zu vollziehen, die, wie du klar erkanntest, sich aus der Deutung ergeben. Du hast mir auch meine oberen Träume gedeutet, genau nach der Wahrheit, um die mein Herz wußte, und hast mir ausgelegt, warum mein Vater mir sagte, daß er nicht der Atôn genannt sein wolle, sondern der Herr des Atôn, und hast mir die Seele geklärt über den Lehrunterschied zwischen einem Vater am Himmel und einem Vater im Himmel. Aber du bist ein Weiser nicht nur, sondern auch ein Schelm, und hast mir wahrgesagt, wie man vermittelst der teueren Jahre die Gauherren ausziehen kann, die nicht mehr ins Bild passen, und an Pharao's Stuhl binden die wankelen Stadtkönige Syriens. Weil dir nun Gott solches alles hat kundgetan, ist keiner so verständig und weise als du, und es hat gar keinen Sinn, daß ich lange, fern oder nah, nach einem anderen suche. Du sollst über mein Haus sein, und deinem Wort soll all mein Volk gehorsam sein. Bist du sehr erschrokken?«

»Ich lebte lange«, antwortete Joseph, »an eines Mannes Seite, der nicht zu erschrecken wußte, da er die Ruhe selber war, – mein Fronvogt war es, im Kerker. Er lehrte mich, die Ruhe sei nichts, als daß der Mensch auf alles gefaßt sei. So bin ich nicht übermäßig erschrocken. Ich bin in Pharao's Hand.«

»Und in deiner Hand sollen die Länder sein und sollst sein wie ich vor den Menschen!« sagte Amenhotep mit Bewegung. »Nimm dieses fürs erste!« sagte er, zerrte nervös mit Drehen und Ziehen einen Ring über den Knöchel seines Fingers und steckte ihn dem Joseph an die Hand. In den hohen Ring war ein Lapislazuli eingefaßt, oval und von ausnehmender Schönheit, wie der durchsonnte Himmel leuchtend, und der Name Atôns in der Königskartusche war in den Stein geritzt. »Das Zeichen sei er«, ereiferte sich Meni und war wieder ganz blaß, »deiner Vollmacht und Stellvertretung, und wer ihn sieht, der erbebe und wisse, daß jedes Wort, das du sprichst zu einem meiner Knechte, sei es der Höchste oder der Niedrigste, das sei wie mein eigen Wort. Wer immer ein Anliegen hat an Pharao, der soll erst vor dich treten und mit dir sprechen, denn mein Oberster Mund sollst du sein, und deine Worte seien gehütet und befolgt, weil Weisheit und Vernunft dir zur Seite steht. Ich bin Pharao! Ich setze dich über ganz Ägyptenland, und ohne deinen Willen soll niemand seine

Hand oder seinen Fuß regen in beiden Ländern. Nur gerade des königlichen Stuhls will ich höher sein als du und will dir von der Hoheit und der Pracht meines Thrones verleihen! Du sollst in meinem zweiten Wagen fahren, gleich hinter meinem, und neben dir her sollen sie laufen und vor dir her rufen: ›Obacht, nehmt euer Herz zu euch, dies ist des Landes Vater!‹ Vor meinem Stuhle sollst du stehen und Schlüsselgewalt haben, unumschränkt ... Ich sehe, du schüttelst den Kopf, Mamachen, und wendest ihn ab und murmelst etwas von ›Übertreibung‹. Aber um die Übertreibung ist es zuweilen ein herrlich Ding, und Pharao will's nun gerade einmal übertreiben! Es soll dir eine Titulatur festgesetzt werden, Lamm Gottes, wie sie noch nicht erhört war in Ägypten, und darin dein Totenname ganz und gar verschwinden soll. Denn wir haben zwar die beiden Wesire, ich aber erschaffe für dich den noch nie erhörten Titel ›Groß-Wesir‹. Damit noch längst nicht genug, sollst du ›Freund der Ernte Gottes‹ und ›Nahrung Ägyptens‹ und ›Schattenspender des Königs‹ heißen, dazu noch ›Vater des Pharao‹ und was mir sonst noch einfallen wird – nur diesen Augenblick fällt mir vor freudiger Erregung nichts weiter ein ... Schüttle nicht, Mamachen, und laß mir dies einzige Mal mein Vergnügen, denn mit Willen und Bewußtsein übertreibe ich's nun einmal! Es ist doch herrlich, daß es sich begeben soll wie im Liede des Auslands, wo es singt: ›Vater Inlil hat seinen Namen ‹Herr der Länder› genannt – den Bereich meiner Befugnisse allesamt soll er verwalten, alle meine Obliegenheiten ergreifen – Sein Land soll gedeihen, er selbst sich wohlbefinden – Fest gilt sein Wort, nicht gewandelt wird sein Befehl – Nicht ändert das Wort seines Mundes irgendein Gott.‹ Wie das Lied singt und die fremde Hymne lautet, so soll es sein – es macht mir unendliches Vergnügen! ›Fürst des Inneren‹ und ›Vize-Gott‹, so sollst du genannt sein bei der Investitur ... Wir können deine Vergoldung hier gar nicht vornehmen, es ist nicht einmal eine ordentliche Schatzkammer da, aus der ich dich mit Gold beloben kann, mit Ketten und Kragen. Wir müssen sofort nach Wêset zurück, nur dort kann es sein, zu Merima't im Palast, im Hof unterm Söller. Auch eine Frau muß dir ja gefunden sein, aus den vornehmsten Ständen, – das heißt, eine ganze Menge Frauen, aber vor allem eine Erste und Rechte. Denn daß ich dich vermählen will, dabei bleibt es. Du wirst sehen, was für eine Annehmlichkeit das ist!«

Eifrig und ausgelassen wie ein Knabe klatschte er in die Hände.

»Eje«, rief er mit verkürztem Atem dem hereinbuckelnden Kämmerling zu, »wir reisen! Pharao und der ganze Hof kehren noch heute nach Novet-Amun zurück! Sputet euch, es ist schöner Befehl! Macht gleich meine Barke ›Stern beider Länder‹ bereit, auf der ich reisen will mit der Ewigen Mutter, der Süßen Gemahlin und diesem Erwählten, dem Adôn meines Hauses, der fortan in Ägyptenland sein wird wie ich. Erzähl es den anderen! Es gibt eine große Vergoldung!«

Der Bückling hatte zwar am Vorhang geklebt und gehorcht, doch seinen Ohren nicht trauen mögen. Nun mußte er ihnen trauen, und daß er da zerschmolz und wie ein Kätzchen schmachtete und vor Entzücken all seine Fingerspitzen küßte – das läßt sich denken.

Viertes Hauptstück
Die Zeit der Erlaubnisse

Sieben oder fünf

Nur gut, daß nun das Gespräch zwischen Pharao und Joseph, das zur Erhöhung des Verstorbenen führte, so daß er groß gemacht war im Westen, – daß dieses berühmte und dabei fast unbekannte Gespräch, welches die anwesende Große Mutter nicht mit Unrecht als ein Gottes- und Göttergespräch bezeichnete, nun von Anfang bis zu Ende, nach allen seinen Windungen, Wendungen und konversationellen Zwischenfällen wiederhergestellt und für immer in aller Genauigkeit festgehalten ist, so daß jeder den Gang verfolgen kann, den es seinerzeit in Wirklichkeit nahm, und, wenn er einen Punkt vergessen hat, nur aufzuschlagen und das Entfallene nachzulesen braucht. Der Lakonismus des bisher davon Überlieferten geht bis zu ehrwürdiger Unwahrscheinlichkeit. Daß nach Josephs Traumdeutung und seinem Ratschlag an den König, sich nach einem verständigen und weisen Mann, einem Mann der Vorsorge umzusehen, Pharao ohne weiteres geantwortet habe: »Keiner ist so verständig und weise wie du; dich will ich über ganz Ägyptenland setzen!« und ihn in wahrhaft enthusiastischer – man kann schon sagen: zügelloser Weise mit Ehren und Würden überschüttet habe, – das schien uns immer der Abkürzung, Aussparung und Eintrocknung zuviel: wie ein ausgenommener, gesalzener und gewickelter Überrest der Wahrheit erschien es uns, nicht wie ihre Lebensgestalt; zu viele Begründungsglieder für Pharao's Begeisterung und ausgelassene Gnade schienen uns darin zu fehlen, und als wir, die Scheu unseres Fleisches überwindend, uns für die Höllenfahrt stark machten durch die Schlucht der Jahrtausende hinab zur Brunnenwiese von Josephs Gegenwart, da war es unser Vorsatz vor allem, dies Gespräch zu belauschen und es heraufzubringen in allen seinen Gliedern, wie es sich damals zu On in Unter-Ägypten wirklich begeben.

Wohlverstanden, wir haben nichts gegen die Aussparung. Sie ist wohltätig und notwendig, denn es ist auf die Dauer völlig unmöglich, das Leben zu erzählen, so, wie es sich einstmals selber erzählte. Wohin sollte das führen? Es führte ins Unendliche und ginge über Menschenkraft. Wer es sich in den Kopf setzte, würde nicht nur nie fertig, sondern erstickte schon in den Anfängen, umgarnt vom Wahnsinn der Genauigkeit. Beim schönen Fest der Erzählung und Wiedererweckung spielt die Aussparung eine wichtige und unentbehrliche Rolle. Weislich üben auch wir sie auf Schritt und Tritt; denn es ist unsere vernünftige Absicht, fertig zu werden mit einer Besorgung, die ohnehin mit dem Versuch, das Meer auszutrinken, eine entfernte Ähnlichkeit hat, aber nicht bis zu der Narrheit getrieben werden darf, wirklich und buchstäblich das Meer der Genauigkeit austrinken zu wollen.

Was wäre aus uns geworden ohne Aussparung, als Jaakob diente bei Laban, dem Teufel, sieben und dreizehn und fünf, kurz: fünfundzwanzig Jahre lang – von denen jedes winzigste Zeitelement ausgefüllt war mit genauem, im Grunde erzählenswertem Leben? Und was sollte jetzt aus uns werden ohne jenes vernünftige Prinzip, da unser Schifflein, vom mäßig gehenden Strom der Erzählung dahingetrieben, wieder einmal an dem Rand eines Zeit-Katarakts bebt von sieben und sieben geweissagten Jahren? Unter uns und im voraus gesagt: es war nicht ganz so schlimm und schön mit dieser Anzahl, wie die Weissagung es wollte. Diese erfüllte sich – da ist freilich kein Zweifel. Aber sie erfüllte sich in lebendiger Ungenauigkeit und nicht abgezählt-wörtlich. Leben und Wirklichkeit behaupten stets eine gewisse Selbständigkeit, manchmal so weitgehend, daß man diese kaum oder gerade eben noch in ihnen wiedererkennt. Selbstverständlich ist das Leben an die Weissagung gebunden; aber innerhalb der Gebundenheit bewegt es sich frei und auf eine Weise, daß es fast immer eine Frage des guten Willens ist, ob man die Weissagung als erfüllt betrachten will oder nicht. Wir aber haben es mit einer Zeit und mit Leuten zu tun, die allerwege von dem besten Willen beseelt sind, die Erfüllung auch im Ungenauen anzuerkennen und, eben um der Erfüllung willen, fünf gerade sein zu lassen, – wenn die Redeweise am Platze ist in einem Falle, wo es eher darauf ankam, auch schon fünf für eine etwas höhere Ungerade, nämlich sieben, gelten zu lassen, was nicht schwerfiel, da fünf eine mindestens so angesehene Zahl ist wie sieben und kein verständiger Mensch auf den Gedanken kam, in dem Eintreten von fünf für sieben auch nur eine Ungenauigkeit zu erblicken.

In der Tat und in Wirklichkeit sah die geweissagte Sieben eher so aus wie Fünf. Aber weder auf die eine noch auf die andere Zahl legte das bewegliche Leben sich klar und unbedingt fest, da nämlich zudem die fetten und die mageren Jahre nicht mit derselben Akkuratesse, nicht so eindeutig-unstrittig gegeneinander abgesetzt aus dem Schoße stiegen, wie Pharao's fette und magere Kühe im Traum. Die fetten und mageren Jahre, die kamen, waren lebendigerweise nicht alle gleich fett und mager. Unter den fetten war eines und das andere, das man gewiß nicht als mager, aber bei einiger kritischer Anlage allenfalls nur als mittelfett hätte bezeichnen können. Die mageren waren zwar alle mager genug, ihrer fünf gewiß, wenn nicht sieben; aber ein paar liefen mit unter, die den letzten Grad der Erbärmlichkeit nicht

erreichten, sondern sich halbwegs dem Erträglichen näherten, so daß man sie, hätte die Weissagung nicht vorgelegen, vielleicht gar nicht als Spreu- und Fluchjahre erkannt hätte. So aber zählte man sie aus gutem Willen mit.
Spricht dies alles gegen die Erfüllung? Das tut es nicht. Die Erfüllung ist unanfechtbar, denn die Tatsachen liegen ja vor – die Tatsachen unserer Geschichte, aus denen sie besteht, ohne die sie nicht in der Welt wäre und ohne die nach der Entrückung und der Erhöhung das Nachkommenlassen nicht hätte stattfinden können. Es ging wahrhaftig fett und mager genug zu in Ägyptenland und den umliegenden Gebieten – jahrelang fett und jahrelang mehr oder weniger mager, und Joseph hatte volle Gelegenheit, die Fülle zu züchtigen und dem schreienden Mangel auszuteilen, indem er sich als Utnapischtim-Atrachasis, als Noah, der Hochgescheite, erwies, als Mann der Voraussicht und der Vorsorge, dessen Arche sich auf der Flut schaukelt. In Dienertreue zum Höchsten tat er es, als sein Minister, und vergoldete Pharao über und über durch seine Geschäfte.

Die Vergoldung

Vorläufig aber nun erst einmal wurde er selbst vergoldet, – denn ›ein Mann von Gold werden‹ war die Redensart der Kinder Ägyptens gerade für das, was ihm geschah, als er nach Pharao's schönem Befehl zusammen mit diesem Gott, mit der Großen Mutter, der Süßen Gemahlin und den Prinzessinnen Nezemmut und Baketatôn auf der königlichen Barke ›Stern beider Länder‹ unter dem Jauchzen der Ufer die Reise stromaufwärts nach Wêset, der Hauptstadt, zurückgelegt hatte, wo er mit der Sonnenfamilie seinen Einzug hielt in den Palast des Westens, Merima't, gelegen in seinen Gärten und mit dem See seiner Gärten, zu Füßen der farbigen Wüstenberge. Da bekam er Räumlichkeit, Dienerschaft, Kleider und alles Angenehme, und schon den zweiten Tag wurde die schöne Förmlichkeit der Investitur und Vergoldung an ihm vollzogen, eingeleitet von einer feierlichen Ausfahrt des Hofes, bei der der Verkaufte tatsächlich in Pharao's zweitem Wagen fuhr, gleich hinter dem König selbst, mit umgeben von dessen syrisch-nubischer Leibwache und seinen Wedelträgern, getrennt vom Gefährt des Gottes nur durch einen Trupp von Läufern, die »Abrekh!« riefen, »gib Obacht!« und »Groß-Wesir!« und: »Sehet des Landes Vater!« – damit dem Volk in den Straßen bekannt wurde, was vor sich ging, und wer das war in dem zweiten Wagen. Es sah und begriff soviel, daß Pharao da einen sehr groß gemacht hatte, wozu er wohl seine Gründe gehabt haben mußte, mochte es auch nur der Grund seiner schönen Laune und Willkür gewesen sein, was völlig genug war. Da außerdem mit einer solchen Erhöhung und Einsetzung die Idee des Anbruchs neuer Zeit und des Besserwerdens aller Dinge irgendwie immer verbunden war, so jubelten Wêsets Leute sehr auf den Dächern und hüpften auf einem Bein am Rande der Avenuen. Sie schrien: »Pharao! Pharao!« und: »Neb-nef-nezem!« und: »Groß ist der Atôn!«, und, wenn man recht unterschied, so riefen viele diesen Namen auch mit weicherem Laut: nämlich: »Adôn, Adôn!«, was zweifellos Joseph galt. Denn es war wohl durchgesickert, daß er asiatischer Herkunft war, und so fand man es passend, – zumal die Frauen fanden es so –, ihm den Namen des syrischen ›Herrn‹ und Bräutigams zuzurufen, nicht zuletzt auch, weil der Erhöhte so schön und jung erschien. Es sei hier gleich hinzugefügt, daß dieser Name ihm, unter all seinen Titeln, besonders anhaften sollte, und daß er in ganz Ägyptenland zeit seines Lebens ›Adôn‹ genannt wurde, sowohl wenn man von ihm, als auch wenn man zu ihm sprach.

Nach dieser sehr schönen Ausfahrt kehrte man, von Barken über den Fluß gesetzt, ans westliche Ufer und zum Palast zurück, wo denn nun also das immer wundervolle und auch diesmal für Auge und Herz unwiderstehliche Fest der Vergoldung seinen Verlauf nahm. Es trug sich folgendermaßen zu: Pharao und die den Palast mit Liebe füllte, Nefernefruatôn, die Königin, zeigten sich an dem sogenannten ›Erscheinungsfenster‹ – das eigentlich kein Fenster war, sondern eine Art von Balkon, ein auf den inneren Schloßhof blickender und der großen Empfangshalle vorgelagerter, besonders reich aus Blaustein und Malachit gebildeter und mit bronzenen Uräen geschmückter Säulen-Altan, der noch einen Vorbau von reizenden bewimpelten Lotospfeilern hatte und dessen Brüstung mit bunten Kissen belegt war. Auf diese stützten sich die Majestäten, indem sie Geldgeschenke von allerlei Gestalt, die ihnen von Schatzkammer-Beamten zugereicht wurden, auf den unter der Empore stehenden Empfänger, der also nun Jaakobs Sohn war, hinunterwarfen. Mit ihrem Drum und Dran war es eine Szene, die jedem, der ihr einmal beigewohnt, unvergeßlich blieb. Alles schwamm in Farben und Pracht, in freigebigster Gnade und frommem Entzücken. Die durchbrochene Herrlichkeit der Architektur; die unterm sonnigen Himmel im leichten Winde flatternden Wimpel der anmutigen vergoldeten und bunt bemalten Holzpfeiler; die blauen und roten Wedel und Fächer des den Hof füllenden Gesindes vom Stande, das in seinen gebauschten Luxusschürzen dienerte, grüßte, frohlockte, anbetete; Tamburin schlagende Frauen; Knaben in der Kinderlocke, die eigens angestellt waren, unausgesetzt Freudensprünge zu vollführen; die Schar der Schreiber, die in gewohnter Zärtlichkeitshaltung mit der Binse alles aufzeichnete, was geschah; der Durchblick durch drei offene Tore in den Außenhof

voller Gespanne, deren tänzelnde Pferde hoch-bunten Federputz auf dem Kopfe trugen, und hinter denen die Lenker, dem Akte drinnen zugewandt, ebenfalls aus verehrender Beugung die Arme hoben; dreinblickend auf dies alles von außen die roten und gelben Berge von Theben mit dem Dunkelblau und Violett ihrer Felsenschatten; und auf der Prunk-Estrade denn also das zarte und lächelnd in matter Distinktion blickende göttliche Paar im Schmuck ihrer hohen, mit Nackenschutz-Tüchern versehenen Mützenkronen, das ohne Unterlaß und mit sichtlichem Vergnügen, recht aus dem vollen schöpfend, einen Regen und Segen von Kostbarkeiten auf den Begünstigten niedergehen ließ: Ketten aus aufgereihten Goldperlen, Gold in Löwengestalt, goldene Armringe, goldene Dolche, Stirnbänder, Halskrägen, Zepter, Vasen und Beile aus gediegenem Gold, — was alles der Beschenkte allein natürlich nicht auffangen konnte, so daß ihm ein paar Auffange-Sklaven beigegeben waren, die einen ganze Hort von im Sonnenstrahl blitzendem Golde unter den Wunderrufen der Menge am Boden vor ihm aufhäuften: — es war in der Tat das Hübscheste, was man sehen konnte, und wenn nicht das unerbittliche Gesetz der Aussparung wäre, so würden wir das Gesehene noch viel genauer beschreiben.
Jaakob hatte einst Schätze gesammelt im Land ohne Wiederkehr, bei Laban, dem Teufel; und so tat an diesem Tage auch sein Liebling in dem fröhlichen Totenland, in das hinab er verkauft und verstorben war. Denn soviel Gold gibt es freilich nur in der Unterwelt, und Joseph wurde gleich hier auf der Stelle, allein durch das Lobgold, zum vermögenden Mann. Fremdkönige, die Pharao im Tauschverkehr um Gold angingen, pflegten zwar zu sagen, man wisse, daß in Ägyptenland dieses Metall nicht kostbarer sei als der Staub der Straßen. Aber das ist ja ein ökonomischer Irrtum, zu glauben, daß ein noch so reichliches Vorhandensein von Gold seinen Wert mindere.
Ja, es war ein bedeutend schöner Tag voll weltlichen Segens für den Entrückten, von den Seinen Gesonderten, und man hätte nur gewünscht, daß Jaakob, sein alter Vater, gewiß mit einer Mischung aus Bedenken und Stolz, in der aber doch der Stolz überwogen haben würde, dem allen hätte zusehen können. Auch Joseph wünschte es; denn später sagte er: »Erzählt dem Vater von meiner Herrlichkeit!« — Auch ein Handschreiben erhielt er von Pharao, das dieser natürlich nicht selbst geschrieben, aber doch von dem ›Wirklichen Schreiber‹, seinem Geheimen Kabinettssekretär, nach seiner Anweisung hatte schreiben lassen, und das zwar etwas steif, aber als kalligraphisches Produkt geradezu entzückend und nach seinem Inhalt höchst gnädig war. Es lautete:
»Befehl des Königs an Osarsiph, den Vorsteher dessen, was der

Himmel gibt, die Erde erzeugt und der Nil hervorbringt, den Vorsteher von allen Dingen im ganzen Lande und Wirklichen Vorsteher der Aufträge! Meine Majestät hat die Worte sehr gern gehört, die du wenige Tage vor diesem, in dem Gespräch, das der König zu On in Unter-Ägypten mit dir abzuhalten geruhte, über himmlische und irdische Dinge geäußert hast. Du hast an diesem schönen Tage das Herz des Nefer-cheperu-Rê wirklich erfreut mit dem, was er wirklich liebt. Meine Majestät hat diese Worte außerordentlich gern von dir vernommen, denn indem du darin das Himmlische mit dem Irdischen verbandest, hast du durch deine Fürsorge für dieses zugleich große Fürsorge für jenes getroffen und außerdem zur Verbesserung beigetragen der Lehre von Meinem Vater im Himmel. Wahrlich, du verstehst es zu sagen, was Meine Majestät außerordentlich gern hat, und was du sagst, macht Mein Herz lachen. Meine Majestät weiß auch, daß du alles sagst, was Meine Majestät gern hat. O Usarsiph, Ich sage unendlich oft zu dir: Du Geliebter seines Herrn! Belohnter seines Herrn! Liebling und Eingeweihter seines Herrn! Wahrlich, der Herr des Atôn liebt Mich, weil er dich Mir gegeben hat. So wahr Nefer-cheperu-Rê ewig lebt: wann immer du einen Wunsch, sei es brieflich, sei es mündlich, zu Meiner Majestät äußerst, so wird Meine Majestät ihn sofort erfüllen lassen.«
Und in Vorwegnahme eines solchen Wunsches, des allervordringlichsten nach den Begriffen des Landes, schloß das Schreiben mit der Benachrichtigung, Pharao habe Weisung gegeben, daß sogleich mit der Aushöhlung und malerischen wie architektonischen Ausschmückung einer Ewigen Wohnung, will sagen eines Grabes für Joseph in den westlichen Bergen begonnen werde.
Nachdem der Erhöhte dieses Papier gelesen, fand in der großen Säulenhalle, die hinter dem Erscheinungsfenster lag, vor versammeltem Hofstaat die große Förmlichkeit der Investitur statt, bei der Pharao zu dem Ring der Bevollmächtigung, den er ihm schon übermacht, und zu all dem Golde, das er ihm schon gespendet, seinem Günstling noch eine besonders schwere goldene Gnadenkette über sein makelloses Hofkleid hing, welches natürlich nicht aus Seide, wie aus Unkenntnis der Dinge wohl angegeben wird, sondern aus feinstem Königsleinen war, und außerdem von dem Wesir des Südens die gewaltige Titulatur verlesen ließ, die er für Joseph festgesetzt hatte, und mit der hinfort dessen Totenname sollte überkleidet sein. Wir kennen die meisten dieser Vergoldungen schon aus Pharao's geäußerten Vorsätzen und Ankündigungen und aus dem Ehrenschreiben, dessen Anreden, wie ›Vorsteher dessen, was der Himmel gibt etc.‹, amtlich waren. Unter den anderen waren ›Schattenspender des Königs‹, ›Freund der Ernte Gottes‹ und ›Nahrung Ägyptens‹ (›Ka-ne-Kême‹ in der Landessprache) wohl die eindrucksvollsten. ›Groß-

Wesir‹, obgleich unerhört, und ›*Alleiniger* Freund des Königs‹ (zum Unterschied von den ›Einzigen‹) wirkten beinahe blaß dagegen. Aber es hatte bei alledem sein Bewenden nicht, denn Pharao wollt es nun einmal übertreiben. Joseph hieß ›Adôn des königlichen Hauses‹ und ›Adôn über ganz Ägyptenland‹. Er hieß ›Oberster Mund‹, ›Fürst der Vermittlung‹, ›Mehrer der Lehre‹, ›Guter Hirte des Volks‹, ›Doppelgänger des Königs‹ und ›Vize-Horus‹. Es hatte dergleichen überhaupt noch nicht gegeben, die Zukunft hat es auch nie wiederholt, und eben wohl nur unter der Herrschaft eines so impulswilligen und zu schwärmerischen Entschlüssen geneigten jungen Herrschers konnte es Ereignis werden. Ein Titel noch kam hinzu, der aber schon mehr ein Eigenname und bestimmt war, Josephs Totennamen nicht sowohl zuzudekken als zu ersetzen. Die Nachwelt hat viel daran herumgedeutelt, und auch die ehrwürdigste Überlieferung gibt eine unzulängliche, ja mißverständliche Verdolmetschung. Es heißt, Pharao habe Joseph den ›Heimlichen Rat‹ genannt. Das ist eine unkundige Übertragung. In unserer Schrift würde der Name sich ausgenommen haben wie: Dje-p-nute-ef-ônch, was die behenden Münder der Kinder Ägyptens wie »Djepnuteefonech«, mit einem gaumigen ch-Laut am Ende, sprachen. Der hervorstechendste Bestandteil dieser Verbindung ist ônch oder onech, das Wort, für das im Bilde das Schleifenkreuz steht, welches »Leben« bedeutet, und das die Götter den Menschen, besonders ihren Söhnen, den Königen, unter die Nase hielten, damit sie Atem hatten. Der Name, den Joseph da zu seinen vielen Titeln erhielt, war ein Name des Lebens. Er bedeutete: ›Es spricht der Gott (Atôn, man brauchte ihn nicht zu nennen): ‹Leben sei mit dir!›‹ Aber das war noch nicht sein voller Sinn. Er meinte für jedes Ohr, das ihn damals aufnahm, nicht nur: ›Lebe du selber‹, sondern auch: ›Sei ein Lebensbringer, verbreite Leben, gib Lebensnahrung den vielen!‹ Mit einem Worte: es war ein Sättigungsname; denn zum Herrn der Sättigung war Joseph ja vor allem erhoben worden. Alle seine Titel und Namen, soweit sie sich nicht auf sein Verhältnis zu Pharao persönlich bezogen, hatten auf irgendeine Weise die Erhaltung des Lebens, die Speisung der Länder zum Inhalt, und alle, samt diesem vorzüglichen und vielumstrittenen, konnte man zusammenfassen in den einen: ›Der Ernährer.‹

Der versunkene Schatz

Als Jaakobs Sohn diesen Namensbehang empfangen hatte, wurde er natürlich umringt, und was dabei an Süßlichkeit der Bewunderung und Beglückwünschung von den Schranzen geleistet wurde, das bleibe eurer eigenen Einbildungskraft überlassen. Es gibt eine Anlage des Menschen zur Begeisterung und zum

Entzücken über die Launen der Willkür, über die unbegreifliche Erwählung, das ungeheure und jeder Rechenschaft überhobene ›Ich gönne, wem ich gönne‹, — die selbst den Neid außer Kraft setzt und die Liebedienerei geradezu aufrichtig macht. In Pharao's Beweggründe für diese gewaltige Erhöhung und Einsetzung eines noch jugendlichen Fremden hatte niemand rechte Einsicht, aber jedermann verzichtete mit Wonne darauf. Zwar stand Wahrsagekunst in Ehren, und einiges war erklärt, wenn Joseph das Glück gehabt hatte, sich auf diesem Felde auszuzeichnen und die einheimische Höchstleistung zu schlagen. Ferner kannte man die Schwäche Pharao's für solche, die ›auf seine Worte hörten‹, das heißt: auf seine theologischen Ideen einzugehen und sich für ›die Lehre‹ empfänglich zu erweisen verstanden, und wußte, daß er solchem Verständnis, ob es nun echt war oder geheuchelt, stets die weichste Dankbarkeit erwies. Auch hier mußte der Tausendsasa wohl vom Glück, allenfalls auch von irgendwelcher Erbweisheit und Vorschulung begünstigt gewesen sein. Aber so oder so: klar war vor allem, daß er sich in der Behandlung des Herrn als ein geriebener Kopf bewährt haben mußte, da er sich im Nu über sie alle hinausgeschwungen hatte; und vor der erfolgreichen Schlauheit, außer vor der großen Willkür, beugte man sich, bukkelte und buhlte, kußhändelte, kratzfußte, scharwenzelte und flattierte rings um Joseph herum, daß es eine Art hatte. Ein Dichter unter den Freunden hatte sogar eine Lobeshymne auf ihn verfaßt, die er selber zu leiser Harfenbegleitung vortrug, und die so ging:

»Du lebst, du bist heil, du bist gesund.
Du bist nicht arm, du bist nicht elend.
Du bleibst bestehen wie die Stunden.
Deine Pläne bestehen, dein Leben ist lang.
Deine Rede ist ausgesucht.
Dein Auge sieht, was gut ist.
Du hörst, was angenehm ist.
Du siehst Gutes, du hörst Angenehmes.
Du wirst gelobt inmitten der Räte.
Du stehst fest und dein Feind fällt.
Der gegen dich redet, ist nicht mehr.«

Wir finden das mittelmäßig. Aber für die Leistung eines von ihnen fanden die Hofleute es recht gut.
Joseph nahm das alles entgegen wie einer, den keine Erhöhung überrascht, mit Ernst und einer Freundlichkeit, die durch Zerstreutheit leise ins Schmerzliche spielte. Denn seine Gedanken waren nicht hier in Pharao's Saal. Bei einem härenen Hause waren sie auf fernen Höhen, im Hain des Herrn nahebei, mit dem Brüderchen rechter Hand, im Haarhelm, dem er Träume

erzählte; auf einem Erntefeld zwischendurch unterm Schattentuch, mit Gesellen, die er ebenfalls Träume wissen ließ, die ihm geträumt; zu Dotan im Tale auch bei einem Brunnen, wo er nicht sänftiglich anlangte. Er hatte in dieser Abwesenheit fast ein Blinzeln und Augenzwinkern übersehen, das ihm aus der Umringung geschah, und dessen Abweisung den, der es anbot, in große Sorge versetzt haben würde.

Unter den Glückwünschenden nämlich war auch Nefer-em-Wêse, der einst gegenteilig geheißen hatte, der Meister vom Kranze. Man kann es ihm nachfühlen, wie betreten und ganz verwirrt vom Spiel des Lebens der Dicke war, als er seinem jungen Aufwärter in schlimmer Zeit unter so ungeahnten, so unglaubwürdig veränderten Umständen seine Glückwünsche darbrachte. Er durfte hoffen, daß der neue Günstling ihm freundlich gesinnt sei und nicht ›gegen ihn reden‹ werde, da er ihm, Nefer, ja seine Berufung und seine große Gelegenheit verdankte. Aber diese Hoffnung wurde etwas eingeschränkt durch das Bewußtsein, daß er erst so spät mit dem Finger auf ihn gewiesen und, ganz nach der Prophezeiung, seiner erst dann gedacht hatte, als er mit der Nase gestoßen war auf sein Andenken. Außerdem war er nicht sicher, ob jener nicht vielleicht ebensowenig an das Gefängnis erinnert zu werden wünschte wie er selber; und so beschränkte er sich darauf, bei der Gratulation in behutsamer Vertraulichkeit ein Auge zuzukneifen, was alles mögliche bedeuten konnte, und hatte die Genugtuung, daß der Adôn dies Blinzeln erwiderte.

Hier nun, anläßlich der Wiederbegegnung, die die Gedanken auf eine andere, mögliche und sogar pikantere lenken konnte, ist ein Schweigen zu bestätigen und für gerecht zu erklären, das nicht alle Fassungen und Bearbeitungen von Josephs Geschichte zu wahren gewußt haben. Es betrifft Potiphar oder Putiphera, richtiger Petepré, den großen Hämling, Josephs Käufer, seinen Herrn und Richter, der ihn mit Wohlwollen ins Gefängnis warf. War auch er bei seiner Vergoldung und Umringung zugegen und huldigte auch er ihm bei Hof – vielleicht, indem er ihm die Anerkennung eines Mannes ausdrückte, der, selbst einer Sache nicht mächtig, es sehr zu schätzen weiß, daß ein anderer auf sie Verzicht leistete, der ihrer sehr wohl mächtig gewesen wäre? Es hätte seine Reize, ein solches Wiedersehen auszumalen; aber es gibt hier nichts auszumalen, denn nichts dergleichen fiel vor. Das Beklemmend schöne Motiv des Wiedersehens spielt eine triumphierende Rolle in unserer Geschichte, und viel Wundervoll-Diesbezügliches steht uns bevor, das wir kaum erwarten können. Hier jedoch verstummt dies Motiv, und das Verstummen der dem Abendland maßgeblich gewordenen Darstellung, in diesem Teil der Erzählung, über den Sonnen-Kämmerer und besonders auch über sein Ehren-Weib Mut-em-enet, die Bedauernswerte, – dies

Verstummen ist keine Aussparung, – oder doch nur insofern, als eine Negation ausgespart ist: die ausdrückliche Feststellung, daß etwas *nicht* geschehen sei, nämlich daß Joseph nach seiner Entfernung aus dem Hause des Höflings weder dem Herrn noch der Herrin wiederbegegnete.

Das Volk und ihm zu Gefallen die Dichter, ein allzu gefälliges Geschlecht, haben die Geschichte von Joseph und Potiphars Weib, eine Episode, wenn auch eine sehr schwerwiegende, im Leben des Sohnes Jaakobs, verschiedentlichst ausgesponnen, haben ihr, die doch mit der Katastrophe gründlich abgeschlossen war, gefühlvolle Fortsetzungen und ihr innerhalb des Ganzen eine überherrschende Stellung gegeben, so daß aus diesem unter ihren Händen ein reichlich verzuckerter Roman mit glücklichem Ausgang wird. Ginge es nach diesen Poesien, so hätte die Versucherin, die ›Suleicha‹ zu heißen pflegt, worüber allein schon man nur die Achseln zucken kann, sich, nachdem sie Joseph ins Gefängnis gebracht, voller Reue in eine ›Hütte‹ zurückgezogen und nur noch der Abbüßung ihrer Sünden gelebt, worüber sie durch den Tod ihres Gatten zur Witwe geworden wäre. Als aber ›Jussuf‹ (womit Joseph gemeint ist) aus dem Gefängnis befreit werden sollte, da hätte er nicht gewollt, daß man ihm ›die Ketten‹ abnähme, bevor nicht sämtliche vornehme Frauen des Landes vor Pharao's Thron für seine Unschuld gezeugt hätten. Demgemäß wäre wirklich der ganze weibliche Adel Ägyptens vor diesem Thron versammelt worden, und auch ›Suleicha‹ hätte aus ihrer Bußhütte sich eingefunden. Einhellig hätte der ganze Damenflor verkündet, daß Joseph der Unschuld Fürst und der Reinheit Zier sei. Danach aber hätte ›Suleicha‹ allein das Wort ergriffen, sich tief gedemütigt und öffentlich bekannt, daß sie die Frevlerin gewesen, jener aber ein Engel sei. Schmachvolles habe sie verbrochen, so hätte sie rückhaltlos gestanden, nun aber sei sie geläutert und trage willig Scham und Schande. Das hätte sie nach Josephs Erhöhung dann auch noch jahrelang in ihrer Hütte getan und wäre darüber alt und grau geworden. Erst an dem Festtage, als Vater Jaakob seinen angeblich pompösen Einzug in Ägyptenland gehalten – zu einem Zeitpunkt also, als Joseph in Wirklichkeit schon zwei Söhne hatte – wäre das Paar wieder zusammengetroffen; Joseph hätte der Alten vergeben, und zum Lohn dafür wäre durch Himmelsmacht ihre ehemalige verführerische Schönheit wiederhergestellt worden und Joseph hätte sich ihr aufs süßlichste vermählt, so daß sie denn also, nach alten Wünschen, schließlich doch noch ›Häupter und Füße zusammengetan‹ hätten.

Das alles ist Moschus und persisches Rosenwasser. Mit den Fakten hat es nicht das geringste zu tun. Erstens starb Potiphar nicht so bald. Warum hätte der Mann vorzeitig sterben sollen, der vor

Kräfteverschwendung durch seine besondere Verfassung bewahrt war, in sich geschlossen ganz seinem eigensten Interesse lebte und sich oft auf der Vogeljagd erfrischte? Das Schweigen der Geschichte über seine Person seit dem Tage des Hausgerichts bedeutet allerdings ein Verschwinden von der Szene, aber keineswegs im Sinne des Todes. Man darf nicht vergessen, daß während der Gefangenschaft Josephs ein Thronwechsel stattgefunden hatte, und daß mit einem solchen auch ein Wechsel des Hofstaates, oder doch eines Teiles davon, einherzugehen pflegt. Peteprê, der, wie wir wissen, als Schein-Truppenoberst ohne wirkliche Kompetenzen manchen Ärger gehabt, hatte sich nach der Beisetzung Nebmarê's des Prächtigen mit dem Titel und Rang eines Einzigen Freundes ins Privatleben zurückgezogen. Er ging nicht mehr zu Hofe, brauchte es jedenfalls nicht mehr zu tun und hat es an den Tagen von Josephs Vergoldung aus einem Taktgefühl, das ihm durchaus zu eigen war, augenscheinlich vermieden. Wenn er ihm auch in der Folge nicht mehr begegnete, so hatte das teils seinen Grund darin, daß Joseph, wie wir sehen werden, seine Residenz als Herr der Vorsorge und Sättigung nicht in Theben, sondern in Memphis nahm, teils wiederum in jener taktvollen Vermeidung. Sollte aber im Lauf der Jahre ein Zusammentreffen bei irgendeiner feierlichen Gelegenheit dennoch sich ereignet haben, so kann man überzeugt sein, daß es sich ohne ein Wimperzucken, in vollkommener Diskretion und beherrschtester Ignorierung der Vergangenheit auf beiden Seiten abspielte: Eben dieses Verhalten ist es, das sich in dem Verstummen der maßgebenden Überlieferung widerspiegelt.

Dieses erstreckt sich auch auf Mut-em-enet, und aus ebenso guten Gründen. Daß Joseph sie nicht wiedersah, ist nun schon ganz gewiß, aber ebenso gewiß ist es, daß sie keine Bußhütte bezog und sich nicht öffentlich der Schamlosigkeit anklagte, was obendrein eine Lüge gewesen wäre. Diese große Dame, das Werkzeug von Josephs Prüfung – einer Prüfung, die er gar nicht besonders glänzend bestanden, aber eben doch gerade bestanden hatte –, kehrte nach dem Scheitern jenes verzweifelten Versuchs, ihrem Ehrendasein ins Menschliche zu entkommen, notgedrungen und für immer zu der Lebensform zurück, die ihr bis zu ihrer Heimsuchung die natürliche und einzig bekannte gewesen war; ja, sie verfestigte sich starrer und stolzer darin als je zuvor. Ihr Verhältnis zu Potiphar hatte durch die vorzügliche Weisheit, die dieser bei der Katastrophe bewiesen, eher an Wärme gewonnen, als daß es unter dem Vorgefallenen gelitten hatte. Daß er wie ein Gott gerichtet, erhaben über das Menschenherz, dafür wußte sie ihm Dank und war ihm fortan eine untadlig ergebene Ehrengemahlin. Dem Geliebten fluchte sie nicht wegen der Leiden, die er ihr zugefügt, oder die sie sich zugefügt um seinetwillen; denn

Liebesleiden sind aparte Leiden, die erduldet zu haben noch nie jemand bereut hat. »Du hast mein Leben reich gemacht — es blüht!« So hatte Eni gebetet mitten in der Qual, und da sieht man, was es Besonderes, sogar noch zum Dankgebet Stimmendes auf sich hat mit Liebesqualen. Immerhin, sie hatte gelebt und geliebt — zwar unglücklich geliebt, aber gibt es das eigentlich, und sieht sich hier nicht jedes Mitleid als alberne Zutunlichkeit abgewiesen? Eni verlangte keines und war viel zu stolz, sich selbst zu bemitleiden. Ihr Leben aber war nun abgeblüht und sein Verzicht streng und endgültig. Die Formen ihres Leibes, der vorübergehend ein Liebeshexenleib gewesen war, bildeten sich rasch zurück — nicht zu der Schwanenschönheit, die ihrer Jugend eigen gewesen, sondern ins Nonnenhafte. Ja, eine kühle Mond-Nonne mit keusch zurückgebildeter Brust war Mut-em-enet von nun an, unnahbar elegant und — so muß man hinzufügen — außerordentlich bigott. Wir wissen es alle noch, wie sie einst, zur Zeit ihrer schmerzhaften Lebensblüte, dem weltläufig-fremdfreundlichen Atum-Rê von On, dem Herrn des weiten Horizonts, von dem sie Gunst erwartete für ihre Leidenschaft, zusammen mit dem Geliebten geräuchert hatte. Das war vorbei. Eng, streng und volksfromm zusammengezogen war ihr Horizont nun wieder; dem Rinderreichen von Epet-Esowet und seinem bewahrenden Sonnensinn gehörte mehr als je ihre ganze Devotion, der geistlichen Beratung seines jede Neuerung hassenden, alle Spekulation verpönenden Ober-Blankschädels, des großen Beknechons, allein war ihr Sinn geöffnet, und schon dies entfremdete sie dem Hof Amenhoteps des Vierten, wo eine Religion zärtlich-allumfassenden Entzückens guter Ton zu werden begann, die in ihren Augen mit Frömmigkeit überhaupt nichts zu tun hatte. Das heilige Beharren, den ewigen Gleichstand der Waage, die steinern hinausblickende Dauer feierte sie, wenn sie im engen Hathorenkleide die Klapper regte vor Amun in gemessenem Tanzschritt und dem Chor seiner adeligen Nebenfrauen vorsang aus flachem Busen, aber mit immer noch beliebter Stimme. Und doch ruhte auf dem Grunde ihrer Seele ein Schatz, auf den sie heimlich stolzer war als auf alle ihre geistlichen und weltlichen Ehren, und den sie, ob sie sich's eingestand oder nicht, für nichts in der Welt dahingegeben hätte. Ein tief versunkener Schatz, der aber immer still heraufleuchtete in den trüben Tag ihrer Entsagung und, wieviel Niederlage auch darin einschlägig war, ihrem geistlichen, ihrem weltlichen Stolz eine unentbehrliche Ergänzung von menschlichem, von Lebensstolz verlieh. Es war die Erinnerung — nicht einmal so sehr an ihn, der, wie sie hörte, nun Herr geworden war über Ägyptenland. Er war nur ein Werkzeug, wie sie, Mut-em-enet, ein Werkzeug gewesen war. Vielmehr und fast unabhängig von ihm war es das Bewußtsein der Rechtfertigung, das Bewußtsein, daß sie geblüht und geglüht, daß sie geliebt und gelitten hatte.

Herr über Ägyptenland

Herr über Ägyptenland – wir brauchen den Ausdruck im Geist einer Übereinkunft, die sich in der Apotheose nicht genugtun kann, und im Sinne der schönen Übertreibung, die Pharao sich zugunsten des Deuters seiner Träume nun einmal gönnte. Aber wir brauchen ihn nicht ungeprüft und mit fabelnder Fahrlässigkeit, sondern unter dem vernünftigen Vorbehalt, den die Treue zur Wirklichkeit uns auferlegt. Denn hier wird nicht aufgeschnitten, sondern erzählt, was jedenfalls zwei sehr verschiedene Dinge sind – welchem von beiden man nun den Vorzug geben möge. Den augenblicklich stärkeren Effekt wird jederzeit die Aufschneiderei für sich haben; aber wahrer Gewinn erwächst der Hörerschaft doch eben nur aus der besonnen untersuchenden Erzählung. Joseph wurde ein sehr großer Herr am Hof und im Lande, das ist keine Frage, und das persönliche Vertrauensverhältnis, das ihn seit der Unterredung im Kretischen Gartenzimmer mit dem Monarchen verband, seine Günstlingsstellung also, ließ die Grenzen seiner Machtbefugnisse etwas ins Ungewisse verschwimmen. Aber er war nie eigentlich ›Herr über Ägyptenland‹ oder, wie Sage und Lied es zuweilen ausdrücken, ›Regent der Länder‹. Seine Erhöhung, die traumhaft genug war, und seine ausschweifende Titulatur änderten nichts daran, daß die großen Verwaltungszweige des Landes seiner Entrückung in den Händen der Kronbeamten blieben, die teilweise schon unter König Neb-ma-rê damit betraut gewesen waren, und es wäre reiner Überschwang, anzunehmen, daß dem Sohne Jaakobs zum Beispiel auch das Justizwesen, das seit Urzeiten Sache des Oberrichters und Wesirs, gegenwärtig der beiden Wesire, war, oder die Leitung der äußeren Politik unterworfen gewesen wäre, – die wahrscheinlich glücklichere Ergebnisse gezeitigt hätte als die dem Geschichtsforscher bekannten, wenn Joseph sich ihrer angenommen hätte. Man darf nicht vergessen, daß des Reiches Herrlichkeit ihn, so sehr er seiner äußeren Gesittung nach zum Ägypter geworden war, im Grunde nichts anging, und daß, so energische Wohltaten er den Dortigen erwies, so umsichtig er dem Öffentlichen diente, sein innerstes Augenmerk doch immer auf Geistlich-Privates und Weltbedeutend-Familiäres, auf die Förderung von Plänen und Absichten gerichtet blieb, die mit dem Wohl und Wehe Mizraims wenig zu tun hatten. Man kann gewiß sein, daß er Pharao's Träume und was sie ankündigten sofort zu diesen Plänen und Absichten, zum Gedanken der Erwartung und Wegbereitung in Beziehung gesetzt hatte, ja, eine gewisse Zielstrebigkeit, die seinem Verhalten vor Pharao's Stuhl nicht abzusprechen ist, könnte erkältend wirken und der Sympathie Abbruch tun, die auch wir dem Rahelskind zu bewahren wünschen, wenn nicht der Hörer bedächte, daß Joseph es als seine Pflicht betrachtete, den Absichten Vorschub zu leisten und Gott bei ihrer Verfolgung nach besten Kräften behilflich zu sein.

Eingesetzt war er, was seine Titel sonst nun auch noch besagen mochten, als Ernährungs- und Ackerbau-Minister und führte in dieser Eigenschaft wichtige Reformen durch, unter denen besonders sein Grundrenten-Gesetz sich dem Gedächtnis eingeprägt hat. Die Befugnisse dieses Geschäftskreises aber hat er nie überschritten, und selbst wenn man in Betracht zieht, daß die Angelegenheiten des Schatzhauses und die Verwaltung der Kornspeicher in zu nahem Zusammenhang mit seinem Amtsbereich standen, als daß seine Autorität sich nicht auch auf sie hätte erstrecken sollen, so bleiben Bezeichnungen wie ›Herr über Ägyptenland‹ und ›Regent‹ immer noch märchenhafte Verschönerungen der Sachlage. Allerdings ist ein Weiteres zu berücksichtigen. Unter Verhältnissen, wie sie während der ersten, entscheidenden zehn bis vierzehn Jahre seiner Machtausübung herrschten – Verhältnissen, in deren Erwartung er ja bestallt worden war –, mußte die Bedeutung gerade seines Amtes ins Außerordentliche wachsen und tatsächlich die aller anderen in den Schatten stellen. Die Hungersnot, die fünf bis sieben – eher fünf – Jahre nach seiner Erhöhung zugleich in Ägypten und den benachbarten Ländern ausbrach, machte den Mann, der sie vorausgesehen, der ihr vorgebeugt hatte und den Menschen leidlich durch sie hindurchzuhelfen wußte, praktisch zur wichtigsten Figur des Reiches und seine Verfügungen lebenswichtig vor allen anderen. Wie es denn also wohl gehen mag, daß die Kritik, ist sie nur gründlich genug, zuletzt zur Anerkennung des Volksmundes zurückführt, so wollen wir es nur gut sein lassen, daß Josephs Stellung, wenigstens eine ganze Reihe von Jahren hin, in der Tat derjenigen eines ›Herrn über Ägyptenland‹ gleichkam, ohne dessen Willen niemand seine Hand oder seinen Fuß regen mochte in beiden Ländern.

Vorderhand nun, unmittelbar nach seiner Ermächtigung, unternahm er, zu Schiff und zu Wagen, umgeben von einem größeren Schreiberstabe, den er sich ausgewählt und der sich ganz vorwiegend aus jungen, im Amtstrott noch nicht verknöcherten Leuten zusammensetzte, eine Musterungsreise über das ganze Land Ägypten, um sich über alle Dinge der Schwarzen Erde eine Kenntnis aus erster Hand zu verschaffen, und sich, bevor er Maßregeln traf, wahrhaft zum Herrn des Überblicks zu machen. Die Besitzverhältnisse waren dort unten eigentümlich unbestimmt und zweideutig. Dem Gedanken nach gehörte, wie überhaupt alles, so auch jedweder Grund und Boden dem Pharao. Die Länder, einschließlich der eroberten oder doch tributpflichtig gemachten Provinzen bis zu ›jenem elenden Lande Nubien‹ und bis an die Grenze Mitanni-Landes waren im Grunde sein Privateigentum. Dabei aber hoben die eigentlichen Staatsdomänen, die ›Güter Pharao's‹ sich doch als besonderer Kronbesitz sowohl von den Latifundien ab, die frühere Könige ihren Großen zum Geschenk gemacht hatten, wie auch von den kleineren Edel- und Bauerngütern, die als persönlicher Besitz ihrer Wirte galten, obgleich es sich genaugenommen um zinspflichtige Lehen und um ein Pachtverhältnis, wenn auch mit freiem Vererbungsrecht handelte. Ausgenommen waren nur die Tempelländereien, namentlich die Äcker Amuns, die wirkliche Freigüter und aller Abgaben ledig waren, und jene Reste einer älteren, aus Sondergerechtsamen sich zusammensetzenden Verfassung der Länder, Besitzungen einzelner, stark gebliebener oder doch sich unabhängig gebärdender Gaufürsten, Erbgüter, die wie Inseln eines überalterten Feudalismus hie und da über das Reich sich hin hervortaten und, gleich den Gottesäckern, als unumschränktes Eigentum ihrer Herrn betrachtet sein wollten. Während aber jene von Josephs Verwaltung grundsätzlich in Ruhe gelassen wurden, ging er gegen die verstockten Barone sehr scharf vor, indem er von Anfang an ihren Bodenbesitz ohne Federlesens in sein Abgaben- und Rücklage-System einbezog und mit der Zeit zu ihrer schlichten Enteignung zugunsten der Krone gelangte. Es ist nicht richtig, zu sagen, daß die eigentümlichen agrarischen Verhältnisse des sogenannten neuen Reiches, die anderen Völkern so auffällige Erscheinung also, daß im Nillande aller Grund und Boden, außer dem der Priester, dem König gehörte, durch die Maßregeln des Sohnes Jaakobs geschaffen worden seien. In Wirklichkeit vollendete er nur eine ohnehin weit fortgeschrittene Entwicklung, indem er Verhältnisse, die schon vor ihm bestanden hatten, befestigte, rechtlich klärte und zum vollen Bewußtsein brachte.

Obgleich seine Reise sich nicht auf die Negerländer, auch nicht auf syrisch-kenanitische Gebiete erstreckte und er in diese Gegenden nur Beauftragte sandte, nahm die Musterung doch zwischen zwei und dreimal siebzehn Tage in Anspruch, denn es gab viel zu verzeichnen und dem Überblick zu unterwerfen. Dann kehrte er in die Hauptstadt zurück, wo er mit seiner Beamtenschaft ein Staatsgebäude an der ›Straße des Sohnes‹ bezog, und von dort erging denn noch rechtzeitig vor der diesjährigen Ernte in Pharao's Namen das berühmte Bodengesetz, das sogleich im ganzen Lande ausgeschrien wurde und die Abgaben an Feldfrucht allgemeingültig und ohne Ansehung der Person oder des Ernteausfalls auf den Fünften festsetzte, welcher pünktlich und

ungemahnt — wenn aber nicht ungemahnt, dann sehr nachdrücklich gemahnt — in die königlichen Vorratshäuser abzuliefern war. Gleichzeitig konnten die Kinder Ägyptens beobachten, daß über das ganze Land hin, in den Städten, großen und kleinen, und in ihrer Umgebung diese Magazine unter Aufgebot vieler Arbeitskräfte in noch nicht gesehenem Maße vermehrt und erweitert wurden, — im Überfluß, so mußte man denken; denn notwendig standen viele davon anfangs noch leer. Trotzdem wurden ihrer immer noch mehr gebaut, denn ihr Überfluß war auf den Überfluß berechnet, den, wie man hörte, der neue Adôn der Aufschüttung und Freund der Ernte Gottes wahrgesagt hatte. Wo man ging und stand, sah man in dichten Reihen, oft zu weiten, hofbildenden Vierecken zusammengefaßt, die kegelförmigen Kornspeicher, mit ihren Einfüllungsluken oben und ihren versicherten Entnehmungstüren unten, sich erheben; und sie waren besonders solide gebaut: auf terrassenförmigen Plattformen aus gestampftem Lehm, die sie vor Bodenfeuchtigkeit und vor dem Eindringen der Mäuse schützten. Unterirdische Gruben zur Aufnahme von Halmfrucht kamen vielfach auch noch hinzu, wohl ausgeschlagen, mit fast unkenntlich gemachten, dabei aber vom polizeilichen Auge scharf überwachten Zugängen.
Es erfreut zu sagen, daß beide Maßnahmen, das Steuergesetz sowohl wie die Beschaffung so großen Vorratraumes, entschiedene Volkstümlichkeit genossen. Steuern hatte es, versteht sich, immer gegeben, in mancherlei Gestalt. Nicht umsonst pflegte der alte Jaakob, der nie dort gewesen war, aber sich ein pathetisch Bild davon machte, von dem ›ägyptischen Diensthaus‹ zu sprechen, wenn auch seine Mißbilligung den besonderen Bedingungen des Unterlandes nicht genügend Rechnung trug. Die Arbeitskraft der Kinder Kemes gehörte dem König, damit fing es an, und sie wurde genutzt zur Errichtung ungeheurer Gräber und unglaublicher Prahlbauten, gewiß, auch dafür. Vor allem aber bedurfte man ihrer zur Versehung all des Hebe- und Grabewerks, das für das Gedeihen des grundsonderbaren Oasenlandes so unentbehrlich war, der Instandhaltung der Wasserstraßen, des Aushebens von Gräben und Kanälen, des Befestigens der Dämme, der Betreuung der Schleusen — lauter Dinge, deren Versorgung man, da das Gesamtwohl davon abhing, nicht der mangelhaften Einsicht und dem zufälligen Privatfleiß der Untertanen überlassen konnte. Daher hielt der Staat seine Kinder dazu an, für ihn mußten sie's tun. Wenn sie es aber getan hatten, dann mußten sie das Getane versteuern. Sie mußten Steuern entrichten für die Kanäle, Seen und Gräben, die sie benutzten, für die Bewässerungsmaschinen und Schläuche, die ihnen dienten, und selbst für die Sykomoren, die auf ihrem befruchteten Grunde wuchsen. Sie steuerten für Haus und Hof und alles, was Haus und Hof her-

vorbrachten. Sie zahlten mit Fellen und Kupfer, mit Holz, Strikken, Papier, Leinen und von je natürlich auch schon mit Korn. Aber die Abgaben wurden nach recht unregelmäßigem Gutdünken der Gauverwalter und Dorfvorsteher eingefordert, je nachdem der Ernährer, will sagen Chapi, der Strom, groß oder klein gewesen, – vernünftigerweise auch demgemäß, das ist wahr; aber doch auch unter viel ungerechtem Nachsehen einerseits und harter Überforderung andrerseits, und allerlei Durchstecherei und Vetternwirtschaft gab es dabei zu beseufzen. Man kann nun sagen, daß Josephs Verwaltung hier vom ersten Tage an die Zügel sowohl straff anspannte wie auf der anderen Seite auch lockerte: nämlich dadurch, daß sie alles Gewicht auf den Getreidezins legte, die anderen Schuldigkeiten aber dagegen sehr milde ansah. Ihr Leinen erster, zweiter und dritter Güte, ihr Öl, Kupfer und Papier mochten die Leute behalten, wenn nur die Kornumlage, der Fünfte der Brotfruchternte gewissenhaft erlegt wurde. Dieser Steuersatz, beruhigend klar und allgemeingültig wie er war, konnte nicht als Bedrückung empfunden werden in einem Lande, wo die Fruchtbarkeit durchschnittlich dreißigfältig ist. Außerdem besaß die Quote eine gewisse geistige Schönheit und mythischen Appell, da sie von der heiligen Epagomenen-Zahl, den fünf Übertagen über die dreihundertsechzig des Jahres hinaus, sinnig-geflissentlich hergenommen war. Und endlich gefiel es dem Volk, daß Joseph sie unbedenklich auch den noch absolut sich stellenden Gaubaronen auferlegte, die er überdies zu zeitgemäßen Vollkommnungen auf ihren Gütern von Staats wegen anhielt. Denn der Geist trotziger Rückständigkeit, der dort herrschte, drückte sich auch darin aus, daß auf diesen Gütern die Bewässerungsverhältnisse nicht nur aus Faulheit, sondern grundsätzlicher- und tendenziöserweise auf einer altmodischen und unzulänglichen Stufe gehalten wurden, so daß der Boden nicht trug, was er hätte tragen können. Diesen Herrn schrieb Joseph nachdrücklich die Verbesserung ihres Kanal- und Schöpfwesens vor, eingedenk dabei jenes Saleph, eines Enkels Ebers, von dem Eliezer ihm erzählt hatte, daß er als erster die ›Wasserbäche auf sein Gebiet geleitet‹ hatte und der Erfinder der Berieselung gewesen war.

Was aber die außerordentlichen Vorkehrungen zur Aufhäufung, die Speicherbauten, betraf, so ist einmal mehr auf die ägyptische Landesidee der Vorsicht und sichernden Vorsorge zu verweisen, um zu erklären, daß auch diese Verfügung Josephs den Kindern Kemes wohlgefiel. Seine persönliche Überlieferung von der Flut und dem klugen Kastenbau, der das Menschengeschlecht wie die Geschlechter der Tiere vor restlosem Untergange bewahrt hatte, vereinigte sich darin mit dem Sicherheits- und Abwehrinstinkt einer alten und verletzlichen Zivilisation, die unter prekären Ver-

hältnissen alt geworden war. Ihre Kinder waren sogar geneigt, in Josephs Vorratshäusern etwas Zauberhaftes zu sehen; denn sie waren gewohnt, sich gegen das Eindringen immer lauernder Dämonenbosheit durch ein möglichst undurchlässiges Gefüge magischer Zeichen und Sprüche zu sichern; darum mochten in ihrem Geiste die Ideen ›Vorsicht‹ und ›Zauber‹ wohl füreinander eintreten und ihnen auch so nüchterne Vorkehrungen wie Josephs Kornspeicher in einem zauberhaften Lichte erscheinen lassen.
Mit einem Worte: der Eindruck herrschte vor, daß Pharao, so jung er war, mit der Einsetzung dieses jungen Erntevaters und Schattenspenders einen glücklichen Griff getan hatte. Seine Autorität sollte sich im Lauf der Jahre gewaltig steigern, aber gleich jetzt kam ihr zugute, daß schon dieses Jahr der Nil sehr groß gewesen war, so daß unter der neuen Verwaltung eine weit über mittelgute Ernte, besonders an Weizen, Grünkern und Gerste, eingebracht werden und reichliches Durra-Korn von den Stengeln gekämmt werden konnte. Wir haben Zweifel, ob es erlaubt ist, ein Jahr, dessen Wohlstand schon ausgemacht war, als Joseph vor Pharao stand, unter die Prophezeiung fallen zu lassen und es den Jahren der fetten Kühe zuzurechnen. Aber später geschah das, wohl in dem Bestreben, die Zahl der Segensjahre auf sieben zu bringen, was aber auch damit nicht ganz gelang. Auf jeden Fall war es eine Annehmlichkeit für Joseph, daß er die Geschäfte unter Umständen der Freude und Reichlichkeit übernahm. Das Denken des Volkes war ehrwürdig-ungereimt von je und ist es geblieben. Es ist imstande zu folgern, daß ein Landwirtschaftsminister, der in einem Jahre guter Fruchtbarkeit eingesetzt wird, ein guter Landwirtschaftsminister sein müsse.
Darum, wenn Jaakobs Sohn durch die Straßen von Wêset fuhr, so grüßte das Publikum ihn mit erhobenen Händen und rief ihm zu: »Adôn! Adôn!«, »Ka-ne-Keme!«, »Lebe unendlich lange, Freund der Ernte Gottes!« Viele riefen sogar »Chapi! Chapi!« und führten dabei die zusammengelegten Daumen und Zeigefinger der Rechten zum Munde, was etwas weit ging und größtenteils auf ihre kindliche Begeisterung für seine bildschöne Erscheinung geschoben werden muß.
Er fuhr aber nur selten aus, da er stark beschäftigt war.

Urim und Tummim

Die Schritte und Entschlüsse unseres Lebens sind von Neigungen, Sympathien, Grundstimmungen, Grunderlebnissen der Seele bestimmt, die unser ganzes Wesen färben und abfärben auf all unser Tun, so daß dieses sich weit wahrhaftiger aus ihnen erklärt als aus den Vernunftgründen, die wir wohl nicht nur vor anderen, sondern auch vor uns selbst dafür ins Feld führen. Daß

Joseph kurze Zeit nach seinem Amtsantritt – sehr gegen die Wünsche Pharao's, der ihn gern immer in seiner Nähe gehabt hätte, um mit ihm über seinen Vater im Himmel zu diskutieren und mit seiner Hilfe an der Verbesserung der Lehre zu arbeiten –, daß also des Königs Oberster Mund und Herr seiner Vorräte sehr bald schon seinen Wohnsitz und all seine Schreibstuben von Nowet-Amun, der Hauptstadt, nach Menfe im Norden, dem Haus des Gewickelten, verlegte, geschah aus dem ehrlichen und wohl vertretbaren Oberflächengrunde, daß Menfe, dick an Mauern, die ›Waage der Länder‹ war, ihre Mitte, das Symbol des ruhenden Gleichgewichts Ägyptenlandes, folglich zum Ort des Überblicks wie geschaffen und der dem Herrn des Überblicks gequemste und dienlichste Aufenthalt. Zwar stimmte es nicht ganz mit der ›Waage der Länder‹ und dem Zentrum des Gleichgewichts, denn Mempi lag schon recht weit nach Norden, nahe gegen On hin, die Stadt des Blinzelns, und gegen die Städte der sieben Mündungen, und selbst wenn man Ägyptenland südlich nur bis zur Elefanteninsel und bis zur Insel Pi-lak reichen ließ und das Negerland gar nicht rechnete, war die Stadt König Mirê's, wo seine Schönheit begraben lag, keineswegs die Waage der Länder, sondern lag dafür ebensoviel zu nördlich, wie Theben zu südlich lag. Aber daß es Ägyptenland im Gleichgewicht halte und seine Mitte bilde, in diesem Ruf stand das uralte Menfe nun einmal; daß es den besten Überblick nach beiden Seiten, stromauf und stromab, gewähre, das war ein Axiom, auf dem der ägyptische Joseph bei seinem Entschlusse fußte, und Pharao selbst konnte ihm nicht ableugnen, daß der Handelsverkehr mit den syrischen Städten am Meer, wenn sie hinabschickten in die ›Kornkammer‹, als die ihnen das Land der Schwärze galt, um Getreide zu holen, erleichtert war, wenn man zu Menfe saß und nicht in Per-Amun.

Das alles war vollkommen richtig, und doch waren es nur die Vernunftgründe für Josephs Entschluß, sich diese Erlaubnis von Pharao zu erbitten und in Menfe zu wohnen. Die eigentlichen ruhten tiefer bestimmend in seiner Seele. Sie waren so weitläufiger Art, daß sie sein Verhältnis zum Tode und zum Leben betrafen. Man kann es so sagen: Es waren Gründe der Freundlichkeit auf einem dunklen Hintergrunde.

Schon lange ist es her, aber wir wissen es alle noch, wie er einst als Knabe, allein und betrübt von schlechtem Einvernehmen mit den Brüdern, vom Hügel bei Kirjath Arba auf die mondweiße Stadt im Tal und auch auf Machpelach, die zwiefache Höhle, hinabgeblickt hatte, das Felsengrab, das Abram gekauft, und wo die Gebeine der Ahnen ruhten. Genau erinnern wir uns, welche eigentümliche Gefühlsmischung sich damals in seiner Seele hergestellt hatte, erzeugt durch beides, den Anblick des Grabes und den der schon im Schlummer liegenden volkreichen Stadt: Gefühle der Frömmigkeit, die da Andacht ist zum Tode und zur Vergangenheit, hatten sich ihm da vereint mit solchen einer halb spöttischen, halb innig freundschaftlichen Neigung zur ›Stadt‹, zu all dem menschlichen Lebensgewimmel, das tagüber die krummen Gassen von Hebron mit Dunst und Geschrei erfüllte und nun schnarchend mit hochgezogenen Knien in den Kammern der Häuser lag. Es scheint gewagt und willkürlich, eine solche frühe Anwandlung seiner Brust, die schließlich die Sache weniger betrachtender Augenblicke war, mit seiner gegenwärtigen Handlungsweise nicht nur in Beziehung zu setzen, sondern diese geradezu auf jene zurückzuführen. Und doch haben wir einen Beweis in Händen für die Richtigkeit dieser Bezugnahme in den Worten, die Joseph eines Tages zwischen damals und jetzt zu seinem Käufer, dem Alten, sagte, als sie zusammen in Menfe, der Grabesgroßstadt, waren. Wie er da leichthin gesagt hatte, er habe was übrig für diese Stätte, deren Tote nicht übers Wasser zu fahren brauchten, weil sie schon selber im Westen des Stromes lag, und sie könne ihm passen unter den Stätten Ägyptens, — das war so überaus kennzeichnend gewesen für Rahels Ältesten, wie er es selber kaum wußte, und sein Vergnügen daran, daß die Leutchen dort, spöttisch gelaunt auf Grund ihrer gleichförmigen Menge, den uralten Grabesnamen der Stadt ›Men-nefru-Mirê‹ keck-gemütlich zu ›Menfe‹ zusammengezogen hatten, — dies Vergnügen war beinahe er selbst, es offenbarte das Tiefste seiner Natur, etwas sehr Tiefes in der Tat und in jedem Fall, obgleich nur ein gehalten-heiterer Name ihm zukommt: ›Sympathie‹. Denn Sympathie ist eine Begegnung von Tod und Leben: die echte entsteht nur, wo der Sinn für das eine dem Sinn für das andre die Waage hält. Sinn für den Tod allein schafft Starre und Düsternis; Sinn für das Leben allein schafft platte Gewöhnlichkeit, die auch keinen Witz hat. Witz eben und Sympathie entstehen nur da, wo Frömmigkeit zum Tode getönt und durchwärmt ist von Freundlichkeit zum Leben, diese aber vertieft und aufgewertet von jener. So war Josephs Fall; so waren sein Witz und seine Freundlichkeit. Der doppelte Segen, mit dem er gesegnet war, von oben herab und von der Tiefe, die unten liegt, der Segen, über den Jaakob, sein Vater, sich noch auf dem Sterbebette erging, indem er beinahe so tat, als spendete und verliehe er ihn, da er ihn doch nur feststellte, — dies war er. Bei Untersuchungen der moralischen Welt, die eine verwickelte Welt ist, geht es ohne einige gründliche Gelehrsamkeit nicht ab. Von Jaakob hatte es immer geheißen, er sei ›tâm‹, nämlich ›redlich‹ und wohne in Zelten. Aber ›tâm‹ ist ein seltsam oszillierendes Wort, das mit ›redlich‹ sehr schwach übersetzt ist, denn sein Sinn umfaßt beides, das Positive und Negative, das Ja und das Nein, Licht und Finsternis, Leben und Tod. Es findet sich wieder in der merkwürdigen Formel ›Urim und Tummim‹, wo es, im Gegensatz zu dem lichten, bejahenden ›Urim‹ offenbar für den dunklen, vom Tode beschatteten Welt-Aspekt steht. Tâm oder Tummim ist das Helle und Finstere, das Oberweltliche und Unterweltliche zugleich und im Austausch – und Urim nur das Fröhliche, in Reinkultur davon abgesondert. ›Urim und Tummim‹ spricht also eigentlich keinen Gegensatz aus, sondern es läßt das geheimnisvolle Faktum beobachten, daß, wenn man vom Ganzen der moralischen Welt einen Teil absondert, immer noch das Ganze dem Teile gegenübersteht. Es ist nicht so leicht, klug zu werden aus der moralischen Welt, schon darum nicht, weil sehr oft das Sonnige darin auf das Unterweltliche deutet. Esau zum Beispiel, der Rote, der Mann der Jagd und der Steppe, war ein entschiedener Sonnen- und Unterweltsmann. Aber obgleich Jaakob, sein jüngerer Zwilling, sich als Mond-Hirte sanft gegen ihn abhob, ist nicht zu vergessen, daß er den Hauptteil seines Lebens in der Unterwelt, nämlich bei Laban, verbrachte, und mit ›redlich‹ sind die Mittel, mit denen er dort golden und silbern wurde, mehr als ungenau bezeichnet. ›Urim‹ war er gewiß nicht, sondern eben ›tâm‹, nämlich ein Weh-Frohmensch, wie Gilgamesch. Und das war auch Joseph, dessen rasche Anpassung an die sonnige Unterwelt Ägyptenlandes ebenfalls nicht auf eine bloße Urim-Natur deutet. ›Urim und Tummim‹, das wäre etwa zu übersetzen mit ›Ja – ja, nein‹, also mit einem Ja-Nein, das noch mit dem Vorzeichen eines zweiten Ja versehen ist. Rein rechnerisch gesehen, bleibt da freilich, da ein Ja und ein Nein einander aufheben, nur das zusätzliche Ja übrig; aber das Rein-Rechnerische hat keine Farbe, und zum mindesten läßt solche Mathematik die dunkle Färbung des resultierenden Ja außer acht, die offenbar eine Nachwirkung des rechnerisch doch aufgehobenen Nein ist. – Das alles ist, wie gesagt, verwickelt. Am besten tun wir, zu wiederholen, daß sich in Joseph Leben und Tod zu dem Ergebnis begegneten jener Sympathie, die der tiefere Grund dafür war, daß er von Pharao die Erlaubnis erwirkte, in Menfe, der witzigen Grabes-Großstadt zu wohnen.

Der König, der für die Ewige Wohnung seines ›Alleinigen Freundes‹ zuerst gesorgt hatte (sie war im Bau begriffen), schenkte ihm dort, im teuersten Viertel, ein lachendes Lebenshaus mit Garten, Empfangshalle, Brunnenhof und allen Bequemlichkeiten jener späten Frühe, nicht zu gedenken einer Menge nubischer und ägyptischer Dienerschaft für Küche, Vorzimmer, Stall und Saal, welche die Villa fegten, besprengten, putzten und mit Blumen schmückten, und die – unter wessen oberster Aufsicht standen? Das errät wohl der Unerleuchtetste und schwerfälligst Überlegende unserer Hörer. Denn Joseph hielt treulicher und pünktlicher Wort, als Nefer-em-Wêse, der Mundschenk, es ihm getan hatte; prompt löste er das Versprechen ein, das er jemandem beim Abschied gegeben: daß er ihn nachkommen lassen und zu sich nehmen wolle, wenn er etwa sollte erhöht worden sein, und schon von Theben aus, als er noch dort war, gleich nach der Rückkehr von seiner Musterungsreise, hatte er mit Pharao's Zustimmung an Mai-Sachme, den Hauptmann zu Zawi-Rê, geschrieben und ihn eingeladen, sein Haushalter zu sein und der über seinem Hause, der sich aller Dinge darin annehmen sollte, deren ein Mann, wie Joseph nun war, sich unmöglich annehmen konnte. Ja, der einst den Überblick ausgeübt hatte als Folge-Meier in Peteprê's Haus und dem ein soviel größerer Überblick aufgetragen worden, der hatte nun selbst einen Mann des Überblicks über alles, was sein war, über Wagen und Pferde, Vorratskammern, Tafel und Sklavenvolk, und das war Mai-Sachme, der Ruhige, der nicht erschrocken war, als seines ehemaligen Fronknechts Brief ihn erreicht hatte, einfach, weil ihm überhaupt nicht gegeben war zu erschrecken, der aber, ohne auch nur zu warten, bis der neu ernannte Amtmann über das Gefängnis eingetroffen war, sich in großen Tagereisen nach Menfe hinabbegeben hatte, dieser etwas veralteten und von Theben in Ober-Ägypten überflügelten, aber im Vergleich mit Zawi-Rê immer noch ungeheuer anregenden Stadt, wo einst der vielseitige Imhôtep, der Weise, gewirkt hatte, und wo seinem Verehrer nun ein so schöner Posten winkte. Da stellte er sich sogleich an die Spitze von Josephs Haus, versammelte die Dienerschaft, kaufte ein und stattete aus, so daß jener, als er herabkam von Wêset und Mai-Sachme ihn am schönen Tor der Villa empfing, seine Stätte schon bestens bereitet fand, ganz so, wie es sich für das Lebenshaus eines Großen geziemt. Sogar einen Lazarettsaal für solche, die sich etwa winden und wälzen würden, fand er eingerichtet, und ein pharmazeutisches Stübchen, wo sein Hauswart würde mörseln und mischen können.

Das Wiedersehen war sehr herzlich, obgleich eine Umarmung im Angesicht des zur Begrüßung angetretenen Gesindes natürlich nicht stattfand. Sie hatte stattgefunden ein für allemal damals beim Abschied im einzigen dafür rechten Augenblick, als Joseph nicht mehr Mai-Sachme's Dienstmann und dieser noch nicht der seine gewesen war. Der Vogt aber sagte:

»Willkommen, Adôn, siehe hier: dein Haus. Pharao gab es, und den du bestelltest, bestellt' es ins kleinste. Du darfst nur zum Bade gehen, dich salben lassen und niedersitzen zum Essen. Ich aber danke dir schönstens, daß du meiner gedacht und mich aus der Langenweile gezogen hast, sobald du in der Herrlichkeit saßest, da alles gekommen war, wie deinem Knecht immer geschwant hatte, daß es kommen werde, und daß du mir so belebende Umstände hast zuteil werden lassen, die täglich mir zu verdienen mein ernstliches Bestreben sein wird.«

Und Joseph erwiderte:
»Dank wechselweise auch dir, guter Mann, daß du meinem Rufe folgtest und willst mein Haushalter sein im neuen Leben! Gekommen ist's, wie es kam, weil ich meines Vaters Gott nicht kränkte durch den geringsten Zweifel daran, daß er mit mir sein werde. Nenne dich aber nicht meinen Knecht, denn Freunde wollen wir sein, wie vordem, als ich unter deinen Füßen war, und wollen zusammen durchstehen die guten und bösen Stunden des Lebens, die ruhigen und die erregenden – besonders für die erregenden, die allenfalls kommen werden, brauche ich dich. Für deine genauen Dienste dank' ich im voraus. Sie sollen dich aber nicht in dem Maße verzehren, daß du nicht Muße fändest, die Binse zu führen in deiner Stube, wie du es liebst, und der Geschichte von den drei Liebschaften eine erfreuliche Form zu finden. Groß ist das Schrifttum! Aber größer noch ist es freilich, wenn das Leben selbst, das man lebt, eine Geschichte ist, und daß wir in einer Geschichte sind, einer vorzüglichen, davon überzeuge ich mich je länger, je mehr. Du bist aber mit darin, weil ich dich hineinnahm zu mir in die Geschichte, und wenn in Zukunft die Leute vom Haushalter hören und lesen, der mit mir war und mir zur Hand ging in erregenden Stunden, so sollen sie wissen, daß du es warst, dieser Haushalter, Mai-Sachme, der ruhige Mann.«

Das Mädchen

Im Anfang einst ließ Gott einen tiefen Schlaf fallen auf den Mann, den er in den Garten des Ostens gesetzt hatte, und da der Mann schlief, nahm Gott seiner Rippen eine und schloß ihre Stätte zu mit Fleisch. Aus der Rippe aber baute er ein Weib, in der Erwägung, es tue nicht gut, daß der Mensch allein sei, und brachte sie zum Menschen, daß sie um ihn sei, ihm zur Gesellschaft und zur Gehilfin. Und es war sehr gut gemeint.
Die Zubringung wird von den Lehrern gar herrlich ausgemalt – so und so, lehren sie, sei es dabei zugegangen, und tun, als müßten sie's wissen, – mag übrigens sein, sie wissen es wirklich. Gott wusch das Weib, so versichern sie, er wusch sie rein (denn etwas klebrig war sie wohl noch, die ehemalige Rippe), salbte sie, schminkte ihr Angesicht, kräuselte ihr Haar und schmückte sie auf ihr dringliches Verlangen an Haupt, Hals und Armen mit Perlen und köstlichen Steinen, darunter Sarder, Topas, Demant, Jaspis, Türkis, Amethyst, Smaragd und Onyx. So aufgeschönt brachte er sie vor Adam mit einem Geleit von Tausenden von Engeln, unter Liedern, Gesängen und Saitenspiel, um sie dem Manne anzuvertrauen. Da gab es ein Fest und ein Mahl, will sagen: ein Festmahl, an dem, wie es scheint, Gott selber leutselig

teilnahm, und die Planeten führten einen Reigen auf, zu welchem sie selbst die Musik machten.
Das war das erste Hochzeitsfest, aber wir hören nicht, daß es auch gleich schon eine Hochzeit gewesen sei. Zur Gehilfin hatte Gott das Weib für Adam gemacht, einfach nur, damit sie um ihn sei, und hatte sich offenbar nichts weiter dabei gedacht. Daß sie mit Schmerzen Kinder gebären solle, dazu verflucht' er sie erst, nachdem sie mit Adam vom Baum gegessen hatte und ihrer beider Augen aufgetan worden waren. Zwischen dem Fest der Zuführung und dem, daß Adam sein Weib erkannte und sie ihm den Ackersmann und den Schäfer gebar, in deren Spuren Esau und Jaakob wandelten, – dazwischen kommt erst noch die Geschichte vom Baum und der Frucht und der Schlange und der Erkenntnis von Gut und Böse – und auch für Joseph kam sie zuerst daran. Auch er erkannte das Weib erst, nachdem er zuvor gelernt hatte, was Gut und Böse ist: von einer Schlange, die ihn für ihr Leben gern gelehrt hätte, was sehr, sehr gut ist, aber böse. Er aber widerstand ihr und hatte die Kunst, zu warten, bis es gut war und nicht mehr böse.
Der armen Schlange auch hier wieder zu gedenken, kann niemand umhin, wo die Sonnenuhr die Stunde von Josephs Hochzeit zeigt, die er mit einer anderen beging, und tat Haupt und Füße mit ihr zusammen – statt mit jener. Absichtlich, um weit verbreiteter Wehmut vorzubeugen, haben wir der andren schon vorher, an schicklichem Platze, gedacht und wissen lassen, daß sie wieder zur kühlen Mondnonne geworden war, die das Ganze längst nichts mehr anging. Die stolze Bigotterie, der sie sich wieder ergeben, mag die Bitterkeit hintanhalten, die sonst uns alle heute wohl ankommen würde um ihretwillen. Auch war es gut für ihre Seelenruhe, daß Joseph nicht zu Theben, in ihrer Nähe, sondern fern in seinem Hause zu Menfe Hochzeit hielt, wohin Pharao, der diese Sache von Anfang an eifrig betrieben hatte, eigens herunterkam, um in Person teilzunehmen am Festmahl und am Planetenreigen. Er spielte recht eigentlich die Rolle Gottes in dieser Sache, angefangen von der Überlegung, es sei nicht gut, daß der Mann allein sei; denn gleich hatte er dem Joseph verkündet, welche Annehmlichkeit es sei, verheiratet zu sein, wobei er allerdings, ungleich Gott, aus Erfahrung sprach, denn er hatte ja Nofertiti, sein Morgenwölkchen, goldumsäumt. Gott aber war immer allein gewesen und sorgte nur für den Menschen. Ganz ähnlich wie er aber sorgte Pharao für Joseph und hatte, sobald er ihn erhöht, angefangen, sich nach einer Staatsheirat für ihn umzusehen, die eine solche eben sein mußte, das heißt: sehr vornehm und staatsklug berechnet, dabei aber erquicklich, was nicht leicht zu vereinigen war. Aber wie Gott dem Adam, beschaffte er seinem Geschöpfe die Braut, führte sie ihm zu unter

Harfen- und Cymbelklang und nahm selbst an der Hochzeit teil.
Wer war nun diese Braut, Josephs Gemahl, und wie hieß sie? Jedermann weiß es, aber das mindert um nichts den Genuß, mit dem wir es aussagen, noch haben wir die leiseste Sorge, daß es die Freude der Hörer vermindern könnte darüber, es neu zu erfahren. Außerdem hat mancher es wohl gar vergessen, weiß nicht mehr, daß er's weiß, und wüßte gar nicht Antwort zu geben. Es war *Asnath*, das Mädchen, die Tochter des Sonnenpriesters zu On.
So hoch hatte Pharao gegriffen bei seiner Wahl – er hätte nicht höher greifen können. Die Tochter des Ober-Hausbetreters des Rê-Horachte zu heiraten galt für etwas nahezu Unerhörtes und grenzte ans Sakrileg, – obgleich natürlich auch wieder das Mädchen zur Ehe und Mutterschaft bestimmt war und niemand wünschte, daß sie unvermählt und verschlossen bliebe. Dennoch stand derjenige, der sie bekam, auf irgendeine – zwar notwendige und wünschenswerte, aber doch dunkle, der Untat nahe kommende Weise – als Räuber da. Sie wurde nicht hingegeben, sie wurde geraubt – das war die Ansicht und Denkungsweise in ihrem Fall, auch wenn alles dabei ganz ordnungsmäßig und nach bester Verabredung vor sich ging, und es gab kein zweites Paar Eltern in der Welt, das aus dem Übergange ihres Kindes in die Hände eines Gatten ein solches Aufhebens machte. Besonders die Mutter war oder stellte sich völlig verzweifelt und außer sich; sie konnte nicht genug die Unfaßlichkeit des Ereignisses betonen, rang die Hände und gab sich eine Miene, als sei sie selbst vergewaltigt worden oder sollte es werden, weshalb unter den ihr bei dieser Gelegenheit zukommenden Äußerungen auch – freilich mehr zeremonielle als ernst gemeinte – Racheschwüre waren.
Dies alles aber kam daher, daß das Mädchentum der Sonnentochter mit einem besonderen Panzer und Schilde der Heiligkeit und einer – im Grunde doch zur Berührung bestimmten – Unberührbarkeit umkleidet war. Von Jungfräulichkeit umgürtet wie keine sonst, war sie die Jungfrau der Jungfrauen, das Mädchen ganz insbesondere, der Inbegriff des Mädchens. Der Gattungsname wurde ihr geradezu zum Eigennamen: ›Mädchen‹ wurde sie genannt und gerufen ihr Leben lang, und der Gemahl, der ihre Magdschaft brach, der Mädchenräuber, beging nach allgemeiner Auffassung ein göttliches Verbrechen – wobei die Hauptbezeichnung durch das Beiwort gemildert, veredelt und gewissermaßen aufgehoben wurde. Doch blieb das Verhältnis des Schwiegersohns zu den Eltern des Mädchens, besonders zur händeringenden Mutter, mochte es sich im Privaten auch durchaus freundschaftlich gestalten, nach außen hin immer gespannt; in gewissem Sinne willigten jene niemals darein, daß die Tochter eigentlich dem

Gatten gehöre, und in den Ehevertrag war sogar regelmäßig die Auflage eingeschlossen, daß das Kind nicht allezeit an der Seite des düsteren Räubers wohnen, sondern für einen gewissen, gar nicht geringen Teil des Jahres zu den Sonneneltern zurückkehren solle, um wieder als Jungfrau bei ihnen zu leben, – eine Bedingung, die nicht immer wörtlich, sondern meist nur andeutungsweise, in Gestalt von Besuchen der Gattin im Elternhause, wie sie sonst auch gang und gäbe sind, eingehalten wurde.

Dies alles bezog sich, wenn das hochpriesterliche Paar mehrere Töchter hatte, vorzüglich auf die Erstgeborene und nur in abgeschwächtem Maß auch auf die jüngeren. Asnath aber, sechzehnjährig, war die Einzige – und da kann man sich denken, was für eine göttliche Untat und Räuberei es war, sie zu heiraten! Ihr Vater, Horachte's Groß-Prophet, war natürlich derselbe nicht, der zur Zeit von Josephs erstem Besuche zu On, mit den Ismaelitern, ein milder Greis, den goldenen Stuhl am Fuße des großen Obelisken vor der geflügelten Sonnenscheibe eingenommen hatte. Es war sein erwählter Nachfolger, auch gütig-mild und heiter – so hatte jeder Diener des Atum-Rê von Amtes wegen zu sein, und wenn er es von Natur nicht war, so verhalf ihm notwendige Verstellung dazu, daß es ihm zur Natur wurde. Der Zufall wollte es bekanntlich, daß dieser ebenso hieß wie Josephs Käufer, der Höfling des Lichtes, nämlich Potiphera oder Petepré, – und wie hätte ein Mann seiner Stellung richtiger heißen können als so: ›Die Sonne hat ihn geschenkt‹? Sein Name spricht dafür, daß er für dieses Amt geboren und dafür vorbestimmt war. Vermutlich war er der Sohn jenes Greisen im Goldkäppchen und Asnath also dessen Enkelin. Was ihren Namen anging, den sie Ns-nt schrieb, so hing er mit dem der Göttin Neith von Sais im Delta zusammen; er bedeutete ›Die der Neith Gehörige‹, und das ›Mädchen‹ war also eine erklärte Schutzbefohlene dieser Gewappneten, deren Fetisch ein Schild mit zwei kreuzweise darauf genagelten Pfeilen war und die auch in Menschengestalt ein Pfeilbündel auf dem Kopfe zu tragen pflegte.

So tat auch Asnath. Ihr Haar oder die stilisierte Kunstperücke darüber, deren Arbeit es hierzulande immer ein wenig unentschieden ließ, ob es sich um ein Kopftuch oder eine Haartour handelte, war jederzeit mit entweder durchgesteckten oder obenauf befestigten Pfeilen geschmückt; und was den Schild, ein treffendes Bild ihrer außerordentlichen Jungfräulichkeit, betraf, so kehrte er oftmals in ihrem Schmucke wieder, der am Halse, am Gürtel und an den Armen wiederholt die Form dieses Zeichens der Undurchdringlichkeit nebst den gekreuzten Pfeilen zeigte.

Bei all dieser Wehr und äußerlich betonten Stech-Bereitschaft nun aber war Asnath ein sowohl liebreizendes wie höchst gutartiges, sanftes und fügsames, in den Willen ihrer vornehmen Eltern, in

den Pharao's und dann in den ihres Gatten bis zur eigenen Willenlosigkeit ergebenes Kind, und gerade die Vereinigung heilig-spröder Versiegeltheit mit einer ausgesprochenen Neigung zum Mit-sich-geschehen-Lassen und zum duldenden Hinnehmen ihres weiblichen Loses war das Kennzeichen für Asnaths Charakter. Ihr Gesicht war von typisch-ägyptischer Bildung, feinknochig, mit etwas vorgebautem Unterkiefer, entbehrte aber nicht eines persönlichen Gepräges. Noch waren die Wangen kindlich voll, voll auch die Lippen mit einer weichen Vertiefung darunter zwischen Mund und Kinn, die Stirne rein, das Näschen allenfalls etwas zu fleischig, der Blick der großen, schön ummalten Augen von einem eigentümlich starren, lauschenden Ausdruck, ein wenig wie bei Tauben, ohne daß sie im entferntesten taub gewesen wäre: es malte sich in diesen Blicken nur innere Gewärtigkeit, das Horchen auf einen vielleicht bald erschallenden Befehl, eine dunkel-aufmerksame Bereitschaft, den Ruf des Schicksals zu vernehmen. Das beim Sprechen immer sich zeigende Grübchen in einer Wange stand in entschuldigendem Gegensatz dazu – und das Ganze war einmalig-lieblich.
Lieblich und gewissermaßen einmalig war auch ihr Körperbau, der durch die gesponnene Luft ihrer Kleidung schien, ausgezeichnet durch eine von Natur ausnehmend schmal und wespenartig eingezogene Taillengegend mit entsprechend ausladendem Bekken und langer Bauchpartie darunter, einem gebärtüchtigen Schoß. Ein starrender Busen und Arme von schlankem Ebenmaß mit großen Händen, die sie gern völlig ausgestreckt trug, vollendeten das bernsteinfarbene Bild dieser Jungfräulichkeit.
Unter Blumen führte Asnath, das Mädchen, bis zu ihrem Raube ein blumenhaftes Dasein. Ihr Vorzugsaufenthalt war das Ufer des Heiligen Sees im Tempelbezirk ihres Vaters, wo ein welliges Wiesenland war, blumenreich, Narzissen und Anemonen wuchsen dort teppichgleich, und nichts liebte sie mehr, als mit ihren Gespielinnen, Priestertöchtern und Töchtern der Großen von On, auf dieser Aue am spiegelnden Wasser zu wandeln, zu pflücken und kränzewindend im Grase zu sitzen, den horchenden Blick unter erhobenen Brauen ins Weite gerichtet, das Grübchen dabei in der Wange, der Dinge wartend, die da kommen sollten. Und diese kamen; denn eines Tages waren Pharao's Boten da, die von dem schwer nickenden Vater Potiphera, der händeringenden und ganz verständnislosen Mutter die Schildjungfrau zum Weibe forderten für Djepnu-teefonech, den Vize-Horus, den Schattenspender des Königs. Sie selbst warf, geleitet von der Idee ihrer Existenz, die Arme zum Himmel empor, hilfeheischend, als griffe jemand sie um die schmale Leibesmitte und risse sie in ein Raubgefährt.
Dies alles war Mummenschanz und ein nur von Übereinkunft

diktiertes Gebaren; denn nicht nur waren Pharao's Wunsch und Werbung Befehl, sondern die Heirat mit seinem Günstling, des Königs Oberstem Mund, war auch ehrenvoll und erwünscht; das Elternpaar hätte für sein Kind nicht höher greifen können, als Pharao gegriffen hatte für Joseph, und zur Verzweiflung lag gar kein Grund vor, nicht einmal zu einem Kummer, der über das natürliche Leidwesen von Eltern hinausgegangen wäre, die ihr einzig Kind in die Ehe entlassen. Es mußte eben nur von Asnaths Mädchentum und ihrem Raube soviel Wesens wie möglich gemacht und der Bräutigam als eine sehr dunkle Erscheinung hingestellt werden, ob sich das Erzeugerpaar gleich an dem Zusammentreffen hätte freuen können und sich auch wohl wirklich daran freute — denn Pharao hatte es sie ausdrücklich wissen lassen —, daß Jungfräulichkeit sich hier der Jungfräulichkeit gesellte, und daß der Bräutigam selbst in seiner Art eine Jungfrau war, ein lange Beeiferter und Vorbehaltener und eine Braut, aus der nun der Freier hervortrat. Daß dies geschah, das hatte er abzumachen mit seines Vaters Gott, dem Bräutigam seines Stammes, dessen Eifer er so lange geschont hatte und nun also nicht mehr schonte, oder nur insofern schonte, als er eine besonders und exemplarisch jungfräuliche Heirat einging — wenn das eine Einschränkung ist. Es hätte wohl keinen Sinn, uns Sorgen deswegen zu machen trotz aller Implikationen, die dem Schritt anhafteten; denn Joseph schloß ja eine ägyptische Heirat, eine Heirat mit Scheol, eine Ismael-Heirat, nicht ohne Vorbild also, aber immerhin von bedenklichem Vorbild und all der Nachsicht bedürftig, deren er sich, wie es scheint, zutraulich versichert hielt. Die Lehrer und Ausdeuter haben vielfach Anstoß daran genommen und die Tatsache verschwinden zu lassen gesucht. Sie haben es um der Reinheit willen so hingestellt, als sei Asnath gar nicht das rechte Kind Potiphera's und seines Weibes gewesen, sondern ein Findelkind, und zwar das ausgesetzte und in einem Korbe angeschwemmte Kind von Jaakobs einst verstoßener Tochter Dina, so daß Joseph also seine Nichte geehelicht hätte, wodurch aber die Sache darum nicht sonderlich gebessert würde, weil diese Nichte ja zur Hälfte das Fleisch und Blut des zappligen Sichem war, eines baalgläubigen Kannaaniters. Überdies darf uns die Ehrfurcht vor den Lehrern nicht hindern, die Geschichte von Dina's Schilfkind für das zu erklären, was sie ist, nämlich für eine Interpolation und fromme Finte. Asnath, das Mädchen, war des Potiphera und seines Weibes rechtes Kind, ein rein ägyptisches Blut, und die Söhne, die sie dem Joseph schenken sollte, die Stammhalter Ephraim und Manasse, waren schlecht und recht ägyptisches Halbblut — man denke nun darüber, wie man wolle. Auch war das nicht einmal alles. Denn durch seine Heirat mit der Sonnentochter trat Israels Sohn in ein nahes Verhältnis zum

Tempel des Atum-Rê, ein priesterliches Verhältnis, wie das auch in den Absichten Pharao's gelegen hatte, als er diese Heirat einleitete. Es war fast nicht denkbar, daß ein Mann in so hohem Staatsamte wie Joseph nicht auch zugleich eine höhere priesterliche Funktion hätte ausüben und Tempeleinkünfte hätte beziehen sollen, und beides tat Joseph als Asnaths Gemahl, man mache daraus, was man kann: er wurde, wenn man es kraß ausdrücken will, zum Inhaber einer Götzenpfründe. Zu seiner Staatsgarderobe gehörte fortan das priesterliche Leopardenfell, und unter Umständen kam er in die Lage, amtlich vor einem Bilde, dem Falken Horachte mit der Sonnenscheibe auf dem Kopf, zu räuchern.

Die wenigsten haben sich seither diese Dinge klargemacht, und sie bei Namen nennen zu hören mag manchem durch und durch gehen. Aber für Joseph war offenbar die Zeit der Erlaubnisse gekommen, und man kann sich darauf verlassen, daß er mit demjenigen, die ihn von den Seinen abgesondert, ihn nach Ägypten verpflanzt und dort hatte groß werden lassen, über all dies ins reine zu kommen wußte. Vielleicht setzte er bei diesem die Zustimmung zur Philosophie des Dreiecks voraus, nach welcher ein Opfer an des verbindlichen Horachte Alabastertisch keinen Raub an irgendeiner anderen Gottheit bedeutete. Schließlich handelte es sich nicht um den erstbesten Tempel, sondern um den des Herrn des weiten Horizontes, und Joseph mochte es sich so zurechtlegen, daß es geradezu ein Fehler und eine Narrheit, das heißt: eine Sünde gewesen wäre, dem Gott seiner Väter einen engeren Horizont vorzuschreiben als dem Atum-Rê. Und ganz zuletzt darf man nicht vergessen, daß aus diesem Gotte kürzlich der Atôn hervorgetreten war, zu dem man, nach Josephs Übereinkunft mit Pharao, nur recht betete, wenn man ihn nicht den Atôn, sondern den *Herrn* des Atôn, und nicht ›unsern Vater *am* Himmel‹, sondern ›unsern Vater *im* Himmel‹ nannte. Darauf mochte der von Hause Abgesonderte und in der Fremde Großgewordene sich berufen, wenn er bei bestimmten, übrigens nicht häufigen, Gelegenheiten sein Leopardenfell anlegte und räuchern ging.

Es hatte eine eigentümliche Bewandtnis mit Rahels Erstem, Jaakobs verfremdetem Liebling. Die Indulgenz, die ihm gewährt wurde, trug einer Weltlichkeit Rechnung, die es ihrerseits verhinderte, daß es je zu einem ›Stamm Joseph‹ kommen sollte, wie doch sogar zu einem Stamme Issakhar, Dan und Gad. Seine Rolle und Aufgabe im Plan war die des in die große Welt versetzten Bewahrers, Ernährers und Erretters der Seinen, wie wir sehen werden, und alles spricht dafür, daß er sich dieses Auftrages bewußt war, ihn jedenfalls im Gefühl hatte und seine weltlich-verfremdete Lebensform nicht als die eines Ausgestoßenen, sondern eben nur als eines zu bestimmten Zwecken Abgesonderten verstand, und daß hierauf sein Vertrauen auf die Nachsicht des Herrn der Pläne sich gründete.

Joseph macht Hochzeit

Asnath, das Mädchen, denn also wurde mit vierundzwanzig ausgesuchten Sklavinnen hinaufgesandt nach Menfe in Josephs Haus zur jungfräulichen Hochzeit, und auch die hochpriesterlichen Eltern, tief gebeugt von wegen des unfaßlichen Raubes, reisten von On hinauf, gleich wie Pharao selbst hinabkam von Nowet-Amun, um teilzunehmen an den Mysterien dieser Eheschließung, seinem Günstling selbst die rare Braut zu überhändigen und, ein erfahrener Ehemann, ihn dabei aufs neue der Annehmlichkeiten zu versichern, die das Verheiratetsein mit sich brachte. Es ist zu sagen, daß zwölf der jungen und schönen Dienerinnen, die mit Asnath kamen und mit ihr in den Besitz des Dunklen Bräutigams übergingen, so daß man unwillkürlich an das Gefolge denken muß, das früher lebendig mit in das Grab des Königs eingeschlossen worden war: daß also zwölf von den vierundzwanzig zum Jauchzen, Blumenstreuen und Musizieren da waren, die anderen zwölf aber zum Wehklagen und Brüsteschlagen; denn die Hochzeitszeremonien, wie sie in Josephs Ehrenhaus, besonders im fackelerleuchteten Geviert des Brunnenhofes sich abspielten, um den alle Wohnräume gelagert waren, – diese Begehungen hatten einen starken Einschlag von Begräbnis, und wenn wir nicht mit letzter Genauigkeit darauf eingehen, so geschieht es aus einer Art von Rücksicht auf den alten Jaakob daheim, der so ganz irrtümlich seinen Liebling, dauernd siebzehnjährig, im Tode geborgen glaubte, und über sehr vieles, was hier bei seiner Hochzeit angestellt wurde, die Hände über dem Kopf zusammengeschlagen hätte. Es hätte seine ehrwürdigen Vorurteile gegen ›Mizraim‹, das Land des Schlammes, bestätigt, und diese eben sind es, die wir gewissermaßen zu schonen meinen, wenn wir die Begehungen lieber nicht mit der Ausführlichkeit schildern, die einer Gutheißung gleichkäme.
Hinter seinem Rücken kann man zugeben, daß eine gewisse Verwandtschaft besteht zwischen Hochzeit und Tod, Brautgemach und Grab, dem Raub der Jungfräulichkeit und Mord, – weshalb denn auch der Charakter eines gewalttätig entführenden Totengottes von keinem Bräutigam ganz zu entfernen ist. Gewiß, die Ähnlichkeit zwischen dem Schicksal des Mädchens, das, ein verschleiertes Opfer, die ernste Lebensgrenze zwischen Magdtum und Weibtum überschreitet, und dem des Saatkorns, das in die Tiefe versenkt wird, um dort zu verwesen und aus der Verwesung als ebensolches Korn, jungfräulich aufs neue ans Licht zu-

rückzukehren, diese Ähnlichkeit ist zuzulassen; und die von der Sichel dahingemähte Ähre ist ein schmerzliches Gleichnis für das Hinweggerissenwerden der Tochter aus den Armen der Mutter – die übrigens auch einmal Jungfrau und Opfer war, auch mit der Sichel gemäht wurde und ihr eigenes Schicksal in dem der Tochter wiedererlebt. So spielte denn auch die Sichel bei der vom Haushalter Mai-Sachme besorgten Ausschmückung der Festräume, namentlich des von einem Säulengang umlaufenen Brunnenhofs, eine hervortretende Rolle, die man sinnig nennen mag; und eine ebensolche spielte bei den Aufführungen, die vor und nach dem Hochzeitsmahl den Gästen geboten wurden, das Korn, das Getreide, das Saatgut: Männer streuten es auf die Fliesen aus und gossen unter bestimmten Anrufungen Wasser nach aus den Kannen, die sie mitführten; Frauen trugen Gefäße auf dem Kopf, die einerseits mit Samen gefüllt waren und in deren anderem Abteil ein Licht brannte. Denn das Fest war abendlich, und daß es viel Fackellicht gab in den mit bunten Webereien ausgehangenen und überall mit Myrtengrün geschmückten Räumen lag in der Natur der Dinge. Aber von diesen Bränden, an die sich ja fast unvermeidlich die Vorstellung knüpft, daß sie bestimmt sind, Gelasse zu beleuchten, in die das Tageslicht nicht dringt, war hier ein so überreichlicher und betonter Gebrauch gemacht, daß er den praktischen Zweck überschritt und deutlich mit der berührten Vorstellung zu tun hatte. Die Brautmutter, Potiphars Weib, wenn man sie, ohne Verwirrung zu stiften, so nennen darf, – ganz in ein dunkel veilchenfarbenes Gewand gehüllt und von tragischer Erscheinung –, trug zeitweise in jeder Hand eine Fackel oder zweie in einer Hand, und Fackelträger waren alle Personen, Männer und Frauen, die an dem großen Auf- und Umzuge teilnahmen, der, Hauptakt der ganzen Feierlichkeiten, durch alle Gemächer des Hauses ging und sich dann im Brunnenhof, wo Pharao als höchster Gast in überlässiger Haltung zwischen Joseph und der ebenfalls violett verschleierten Asnath saß, zu einem kunstreichen und wirklich sehenswerten Fackeltanz entwickelte oder vielmehr: verwickelte; denn der qualmig-flammende Reigen ging in neunfacher Spirale, in der Richtung nach links sich bewegend, um den Mittelpunkt des Brunnens herum; und daß dabei ein rotes Seil, alle Windungen des drehenden Labyrinths verfolgend, durch die Hände der Tanzenden lief, hinderte diese nicht, ihre Darbietungen mit einem wahren Fackelspiel und Feuerwerk der Geschicklichkeit zu krönen, indem sie die Leuchten kreuz und quer und oft vom Innersten der Schraube nach ihrem Rande hin tauschweise einander zuwarfen, ohne daß ein einziges Mal ein fliegendes Feuer sein Ziel verfehlt hätte und zu Boden gefallen wäre.

Man muß das gesehen haben, um die Versuchung mitzufühlen,

ausführlicher darüber zu berichten, als mit unserem Vorsatz übereinkommen mag, bei der Schilderung von Josephs Hochzeit Zurückhaltung zu beobachten – aus schonender Rücksicht auf einen Alten, der, wenn er zugegen gewesen wäre, sich über manches entsetzt hätte, was hier geschah. Aber er war ja fern und geborgen in der Vorstellung von Josephs ewiger Siebzehnjährigkeit. Auch hätte er an dem geschickten Fackelspiel, rein als Anblick genommen, gewiß sein Wohlgefallen gehabt, wenn auch an anderem nicht. Sein Sinn war väterlich, und er hätte es, um nur ein mäßiges Wort zu gebrauchen, mißbilligt, daß bei seines Sohnes Hochzeitszeremonien das Mütterliche, die angeblich beraubte und in ihrer Tochter selbst geraubte, zürnende und drohende Mutter des Mädchens Asnath eine so vordringliche Rolle spielte. Dies zeigte sich unter anderem darin, daß auch die an dem Spiral-Tanz und an dem großen Aufzug beteiligten Männer und Jünglinge, wenigstens die Mehrzahl von ihnen, als Weiber gekleidet waren, nämlich so, wie die Braut-Mutter, – was natürlich in des frommen Jaakob Augen ein Baalsgreuel gewesen wäre. Offenbar betrachteten sie sich als jene, gingen mit ihrer Persönlichkeit ein in die ihre; denn dasselbe veilchenfarbene Schleiergewand, das die Grollende trug, wallte ihnen herab, und auch Groll gaben sie kund, indem sie öfters, die Fackel in die linke Hand nehmend, die rechte Faust drohend schüttelten, was sich um so schreckhafter ausnahm, als sie Masken vor den Gesichtern trugen, die nun freilich keine Ähnlichkeit mit dem Matronen-Antlitz von Potiphera's Gattin, sondern einen Ausdruck zeigten, daß man bei ihrem Anblick hätte erstarren mögen, gräßlich aus Wut und Gram gemischt – und dazu das Schütteln der Fäuste. Außerdem hatten viele sich unter dem Trauergewand den Leib ausgestopft, als wären sie in vorgeschrittenen Umständen – stellten also die Mutter dar, wie sie das Mädchen-Opfer noch unter dem Herzen trug – oder wie sie es wieder dort trug – oder wie dieses ein neues Opfer-Mädchen dort trug, – darüber hätten sie wohl selbst genaue Rede nicht stehen können.

Männer und Jünglinge, die sich den Leib erhöhen – das wäre nun freilich nichts für Jaakob ben Jizchak gewesen – noch wünschen wir, unsere Ausführlichkeit darüber ohne weiteres als Gutheißung gedeutet zu sehen. Aber für Joseph, den ins Weltliche Abgesonderten, war nun einmal die Zeit der Lizenzen gekommen; seine Hochzeit selbst war *eine* große Lizenz, und im Geist der Erlaubnis und der Nachsicht, der die Stunde bestimmt, berichten wir von ihren Einzelheiten.

Diese also waren teils fröhlich-ausgelassen, teils begräbnismäßig, – wie ja wirklich das Myrtenlaub, mit dem alle Festteilnehmer, gleich den Festräumen, geschmückt waren (sie trugen zum Teil ganze Bündel davon in Händen), den Liebesgöttern und den Toten zugleich gehört. In dem großen Umzuge gab es ebenso viele, die unter Schallbecken- und Cymbelklang jauchzende Freude an den Tag legten, wie solche, die sich nach allen Regeln des Ausdrucks klage- und jammervoll gebärdeten, genau als schritten sie in einem Leichenzug. Man muß aber hinzufügen, daß Freude und Trauer des Festvolkes verschiedene Stufen einhielten. Was die Trauer anging, so gefielen sich gewisse Gruppen nur darin, einen Zustand der Wanderschaft und des Umherirrens anzudeuten: Reisesäcke auf den Rücken, gestützt auf Wanderstäbe, tappten sie in einer gewissen Trostlosigkeit an dem Königssitz, dem Hochzeitspaar, den hochpriesterlichen Eltern vorüber, ohne geradezu zu wehklagen und sich Tränen zu erpressen. So aber ließen sich auch in der dargestellten Heiterkeit verschiedene Grade beobachten. Sie hatte zum Teil bedeutend-würdige Formen, und ansprechend war es zu sehen, wie mehrmals die Leute schöne irdene Krüge vor den Ehrensitzen aufstellten und sie feierlich nach Osten und Westen umstürzten, indem sie im Chore sprachen – die einen: »Ergieße dich!«, die andren: »Empfange den Segen!« Soweit gut. Aber sehr oft – und im Laufe des Abends je mehr und mehr, nahmen Freude und Lachen einen Charakter an, worin der eigentliche Hintergedanke eines Hochzeitsfestes, der Gedanke an Natürlich-Bevorstehendes, sich derb durchdrängte, und man kann es so fassen, daß die Idee verfluchten Raubes und Mordes und diejenige der Fruchtbarkeit einander im Punkte des Unzüchtigen begegneten, so daß die Luft voll war von Anzüglichkeiten, Zwinkern, schlüpfrigen Verständigungen und lautem Gelächter über leise geäußerte Unanständigkeiten. Im Festzuge wurden auch einige Tiere mit herumgeführt: ein Schwan und ein Roß, bei deren Anblick die Brautmutter sich dichter mit ihrem Purpurschleier verhüllte. Aber was soll man dazu sagen, daß unter diesen Geschöpfen sich auch eine trächtige Sau befand, die überdies geritten wurde – und zwar von einer dicken, halbentblößten Alten von zweideutiger Physiognomie, die sich unaufhörlich in schamlosen Scherzen erging? Dies anstößige alte Weib auf der Sau spielte eine vertraute, beliebte und wichtige Rolle bei der ganzen Veranstaltung und hatte sie schon vorher gespielt; denn sie war mit Asnaths Mutter von On gekommen und hatte ihr schon auf der Reise ständig mit lasziven Späßen in den Ohren gelegen, um die Gramvolle zu erheitern. Dies war ihr Amt und ihre Rolle. Sie hieß ›die Trösterin‹ – der Name wurde ihr in populärer Laune von allen Seiten zugerufen, und sie beantwortete ihn mit groben Gebärden. Während der ganzen Feier wich sie kaum von der Seite der grundsätzlich Untröstlichen, immer bemüht, sie dennoch zu trösten, das heißt: mit zugeraunten Zoten, worin sie unerschöpflich war, zum Lachen zu bringen. Und es gelang ihr auch, weil es ihr gelingen sollte: die beleidigte und zürnend-verzweifelte Mutter lachte wirklich bei ihrem Geflüster von Zeit zu Zeit in die Falten ihres Trauergewandes, und wenn dies geschah, lachte alles Festvolk mit und spendete der ›Trösterin‹ Beifall. Da nun aber Jammer und Zorn der Mutter größtenteils auf Konvention beruhten und nur dargestellt wurden, so ist anzunehmen, daß auch ihr Kichern nichts als ein Zugeständnis an die Sitte bedeutete, während sie, wenn es nach ihr gegangen wäre, sich von den Heimlichkeiten der ›Trösterin‹ nur angewidert gefühlt hätte. Höchstens in dem Maße mochte ihre Erheiterung ungeheuchelt sein, wie der natürliche und nicht mythisch übertriebene Kummer einer Mutter es ist, die ihre Tochter an einen Gatten verliert.

Jedenfalls versteht man nach alledem unseren Vorsatz, über die Einzelheiten von Josephs Hochzeitsfeier nicht zu ausführlich zu sein. Mit Gutheißung hat es nichts zu tun, wenn wir den Vorsatz verletzten. Auch blieb das junge Paar selbst, das sich auf Pharao's Knien die Hände reichte, von dem ganzen Spektakel fast unberührt und sah vielmehr einander an, als daß es auf die unvermeidlichen Umständlichkeiten des Festes geachtet hätte. Joseph und Asnath waren einander vom ersten Augenblick an sehr zugetan und ein Wohlgefallen das eine dem anderen. Selbstverständlich steht bei einer solchen von anderen beschlossenen Staatsheirat die Liebe nicht am Anfang der Dinge; sie hat sich zu finden und findet sich mit der Zeit zwischen gut gearteten Wesen. Ihr den Weg zu bereiten ist schon das bloße Bewußtsein gegebener Zusammengehörigkeit sehr hilfreich, aber in diesem Fall waren die Umstände ihrer Entstehung ausnehmend günstig. Ein gut Stück über die duldende Willenlosigkeit ihrer Natur hinaus war Asnath, das Mädchen, einverstanden mit ihrem Lose, das heißt: mit der Person des Räubers und Mörders ihrer Jungfräulichkeit, der sie um die eigens dazu eingerichtete schmale Leibesmitte faßte und in sein Reich riß. Der dunkelschöne, kluge und freundliche Günstling Pharao's erregte ihr ein Wohlgefallen, dessen Fähigkeit, sich zu innigerer Verbundenheit auszubilden, ihr nicht zweifelhaft war, und der Gedanke, daß er der Vater ihrer Kinder sein sollte, war einer Muschel gleich, in der die Perle der Liebe wächst. Nicht anders war es mit Joseph, dem Abgesonderten, in seinem Zustande außerordentlicher Lizenz. Er bewunderte Gott wegen der großzügig-weltlichen Vorurteilslosigkeit dieser Zuweisung – als ob die ewige Weisheit damit nicht eben nur seiner eigenen Weltlichkeit Rechnung getragen hätte – und stellte es Ihm anheim, wie Er die heikle Frage des Verhältnisses der Scheolskinder, die aus dieser Zuweisung erwachsen mochten, zu dem erwählten Stamm daheim zu ordnen gedachte. Aber dem aus der Jungfrau hervortretenden Freier ist nicht zu verargen, daß seine Gedanken weniger auf die zu erwartenden, aus Gott und

Welt gemischten Kinder gerichtet waren, als auf die bisher verbotenen Neuigkeiten, denen sie allenfalls ihre Entstehung zu danken haben würden. Was einst böse gewesen war und nicht hatte stattfinden dürfen, sollte nun gut sein. Betrachte aber das Wesen, durch das das Böse gut wird, betrachte es, namentlich wenn es so lauschende Augen und eine so lieblich bernsteinfarbene Gestalt hat wie Asnath, das Mädchen, und du wirst fühlen, daß du es lieben wirst, ja, daß du es schon liebst.

Pharao schritt zwischen ihnen, als am Ende des Festes der neu geordnete Fackelzug, in dem nun alle Gäste mitgingen, unter Jauchzen, Klagen, Myrtenstreuen und dem Fäuste-Schütteln der Mutter-Masken den Weg zum Brautgemach antrat, wo den Neuvermählten aufgebettet worden war mit Blumen und feinen Gespinsten. Die Sau-Reiterin stand schräg hinter der Gattin des Sonnenpriesters, als das Elternpaar, Sprüche murmelnd, an der Schwelle von Asnath, dem Mädchen, Abschied nahm, und raunte der Zürnend-Verzweifelten über die Schulter dergleichen zu, daß sie unter Tränen lachen mußte. Und ist es nicht auch zum Lachen und Weinen, was die körperliche Natur nach gebräuchlichem Schema den Menschen zugedacht hat, daß sie die Liebe besiegeln, oder, im Fall einer Staatsheirat, sich lieben lernen? Das Lächerliche und das Erhabene schwankten schattenhaft ineinander im Ampelschein auch während dieser Hochzeitsnacht, wo Jungfräulichkeit auf Jungfräulichkeit traf und Kranz und Schleier zerrissen — ein schwierig Zerreißungswerk. Denn eine Schildmagd war es, die die dunklen Arme umfingen, genannt ›Das Mädchen‹, eine hartnäckige Jungfrau, und in Blut und Schmerzen ward Josephs Erster gezeugt, Manasse, was da bedeutet: ›Gott hat mich vergessen lassen all meine Bindungen und mein Vaterhaus‹.

Trübungen

Es war das Jahr Eins der fetten Kühe und prallen Ähren — man zählte wohl sonst die Jahre von der Thronbesteigung des Gottes an, jetzt aber begann unter den Kindern Ägyptens diese Bezifferung nebenherzulaufen. Die Erfüllung hätte schon vor der Weissagung eingesetzt, — auf überzeugende Art nahm jene erste ihren Anfang, als das folgende Jahr das vorige an Segensreichtum noch weit übertraf und, während dies nur übermittelgut gewesen war, sich als ein wahres Pracht-, Jubel- und Wunderjahr erwies, von überschwenglicher Fruchtbarkeit in allerlei Schnitt; denn der Nil war sehr groß und schön gewesen — nicht übergroß und wild, daß er des Landmanns Felder davongerissen hätte; aber auch nicht einen Pegelstrich niedriger, als es zum besten war, hatte er über den Gebreiten gestanden und still seinen Dung auf die Äcker gesenkt, so daß es ein Lachen war, wie die Fluren prangten gegen das Ende der Jahreszeit der Aussaat, und welche Fülle eingeheimst wurde im dritten Drittel. Das nächstfolgende Jahr war nicht ganz so üppig, mehr oder weniger näherte es sich dem Durchschnittlichen, es war befriedigend, ja löblich, ohne staunenswert zu sein. Da aber das übernächste fast wieder ans zweite heranreichte und mindestens so gut war wie das erste; da ferner auch das vierte die Kennzeichnung ›vortrefflich‹, wenn nicht eine höhere, verdiente, so kann man sich denken, wie das Ansehen Josephs, des Vorstehers all dessen, was der Himmel gibt, beim Volke wuchs, und mit welch eifriger, freudiger Pünktlichkeit sein Grundrentengesetz, die Abgabe des schönen Fünften, von den Pflichtigen nicht minder als von seiner Beamtenschaft, durchgeführt wurde. »Die Früchte der Felder der Stadt«, heißt es, »rund herum, brachte er in ihre Mitte«, — das heißt, die Kornabgaben alles umliegenden Landes strömten jahraus, jahrein in die Speicherkegel zauberischer Vorsorge, die der Adôn in allen Städten und an ihren Rändern hatte errichten lassen, — in nicht übertriebener Anzahl, wie sich herausstellte; sie wurden voll, und immer noch neue mußte er nachbauen, so strömte die Steuer und so gut meinte Chapi, der Ernährer, es damals mit seinem Lande. Die Aufschüttung war tatsächlich wie Sand am Meer, das Lied und die Sage haben recht mit dieser Beschreibung. Wenn sie aber hinzufügen, man habe aufgehört zu zählen, denn es sei zum Zählen zu viel gewesen, so ist das eine begeisterte Übertreibung. Die Kinder Ägyptens hörten niemals auf zu zählen, zu schreiben und Buch zu führen, das lag nicht in ihrer Natur und konnte nicht vorkommen. Mochte die Fülle der Vorsorge sein wie Sand am Meer, so war es der schönste Anlaß dieser Verehrer des weißen Pavians, ihr Papier genußreich mit dichten Additionen zu bedecken, und die genauen Tabellen, die Joseph von seinen Einnehmern und Speicher-Vorstehern verlangte, — er erhielt sie durchaus.

Man zählte fünf Jahre des Überflusses; einige und sogar viele aber zählten sieben. Es ist zwecklos, sich über diese Abweichung zu streiten. Daß ein Teil der Beobachter an der Fünf festhielt, mochte sich entsprechungsvoll auf die heilige Zahl der Übertage des Jahres und in einem damit auf die ihr angepaßte Ziffer von Josephs Steuerquote gründen. Andrerseits sind fünf Jahre der Fettigkeit in einem Zuge etwas so Feiernswertes, daß nicht leicht jemand zögern wird, sie mit der Zahl Sieben zu verherrlichen. Es ist also möglich, daß man Sieben ›Fünf‹ sein ließ, aber sogar eine Spur wahrscheinlicher ist es, daß man Fünf ›Sieben‹ nannte, — offen gesteht der Erzähler hier seine Unsicherheit, da es nicht seine Art ist, Wissen vorzuspiegeln, wo er nicht wirklich genau Bescheid weiß. Allerdings schließt dies das Bekenntnis ein, daß nicht mit voller Bestimmtheit feststeht, ob Joseph zu einem ge-

wissen Zeitpunkt während der sich anschließenden Hungerperiode siebenunddreißig oder schon neununddreißig Jahre alt war. Sicher ist nur, daß er dreißig war, als er vor Pharao stand, – sicher von uns aus und sachlich gesprochen; denn ob er selbst genaue Auskunft darüber hätte geben können, ist zweifelhaft; und ob er also zu jenem späteren erregenden Zeitpunkt nur hoch in den Dreißigern oder schon so gut wie vierzig war, darüber legte er sich als Kind seiner Zone gewiß sehr lässige oder gar keine Rechenschaft ab, was uns mit unserer eigenen Unwissenheit versöhnen mag.
In reifem Mannesalter stand er damals auf jeden Fall, und wenn er als Knabe statt nach Ägyptenland ins Babylonische wäre gestohlen worden, so hätte er längst einen schwarzen, gelockten und gesalbten Vollbart getragen – ein Behang, der ihm bei einem bestimmten Versteckspiel nicht wenig zustatten gekommen wäre. Trotzdem wissen wir der ägyptischen Sitte eher Dank, die das Rahels-Antlitz rein hielt vom Barte. Daß jenes Spiel so lange gelang, weist darauf hin, welche Veränderungen die meißelnde Zeit, der Wechsel des Stoffes, die Sonne des Landes der Verpflanzung am bleibenden Gepräge immerhin vorgenommen hatte.
Josephs Erscheinung hatte sich, bis er aus seiner zweiten Grube gezogen wurde und vor Pharao stand, mehr oder weniger im Jünglingsmäßigen gehalten. Um diese Zeit nun, nach seiner Eheschließung, während der fetten Jahre, da Gott ihn furchtbar machte in Asnath, dem Mädchen, und diese ihm im Frauenflügel seines Hauses zu Menfe erst den Manasse und dann den Ephraim gebar, wurde er ein wenig schwer – allenfalls etwas zu wuchtig von Gestalt, wobei aber nicht an Plumpheit zu denken ist: sein Wuchs war hoch genug, um diese Zunahme in guter Proportion zu halten, und das Gebieterische seiner Haltung, gemildert durch die heitere List der Augen, den gewinnenden Ausdruck der wie beim Labanskinde in ruhigem Lächeln sich zusammenfügenden Lippen, tat ein übriges, um immer das Urteil lauten zu lassen: Ein ausnehmend schöner Mann! Eine Idee zu voll vielleicht, aber entschieden prächtig.
Seine persönliche Zunahme stimmt ja zu der Epoche, den laufenden Jahren der Üppigkeit, deren Hang zu staunenswert erhöhtem Lebensbetriebe sich nach allen Richtungen bewährte. Er tat sich in der Viehzucht hervor, wo die Fruchtbarkeit mächtig anschwoll, so daß sie den Gebildeten an das alte Wort des Liedes gemahnte: »Deine Ziegen sollen zwiefach, deine Schafe Zwillinge werfen.« Aber auch die Weiber Ägyptens, in den Städten sowohl wie auf dem flachen Lande, gebaren – wahrscheinlich einfach infolge der günstigen Ernährungslage – viel häufiger als sonst. Freilich traf die Natur, teils durch die Unachtsamkeit der überbürdeten Mütter, teils durch neu eingeführte Säuglingskrankhei-

ten, die Gegenmaßnahme erhöhter Kleinkinder-Sterblichkeit, so daß Übervölkerung verhütet wurde. Nur eben der Betrieb war auffallend größer.
Auch Pharao wurde Vater – die Herrin der Länder war ja schon hoffend gewesen am Tage der Traumdeutung, aber man war willens, ihre glückliche Niederkunft der Erfüllung zuzurechnen. Es war die liebe Prinzessin Merytatôn, die da zur Welt kam, – die Ärzte verlängerten ihr aus Schönheitsgründen den noch bildsamen Schädel fast übermäßig nach hinten, und der Jubel im Palast sowohl wie im ganzen Lande war desto lauter, als sich die Enttäuschung darunter verbarg, daß kein Thronfolger erschienen war. Er erschien auf diesem Wege auch später niemals; Pharao bekam sein Leben lang nichts als Töchter, im ganzen sechs. Niemand kennt das Gesetz, wonach das Geschlecht der Kreatur sich bestimmt, – ob es dem Keime gleich einhängig ist oder die Waage nach einiger Schwebe erst später nach der oder jener Seite ausschlägt, darüber wissen wir nichts Stichhaltiges vorzubringen, – was nicht zu verwundern ist, da sogar die Weisen von Babel und On nicht Auskunft darüber zu geben wußten, auch im geheimen nicht. Daß aber nicht bloßer Zufall die Erscheinung von Amenhoteps ausschließlich weiblicher Vaterschaft zeitigte, sondern daß sie auf irgendeine Weise kennzeichnend war für diesen anziehenden Herrscher, will das Gefühl sich nicht ausreden lassen.
Eine leise und uneingestandene Trübung seines ehelichen Glückes konnte sie nicht umhin hervorzubringen, obgleich selbstverständlich die zarteste wechselseitige Schonung waltete, da ja auch wirklich eines zum anderen hätte sprechen können, wie Jaakob zur ungeduldigen Rahel sprach: »Bin ich etwa Gott, der dir nicht geben will, wonach dich verlangt?« – Eine der Süßen Prinzessinnen, die vierte, erhielt aus lauter Zartheit sogar den Beinamen der Königin der Länder, Nefernefruatôn, zum Eigennamen. Aber es zeugt von einem gewissen gelangweilten Nachlassen der Erfindungsfreude, daß die fünfte fast ebenso genannt wurde, nämlich Nefernefrurê. Die Namen der anderen, zum Teil sehr liebevoll erdacht, hätten wir ebenfalls am Schnürchen; aber indem wir eine leichte Verstimmung über die weibliche Einförmigkeit teilen, mit der sie sich aufreihten, haben wir keine Lust, sie herzusagen.
Erwägt man, daß an der Spitze des Sonnenhauses noch immer Teje, die Große Mutter, stand; daß Königin Nofertiti eine Schwester hatte: Nezemmut; daß auch dem Könige eine Schwester lebte, die Süße Prinzessin Baketatôn, und daß dazu im Lauf der Jahre die sechs Königstöchter sich aufreihten, so wird man eines wahren Weiberhofes ansichtig, in welchem Meni das anfällige Hähnchen im Korbe machte, und der zu seinen Phönix-Träumen vom unstofflichen Vatergeiste des Lichtes in eigentümlichem Wi-

derspruch stand. Unwillkürlich muß man an Josephs Äußerung im Großen Gespräche denken, die zu seinen besseren zählt: daß die Kraft, die von unten hinauf in die Lauterkeit des Lichtes strebe, wahrlich Kraft sein müsse und von Mannesart, nicht bloße Zärtlichkeit.

Ein leichter Schatten also lag über dem Königsglück Amenhoteps und seiner ›goldenen Taube‹, der Süßen Herrin der Länder, darum, daß kein Sohn ihnen beschert war. Glücklich nun war auch Josephs räuberische Ehe mit Asnath, dem Mädchen, glücklich und harmonisch durchaus – mit einer gegenteiligen Einschränkung. Ihnen wurden lauter Söhne zuteil: einer, zweie und später noch mehr, auf die das Licht der Geschichte nicht fällt; aber es waren nichts als Söhne, und da das die Geraubte bitter ankam und enttäuschend – wie denn nicht auch ihren Gemahl, der ihr gern eine Tochter, wenigstens *eine* geschaffen hätte? – da es doch nun einmal dabei bleibt, daß der Mensch nur zeugen, aber nicht schaffen kann. Asnath war auf eine Tochter geradezu versessen, und nicht nur auf eine, sondern sie hätte am liebsten lauter Töchter gehabt. Denn begierig war sie, die Schildjungfrau wiederzugebären, die sie gewesen war; nichts wünschte sie sehnlicher als die Auferstehung des Mädchens aus dem Tode ihrer Jungfräulichkeit, und da sie in diesem Verlangen von ihrer Mutter, der Beraubten und Zürnenden, ohne Unterlaß dringend bestärkt wurde, – wie hätte nicht eine leichte, aber dauernde, wenn auch natürlich in den Schranken der Rücksicht und Zuneigung gehaltene Eheverstimmung die Folge sein sollen?

Am schlimmsten war diese vielleicht gleich am Anfang, als Josephs Ältester geboren wurde, – die Enttäuschung war namenlos, mit Fug und Recht kann man sie übertrieben nennen, und es scheint, daß etwas von dem Unwillen über die Vorwürfe, die er zu tragen hatte, sich in den Namen einschlich, den Joseph dem Knaben verlieh. »Ich habe vergessen«, so mochte er sagen wollen, »alles, was hinter mir liegt, und mein Vaterhaus, du aber und die beleidigte Mutter, ihr stellt euch an, nicht nur, als sei es dir gänzlich fehlgegangen, sondern auch noch, als ob ich schuld daran sei!« Das mag etwas von der Meinung des befremdenden Namens ›Manasseh‹ sein; aber man tut gut, hinzuzufügen, daß es mit diesem Namen und dem, was er behauptete, nur wenig ernst gemeint war. Wenn Gott den Joseph hatte vergessen lassen all seine rückwärtigen Bindungen und sein Vaterhaus, wie kam dann derselbe Joseph dazu, seinen Söhnen, geboren in Ägypten, ebräische Namen zu geben? Weil er darauf rechnen konnte, daß man im törichten Lande der Enkel solche Namen als elegant empfinden werde? Nein! sondern weil Jaakobs Sohn, mochte er auch längst mit einem völlig ägyptischen Leibrock überkleidet sein, nicht das geringste vergessen hatte, vielmehr gerade das unausgesetzt im Sinne trug, was er vergessen zu haben behauptete. Der Name Manasseh war nichts als eine Floskel der Höflichkeit und jener Rücksichtnahme, die das Gegenteil der Narrheit war, und die Joseph sein Leben lang mit gutem Erfolge übte. Es war ein vernehmbares Zugeständnis an die Entrückung, Verpflanzung und Absonderung ins Weltliche, die Gott aus doppeltem Beweggrund über ihn verfügt hatte. Der eine war die Eifersucht, der andere der Errettungsplan. Über den zweiten konnte Joseph nur Vermutungen hegen; der erste lag seiner Klugheit vollkommen offen, und diese reichte sogar aus, zu durchschauen, daß es wirklich der erste war, und daß sich in dem zweiten nur das Mittel geboten hatte, Leidenschaft und Weisheit zu vereinigen. Das Wort ›durchschauen‹ mag anstößig scheinen – in Hinsicht auf das Objekt. Aber gibt es eine religiösere Betätigung als das Studium des Seelenlebens Gottes? Einer höchsten Politik mit irdischer Politik zu begegnen ist unerläßlich, will einer durchs Leben kommen. Wenn Joseph dem Vater geschwiegen hatte wie ein Toter, nein, *als* ein Toter, all diese Jahre hin, so war es überlegte Politik, verständige Einsicht in jenes Seelenleben gewesen, was ihn dazu vermocht hatte; und mit dem Namen für seinen Ersten stand es nicht anders. »Wenn ich vergessen sollte«, will dieser Name sagen, »– siehe, ich habe vergessen!« – Aber er hatte nicht.

Im dritten Jahr der Fülle kam Ephraim zur Welt. – Die Mutter, das Mädchen, wollte anfangs nicht einmal hinschauen, und die Schwiegermutter war mehr als verstimmt. Aber Joseph gab ihm in aller Ruhe den Namen, der da bedeutet: ›Gott hat mich wachsen lassen im Lande meiner Verbannung‹. – Das mochte er wohl sagen. Er fuhr, begleitet von Läufern, verherrlicht von Menfes Leuten mit seinem Namen Adôn, in einem leichten Wagen hin und her zwischen dem prächtigen Gartenhause, dem Mai-Sachme vorstand, und seinem Amtshause im Zentrum der Stadt, wo dreihundert Schreiber arbeiteten, und sammelte in die Scheuer, daß es eine kaum noch verzeichenbare Fülle war. Ein Großer war er und eines Großen Königs Alleiniger Freund. Amenhotep der Vierte, der damals schon, zum grimmigen Verdruß des Tempels von Karnak, seinen Amun-Namen abgelegt und dafür den Namen Ech-n-Atôn (›Es ist dem Atôn wohlgefällig‹) angenommen hatte, übrigens auch schon mit dem Gedanken umging, Theben überhaupt zu verlassen und auf eigene Hand eine neue, ganz dem Atôn geweihte Stadt zu gründen, darin er zu wohnen gedachte, – Pharao also wollte den Schattenspender der Lehre so oft wie nur möglich sehen, um das Obere und Untere mit ihm zu bereden, und wie es nicht fehlen konnte, daß Joseph, der große Beamte, mehrmals im Jahre hinaufreiste auf dem Land- oder Wasserwege nach Nowet-Amun zur Berichterstattung beim Hor im Palaste,

wo er dann lange Stunden in vertrautem Gespräch mit diesem verbrachte, so machte auch Pharao auf jeder Reise nach dem goldenen On, oder wenn er ausfuhr, um sich nach einem geeigneten Platz für seine neue Stadt, die Stadt des Horizontes, umzusehen, zu Menfe halt und kehrte bei Joseph ein, was immer dem Haushalter Mai-Sachme bedeutende Scherereien schuf, doch ohne seine Ruhe erschüttern zu können.
Die Freundschaft zwischen dem zarten Enkel der Pyramiden-Erbauer und Jaakobs Sohn, zu welcher einst in der kretischen Halle der Grund gelegt worden war, befestigte sich in diesen Jahren zu herzlicher Gemütlichkeit, also, daß Jung-Pharao den Joseph ›Onkelchen‹ zu nennen pflegte, indem er ihn bei der Umarmung auf den Rücken klopfte. Dieser Gott schwärmte nun einmal fürs Informelle, und es war Joseph, der, aus eingeborenem Vorbehalt, dem Verhältnis die Spannung höflichen Abstandes wahrte, — ja, oft brachte er den König zum Lachen durch die Förmlichkeit, die er mitten im Familiären aufrechthielt. Ihr Mißgeschick, als Väter, daß der eine nur Töchter, der andere nur Söhne bekam, gab manchen Gesprächsstoff ab. Aber die Unzufriedenheit seiner Schildjungfrau und ihrer zürnenden Mutter dämpfte nur wenig Josephs Freude an den Jaakobsenkeln, die ihm in weltlicher Fremde heranblühten, und ebenso konnte das Ausbleiben eines Thronerben selten in dieser Zeit Pharao's heitere Launen trüben. Ging ja doch alles so herrlich im mütterlichen Reich der Schwärze, daß sein Ansehen als Lehrer des väterlichen Lichtes mächtig dadurch gestärkt wurde und er sitzen durfte im Schatten des Gedeihens, den Gott verkündend, an dem seine Seele hing, und den im Gespräch wie in der Einsamkeit immer besser hervorzudenken all sein Bestreben war.
Erörterte er so mit Joseph, bestimmend und vergleichend, die hehren Eigenschaften seines Vaters Atôn, so mochte man sich an die gottesdiplomatischen Verhandlungen erinnert fühlen, die einst zu Salem zwischen Abraham und Malchisedek, dem Priester El-eljons, des höchsten oder auch einzigen Gottes, waren gepflogen worden mit dem Ergebnis, daß dieser El ganz dieselbe Person sei, oder annähernd ganz, wie Abrahams Gott. Es war aber zu beobachten, daß gerade immer dann, wenn das Gespräch sich einer solchen Vereinbarung näherte, die höfische Steifigkeit, deren sich Joseph im Verkehr mit dem hohen Freunde nie ganz entschlug, am allerdeutlichsten zutage trat.

Fünftes Hauptstück
Thamar

Der Vierte

Ein Weib saß zu Jaakobs Füßen, des Geschichtenreichen, im Haine Mamre, der zu Hebron, der Hauptstadt, ist, oder nahebei, im Lande Kanaan. Oft saßen sie an diesem Platz, sei es im härenen Haus, nahe dem Eingang, ebendort, wo der Vater einst mit dem Liebling gesessen und dieser ihm das bunte Kleid abgeluchst hatte, sei es unter dem Unterweisungsbaum oder am Rand des benachbarten Brunnens, wo wir den schlauen Knaben zuerst unterm Monde trafen und den Vater am Stabe besorgt nach ihm spähen sahen. Wie sitzt nun das Weib mit ihm, da oder dort, das Gesicht zu ihm erhoben, und lauscht seinen Worten? Wo kommt das Weib her, das junge und ernste, das man so oft zu seinen Füßen findet, und was für ein Weib ist das?

Ihr Name war Thamar. – Wir sehen uns um unter den Gesichtern der Zuhörer und bemerken nur auf sehr wenigen, auf ganz vereinzelten nur, die Erhellung des Wissens. Offenbar sind der großen Mehrzahl derer, die sich eingefunden haben, die genauen Umstände dieser Geschichte zu erfahren, nicht einmal ihre Grundtatsachen bekannt oder erinnerlich. Wir sollten das tadeln – wenn nicht die öffentliche Unwissenheit dem Erzähler auch wieder recht sein müßte und ihm zustatten käme, da sie die Wichtigkeit seines Geschäftes steigert. Ihr wißt also wirklich nicht mehr, habt es eures Wissens niemals gewußt, wer Thamar war? Ein kanaanitisch Weib, ein Landeskind vorerst und nichts weiter; dann aber Jaakobs Sohnes-Söhnin, Jehuda's, seines Vierten, Schwiegertochter, des Gesegneten Groß-Schnur, sozusagen; vor allem aber seine Verehrerin und seine Schülerin in der Welt- und Gotteskunde, die an seinen Lippen hing und in sein feierliches Antlitz aufblickte mit solcher Andacht, daß auch das Herz des verwaisten Greises sich ihr ganz erschloß und er sogar ein wenig verliebt in sie war.

Denn Thamars Wesen war, auf eine sie selbst beschwerende Weise, aus Strenge und geistlicher Strebsamkeit (der wir noch einen stärkeren Namen werden geben müssen) und dem seelisch-körperlichen Geheimnis astartischer Anziehungskraft eigentümlich gemischt, – und man weiß, zu wie hohen Jahren die Empfänglichkeit für diese es in einem weich und würdig auf sein Gefühl bedachten Gemüte bringen kann.

Jaakobs persönliche Majestät hatte sich seit dem Tode Josephs, will sagen *durch* dies zerreißende und zunächst ganz unannehmbar scheinende Erlebnis nur noch erhöht. Sobald einmal Gewöhnung Platz gegriffen, sein Hadern mit Gott sich erschöpft, die grausame Verfügung dieses Gottes Eingang gefunden hatte in seine anfangs krampfhaft dagegen versperrte Natur, war sie zu einer Bereicherung seines Lebens, einem Beitrag zu dessen Geschichtenschwere geworden, der sein Sinnen – wenn er in Sinnen verfiel – noch ausdrucksvoller, noch malerisch-vollkommener zum ›Sinnen‹ machte, als es schon immer gewesen war, so daß es den Leuten heilig und scheu dabei zumute wurde und sie einander zuraunten: »Seht, Israel besinnt seine Geschichten!« Ausdruck macht Eindruck, das ist nun so. Die beiden haben immer zusammengehört, und immer wohl hat es jener auf diesen ein wenig abgesehen, wobei nichts zu lachen ist, wenn es sich nicht um hohle Gaukelei handelt, sondern wirkliche Geschichtenschwere obwaltet und gelebtes Leben hinter dem Ausdruck steht. Dann ist höchstens ein ehrerbietiges Lächeln am Platze.

Thamar, das Landeskind, kannte auch dieses Lächeln nicht. Sie war tief beeindruckt von Jaakobs Großartigkeit, sobald sie in seinen Kreis trat, was nicht erst durch Juda, Lea's Vierten, und durch seine Söhne geschah, von denen zweie sie nacheinander heirateten. Dies ist bekannt nebst seinen unheimlichen und halb rätselhaften Begleitumständen, dem Verderben der beiden Judasöhne. Aber nicht bekannt, da die Chronik es übergeht, ist das Verhältnis Thamars zu Jaakob, obgleich es doch die unentbehrliche Voraussetzung zu der Episode und merkwürdigen Randhandlung unserer Geschichte ist, die wir hier einschalten, – nicht ohne uns dabei an die Tatsache gemahnt zu fühlen, daß diese Geschichte, die man wohl verführerisch nennen kann, da sie uns zu so genauer Ausführlichkeit verführt, die Geschichte Josephs und seiner Brüder, selbst nur eine anmutige Einschaltung ist in ein Epos ungleich gewaltigerer Maße.

Hatte Thamar, das Landeskind, die Tochter schlichter Baals-Ackerbürger, die in der Episode einer Episode lebte, eine Vorstellung von dieser Tatsache? Wir antworten: Allerdings hatte sie eine solche. Ihr zugleich anstößiges und großartiges, von tiefem Ernst getragenes Gebaren liefert den Beweis dafür. Nicht umsonst trat uns wiederholt und mit einem gewissen Eigensinn das Wort ›Einschaltung‹ auf die Lippen. Es ist die Losung der Stunde. Es war Thamars Wort und ihre Losung. Sich selbst wollte sie einschalten, und tat es mit erstaunlicher Entschlossenheit, in die große Geschichte, das weitläufigste Geschehen, von dem sie durch Jaakob Kunde erhalten, und von dem ausgeschaltet zu werden sie sich um keinen Preis gefallen ließ. Fiel nicht auch schon das Wort ›Verführung‹ uns ein? Es wußte, warum. Es ist ein Losungswort ebenfalls. Denn durch Verführung schaltete Thamar sich ein in die große Geschichte, von der diese hier nur eine Einschaltung ist; die Bestrickende spielte sie und hurte am Wege,

um nur nicht ausgeschaltet zu werden, und erniedrigte sich rücksichtslos, um sich zu erhöhen ... Wie geschah das?
Wann zuerst, durch welchen nüchternen Zufall nun immer, Thamar Eingang bei Jaakob, dem Gottesfreunde, fand und zu ihm in andächtige Beziehung trat, – niemand weiß das genau; es mag sein, daß es schon vor Josephs Tode geschah, und bereits nicht ohne Jaakobs Zutun wurde sie in die Sippe aufgenommen und Juda's Erstem, dem jungen 'Er, zum Weibe gegeben. Innigkeit aber gewann das Verhältnis zwischen dem Alten und ihr auf jeden Fall erst und wurde zum täglichen Umgang nach dem gräßlichen Schlag und Jaakobs langsamer und widerstrebender Erholung von ihm, als sein beraubtes Herz heimlich schon auf der Suche war nach neuer Empfindung. Da erst wurde er Thamars gewahr und zog sie an sich um ihrer Bewunderung willen.
Damals waren seine Söhne, die Elfe, schon fast alle vermählt, die Älteren längst, die Jüngeren kürzlich, und hatten Kinder von ihren Weibern. Selbst Benjamin-Benoni, das Todessöhnchen, war bald an der Reihe: kaum, daß er kein Knirps mehr war, sondern jung wurde und mannbar, sieben Jahre etwa nachdem er den leiblichen Bruder verloren, versorgte Jaakob ihn und freite ihm erst Mahalia, die Tochter eines gewissen Aram, von dem es hieß, daß er ein ›Enkel Thara's‹, auf irgendeine Weise also ein Nachkomme Abrams oder eines seiner Brüder sei; und dann noch das Mägdlein Arbath, eines Mannes Tochter, der Simron hieß, und den man geradezu als einen ›Sohn Abrahams‹ bezeichnete, womit gemeint sein mochte, daß er aus dessen Samen von seiten irgendeines Kebsweibes sei. Es gab in Dingen der Abstammung von Jaakobs Schwiegertöchtern manche Beschönigungen und Einbildungen, an denen zugunsten der Blutseinheit des geistlichen Stammes halb und halb festgehalten wurde, obgleich sie auf schwachen Füßen standen und auch nur in einigen Fällen versucht wurden. Levi's und Issakhars Frauen hielt man für ›Enkelinnen Ebers‹ – vielleicht waren sie es; sie hätten darum noch immer von Assur oder Elam herkommen können. Gad und der geläufige Naphtali hatten sich nach des Vaters Vorbild Frauen geholt aus Charan in Mesopotamien, aber daß sie wirklich Urenkelinnen Nahors, des Onkels Abrahams, seien, behaupteten nicht sie selber, es wurde ihnen zugeschrieben. Der genäschige Ascher nahm sich ein braunes Kind vom Stamme Ismael – nun, das war eine Verwandtschaft, wenn auch eine bedenkliche. Sebulun, von dem man eine phönizische Heirat hätte erwarten sollen, ging in Wirklichkeit eine midianitische ein, – korrekt also nur insofern, als Midian ein Sohn der Ketura, Abrahams zweiter Frau, gewesen war. Aber hatte nicht gleich schon der große Ruben sich schlecht und recht mit einer Kanaaniterin vermählt? So

hatte Juda getan, wie wir wissen, und so Schimeon, denn seine Buna war aus Schekem geraubt. Was Dan, von Bilha, betraf, den man Schlange und Otter nannte, so war bekanntlich sein Weib eine Moabiterin, Stammtochter also jenes Moab, den Lots Älteste ihrem eigenen Vater geboren hatte, sich selbst zum Geschwister. Sonderlich geheuer war eben auch das nicht, noch hatte es mit Blutseinheit zu tun, da Lot nicht Abrams ›Bruder‹, sondern nur ein Proselyt gewesen war. Von Adam freilich stammte auch er, allenfalls sogar von Sem, da er aus dem Zweistromland gekommen war. Blutseinheit ist immer nachzuweisen, wenn man den Rahmen weit genug zieht.

Die Söhne alle also ›brachten ihre Frauen in das väterliche Haus‹, wie wir berichtet sind, das heißt: das Sippenlager im Haine Mamre, nahe Kirjath Arba und nahe dem Erbbegräbnis, um Jaakobs härenes Haus herum, nahm zu, wie die Tage sich mehrten, und Nachkommenschaft wimmelte, der Verheißung gemäß, um Jaakobs Knie, wenn der hohe Greis es erlaubte, und er erlaubte es in seiner Güte zuweilen und herzte die Enkel. Namentlich Benjamins Kinder herzte er; denn Turturra, ein stämmiges Bürschchen, das immer noch seine vertrauenden grauen Augen und seine dick-metallische Haares-Sturmhaube hatte, wurde in rascher Folge Vater von fünf Söhnen, die ihm seine Aramäerin gebar, und zwischendurch noch von anderen Kleinen, die ihm die Tochter Simrons bescherte, und Jaakob bevorzugte die Rahelsenkel. Aber trotz ihrem Vorhandensein und Benoni's Vaterwürde behandelte er den Jüngsten immer noch wie ein Kind, hielt ihn am Gängelband wie einen Unmündigen und gab ihm geringste Bewegungsfreiheit, damit ihn kein Unglück beträte. Kaum in die Stadt, nach Hebron, zu gehen, kaum auf das Feld, geschweige denn eine Reise zu tun über Land, erlaubte er dem Rahelspfande, das ihm geblieben, und das er zwar entfernt nicht liebte wie Joseph, so daß denn eigentlich kein Grund war, die obere Eifersucht zu fürchten um seinetwillen, das aber doch, seit der Schöne dem Zahn des Schweines verfallen, zum einigen Schatz seiner Sorge und seines Mißtrauens geworden war, weshalb er es nicht aus den Augen ließ und keine Stunde verbringen wollte, ohne zu wissen, wo Benjamin war und was er trieb. Dieser ließ sich die peinliche Aufsicht, die seinem Gattenansehen wenig zuträglich war, wehmütig-gehorsam gefallen und stellte sich nach Jaakobs schrulligem Willen mehrmals am Tage dem Vater vor; denn tat er's nicht, so kam dieser selbst, am langen Stab, aus der Hüfte hinkend, zu ihm herüber, um nach ihm zu sehen — und dies alles, obgleich, wie Benjamin wohl wußte und wie es sich auch in des Greises schwankendem Benehmen gegen ihn ausdrückte, Jaakobs Empfindungen für ihn eigentlich sehr geteilt und aus Habsorge und Nachträgerei sonderbar gemischt waren, da er im Grunde

nicht aufhörte, den Muttermörder und das Mittel in ihm zu sehen, dessen sich Gott bedient hatte, um ihm Rahel zu nehmen.
Einen gewaltigen Vorzug freilich hatte Benoni vor allen noch lebenden Brüdern, außer, daß er der Jüngste war; und dieser Vorzug mochte für Jaakobs träumerisch-assoziierenden Sinn ein Grund mehr sein, ihn immer zu Hause zu halten; er war zu Hause gewesen, als Joseph umkam in der Welt, und wie wir Jaakob kennen, hatte sich diese Gleichung von Zu-Hause-Sein und von Unschuld, von Ganz-bestimmt-nicht-beteiligt-gewesen-Sein an einer draußen geschehenen Untat, in seinem Kopfe symbolisch festgesetzt, also daß Benjamin ständig zu Hause sein mußte, zum Zeichen und Dauerbeweise dieser Unschuld und dafür, daß er allein, der Jüngste, nicht unter den immerwährenden, den immer still nagenden Verdacht fiel, den Jaakob hegte, und von dem die anderen wußten, daß er ihn hegte, zu Recht, wenn auch unrichtig. Es war der Verdacht, daß der Eber, der Joseph zerrissen, ein Tier mit zehn Köpfen gewesen sei; und Benjamin mußte ›zu Hause‹ sein zum Zeichen, daß es elf Köpfe nun einmal bestimmt nicht gehabt habe.
Vielleicht auch nicht zehn, Gott wußte es, er mocht' es für sich behalten, und auf die Dauer, wie Tage und Jahre sich mehrten, verlor die Frage an Wesentlichkeit. Sie tat das vor allem dadurch, daß Jaakob, seit er aufgehört hatte, mit Gott zu hadern, allmählich zu der Auffassung gelangt war, nicht Jener habe ihm das Isaaksopfer gewaltsam auferlegt, sondern aus freien Stücken habe er's dargebracht. Solange der erste Schmerz wütete, hatte diese Idee ihm ganz und gar ferngelegen; nur grausamst mißhandelt war er sich vorgekommen. Wie aber der Schmerz sich legte, Gewöhnung sich einstellte, der Tod seine Vorteile geltend machte – daß Joseph nämlich geborgen war als ein ewig Siebzehnjähriger in seinem Schoß und Schutz –, hatte die weiche, pathetische Seele sich ernstlich einzubilden begonnen, sie sei der Opfertat Abrahams fähig gewesen. Zu Gottes Ehren geschah diese Einbildung und zu seinen eigenen. Nicht wie ein Unhold hatte Gott ihn beraubt und ihm tückisch das Liebste entwendet, sondern nur angenommen hatte er, was man ihm dargeboten wissentlich und in Heldenmut – das Liebste. Glaubt es oder nicht, dies machte Jaakob sich vor und bezeugte es sich um seines Stolzes willen, daß er in der Stunde, als er Joseph nach Schekem entließ auf die Reise, das Isaaksopfer vollbracht und freiwillig, aus Liebe zu Gott, den Allzugeliebten dahingegeben habe. Er glaubte es nicht immer – zuweilen gestand er sich mit Zerknirschung und unter wiederfließenden Tränen, daß er nie und nimmer fähig gewesen wäre, sich für Gott den Teueren vom Herzen zu reißen. Aber der Wunsch, es zu glauben, obsiegte zuweilen; und machte er es nicht mehr oder weniger gleichgültig, wer Joseph zerstückelt hatte?

Der Verdacht – gewiß, er war trotzdem da, er nagte, aber doch nur noch leise und nicht zu jeder Stunde; zuweilen schlief er in späteren Jahren und beruhte auf sich. Die Brüder hatten sich das Leben unterm Verdacht, unterm halbfalschen Verdacht, elender vorgestellt, als es denn schließlich doch war. Der Vater stand gut mit ihnen, es war nicht anders zu sagen. Er sprach mit ihnen und brach mit ihnen das Brot; er nahm an ihren Geschäften und an den Freuden und Sorgen teil ihrer Hütten, er sah sie an, und nur zuweilen, nur zeitweise in schon recht großen Abständen trat das Glimmen, die Falschheit und Trübnis des Verdachtes in seinen Greisenblick, vor der sie, in der Rede stockend, die Augen niederschlugen. Aber was wollte das sagen? Die Augen schlägt wohl ein Mensch schon nieder, wenn er nur weiß, daß der andere Argwohn hegt. Es muß nicht Schuldbewußtsein bedeuten; auch züchtige Unschuld und Mitleid mit dem am Mißtrauen Kranken mag sich darin ausdrücken. So wird man zuletzt des Verdachtes müde.

Man läßt ihn schließlich auf sich beruhen, besonders wenn seine Bestätigung, vom einmal Geschehenen nicht zu reden, auch an der Zukunft, an der Verheißung, an allem, was ist und sein soll, nichts ändern könnte. Die Brüder mochten der zehnköpfige Kain, sie mochten Brudermörder sein – sie waren doch, was sie waren, Jaakobs Söhne, das einmal Gegebene, womit man zu rechnen hatte, sie waren Israel. Jaakob nämlich hatte beschlossen und sich gewöhnt, den Namen, den er sich am Jabbok errungen, und von dem er hinkte, nicht auf seine Einzelperson allein zu beziehen, sondern ihm eine weitere und größere Meinung zu geben. Warum nicht? Da es sein Name war, schwer errungen bis zum Morgenrot, durfte er darüber verfügen. Israel, so sollte nicht mehr nur er persönlich genannt sein, sondern alles, was zu ihm, dem Segensmanne, vom zweiten bis zum spätest-niemals spätesten Gliede noch in allen Verzweigungen und Seitenverwandtschaften gehörte, die Sippe, der Stamm, das Volk, dessen Zahl wie der Sterne Zahl sein sollte und wie des Sandes am Meer. Die Kinder, denen zuweilen erlaubt war, um Jaakobs Knie zu spielen, – sie waren Israel, zusammenfassend nannte er sie so, zu seiner Erleichterung gleichzeitig, da er sich nicht alle ihre Namen merken konnte: besonders die Namen der Kinder der ismaelitischen und eindeutig kanaanitischen Weiber konnte er sich schlecht merken. Aber ›Jisrael‹ waren auch diese Weiber, einschließlich der Moabiterin und der Sklavin aus Schekem; und ›Jisrael‹ waren zunächst und vor allem einmal ihre Gatten, die Elfe, um ihre Tierkreiszahl gebracht durch früh gegründeten und immer seienden Bruderzwist und durch heldische Opferkraft, – aber noch immer in stattlicher Anzahl beisammen, Jaakobs Söhne, die Stammväter der Zahllosen, denen sie stammweise ihrerseits einst ihre Namen

verleihen mochten — gewaltige Leute vor dem Herrn, wie jeder von ihnen nun einmal beschaffen sein und was ihr Augenniederschlag zu bedeuten haben mochte vor dem Verdacht. War das nicht gleichviel, da sie auf jeden Fall ›Jisrael‹ blieben? Denn das wußte Jaakob, lange bevor es geschrieben stand — und es steht nur geschrieben, weil er es wußte —, daß Jisrael, auch wenn es gesündigt hat, immer Israel bleibt.
In Israel aber, dem elfköpfigen Löwen, war *ein* Haupt der Segenserbe vor den anderen, wie Jaakob es gewesen war vor Esau, — und Joseph war tot. Auf einem ruhte die Verheißung, oder sollte sie ruhen, wenn Jaakob den Segen verspendete: daß von ihm das Heil kommen solle, für welches der Vater seit langem einen Namen suchte und einen vorläufigen gefunden hatte, den niemand kannte, außer dem jungen Weib, das zu Jaakobs Füßen saß. Wer aber war der Erwählte unter den Brüdern, von dem es kommen sollte? Der Segensmann, bei dessen Bestimmung es nicht mehr nach der Liebeswahl ging — denn die Liebe war tot? Nicht Ruben, der Älteste, der wie ein überkochend dahinschießendes Wasser war und hatte das Flußpferd gespielt. Nicht Schimeon und Levi, die persönlich nichts als geölte Flegel waren und ebenfalls Unvergeßbares auf dem Kerbholz hatten. Denn sie hatten sich aufgeführt zu Schekem wie wilde Heiden und sich benommen wie Feldteufel in Hemors Stadt. Diese drei waren verflucht, soweit eben Israel verflucht sein konnte; sie kamen in Wegfall. Und also mußte der Vierte es sein, der nach ihnen kam, Juda — er war's.

Astaroth

Wußte er, daß er es war? Er konnte es sich an den Fingern abzählen, und das tat er buchstäblich öfters, aber nie ohne vor seiner Erberwählung zu erschrecken und schmerzlich zu zweifeln, ob er ihrer würdig sei, ja zu befürchten, sie möchte in ihm verderben. Wir kennen Jehuda; wir haben zu Zeiten, als Joseph noch am Herzen des Vaters lag, sein leidendes Löwenhaupt mit den Hirschaugen unter den Häuptern der Brüder gesehen und hatten ein Auge auf ihn auch bei Josephs Untergang. Alles in allem stand er nicht schlecht in dieser Sache: nicht so gut, natürlich, wie Benjamin, der ›zu Hause‹ gewesen war, aber fast so gut wie Ruben, der nie des Knaben Tod gewollt, sondern ihm die Grube verschafft hatte, daß er ihn daraus stehle. Ihn aus der Grube zu ziehen und ihm das Leben zu schenken, das war aber auch Juda's Wunsch und Vorschlag gewesen; denn er war's, der vorgeschlagen hatte, den Bruder zu verkaufen, weil man's dem Lamech des Liedes ja doch nicht gleichzutun gewußt habe in diesen Läuften. Die Begründung war nebensächlich und vorwandhaft, wie meistens Begründungen sind. Jehuda hatte volles Gefühl dafür, daß, den Knaben im Loche verkommen zu lassen, um kein Haar besser war, als sein Blut zu vergießen, und hatte ihn retten wollen. Daß er insofern mit seinem Vorschlag zu spät kam, als die Ismaeliter ihr Werk schon getan und den Joseph befreit hatten, war nicht seine Schuld, – er konnte von sich sagen, daß er vergleichsweise löblich dastehe in dieser verfluchten Sache, da er den Jungen hatte wollen davonkommen lassen.

Dennoch ging ihm das Verbrechen ärger nach als denen, die gar nichts zu ihrer Reinigung hätten anführen können, – wie denn auch nicht? Verbrechen sollen lieber nur Stumpfe begehen; es macht ihnen nichts, sie leben ihren Tag hinterdrein, und nichts geht ihnen nach. Das Böse ist für die Stumpfen. Wer auch nur Spuren von Zartheit aufweist, der lasse seine Hand davon, wenn er irgend kann, denn er muß es ausbaden, und nützt ihm nichts, daß er Gewissen bewiesen hat in solcher Sache: bestraft wird er gerade um seines Gewissens willen.

Dem Juda ging die an Joseph und an dem Vater begangene Tat entsetzlich nahe. Er litt an ihr, denn er war zum Leiden befähigt, wie seine Hirschaugen und ein bestimmter Zug um die feinen Nüstern, die vollen Lippen uns gleich vermuten ließen, und sie schuf ihm viel Fluch und strafendes Übel, – oder vielmehr: was er an Fluch und Übel erlitt, das schob er auf sie und sah's als Vergeltung an für das Begangene, das Mitbegangene, – was nun wieder von einem seltsamen Hochmut des Gewissens zeugt. Denn er sah ja, daß die anderen, Dan, oder Gaddiel, oder Sebulun, von den wilden Zwillingen nicht zu reden, frei ausgingen, daß es ihnen gar nichts machte und sie nichts zu büßen hatten, was ihn auf den Gedanken hätte bringen können, daß seine eigenen Plagen, die mit sich selbst und die mit seinen Söhnen, vielleicht dem Begangenen oder Mitbegangenen ganz fremd seien und ihm unabhängig davon, aus ihm selbst, erwuchsen. Aber nein, er wollte es so, daß er Strafe leide, er allein, und blickte mit Geringschätzung auf die, die ungeplagt blieben dank ihrer Dickfelligkeit. Und das ist der eigentümliche Hochmut des Gewissens.

Die Plagen nun, die er ausstand, trugen alle das Zeichen der Astaroth, und er durfte sich nicht wundern, daß sie aus diesem Weltwinkel kamen, da er von der Herrin schon immer geplagt worden, das heißt: ihr untertan gewesen war, ohne sie zu lieben. Juda glaubte an den Gott seiner Väter, El Eljon, den Höchsten, Shaddai, den Mächtigen Jaakobs, den Fels und den Hirten, Jahwe, von dessen Nase, wenn er zornig war, Dampf ging und verzehrend Feuer von seinem Munde, daß es davon blitzte. Ihn ließ er Speisopfer riechen und opferte ihm Ochsen und Milchlämmlein, so oft es angezeigt schien. Außerdem aber glaubte er auch an die Elohim der Völker – wogegen nicht viel zu sagen war, wenn er

ihnen nur nicht diente. Beobachtet man, wie spät noch und wie weitab von den Gründungen das Volk Jaakobs von seinen Meistern fluchend ermahnt werden mußte, die fremden Götter, Baalim und Astaroth, von sich zu tun und nicht mit den Moabitern Opferschmäuse zu halten, so hat man den Eindruck arger Ungefestigtheit und der Neigung zum Rückfall und Abfall bis ins späteste Glied und wird nicht erstaunt sein, daß eine so frühe, der Quelle so nahe Figur wie Jehuda ben Jekew an Astaroth glaubte, die eine überaus volkstümliche und unter abweichenden Namen überall verherrlichte Göttin war. Sie war seine Herrin, und er trug ihr Joch, das war die leidige – seinem Geiste und seiner Berufenheit leidige – Wirklichkeit, – und wie hätte er also nicht an sie glauben sollen? Er opferte ihr nicht – nicht im engeren Sinne des Wortes, das heißt: nicht Ochsen und Milchlämmlein verbrannte er ihr. Aber zu leidigeren, leidenschaftlicheren Opfern hielt ihr grausamer Speer ihn an, Opfern, die er nicht gerne, nicht heiteren Herzens, brachte, sondern nur unter Zwang der Herrin; denn sein Geist lag mit seiner Lust in Widerstreit, und er löste sich aus keiner Hierodule Armen, ohne sein Haupt in Scham zu bergen und aufs schmerzlichste an seiner Tauglichkeit zur Erberwählung zu zweifeln.
Seit sie nun miteinander Joseph aus der Welt geschafft, hatte Juda begonnen, die Plagen Aschtarti's als eine Strafe anzusehen für seine Untat; denn sie steigerten sich, umgaben ihn von außen, wie sie ihn von innen zwackten, und es ist kaum anders zu sagen, als daß der Mann seitdem in der Hölle büßte – in einer der Höllen, die's gibt, der Geschlechtshölle.
Mancher wird denken: das kann die schlimmste nicht sein. Aber wer so denkt, der kennt den Durst nach Reinheit nicht, ohne welchen es freilich gar keine Hölle gibt, weder diese noch sonst eine. Die Hölle ist für die Reinen; das ist das Gesetz der moralischen Welt. Denn für die Sünder ist sie, und sündigen kann man nur gegen seine Reinheit. Ist man ein Vieh, so kann man nicht sündigen und spürt von keiner Hölle nichts. So ist's eingerichtet, und ist die Hölle ganz gewiß nur von besseren Leuten bewohnt, was nicht gerecht ist, aber was ist unsere Gerechtigkeit!
Die Geschichte von Juda's Ehe und der seiner Söhne und ihrem Verderben darin ist äußerst seltsam und unheimlich und eigentlich undeutlich, weshalb nicht bloßen Zartgefühls wegen nur immer mit halben Worten davon geredet werden kann. Wir wissen, daß Lea's Vierter sich früh vermählt hatte, – der Schritt war aus Reinheitsliebe geschehen, daß er sich binde, sich beschränke und Frieden fände; aber vergebens; die Rechnung war ohne die Herrin gemacht und ihren Speer. Sein Weib, deren Name nicht überliefert ist –, vielleicht wurde sie wenig bei Namen genannt, sie war einfach Schua's Tochter, jenes kanaanitischen Mannes,

dessen Bekanntschaft Juda durch seinen Freund und Oberhirten Hirah, vom Dorfe Odollam, gemacht hatte: – dieses sein Weib denn hatte ihn viel zu beweinen, ihm viel zu vergeben, und etwas leichter wurde es ihr, weil sie immerhin dreimal Mutterglück kostete, – ein kurzes Mutterglück, denn die Buben, die sie dem Juda schenkte, waren nur anfangs nett, dann wurden sie übel: am wenigsten noch der Jüngste, Shelah, in einigem Abstand von den ersten geboren; er war nur kränklich, aber die älteren, 'Er und Onan, waren zugleich auch übel, kränklich auf üble Art und übel auf kränkliche, dabei hübsch und dazu frech, kurzum ein Leidwesen in Israel.
Solche Buben, wie diese beiden, kränklich und ausgepicht, dabei aber nett, sind eine Zeitwidrigkeit an solcher Stelle und eine Voreiligkeit der Natur, die einen Augenblick nicht ganz bei sich ist und vergißt, wo sie hält. 'Er und Onan hätten ins Alte und Späte gehört, in eine Greisenwelt spöttischer Erben, sagen wir: ins äffische Ägyptenland. So nahe dem Ursprung eines ins Weite gerichteten Werdens waren sie fehl am Ort, fehl in der Zeit und mußten vertilgt werden. Das hätte Juda, ihr Vater, begreifen und niemanden beschuldigen sollen, als etwa sich selbst, der sie nun einmal erzeugt hatte. Er schob aber die Schuld an ihrer Übelkeit auf Schua's Tochter, ihre Mutter, und nur insofern auf sich, als er meinte, eine Narrheit begangen zu haben, da er eine geborene Baalsnärrin zum Weibe nahm. Und ihre Ausrottung schob er auf das Weib, dem er sie einen nach dem anderen zur Ehe gab, und die er bezichtigte, eine Ischtar-Figur zu sein, die ihre Liebsten vernichtet, daß sie an ihrer Liebe sterben. Das war ungerecht: gegen sein Weib, das ihm aus Kummer über dies alles bald dahinstarb, und ungerecht sicher in hohem Maße auch gegen Thamar.

Thamar erlernt die Welt

Thamar, sie war's. Sie saß zu Jaakobs Füßen, seit langem schon, tief beeindruckt von seinem Ausdruck, und lauschte der Lehre Israels. Nie lehnte sie sich an, sie saß sehr aufrecht, auf einem Schemel, auf einer Brunnenstufe, einem Wurzelstrange des Unterweisungsbaumes, mit hohlem Rücken, gestreckten Halses, zwei Falten der Anstrengung zwischen ihren samtenen Brauen. Sie stammte aus einem zum Umkreise Hebrons gehörigen Flecken an sonniger Bergschräge, dessen Leute sich von Weinbau und etwas Viehzucht nährten. Dort stand das Haus ihrer Eltern, die waren Klein-Ackerbürger und schickten die Dirne zu Jaakob mit Sangen und frischen Käsen, auch Linsen und Grütze, die er mit Kupfer gekauft hatte. So kam sie zu ihm und fand erstmals ihren Weg zu ihm, aus plattem Anlaß, in Wahrheit aber geleitet von höherem Drange.

Sie war schön auf ihre Art, nämlich nicht hübsch und schön, sondern schön auf eine strenge und verbietende Art, also, daß sie über ihre eigene Schönheit erzürnt zu sein schien, und das mit Recht, denn etwas Behexendes war daran, was den Mannsbildern nicht Ruhe ließ, und gegen solche Unruhe eben hatte sie die Furchen zwischen ihre Brauen gepflanzt. Sie war groß und fast mager, von einer Magerkeit aber, die mehr Unruhe hervorrief als noch so reichliche Fleischesform, so daß die Unruhe eigentlich nicht des Fleisches war, sondern dämonisch genannt werden mußte. Sie hatte bewundernswert schöne und eindringlich sprechende braune Augen, fast kreisrunde Nasenlöcher und einen stolzen Mund.

Was Wunder, daß Jaakob angetan war von ihr und sie an sich zog zum Lohn ihrer Bewunderung? Er war ein gefühlsliebender Greis, der nur darauf wartete, noch einmal fühlen zu können; und um uns Alten einmal noch das Gefühl zu wecken, oder doch etwas, was mild und verhüllt an das Gefühl unserer Jugend erinnert, muß schon was Besonderes kommen, das uns durch seine Bewunderung stärkt, astartisch zugleich und geistlich begierig nach unserer Weisheit.

Thamar war eine Sucherin. Die Falten zwischen ihren Brauen hatten nicht nur den Sinn des Zornes über ihre Schönheit, sondern auch den angestrengter Bemühtheit um Wahrheit und Heil. Wo in der Welt trifft man die Gottessorge nicht an? Sie kommt vor auf Königsthronen und in ärmlichsten Bergweilern. Thamar war eine ihrer Trägerinnen, und die Unruhe, die sie erregte, störte und erzürnte sie eben um der höheren Unruhe willen, die sie trug. Man hätte dies Landeskind vom Dorfe für religiös versorgt halten sollen. Der Wald-und-Wiesen-Naturdienst jedoch, den man ihr überlieferte, hatte ihrer Eindringlichkeit, schon ehe sie Jaakob hörte, nicht wollen Genüge tun. Sie kam mit den Baalim und Fruchtbarkeitsgöttern nicht aus, denn ihre Seele erriet, daß anderes, Überlegenes in der Welt war, und angestrengt spürte sie ihm nach. Es gibt solche Seelen: ein Neues und Änderndes braucht nur in der Welt zu sein, daß ihre einsame Empfindlichkeit davon berührt und ergriffen wird und sie sich zu ihm auf den Weg machen müssen. Ihre Unruhe ist nicht erster Ordnung, wie die des Wanderers von Ur, die ihn ins Leere trieb, wo nichts war, so daß er das Neue selber aus sich hervorbringen mußte. Nicht so diese Seelen. Ist aber das Neue da und ist es in der Welt, so beunruhigt es ihre Empfänglichkeit sogar von weither, daß sie danach müssen wallen gehen.

Thamar hatte nicht weit zu wallen. Die Waren, die sie Jaakob ins Zelt brachte, um Kupfergewicht dafür zu nehmen, waren bestimmt nur ein Trick des Geistes und ein Vorwand ihrer Unruhe. Sie fand zu ihm, und nun saß sie oft und oft zu den Füßen des

Feierlichen, Geschichtenschweren, sehr gerade, die dringlichen Augen groß zu ihm aufgeschlagen, von Aufmerksamkeit so gebannt und reglos, daß die silbernen Ohrringe zu seiten ihrer vertieften Wangen herniederhingen, ohne zu schaukeln, und er erzählte ihr die Welt, das heißt seine Geschichten, die er in kühner Lehrhaftigkeit als die Geschichte der Welt darzustellen wußte, — eines Stammbaums verzweigtes Gebreite, eine aus Gott erwachsene und von ihm betreute Familiengeschichte.

Er lehrte sie den Anfang, Tohu und Bohu und ihre Entmischung durch Gottes Wort; das Werk der sechs Tage und wie das Meer auf des Wortes Geheiß sich mit Fischen, der Raum danach unter der Feste des Himmels, wo die Lichter standen, mit vielem Gefieder, und die grünende Erde mit Vieh, Gewürm und allerlei Tieren füllte. Er ließ sie die rüstige und heiter pluralische Aufforderung Gottes hören an sich selbst, den unternehmenden Vorsatz: »Laßt uns den Menschen machen!« — und ihr war, als sei er es selbst, der's gesagt hatte, und jedenfalls, als müsse Gott, von dem es immer und geradehin nur einfach ›Gott‹ hieß wie nirgends sonst in der Welt, — als müsse Er ganz ähnlich dabei ausgesehen haben wie Jaakob selbst, womit ja der Zusatz auch übereinstimmte: »Ein Bild, das uns gleich sei.« Sie hörte vom Garten gegen Morgen und von den Bäumen darin, des Lebens und der Erkenntnis, von der Verführung und von der ersten Eifersuchtsanwandlung Gottes: wie er erschrak, der Mensch, der nun gar schon wisse, was Gut und Böse, möchte auch noch vom Baum des Lebens essen und vollends werden wie unsereiner. Da eilte sich unsereiner, vertrieb den Menschen und setzte den Cherub davor mit hauendem Schwert. Dem Menschen aber gab er Mühe und Tod, daß er zwar ein Bild sei, uns gleich, aber nicht allzu gleich, sondern nur etwas gleicher als Fische, Gevögel und Vieh, jedoch mit der heimlich gesetzten Aufgabe, uns, unserer Eifersucht entgegen, nach Möglichkeit immer gleicher zu werden.

So hörte sie's. Sehr folgeklar war es nicht, vielmehr geheimnisvoll und dazu großartig wie Jaakob selbst, der es kündete. Sie hörte von den feindlichen Brüdern und vom Mord auf dem Felde. Von den Kindern Kains und ihren Geschlechtern, wie sie sich in drei Arten teilten auf Erden: solche, die in Hütten wohnen und Vieh ziehen; solche, die Erze schmieden und sich damit schienen, und solche endlich, die bloß geigen und pfeifen. Das war eine vorläufige Einteilung. Aber von Seth, zum Ersatz für Habel geboren, kamen auch viele Geschlechter bis hin zu Noah, dem Hochgescheiten: dem gab es Gott, sich selbst hintergehend und seinen vertilgenden Zorn, die Schöpfung zu retten, daß er die Flut überstand mit seinen Söhnen Sem, Ham und Japheth, nach welchen die Welt sich einteilte aufs neue, denn zahllose Geschlechter sandte ein jeder der Dreie aus; und Jaakob kannte sie

alle — die Namen der Völkerschaften und ihrer Siedelungen auf Erden entströmten nur so seinem kündenden Munde vor Thamars Ohren; weit war der Überblick über die wimmelnde Zucht und ihre Landschaften — und zog sich auf einmal ins Ausgesucht-Familiäre zusammen. Denn Sem zeugte Eber im dritten Gliede, der aber im fünften den Thara, und so kam's zu Abram, einem von Dreien, aber er war's!
Denn ihm gab Gott die Unruhe ins Herz um seinetwillen, daß er unermüdlich arbeite an Gott, ihn hervordenke und ihm einen Namen mache, zum Wohltäter schuf er sich ihn und erwiderte dem Geschöpf, das den Schöpfer erschuf im Geiste, die Wohltat mit ungeheuren Verheißungen. Einen Bund schloß er mit ihm zu wechselseitiger Förderung, daß einer immer heiliger werden sollte im andern, und verlieh ihm das Recht der Erberwählung, Segens- und Fluchgewalt, daß er segne das Gesegnete und Fluch spreche dem Verfluchten. Weite Zukünfte riß er auf vor ihm, worin die Völker wogten, und ihnen allen sollte sein Name ein Segen sein. Und verhieß ihm unermeßliches Vatertum, da doch Abram unfruchtbar war in Sarai bis in sein sechsundachtzigstes Jahr.
Da nahm er die ägyptische Magd und zeugte mit ihr einen Sohn und nannte ihn Ismael. War aber ein abwegig Erzeugnis, nicht auf der Heilsbahn, der Wüste gehörig, und Urvater glaubte nicht Gottes Versicherungen, daß er auch noch einen Sohn haben solle von der Rechten, Isaak geheißen, sondern fiel aufs Gesicht vor Lachen über Gottes Wort, denn bereits war er hundert, und Sara ging es schon nicht mehr nach der Weiber Weise. Dennoch aber ward ihr dieses Lachen zugerichtet, daß Jizchak erschien, das verwehrte Opfer, über den es hieß von oben, daß er solle zwölf Fürsten zeugen, was nicht ganz richtig war. Gott versprach sich zuweilen und meinte es nicht genau, wie er sagte. Nicht Isaak zeugte die Zwölfe, oder nur mittelbar. Eigentlich tat erst er selbst es, der feierlich Kündende, an dessen Lippen das Landeskind hing, Jaakob, des Roten Bruder: mit vier Weibern zeugte er sie als des Teufels Dienstmann, Labans zu Sinear.
Denn abermals erfuhr Thamar von den feindlichen Brüdern, dem roten Jäger, dem sanften Hirten; sie vernahm vom richtigstellenden Segensbetrug und von des Diebes Flucht — wo es denn wegen Eliphas, des Untertretenen Sohn, und der Begegnung mit ihm unterwegs um der Würde willen nur zu einem schonenden Vortrag kam. Hier und noch in anderer Sache ging Jaakobs Rede etwas schonend und abmindernd, nämlich auch noch wegen Rahels Lieblichkeit und seiner Liebe zu ihr. In Ansehnung des Eliphas schonte er sich selbst und stellte seine Erniedrigung vor dem Knaben aus Schönheitsgründen nicht just in den stärksten Farben dar. Die Vielgeliebte betreffend aber schonte er Thamar; denn er war etwas verliebt in sie und hatte es im Gefühl, daß

man vor einer Frau nicht allzu frei die Lieblichkeit einer anderen preisen soll.
Dagegen vom großen Leiter-Traum, den der Segensdieb träumte zu Lus, erfuhr seine Schülerin in aller Pracht und Größe, mochte auch eine so herrliche Haupterhebung nicht ganz erklärlich sein ohne die tiefe Erniedrigung, die vorausgegangen. Den Erben hörte sie künden davon und sah ihn an dabei, ganz Aug und Ohr, der den Segen Abrahams trug und Macht hatte, ihn weiter zu spenden an einen, der Herr sein sollte über seine Brüder und dem seiner Mutter Kinder würden müssen zu Füßen fallen. Und wieder vernahm sie das Wort: »Durch dich und deinen Samen sollen gesegnet sein alle Geschlechter auf Erden.« Und rührte sich nicht.
Ja, wie vieles vernahm sie in diesen Stunden, ausdrucksvoll vorgetragen, – alle Geschichten! Die vierzehn Dienstjahre dehnten sich ihr im Lande des Kotes und Goldes nebst ihren Über-Jahren, daß es auf fünfundzwanzig kam und sich dank der Falschen, der Rechten und ihren Mägden die Elfe versammelten, einschließlich des Reizenden. Von ihrer aller Flucht hörte sie, von Labans Verfolgung und seinem Suchen. Vom Ringkampfe mit dem Rindsäugigen bis zum Morgenrot, wovon Jaakob hinkte sein Leben lang wie ein Schmied. Von Schekem und seinen Greueln, wo die wilden Zwillinge den Mann erwürgt und den Ochsen verderbt hatten, und waren gewissermaßen verflucht worden. Von Rahels Sterben, einen Feldweg nur von der Herberge, am Todessöhnchen. Von Rubens unverantwortlichem Dahinschießen, und wie auch er war verflucht worden, soweit eben Israel verflucht werden kann. Und dann die Geschichte Josephs, wie ihn der Vater zu sehr geliebt, aber, ein Gottesheld, ihn auf den Weg geschickt und wissentlich das Teuerste zum Opfer dahingegeben mit starker Seele.
Dies ›Einst‹ war noch frisch, und Jaakobs Stimme bebte dabei, während sie bei den früheren und frühesten, schon ganz mit Zeit bedeckten Einstmaligkeiten höchst episch gelassen gewesen war, feierlich froh im Ausdruck auch bei den grimmen und schweren, denn Gottesgeschichten waren sie alle, heilig zu erzählen. Nun ist aber ganz gewiß, es konnte nicht anders sein, und man muß es wissen, daß Thamars lauschende Seele im Lehrgange nicht nur mit geschichtlich-zeitbedecktem ›Einst‹, mit heiligem ›Es war einmal‹ gespeist wurde. ›Einst‹ ist ein unumschränktes Wort und eines mit zwei Gesichtern; es blickt zurück, weit zurück, in feierlich dämmernde Fernen, und es blickt vorwärts, weit vorwärts in Fernen, nicht minder feierlich durch ihr Kommen-Sollen, als jene anderen durch ihr Gewesen-Sein. Manche leugnen dies; ihnen ist feierlich nur das Einst der Vergangenheit, dasjenige aber der Zukunft gilt ihnen für schnöde. Frömmlerisch sind sie statt

fromm, Narren und trübe Seelen, Jaakob saß nicht in ihrer Kirche. Wer nicht das Einst der Zukunft ehrt, ist nicht des Einst der Vergangenheit wert und stellt sich auch zum heutigen Tag verkehrt. Dies ist unsere Lehrmeinung, wenn wir sie einschalten dürfen in die Lehren, die Jaakob ben Jizchak der Thamar erteilte, und die voll waren vom doppelten ›Einst‹, wie denn auch nicht, da er ihr ja die Welt erzählte, und da das Wort der Welt eben ›Einst‹ ist als Kunde und Verkündigung? Sie mochte wohl dankbar zu ihm sagen und sagte es auch: »Du hast es zu wenig geachtet, Herr, Herr, mir zu künden, was sich begeben hat, sondern hast deiner Magd noch von fernem Zukünftigem geredet.« Denn so tat er ganz unwillkürlich, da ja in allen seinen Geschichten von Anbeginn ein Element der Verheißung einschlägig war, so daß man nicht davon künden konnte, ohne auch zu verkünden.
Wovon sprach er zu ihr? Er sprach ihr von Shiloh.
Die Annahme ging völlig fehl, daß Jaakob erst auf dem Totenbett, einer Sterbe-Eingebung gemäß, sich über Shiloh, den Helden, ergangen hätte. Er hatte damals überhaupt keine Eingebungen, sondern ließ feierlich nur längst Vorbereitetes hören, was er bedacht und sich zurechtgelegt hatte ein halbes Leben lang, und wofür seine Sterbestunde eben nur ihre Weihe hergeben mußte. Dies betrifft die Segenssprüche und fluchartigen Beurteilungen der Söhne so gut wie die Erwähnung der Verheißungsfigur, die er Shiloh nannte, und mit der seine Gedanken zu Thamars Zeit längst angefangen hatten sich zu beschäftigen, wenn er auch zu niemandem sonst, als zu ihr, davon sprach, zum Dank ihrer großen Aufmerksamkeit und deswegen, weil er mit Resten seiner Gefühlkraft etwas verliebt in sie war. – Wen oder was meinte er mit Shiloh?
Wie er sich's ausgesonnen hatte! – es war seltsam. Shiloh war nichts als ein Stadtname vorderhand, der Name einer ummauerten Ortschaft weiter nördlich im Lande, wo öfters die Landeskinder, wenn sie gekriegt und gesiegt hatten, zusammenkamen, um untereinander die Beute zu teilen, – kein sonderlich heiliger Platz. Er hieß aber Ruhe- und Rastplatz, denn das meint ›Shiloh‹; Frieden meint es und frohes Eratmen nach blutiger Fehde und ist ein Segenslaut, tauglich als Eigenname so gut wie als Name des Platzes. Darum, wie Sichem, der Burgsohn, ebenso hieß wie seine Stadt, mochte auch Shiloh als Name dienen für einen Mann und Menschensohn, Friedreich geheißen, den Träger und Bringer des Friedens. In Jaakobs Gedanken war er der Mann der Gewärtigung, den Menschen verheißen in frühesten und immer erneuerten Angelobungen und Fingerzeigen, verheißen dem Schoße des Weibes, verheißen in Noahs Segen für Sem, verheißen dem Abraham, durch dessen Samen alle Geschlechter auf Erden sollten gesegnet sein: der Friedensfürst und der Gesalbte, der da

herrschen würde von Meer zu Meer und vom Fluß bis zum Ende der Welt, dem alle Könige sich beugen und alle Völker anhangen würden, der Held, der einst erweckt werden sollte aus erwähltem Samen, und dem der Stuhl seines Königreiches sollte bestätigt sein ewiglich.

Ihn, der da kommen würde, nannte er Shiloh, — und nun ist man dringend aufgefordert, sich's vorzustellen und es sich einzubilden, so gut man nur kann, wie Jaakob, der Aus- und Eindrucksreiche, in diesen Lehrstunden, das Anfänglichste mit dem Zukünftigsten verbindend, von Shiloh sprach. Es war bedeutend, es war gewaltig; Thamar, das Weib, das ganz allein gewürdigt war, es zu hören, saß unbeweglich; man hätte nun auch bei genauestem Hinsehen kein leisestes Schaukeln ihrer Ohrringe mehr feststellen können. Sie hörte die Welt, die im Frühen das Späte barg als Verheißung, eine ungeheure und vielverzweigte, geschichtenvolle Geschichte, durch welche der Purpurfaden der Zugelobung und der Gewärtigung lief von einst zu einst, vom ehemaligsten Einst zum zukünftigsten, wo denn in kosmischer Heilskatastrophe zwei Sterne, die feindlich gegeneinander geflammt, der Stern der Macht, der Stern des Rechts, mit das All erfüllendem Donnergetös ineinanderstürzen und einer sein würden fortan in mildgewaltigem Schein zu Häupten der Menschheit: der Stern des Friedens. Das war Shilohs Stern, des Menschensohnes, des Sohnes der Erberwählung, der dem Samen des Weibes verheißen war, daß er solle der Schlange den Kopf zertreten. Thamar aber war ein Weib, war das Weib, denn jedes Weib ist das Weib, Mittel des Falles und Schoß des Heils, Astarte und Mutter Gottes, und zu Füßen saß sie des Vatermannes, auf den durch regelnden Pfiff der Segen gekommen war, und der ihn weiterverspenden sollte in die Geschichte hinaus an einen in Israel. Wer war es? Über wessen Scheitel würde der Vater sein Horn erheben, daß er ihn zum Erben salbe? Thamar hatte Finger, es sich daran auszurechnen. Drei waren verflucht, der Liebling aber, der Sohn der Rechten, war tot. Nicht Liebe konnte den Erbgang lenken, und wo die Liebe hinweggenommen, bleibt nichts als Gerechtigkeit. Gerechtigkeit war das Horn, aus dem das Öl der Erwählung träufeln mußte auf den Scheitel des Vierten. Juda, er war der Erbe.

Die Entschlossene

Von nun an eigneten sich die stehenden Furchen zwischen Thamars Brauen noch eine dritte Bedeutung zu. Nicht nur vom Zorn über ihre Schönheit sprachen sie und von suchender Anstrengung, sondern auch von Entschlossenheit. Hier sei es erhärtet: Thamar war fest entschlossen, sich, koste es was es wolle, mit

Hilfe ihres Weibtums in die Geschichte der Welt einzuschalten. So ehrgeizig war sie. In diesen unerschütterlichen und – wie alle Unerschütterlichkeit etwas Finsteres hat – fast finsteren Entschluß war ihre geistliche Strebsamkeit eingemündet. Belehrung wird in gewissen Naturen sofort zum Wollen, ja, solche Naturen gehen wohl nur auf Belehrung aus, um ihr Wollen damit zu speisen und ihm ein Ziel zu geben. Thamar hatte über die Welt und ihre Zielstrebigkeit nur belehrt zu werden brauchen, um zu dem unbedingten Entschluß zu gelangen, ihr Weibtum mit dieser Zielstrebigkeit zu verbinden und weltgeschichtlich zu werden.

Wohlverstanden: in der Geschichte der Welt steht jeder. Man braucht nur in die Welt geboren zu sein, um so oder so und schlecht und recht durch sein bißchen Lebensgang zur Gänze des Weltprozesses sein Scherflein beizutragen. Die meisten aber wimmeln peripherisch weitab-seitab, unkund des Hauptgeschehens und ohne Anteil an ihm, bescheiden und im Grunde froh, nicht zu seinem erlauchten Personal zu gehören. Thamar verachtete diese. Kaum war sie belehrt, so wollte sie, – oder richtiger: sie hatte Belehrung genommen, um zu erfahren, was sie wollte und nicht wollte. Sie wollte nicht abseits wimmeln. Recht auf die Bahn wollte dies Landmädchen sich bringen, die Bahn der Verheißung. Von der Familie wollte sie sein, sich einschalten mit ihrem Schoß in die Geschlechterreihe, die in die Zeiten führte zum Heil. Sie war das Weib, und Verkündigung war ihrem Samen geworden. Eine Vor-Mutter Shilohs wollte sie sein.

Nichts mehr und nichts weniger. Fest standen die Falten zwischen ihren samtenen Brauen. Schon drei Bedeutungen hatten sie – es konnte nicht fehlen, daß sie noch eine vierte annahmen: diejenige zornig neidvoller Geringschätzung für Schua's Tochter, das Weib Jehuda's. Dieser Trulle, die auf der Bahn war und an erlauchtem Platze, so ohne Verdienst und Wissen und Willen (denn Wissen und Willen rechnete Thamar als Verdienst), – dieser der Geschichtlichkeit gewürdigten Null also wollte sie nicht im geringsten wohl, sondern haßte sie, ganz ohne es vor sich selbst zu verbergen, aufs weiblichste, und hätte ihr, wiederum ohne es sich selbst zu verhehlen, den Tod gewünscht, wenn das noch Sinn gehabt hätte. Es hatte aber keinen, weil jene dem Juda ja schon drei Söhne gebracht hatte, so daß sie diesen allen dreien den Tod hätte wünschen müssen, damit die Lage hergestellt und wirklich der Platz für sie frei gemacht sei an der Seite des Erben. Als solchen liebte sie Juda und begehrte sein – es war die Liebe des Ehrgeizes. Nie hat wohl – oder hatte bis dahin – ein Weib einen Mann so gar nicht um seiner selbst willen, vielmehr so ganz um einer Idee willen geliebt und begehrt, wie Thamar den Juda. Es war eine neue Liebesgründung; zum ersten Mal gab es das: die Liebe, die nicht aus dem Fleische kommt, sondern aus dem Gedanken, so daß man sie wohl dämonisch nennen mochte, so gut wie die Unruhe, die Thamar selbst der Mannheit erweckte ohne Fleischesform.

Sie hätte ihr astartisch Teil, dem sie sonst zürnte, wohl gern und willentlich spielen lassen zu Juda hinüber und kannte ihn viel zu gut als Knecht der Herrin, um nicht des Sieges gewiß zu sein. Aber es war zu spät – was ja immer heißt: zu spät in der Zeit. Sie war zu spät daran, war fehl am Zeitort mit ihrer Ehrgeiz-Liebe. An dieser Stelle der Kette konnte sie sich nicht mehr einschalten und sich nicht wohl auf die Bahn bringen. Sie mußte daher einen Schritt vorwärts oder hinab tun in der Zeit und den Generationen, mußte selbst die Generation wechseln und ihr zielstrebiges Begehren dorthin richten, wo sie Mutter hätte sein wollen – was gedanklich nicht schwer war, da Mutter und Geliebte immer eines gewesen waren in höherer Sphäre. Kurzum, von Juda, dem Erbsohn, mußte sie ihr Augenmerk auf seine Söhne, die Erbenkel, richten – denen sie fast den Tod gewünscht hätte, um sie selbst, und zwar besser, hervorzubringen: auf den Ältesten, den Knaben 'Er selbstverständlich zuerst und allein, denn er war der Erbe.

Ihre persönliche Stellung in der Zeit ermöglichte ihr das Hinabsteigen recht wohl. Sie wäre für Juda nicht viel zu jung gewesen und war für 'Er nicht gar zu alt. Dennoch tat sie den Schritt nicht gern. Die Anstößigkeit dieser Generation, ihre kränkliche, wenn auch nette, Verderbtheit, ließ sie zögern, ihn zu tun. Aber ihr Ehrgeiz wußte sich zu helfen – er mußte wohl, sie wäre sonst sehr unzufrieden mit ihm gewesen. Er sagte ihr, daß die Verheißung nicht immer verheißungsvolle oder auch nur geheure Wege zu gehen braucht; daß sie, ohne zu verkümmern, viel Zweideutig-Minderwertiges und selbst Verworfenes durchlaufen mag, und daß aus Krankem nicht immer Krankes kommen muß, sondern ein geprüftes und aufgeartetes Leben daraus hervorgehen und weiterhin seinen Weg zum Heile nehmen kann, besonders, wenn ihm die aufartende Kraft einer Entschlossenheit dabei zur Hilfe kommt, wie Thamar sie ihr eigen nannte. Auch waren die Juda-Sprossen ja eben nur abgeartete Männer. Auf das Weib aber kam's an, und darauf, daß das rechte just hier am schwächsten Punkt sich einschalte. Dem Schoße des Weibes galt die erste Verheißung. Was lag an den Männern!

Um nun jedoch ihr Ziel zu erreichen, mußte sie wieder hinaufsteigen in der Zeit bis ins dritte Glied; anders war's nicht zu machen. Zwar ließ sie ihr Astartisches spielen gegen den jungen Menschen, aber die Rückwirkung war kindisch und lasterhaft. 'Er wollte nur scherzen mit ihr, und als sie dagegen die Finsternis ihrer Brauen setzte, fiel er ab und war des Ernstes nicht fähig. Sich hinter Juda zu stecken, weiter hinauf, hinderte sie ein Zart-

gefühl; denn er war es gewesen, den sie eigentlich begehrt hatte oder begehrt hätte, und wenn er das auch nicht wußte, so wußte doch sie es und schämte sich, von ihm den Sohn zu begehren, den sie ihm hätte gebären wollen. Darum steckte sie sich hinter Jaakob, das Sippenhaupt, ihren Lehrer, und hinter seine ihr selbstverständlich wohlbekannte würdevolle Schwäche für sie, der sie mehr schmeichelte, als daß sie sie verletzt hätte, indem sie sich um Aufnahme in die Familie bewarb und den Enkel von ihm zum Mann begehrte. Am selben Platze tat sie es, im Zelt, wo Joseph den Alten einst ums bunte Kleid beschwatzt, und hatte leichteres Spiel als jener, mit ihrem Anliegen.
»Meister und Herr«, so sprach sie, »Väterchen, lieb und groß, nun höre deine Magd und neige dich, bitte, ihrer Bitte und ihrem ernstlichst sehnsuchtsvollen Verlangen! Siehe, du hast mich erlesen und groß gemacht vor den Töchtern des Landes, hast mich unterwiesen in der Welt und in Gott, dem einzig Höchsten, hast mir die Augen aufgetan, die blind waren, und mich gebildet, daß ich dein Gebilde bin. Wie ist doch dies mir zuteil geworden, daß ich Gnade fand vor deinen Augen und hast mich getröstet und deine Magd freundlich angesprochen, das vergelte dir der Herr, und möge dein Lohn vollkommen sein bei dem Gotte Israels, zu welchem ich gekommen bin an deiner Hand, daß ich unter seinen Flügeln Zuversicht habe! Denn ich hüte mich und bewahre meine Seele wohl, daß ich nicht die Geschichten vergesse, die du mich hast sehen lassen, und daß sie nicht aus meinem Herzen kommen all mein Leben lang. Meinen Kindern und Kindeskindern, wenn mir Gott solche gibt, will ich sie kundtun, daß sie sich nicht verderben und sich nicht irgendein Bild machen gleich einem Mann oder Weib oder Vieh auf Erden oder Vogel unter dem Himmel, oder Gewürm, oder Fisch; noch daß sie ihre Augen aufheben und sehen die Sonne, den Mond und die Sterne, das ganze Heer, und fallen ab, ihnen zu dienen. Dein Volk ist mein Volk, und dein Gott ist mein Gott. Darum, wenn Er mir Kinder gibt, so sollen sie mir nicht kommen von einem Manne aus fremdem Gottesvolk, nie und nimmer. Es kann aus deinem Hause, mein Herr, wohl einer sich eine Tochter des Landes nehmen, wie ich es war, und sie zu Gott führen. Ich aber, wie ich nun bin, neugeboren und dein Gebild, kann nicht Ehemagd sein einem Unbelehrten und einem, der da zu Bildern betet aus Holz und Stein, von der Hand der Werkmeister, und die weder sehen, noch hören, noch riechen können. Siehe an, Vater-Herr, was du getan hast, da du mich bildetest, und hast mich fein und heikel gemacht in der Seele, daß ich nicht leben kann wie die Menge der Unwissenden und kann nicht den Ersten-Besten freien und mein Weibtum nicht hingeben einem Gottestölpel, wie ich sonst wohl schlichten Herzens getan hätte – das sind die Nachteile der Verfeinerung und sind die

Schwierigkeiten, die Veredelung mit sich bringt. Darum rechne es deiner Tochter und Magd nicht zum Mutwillen an, wenn sie dich auf die Verantwortung hinweist, die du auf dich genommen, da du sie bildetest, und bist ihr schuldig geworden fast ebenso, wie sie dir, da du nun für ihre Veredelung aufkommen mußt.«
»Was du sagst, meine Tochter«, erwiderte er, »ist energisch und nicht ohne Hand und Fuß; es läßt sich mit Beifall hören. Sage mir aber, wo du hinauswillst, denn ich seh' es noch nicht, und vertraue mir an, wohin du denkst, denn es ist mir dunkel!«
»Deines Volks«, sagte sie, »bin ich im Geiste, deines Volks allein kann ich im Fleische sein und mit meiner Weibheit. Du hast mir die Augen aufgetan – laß mich die deinen öffnen! Ein Reis wächst an eurem Stamm, 'Er, deines Vierten Erster, und ist wie ein Palmbaum am Bach und wie ein schlank Rohr im Ried. So rede mit Juda, deinem Löwen, daß er mich ihm zum Weibe gebe!«
Jaakob war höchlichst überrascht.
»Da willst du hinaus«, antwortete er, »und dahin denkst du? Wahrlich,wahrlich, ich hätt's nicht gedacht. Du hast mir von der Verantwortung gesprochen, die ich mir zugezogen, indem ich dich bildete, und machst mich nun stutzen gerade um ihretwillen. Natürlich kann ich reden mit meinem Löwen und mein Wort geltend machen vor ihm, aber kann ich's verantworten? Willkommen bist du meinem Hause, und es tut seine Arme auf mit Freuden, dich zu empfangen. Aber soll ich dich gebildet haben zu Gott, daß du unselig werdest? Ungern rede ich mißlich von einem in Israel, aber die Söhne der Tochter Schua's sind ja ein ungenügend Geschlecht und sind Taugenichtse vor dem Herrn, nach denen ich lieber nicht blicke. Wahrlich, ich zögere stark, dir zu willfahren, denn nach meinem Dafürhalten taugen die Knaben zur Ehe nicht, jedenfalls nicht mit dir.«
»Mit mir«, sagte sie fest, »wenn mit keiner sonst, – besinne sich doch mein Vater und Herr! Es war unumgänglich geboten, daß Jehuda Söhne habe. Nun sind sie, wie sie sind, von gutem Kern jedenfalls, denn in ihnen ist der Kern Israels, und können nicht übersprungen sein, noch kann man sie ausfallen lassen, es sei denn, sie fielen selber aus und bestünden die Probe des Lebens nicht. Unumgänglich ist's, daß sie wiederum Söhne haben, zum mindesten einen, einer zum mindesten, 'Er, der Erstgeborene, diese Palme am Bach. Ich liebe ihn und will ihn auferbauen mit meiner Liebe zum Helden in Israel!«
»Eine Heldin«, versetzte er, »bist du selbst, meine Tochter, und ich traue dir's zu.«
So versprach er ihr, sein Wort geltend zu machen bei Juda, dem Löwen, und war sein Herz von mancherlei widerstreitenden Empfindungen erfüllt. Denn er liebte das Weib mit starken Re-

sten und freute sich, sie mit einer Männlichkeit zu beschenken, die von ihm kam. Doch dauerte es ihn und ging ihm gegen die Ehre, daß es sollte keine bessere Männlichkeit sein. Drittens aber, er wußte nicht warum, war ihm leise grausig zumute bei dieser ganzen Geschichte.

»Nicht durch uns!«

Juda hauste nicht mit seinen Brüdern im Haine Mamre beim Vater, sondern seit er gut Freund geworden mit dem Manne Hirah, weidete er weiter abwärts gegen die Ebene auf den Triften Odollam, und dort führten auch 'Er, sein Ältester, und Thamar ihre Ehe, gestiftet von Jaakob, da er den Vierten vor sich entboten und sein Wort hatte geltend gemacht vor ihm. Warum hätte Juda löcken sollen gegen das Wort? Es waren etwas trübe Gebärden, mit denen er darein willigte, aber er willigte ohne Umstände darein, und so ward Thamar dem 'Er zum Weibe gegeben.

Es ziemt uns nicht, hinter den Vorhang dieser Ehe zu blicken; schon damals gleich hatte niemand Lust dazu, und immer hat die Menschheit sich mit barscher Bündigkeit über die Tatsachen geäußert, unter Verzicht auf Mitleid und Beschuldigung, die richtig anzubringen ihr stets zu umständlich schien. Die Elemente des Mißgeschicks waren auf einer Seite geschichtlicher Ehrgeiz, verbunden mit Eigenschaften astartischer Art, und auf der anderen jugendliche Entnervtheit, die keiner ernsten Lebensprobe gewachsen war. Man tut am besten, dem Beispiel der Überlieferung zu folgen und barsch und bündig mitzuteilen, daß Juda's 'Er ganz kurze Zeit nach der Hochzeit starb, oder, wie jene es ausdrückt, daß der Herr ihn tötete, – nun ja, der Herr tut alles, und alles, was geschieht, kann man als seine Tat bezeichnen. In Thamars Armen starb der Jüngling an einem Blutsturz, der wohl seinen Tod herbeigeführt hätte, auch wenn er nicht am Blute erstickt wäre; und mancher wird es noch tröstlich finden, daß er wenigstens nicht ganz allein starb, wie ein Hund, sondern in seines Weibes Armen, obgleich es auch wieder beschwerend ist, sich diese gefärbt vom Lebens- und Sterbensblute des jungen Gatten vorzustellen. Mit finsteren Brauen stand sie auf, wusch sich rein und verlangte Onan, Juda's Zweiten, zum Manne.

Die Entschlossenheit dieser Frau hatte alle Zeit etwas Verblüffendes gehabt. Sie ging zu Jaakob hinauf und klagte ihm ihr Leid, klagte gewissermaßen Gott bei ihm an, so daß der Alte Jahs wegen in Verlegenheit geriet.

»Mein Mann ist mir gestorben«, sagte sie, »'Er, dein Enkel, jählings und im Nu! Ist das zu verstehen? Wie kann Gott das tun?«

»Er kann alles«, antwortete er. »Demütige dich! Er tut, wenn sich's trifft, das Ungeheuerlichste, denn alles zu können, ist, wenn man's recht bedenkt, eine große Versuchung. Es sind Wüstenreste, such es dir so zu erklären! Er stößt zuweilen auf einen Mann und tötet ihn mir nichts, dir nichts, ohne Erläuterung. Man muß es hinnehmen.«

»Ich nehme es hin«, versetzte sie, »von wegen Gottes, aber nicht für mein Teil, denn meine Witwenschaft erkenn' ich nicht an, ich kann's und darf's nicht. Ist einer ausgefallen, so muß unmittelbar der Nächste eintreten für ihn, daß nicht mein Funke auslösche, der noch übrig ist, und meinem Mann kein Namen und nichts Übriges bleibe auf Erden. Ich spreche nicht für mich allein und für den Getöteten, ich spreche allgemein und für ewig. Du mußt, Vater-Herr, dein Wort geltend machen in Israel und es zur Satzung erheben, daß, wo da Brüder sind und einer stirbt ohne Kinder, so soll sein Weib nicht einen fremden Mann draußen nehmen, sondern ihr Schwager soll einspringen und sie ehelichen. Den ersten Sohn aber, den sie gebiert, soll er bestätigen nach dem Namen seines verstorbenen Bruders, daß dessen Name nicht vertilgt werde aus Israel!«

»Wenn's aber dem Manne nicht gefällt«, wandte Jaakob ein, »daß er seine Schwägerin nehme?«

»In diesem Fall soll sie hervortreten«, sprach Thamar fest, »und es allen ansagen: Mein Schwager weigert sich, seinem Bruder einen Namen zu erwecken in Israel, und will mich nicht ehelichen. Dann soll man ihn fordern und mit ihm reden. Wenn er aber steht und spricht: Es gefällt mir nicht, sie zu nehmen, so soll sie zu ihm treten vor allem Volk und ihm einen Schuh ausziehen von seinen Füßen und ihn anspeien und soll antworten und sprechen: Also soll man tun einem jeden Mann, der seines Bruders Haus nicht erbauen will. Und sein Name soll ›Barfüßer‹ sein!«

»Da wird er sich freilich bedenken«, sagte Jaakob. »Und du hast insofern recht, meine Tochter, als es mir leichter fallen wird, mein Wort geltend zu machen bei Juda, daß er dir den Onan zum Manne gebe, wenn ich's allgemein mache und mich dabei auf die Satzung stützen kann, die ich veröffentlicht habe unter dem Unterweisungsbaum.«

Es war die Schwagerehe, die da auf Thamars Betreiben gegründet wurde, eine geschichtliche Sache. Dies Landmädchen hatte nun einmal einen Trieb zum Geschichtlichen. Ohne Witwenschaft erhielt sie den Knaben Onan zum Manne, ob Juda auch wenig Lust zeigte zu der Schlichtung und Seitenheirat und der Betroffene noch weniger. Jehuda, vom Vater heraufgefordert von der Trift Odollam, löckte längere Zeit gegen den Ratschlag und bestritt, daß es ratsam sei, mit dem Zweiten zu wiederholen, was mit dem Ersten so unselig ausgegangen. Auch sei Onan erst zwanzig und,

wenn überhaupt für die Ehe geschaffen, so jedenfalls noch nicht für sie reif, noch zu ihr willens und aufgelegt.
»Aber sie wird ihm den Schuh ausziehen und dergleichen mehr, wenn er sich weigert, seines Bruders Haus zu erbauen, und er wird ›Barfüßer‹ heißen sein Leben lang.«
»Du tust, Israel«, sagte Juda, »als sei das nun einmal so, da du es doch selbst eben erst eingeführt hast, und ich weiß auch, auf wessen Rat.«
»Aus der Magd spricht Gott«, erwiderte Jaakob. »Er hat sie zu mir geführt, daß ich sie mit ihm bekannt mache und er aus ihr reden könne.«
Da löckte Juda nicht mehr und verordnete die Heirat.
Den Alkovenspäher zu machen ist unter der Würde dieses Erzählers. Barsch und bündig denn: Juda's Zweiter, in seiner Art hübsch und nett, nämlich auf eine zweifelhafte Art, war, wiederum in seiner Art, ein Charakter, – will sagen: im Sinn einer wurzelhaften Widersetzlichkeit, die einem Urteilsspruch über sich selbst und einer Verneinung des Lebens in ihm selber gleichkam. Nicht gerade seines persönlichen Lebens, denn er hatte viel Eigenliebe und schmückte und schminkte sich stutzerhaft; aber aller Fortsetzung des Lebens nach ihm und durch ihn – zu dieser sagte er innerlichst nein. Es heißt, er habe sich geärgert, daß er als Ersatz-Gatte einspringen und nicht sich selbst, sondern seinem Bruder Samen erwecken sollte. Das ist wohl wahr; soweit Worte und selbst Gedanken in Frage kommen, mochte er die Sache bei sich so artikulieren. In der Wirklichkeit, für die Gedanken und Worte nur Umschreibungen sind, war diesem ganzen Juda-Geschlecht das Wissen eingeboren, daß es eine Sackgasse bilde, und daß das Leben, welche Wege es nun immer einschlagen mochte, jedenfalls nicht durch sie, die drei Buben, weiterführen sollte, wollte, konnte und durfte. Nicht durch uns! sagten sie einhellig und hatten in ihrer Art recht. Leben und Schälerei mochten ihrer Wege gehen; sie pfiffen darauf. Namentlich Onan tat das, und seine Hübschheit und Nettheit war nur die Äußerung der Eigenliebe dessen, über den es nicht weitergeht.
Zur Ehe genötigt, beschloß er, den Schoß zum Narren zu halten. Doch hatte er die Rechnung ohne Thamars astartisch gerüsteten Ehrgeiz gemacht, der gegen seine Widersetzlichkeit wie eine Wetterwolke gegen die andere stand und mit ihr den ausgleichenden Blitzschlag des Todes zeugte. In ihren Armen starb er, von einem Nu zum anderen, an plötzlicher Lebenslähmung. Das Gehirn stand ihm still, und er war tot.
Thamar erhob sich und verlangte stracks, daß man ihr nunmehr den Shelah, Juda's Jüngsten, der erst sechzehn Jahre alt war, zum Manne gebe. Nennt einer sie die verblüffendste Figur dieser ganzen Geschichte, so wagen wir nicht zu widersprechen.

Diesmal drang sie nicht durch. Schon Jaakob schwankte sehr, wenn auch nur in Erwartung von Juda's emphatischem Einspruch, der nicht auf sich warten ließ. Man hieß ihn wohl einen Löwen, aber wie eine Löwin stand er vor seinem letzten Knaben, was dieser nun immer taugen mochte, und wollte nicht.

»Nie und nimmer!« sagte er. »Daß er mir auch verderbe, nicht wahr?, blutig wie der Erste oder unblutig wie der Zweite, da sei Gott vor, und es geschehe mitnichten! Ich habe gehorsamt deiner Vorladung, Israel, und bin zu dir heraufgeeilt von Ehesib in der Ebene, wo Schua's Tochter mir diesen gebar, und wo sie jetzt krank liegt. Denn sie ist krank und neigt zum Sterben, und wenn auch Shelah mir stirbt, so bin ich kahl. Nicht von Gehorsamsverweigerung ist die Rede, denn du magst mir's ja sichtlich gar nicht befehlen, sondern nur als zweifelnde Anregung bringst du's vor. Ich aber zweifle nicht erst, sondern sage ›Nein und Niemals‹ dazu, für dich und mich. Was denkt sich dies Weib, daß ich ihr soll auch das Schäfchen geben und sie's vertilge? Das ist eine Ischtar, die ihre Liebsten tötet! Eine Jünglingsfresserin ist das, von unersättlicher Gier! Dazu ist dieser ein Kind, noch unter seinen Jahren, und taugt das Lämmlein nicht in den Pferch ihrer Arme.«

Wirklich konnte man sich Shelah, wenigstens vorläufig, vermählt gar nicht vorstellen. Er sah mehr aus wie ein Engel denn wie ein Menschensohn, süffisant und unbrauchbar, und hatte weder Bart noch Baß.

»Es ist nur wegen des Schuhes und wegen des Weiteren«, erinnerte Jaakob zögernd, »wenn der Knabe sich sperrt, seines Bruders Haus zu erbauen.«

»Ich werde dir etwas erwidern, mein Herr«, sprach Juda. »Wenn diese Fresserin jetzt nicht hingeht und Leidkleider anzieht und fortan nicht sittsam Leid trägt in ihres Vaters Hause als eine Witwe, der zwei Männer gestorben sind, und sich ruhig verhält, so werde ich selbst, so wahr ich dein Vierter bin, ihr einen Schuh ausziehen vor allem Volk und auch das Zugehörige tun und sie offen der Vampirei bezichtigen, daß man sie steinige oder verbrenne!«

»Du gehst zu weit«, sagte Jaakob, peinlich berührt, »in deiner Unlust zu meiner Anregung.«

»Gehe ich zu weit? Und wie weit würdest du gehen, wenn man dir Benjamin nehmen wollte, und wollte ihn vielleicht auf die fährlichste Reise schicken, der doch nicht dein Letzter ist, sondern nur dein Jüngster? Den hütest du mit dem Stabe und hältst ihn kurz an dich, daß er nicht auch abhanden komme, und darf kaum auf die Straße. Nun, Shelah ist mein Benjamin, und ich sträube mich, alles sträubt sich hoch auf an mir gegen seine Herausgabe!«

»Ich will dir einen Vorschlag zur Güte machen«, sprach Jaakob, dem dies Argument sehr naheging, »nämlich zu dem Behuf, daß wir Zeit gewinnen und dabei die Magd, deine Schnur, nicht hart vor die Stirne stoßen. Denn nicht abschlagen wollen wir ihr ihr Verlangen, sondern es ihr abgewöhnen. Geh hin und sage ihr: ›Mein Sohn Shelah ist noch zu klein und sogar hinter seinen Jahren zurück. Bleibe eine Witwe in deines Vaters Haus, bis der Knabe groß wird, dann will ich ihn dir geben, daß er seinem Bruder Samen erwecke.‹ So bringen wir ihr Verlangen für einige Jahre zum Schweigen, eh sie's erneuern kann. Aber vielleicht wird ihr geläufig der Witwenstand, und sie erneuert es gar nicht. Oder, wenn doch, so vertrösten wir sie und erklären mit mehr oder weniger Recht, dein Sohn sei noch immer nicht groß geworden.«
»Sei es darum«, sprach Juda. »Mir ist es ganz gleich, was wir ihr sagen, wenn ich nur nicht den zarten Hochmut dem Moloch muß in die glühenden Arme legen.«

Die Schafschur

Es geschah nach Jaakobs Weisung. Thamar nahm ihres Schwiegervaters Bescheid mit finsteren Brauen auf, ihm dabei tief in das Auge blickend. Aber sie fügte sich. Als eine Witwe und als ein Weib, das Leid trägt, blieb sie in ihres Vaters Haus und ließ nichts von sich hören, ein Jahr und zwei Jahre und sogar noch ein drittes. Nach zweien hätte sie mit Fug und Recht ihren Anspruch erneuern können; aber ausdrücklich wartete sie noch ein drittes, um nicht beschieden zu werden, Shelah sei noch zu klein. Die Geduld dieser Frau war ebenso ansehnlich wie ihre Entschlossenheit. Aber Entschlossenheit und Geduld, die beiden sind wohl ein und dasselbe.
Als nun aber Shelah neunzehn war und also in der Blüte der ihm erreichbaren Männlichkeit stand, trat sie vor Juda hin und sprach:
»Die Frist ist um, und ist nun die Zeit gekommen, daß du mich deinem Sohne zum Weibe gebest und ihn mir zum Mann, damit er seinem Bruder Namen und Samen schaffe. Gedenke deiner Verschreibung!«
Juda aber war, noch ehe das erste Wartejahr umgekommen, selber ein Witwer geworden; Schua's Tochter war ihm gestorben, aus Gram über seine Knechtschaft bei Astaroth, dazu über ihrer Söhne Verderben und darüber, daß sie schuld daran sein sollte. Er hatte nur Shelah noch und war weniger als je gesonnen, ihn auf die gefährliche Reise zu schicken. Darum erwiderte er:
»Verschreibung? Meine Freundin, es hat nie eine stattgefunden. Will ich damit sagen, daß ich nicht auch zu dem bloßen Wort

meines Mundes stehe? Das will ich nicht. Aber ich hätte nicht gedacht, daß du darauf bestehen würdest, noch nach so langer Zeit, denn es war ein Wort der Vertröstung. Willst du noch so eins, so gebe ich's dir, aber es sollte nicht nötig sein, und du solltest dich selbst schon getröstet haben. Zwar ist Shelah älter geworden, aber nur wenig, und bist ihm nun weiter voran, als du warst, da mein Wort dich vertröstete. Du könntest ja fast seine Mutter sein.«

»So, könnte ich das?« fragte sie. »Du weisest mir meinen Platz an, wie ich sehe.«

»Dein Platz«, sagte er, »ist meiner Meinung nach in deines Vaters Haus, daß du darin als Witwe bleibest und als ein Weib, das Leid trägt um zween Männer.«

Sie neigte sich und ging. Nun aber kommt's.

Diese Frau war nicht so leicht auszuschalten, noch von der Bahn zu bringen – unsere Verblüffung wächst, je länger wir sie im Auge haben. Mit ihrer Stellung in der Zeit schaltete sie frei. Sie war hinabgestiegen in ihr zu den Enkeln, die sie verwünschte, da sie denen im Wege waren, die sie hätte hervorbringen wollen, – nun beschloß sie, aufs neue die Generation zu wechseln und wieder hinaufzusteigen, unter Umgehung des einen, der noch übrig war vom Enkelgeschlecht, und den man ihr nicht überlassen wollte, daß er sie entweder auf die Bahn brächte oder stürbe. Denn ihr Funke durfte nicht ausgelöscht sein, noch litt sie's, daß man sie vertilge vom Erbe Gottes.

Für Juda, Jaakobs Sohn, spielte die Sache sich ab, wie folgt. Nicht gar viele Tage nach dem Tag, da der Löwe wieder die Löwin gemacht und sich vor sein Junges gestellt, kam das Jahr um zu dem Punkt, wo Schafschur war und das Fest der Wollernte, das die Hirten und Hüter der Gegend zu Trunk und Opferschmaus versammelte an wechselndem Ort, und war diesmal ein Platz ausersehen in den Bergen, Timnach genannt, dahin kamen die Hirten und Herren der Hürden von oben hinab und von unten hinauf, daß sie schüren und eine gute Zeit hätten. Juda aber ging hinauf zusammen mit Hirah von Odollam, seinem Freunde und Oberhirten, demselben, durch den er Schua's Tochter kennengelernt; denn sie wollten auch scheren und eine gute Zeit haben, wenigstens Hirah; denn Juda war nicht nach guter Zeit zumute, gar niemals. Er lebte in einer Hölle, zur Strafe für ehemals Mitbegangenes, und die Art, wie seine Söhne ums Leben gekommen waren, sah dieser Hölle recht ähnlich. Vergrämt war er um seine Erberwählung, und lieber hätte um seinetwillen das Jahr zu keinerlei Fest umkommen sollen und zu keiner guten Zeit; denn ist man ein Höllenknecht, so nimmt alle Festlichkeit doch nur das Wesen des Höllischen an und führt zu nichts, als daß man verunsäubert die Erberwählung. Aber was hilft's? Nur wer am Leibe krank, ist vom Leben entschuldigt. Ist man nur krank im Gemüt – das hat keine Gültigkeit, niemand versteht's, und man muß teilnehmen am Leben und mit den anderen die Zeit halten. So hielt Juda mit bei der Schur zu Timnach drei Tage lang, opferte und schmauste.

Den Rückweg hinab in seine Gegend legte er allein zurück; er ging am liebsten allein. Daß er zu Fuße ging, wissen wir, denn er führte einen guten Knaufstock, der etwas wert war, und solchen braucht man nicht für ein Reittier, sondern zum Schreiten. An ihm schritt er die Pfade der Hügel hinab, zwischen Weinhängen und Ortschaften, im Spätglanz des Tages, der rötlich zur Rüste ging. Weg und Steg waren ihm wohl vertraut; da war auch Enam, die Stätte Enajim am Fuße der Höhen, wo er vorbeimußte, gen Ehesib und Odollam, purpurn angestrahlt Häuser, Lehmmauer und Tor von den feiernden Himmeln. Am Tore kauerte eine Gestalt; als er näher kam, sah er, daß sie in ein Ketônet paspasim, das Schleiergewand der Bestrickenden, gehüllt war.

Sein erster Gedanke war: Ich bin allein. Sein zweiter: Ich gehe vorüber. Sein dritter: Ins Untere mit ihr! Muß mir die Kedesche, die Freudennonne am friedlichen Heimweg sitzen? Es sieht mir ähnlich. Aber ich kümmere mich nicht darum, denn ich bin zweimal, der ich bin: der, dem's ähnlich sieht, und der, der sich darüber erbittert, sich verleugnet und zornig vorübergeht. Das alte Lied! Muß es immer wieder gesungen sein? So singen angeschmiedete Rudersklaven aus stöhnender Brust bei der Fron. Droben sang ich's ächzend mit einer Tanzdirne und sollte satt sein für eine Weile. Als ob die Hölle sich je ersättigte! Schmachvolle Neugier, absurde, nach dem hundertfach Abgeschmackten! Was wird sie sagen und wie sich gehaben? Einer, der nach mir kommt, mag es erproben. Ich gehe vorüber.

Und er blieb stehen.

»Die Herrin zum Gruß!« sagte er.

»Sie stärke dich!« flüsterte sie.

Da hatte der Engel der Lüste ihn schon gepackt, und ihr Flüstern machte, daß er vor Neugier erschauerte nach dem Weibe.

»Raunende Wegelagerin«, sagte er mit bebendem Munde, »auf wen wartest du?«

»Ich warte«, antwortete sie, »auf einen lustigen Lüstling, der die Geheimnisse der Göttin mit mir teilen will.«

»Da komm' ich halbwegs recht«, sagte er, »denn ein Lüstling bin ich, wenn auch kein lustiger. Ich habe keine Lust zur Lust, aber sie zu mir. In deinem Amt, denke ich mir, ist man auch nicht sehr lustig zur Lust, sondern muß froh sein, wenn andere Lust haben.«

»Wir sind Spenderinnen«, antwortete sie. »Kommt aber der Rechte, wissen wir auch zu empfangen. Hast du Lust zu mir?«

Er rührte sie an.
»Was gibst du mir aber?« hielt sie ihn auf.
Er lachte.
»Zum Zeichen«, sprach er, »daß ich ein Lüstling mit einem Anflug von Lustigkeit bin, will ich dir einen Ziegenbock von der Herde geben, daß du mein gedenkest.«
»Aber du hast ihn nicht mit dir.«
»Ich will ihn dir schicken.«
»Das sagt man vorher. Nachher ist man ein anderer Mann, der des vorigen Wort nicht kennt. Ich muß ein Pfand haben.«
»Nenne es!«
»Gib mir den Ring deines Fingers, die Knotenschnur um deinen Hals und den Knaufstock in deiner Hand!«
»Du weißt für die Herrin zu sorgen!« sagte er. »Nimm!«
Und er sang das Lied mit ihr am Wege im Abendrot, und sie entschwand um die Mauer. Er aber ging heim und sagte am nächsten Morgen zu Hirah, seinem Hirten:
»Übrigens so und so, du weißt, wie's geht. Es war da am Tor von Enajim, der Stätte Enam, eine Tempelmetze, mit deren Augen es etwas auf sich hatte unter dem Ketônet, – kurz, was rede ich viel unter Männern! Sei so gut und bring ihr den Ziegenbock, den ich ihr versprochen habe, daß ich meine Sachen wiederbekomme, die ich ihr lassen mußte, Ring, Stab und Schnur. Bring ihr einen guten Mamberbock, der was taugt, ich will mich von der Lümpin nicht lumpen lassen. Mag sein, sie sitzt wieder am Tor; sonst frage die Leute!«
Hirah wählte den Bock, teuflisch häßlich und prächtig, mit Ringelhörnern, gespaltener Nase und langem Bart, und führte ihn nach Enajim, ans Tor, wo niemand war. »Die Hure«, fragte er drinnen, »die außen am Wege saß? Wo ist sie? Ihr müßt doch eure Hure kennen!«
Sie antworteten ihm aber:
»Hier war und ist keine Hure. Das gibt's nicht bei uns. Wir sind ein dezentes Städtchen. Such dir woanders die Geiß für deinen Bock, sonst fliegen Steine!«
Das sagte Hirah dem Juda an, der die Achseln zuckte.
»Kann man sie nicht finden«, sprach er, »ist's ihre Schuld. Die meine haben wir angeboten, und kann uns niemand was nachsagen. Mein Sach freilich bin ich los. Der Stock hatte einen Kristallknopf. Tu den Bock wieder zur Herde!«
Damit vergaß er's. Drei Monate später aber ward offenbar, daß Thamar in der Hoffnung war.
Es war ein Skandal, wie er in dieser Gegend lange nicht vorgekommen. Sie hatte als Witwe gelebt, in Leidkleidern, in ihrer Eltern Haus, und nun kam zutage und war nicht mehr zu verbergen, daß sie's getrieben hatte schamlos und todeswürdig! Die

Männer grollten dumpf, die Weiber kreischten Hohn und Verwünschung. Denn Thamar war hoffärtig gewesen alle Zeit gegen sie alle und hatte getan, als sei sie was Besseres. Zu Juda kam gleich das Geschrei: »Weißt du's, weißt du's? Thamar, deine Schnur, hat sich aufgeführt, daß sie's nicht länger verbergen kann. Schwanger ist sie von Hurerei!«

Juda erbleichte. Seine Hirschaugen traten vor, seine Nüstern flatterten. Sünder können äußerst reizbar sein gegen die Sünde der Welt; dazu war sein Blut böse gegen das Weib, weil sie ihm zwei Söhne gefressen, und auch, weil er ihr sein Wort gebrochen hatte wegen des dritten.

»Sie hat ein Laster verwirkt«, sagte er. »Ehern sei der Himmel über ihrem Haupt und eisern die Erde unter ihr! Man soll sie mit Feuer verbrennen! Sehr leicht war sie des Brandpfahls schuldig schon längst, nun aber liegt's offen, daß sie einen Greuel begangen hat in Israel und hat ihr Leidkleid besudelt. Man soll sie herausführen vor die Tür ihres Vaters Hauses und sie zu Asche verbrennen. Ihr Blut sei auf ihr!«

Und mit langen Schritten ging er den Petzern voran, die fuchtelten und unterwegs Zulauf hatten von Fuchtelnden aus den Dörfern von allen Seiten, so daß es eine gierige Menge war, die da vor's Witwenhaus rückte in Juda's Gefolge, schmähend und pfeifend. Im Haus drinnen hörte man Thamars Eltern seufzen und heulen, von ihr selbst aber hörte man nichts.

Da wurden drei Männer verordnet, hineinzugehen und gestellig zu machen die Buhlerin. Mit verfestigten Schultern gingen sie, die Arme steif, das Kinn auf der Brust und die Fäuste bereit, daß sie Thamar hinausführten und diese erst Schande stehe und dann verbrannt würde. Über eine Weile aber kamen sie wieder heraus, ohne Thamar, mit Sachen in ihren Händen. Der eine trug einen Ring zwischen zwei Fingern, indem er die anderen spreizte. Der zweite hielt einen Stab, in der Mitte gefaßt, gerad vor sich hin. Der dritte ließ eine Purpurschnur baumeln von seiner Hand. Die Dinge brachten sie vor Jehuda, der vorne stand, und sprachen:

»Das sollen wir dir sagen von Thamar, deiner Schnur: ›Von dem Manne, des diese Pfänder sind, trag' ich mein Pfand. Kennst du sie wohl? Denn siehe: ich bin die Frau nicht, die sich vertilgen läßt samt ihrem Sohn vom Erbe Gottes!‹«

Juda, der Löwe, besah die Dinge, indes ihn die Menge umdrängte und ihm ins Gesicht lugte, und da er zornbleich gewesen war all die Zeit, wurde er nun langsam rot wie Blut, bis unters Haar und bis in die Augen hinein. Und verstummte. Da fing ein Weib an zu lachen, und dann noch eins, und dann ein Mann und dann viele Männer und Weiber, und endlich lachte schallend und unauslöschlich die ganze Rotte, daß sie in die Hucke gingen vor

Lachen und ihre Münder gen Himmel klafften, und riefen: »Juda, du bist's! Juda hat aus seiner Schnur seine Schnurre gemacht! Huhu, hoho und haha!«
Und Lea's Vierter? Er sprach leise im Schwall: »Sie ist gerechter denn ich!« und ging geneigt aus ihrer Mitte davon.
Als aber Thamars Stunde kam, ein Halbjahr später, gebar sie Zwillingsknaben, die wurden weidliche Männer. Zwei Söhne hatte sie vertilgt aus Israel, als sie hinabgestiegen war in der Zeit, und lieferte zwei ungleich bessere dafür, da sie wieder hinaufstieg. Der Erstgekommene, Perez, zumal war ein überaus weidlicher Mann und zeugte in Welt und Geschichte hinaus, daß es eine Art hatte. Denn noch im siebenten Gliede zeugte er einen, der die Weidlichkeit selber war, Boas genannt, der Mann einer Lieblichen. Die wuchsen sehr in Ephratha und wurden gepriesen in Bethlehem, denn ihr Enkel war Isai, der Bethlehemiter, ein Vater von sieben Söhnen und einem kleinsten, der die Schafe hütete, bräunlich, mit schönen Augen. Er konnte es wohl auf dem Saitenspiel und mit der Schleuder und brachte den Riesen zu Fall – da war er schon in der Stille zum König gesalbt.
Das alles liegt weit dahinten in offener Zukunft und gehört der großen Geschichte an, von der die Geschichte Josephs nur eine Einschaltung ist. Aber in diese ist und bleibt die Geschichte des Weibes eingeschaltet, das sich um keinen Preis ausschalten ließ, sondern sich auf die Bahn brachte mit verblüffender Entschlossenheit. Da steht sie, hoch und fast finster, am Hang ihres Heimathügels und blickt, eine Hand auf ihrem Leibe und mit der anderen die Augen beschattend, ins urbare Land hinaus, über dessen Fernen das Licht sich in türmenden Wolken zu breit hinflutender Strahlenglorie bricht.

Sechstes Hauptstück
Das heilige Spiel

Von den wässerigen Dingen

Die Kinder Ägyptens allesamt, auch die Bestunterrichteten und Weisen, hatten von der Natur ihres Ernährer-Gottes, jener Seite und Lebensform der Gottheit, die die Abramsleute ›El Schaddai‹, den Gott der Speisung nannten, und der im Land der Schwarzen Erde ›Chapi‹, das ist: der Überwallende, Anschwellende hieß, — diese Kinder also hegten über die Beschaffenheit des Stromes, der ihr wunderliches Oasenland zwischen den Wüsten geschaffen hatte, ihr Dasein und ihre vergnüglich-todesfromme Gesittung speiste, über den Nilstrom nämlich, höchst kindische Vorstellungen. Sie glaubten und lehrten es ihre Kleinen von Geschlecht zu Geschlecht, daß er, Gott wußte wo und wie, aus der Unterwelt hervortrete, um seinen Weg zum ›Großen Grünen‹, will sagen: zu dem unermeßlichen Ozean zu nehmen, als den sie das Mittelmeer ansahen, und daß auch sein Einschrumpfen, nach dem befruchtenden Überwallen, einer Rückkehr in die Unterwelt gleichkomme ... Kurzum, es herrschte in diesem Betracht die abergläubischste Ignoranz unter ihnen, und nur der Tatsache, daß es in der ganzen umringenden Welt mit der Aufklärung damals nicht besser und teilweise noch schlechter stand, hatten sie es zu danken, daß sie bei solcher Unwissenheit überhaupt durchs Leben kamen. Es ist wahr, daß sie trotz ihrer ein prächtiges und mächtiges, allseits bewundertes und mehreren Jahrtausenden trotzendes Reich errichteten, viele schöne Dinge hervorbrachten und besonders den Gegenstand ihrer Unbelehrtheit, nämlich den Nährstrom, recht ingeniös zu bewirtschaften wußten. Dennoch bleibt es uns, die wir so viel besser, ja vollkommen Bescheid wissen, ein Bedauern, daß niemand von uns damals zur Stelle war, um das Dunkel ihres Geistes zu lichten und ihnen über die wahre Bewandtnis, die es mit dem Wasser Ägyptens hat, erleuchtete Auskunft zu geben. Welch Aufsehen hätte in den Priesterschulen und gelehrten Körperschaften des Landes die Nachricht gemacht, daß Chapi, weit entfernt, aus einer Unterwelt zu stammen, die selbst als Vorurteil abgelehnt werden muß, nichts ist als der Abfluß der großen Seen im tropischen Afrika, und daß der Speisegott, um zu werden, der er ist, erst einmal sich selber speisen muß, indem er alle Gewässer aufnimmt, die von den äthiopischen Alpen sich gegen Abend ergießen. Da stürzen zur Regenzeit Gebirgsbäche, mit fein zerriebenem Gesteinsschutt gesättigt, von den Bergen herab und sammeln sich in den beiden Läufen, die sozusagen das Vorleben des zukünftigen Stromes ausmachen: dem Blauen Nil und dem Atbâra, welche erst örtlich-später, bei

Chartum und Berber, gemeinsam zu Bette gehen und zum Nil schlechthin, dem schöpferischen Strome werden. Denn dieses Einheitsbett wird um die Mitte des Sommers allmählich mit solchen Wassermassen und darin aufgelöstem Schlamm erfüllt, daß der Fluß breithin über die Ufer tritt, was eben ihm den Namen des Überschwenglichen eingetragen hat; und Monate währt es, bis er, ebenso allmählich, wieder eingekehrt ist zwischen seine Schwellen. Die Schlammkruste aber, der Rückstand seines Überschwanges, bildet, wie auch die Priesterschulen wußten, den Fruchtboden Kemes.

Erstaunt und vielleicht gegen die Wahrheitsverkünder erbittert wären sie gewesen zu hören, daß der Nil nicht von unten, sondern von oben kommt – im Grunde von ebenso hoch oben herab wie der Regen, der in anderen, weniger kuriosen Ländern seine befruchtende Rolle spielt. Dort, pflegten sie zu sagen, in den elenden Fremdländern, sei der Nil an den Himmel gesetzt, womit sie eben den Regen meinten. Und man muß zugestehen, daß eine überraschende, der Aufklärung nahe kommende Einsicht sich in der blumigen Redeweise ausdrückt: die Einsicht nämlich in den Zusammenhang aller Wasserverhältnisse der Erde. Die Nil-Überschwemmung hängt ab von der Fülle der Regengüsse im Hochgebirge von Abessinien; diese Güsse aber kommen aus berstenden Wolken, welche sich über dem Mittelmeer bilden und vom Winde in jene Gegenden geführt werden. Gleichwie das Gedeihen Ägyptens durch einen glücklichen Pegelstand des Nil, so ist dasjenige Kanaans, des Landes Kenana, des oberen Retenu, wie es damals hieß, oder Palästinas, wie unsere Aufgeklärtheit das Heimatland Josephs und seiner Väter geographisch bezeichnet, bedingt durch die Regen, die dort, wenn die Ordnung stichhält, zweimal im Jahre fallen, die Frühregen im Spätherbst, die Spätregen im Frühjahr. Denn arm ist das Land an Quellen, und mit dem Wasser der tiefliegenden Flüsse ist nicht viel anzufangen. Alles kommt daher auf die Regen, besonders die Spätregen an, deren Wasser man schon in frühesten Zeiten zu sammeln pflegte. Bleiben sie aus, führen statt westlicher, feuchtender Winde solche des Ostens und Südens, Wüstenwinde das Regiment, so ist es um die Ernte geschehen, Dürre, Mißwuchs und Hungersnot greifen Platz – und nicht hier allein. Denn regnet's zu Kanaan nicht, so gibt's auch keine Güsse im Gebirge Äthiopiens, nicht stürzen die Wildbäche, die beiden Vorläufer des Ernährers werden nicht hinlänglich gespeist, daß er selber ›groß‹ werden, wie die Kinder Ägyptens sagten, und die Kanäle füllen könnte, die das Wasser auf die höher gelegenen Äcker führen; Fehlernte und Mangel fallen auch auf das Land, wo der Nil nicht am Himmel, sondern auf Erden ist, – und das ist der Zusammenhang aller wässerigen Dinge der Welt.

Ist man hierüber auch nur im allgemeinsten aufgeklärt, so bleibt nichts Wunderbares, wenn auch viel Schreckliches, an der Erscheinung, daß Teuerung wird gleichzeitig ›in allen Ländern‹, nicht nur in dem des Schlammes, sondern auch in Syrien, Philisterland, Kanaan, sogar den Ländern des Roten Meeres, wohl gar auch gleich noch in Mesopotamien und Babylonien, und daß die Teuerung ›groß ist in allen Landen‹. Ja, kommt das Ärgste zum Argen, so mag ein Jahr der Störung, des Ausbleibens und des Versagens in böser Wiederholungslaune sich ans andere reihen, die Unglückssträhne sich über eine Mehrzahl von Jahren erstrekken: wenn die Prüfung ins Märchenhafte wächst, sogar über sieben Jahre, aber auch fünf sind schon schlimm genug.

Joseph lebt gerne

Fünf Jahre lang war alles so herrlich gegangen mit Winden, Wasser und Wachstum, daß man aus Dankbarkeit die Fünf zur Sieben ernannte – sie verdiente es völlig. Nun wendete sich das Blatt, wie Pharao, mütterlich besorgt ums Reich der Schwärze, es undeutlich vorgeträumt und Joseph es deutlich zu deuten gewagt hatte: der Nil blieb aus im Zusammenhang damit, daß zu Kanaan die Winterregen, die Spätregen zumal, ausblieben, – er blieb aus einmal: das war eine Trauer; er blieb aus zweimal: das war ein Klaggeschrei; er blieb aus zum dritten Male: das war ein bleiches Händeringen, – und nun konnte er auch ebensogut noch so oft ausbleiben, daß man es eine Dürre und Spreuzeit von sieben Jahren nennen mochte.

Es geht uns Menschen bei solchem außerordentlichen Verhalten der Natur immer gleicherweise: zu Anfang täuschen wir uns, alltäglich gesinnt wie wir sind, über den Charakter des Vorkommnisses, verstehen nicht, worauf es hinaus will. Gutmütig halten wir es für einen Zwischenfall gewöhnlich-mäßiger Art, und es ist seltsam, an diese Blindheit, dies Mißverständnis zurückzudenken, nachdem wir allmählich gewahr geworden, daß es sich um eine extravagante Heimsuchung, eine Kalamität erster Ordnung handelt, von der wir nicht gedacht hätten, daß sie uns selbst, zu unseren Lebzeiten zustoßen werde. So auch die Kinder Ägyptens. Es dauerte lange, bis sie begriffen, daß das Phänomen über sie gekommen war, das ›sieben Spreujahre‹ heißt und das sich vor Zeiten wohl schon ereignet hatte, auch in ihrem fabelnden Schrifttum eine gruselige Rolle spielte, dessen Erlebnis sie aber sich selbst nicht zugetraut hätten. Und doch war die Begriffsstutzigkeit vor dem, was da seinen Anfang genommen hatte, in ihrem Falle weniger verzeihlich als wohl sonst unsere Kurzsicht. Denn Pharao hatte geträumt und Joseph gedeutet. War nicht die Tatsache, daß die geweissagten sieben fetten Jahre wirklich eingetreten waren, beinahe schon der Beweis dafür gewesen, daß auch die sieben mageren eintreten würden? Diese aber hatten die Kinder Ägyptens sich während der fetten aus dem Sinn geschlagen, wie einer sich des Teufels Rechnung aus dem Sinn schlägt. Nun ward diese Rechnung vorgelegt – als der Ernährer zwei-, dreimal erbärmlich klein gewesen war, mußten sie sich's gestehen; und eine öffentliche Folge ihres Begreifens war ein gewaltiges Wachstum von Josephs Ansehen.

War diesem schon das Eintreffen der Jahre des Überflusses sehr günstig gewesen, wie sehr erst mußte sein Ruhm sich erhöhen, als sich herausstellte, daß auch die mageren angelangt waren und seine dagegen getroffenen Vorkehrungen sich als die Eingebung höchster Weisheit zu erkennen gaben! Ein Landwirtschaftsminister hat wohl in Spreu- und Hungerzeiten einen schweren Stand, denn das dumpfe Volk, dessen Sache Vernunft und Billigkeit niemals sind, wird immer geneigt sein, dem für das Reich der Schwärze Höchst-Verantwortlichen emotionalerweise die Schuld an dem natürlichen Unheil zu geben. Ganz anders aber steht er da, wenn er die Heimsuchung vorausgesagt hat; und wiederum noch ganz anders, nämlich höchst ruhmreich und ehrfurchtgebietend, wenn er beizeiten zauberhafte Schutzmaßnahmen dagegen erstellt hat, die das Übel, möge es auch die Macht bewahren, große Umwälzungen herbeizuführen, doch seines Charakters als Katastrophe berauben.

In zugezogenen Söhnen der Fremde bilden sich die Triebe und seelischen Eigenschaften ihres Wirtsvolkes oft fast stärker und beispielhafter aus als in den Ursassen selbst. Dem Joseph war während der zwanzig Jahre seiner Einbürgerung ins Land seiner Entrückung und Absonderung die auszeichnend-bezeichnende ägyptische Idee sorgend-abwehrender Selbstbehütung in Fleisch und Blut übergegangen, und zwar so, daß er zwar aus ihr handelte, es aber nicht unbewußt tat, sondern Abstand genug dabei von der bestimmenden Idee bewahrte, um, persönlich von ihr geleitet, auch noch ihre Volkstümlichkeit im lächelnden Auge zu haben und auf diese sein Handeln abzustellen – eine Vereinigung von Echtheit und Humor, die reizvoller ist als Echtheit allein, ohne Abstand und Lächeln.

Für seine Saat, das heißt: seine steuerliche Bewirtschaftung der Fülle, war nun die Zeit der Ernte gekommen – will sagen: die Zeit der Austeilung und eines Krongeschäfts, wie es so fett und einkömmlich noch keinem Sohn des Rê seit der Zeit des Gottes je war bereitet worden. Denn wie es im Buche steht und im Liede heißt: »Es war eine Teuerung in allen Landen, aber in ganz Ägyptenland war Brot.« Was selbstverständlich nicht sagen will, daß nicht auch in Ägyptenland Teuerung war; denn wie sich bei bedürftigster Nachfrage der Kornpreis gestaltete, das kann ein jeder sich ausmalen, dem von den Gesetzen der Volkswirtschaft auch nur eine blasse Ahnung angeflogen ist. Er möge erblassen bei seiner Ahnung, zugleich aber bedenken, daß diese Teuerung bewirtschaftet wurde, wie vordem die Fülle, nämlich von demselben freundlichen und verschlagenen Mann, der diese bewirtschaftet hatte; daß die Teuerung in seiner Hand lag und er damit machen konnte, was er wollte: Für Pharao machte er in Treuen das Beste daraus, zugleich aber auch für die, die ihr am wenigsten gewachsen waren, die kleinen Leute. Für sie machte er sie zur Gratis-Teuerung.

Dies geschah durch ein zusammengesetztes System von Ausnutzung der Geschäftslage und Mildtätigkeit, von Staatswucher und fiskalischer Fürsorge, wie man es noch nicht erlebt hatte, so daß es in seiner Mischung aus Härte und Freundlichkeit jedermann, auch die von der Ausnutzung Betroffenen, märchenhaft und göttlich anmutete; denn das Göttliche benimmt und äußert sich auf diese zweideutige Art — man weiß nicht, ob man es grausam oder gütig nennen soll.

Die Lage ist nicht extravagant genug zu denken. Für den Zustand der Landwirtschaft bot der Traum von den sieben versengten Ähren ein so treffendes Gleichnis, daß es schon gar kein Gleichnis mehr war, sondern die dürre Wirklichkeit. Versengt gewesen waren die Traum-Ähren vom Ostwind, nämlich von Chamsin, einem glühenden Süd-Östler, — und der ging neuerdings während der ganzen Sommer- und Erntejahreszeit, Schemu genannt, vom Februar bis Juni, fast ununterbrochen, öfters als ofenheißer Sturm, die Luft mit feinem Staub erfüllend und mit ihm aschig die Pflanzen bedeckend, so daß, was nach schwächlichem Verhalten des unernährten Ernährers etwa gewachsen war, unter dem Anhauch der Wüste verkohlte. Sieben Ähren? Ja, davon mochte man sprechen; mehr waren es nicht. Mit anderen Worten: Ähren und Ernte waren nicht da. Was aber da war in ungezählten, eigentlich aber doch sehr wohl gezählten und aufgezeichneten Mengen, das war Korn, war Saat- und Brotfrucht allerlei Art: nämlich in den königlichen Magazinen und Spargruben stromauf und stromab in allen Städten und ihrer Umgebung durch ganz Ägyptenland und *nur* in Ägyptenland; denn anderwärts hatte es keine Vorsorge gegeben und keinen Kastenbau in Voraussicht der Flut. Ja, in ganz Ägyptenland, und nur hier, war Brot: in Staates Hand, in der Hand Josephs, des Vorstehers all dessen, was der Himmel gibt; und nun wurde er selbst wie der Himmel, der gibt, und wie der Nil, der ernährt: Er tat seine Vorratshäuser auf — nicht sperrangelweit, sondern mit Bedacht und indem er sie zwischenein wieder schloß, — tat sie auf und gab Brot und Saat allen, die es brauchten, und das waren alle: Ägypter sowohl wie Ausländer, die angereist kamen, Getreide zu holen aus Pharao's Land, das mit mehr Recht als je eine Kornkammer hieß, die Kornkammer der Welt. Er gab, das heißt: er verkaufte denen, die hatten, zu Preisen, die nicht sie bestimmten, sondern er, der unerhörten Geschäftslage entsprechend, so daß er Pharao golden und silbern machte und dennoch zugleich noch geben konnte in einem anderen Sinn: den Kleinen und Rippenmageren nämlich; denen ließ er austeilen, wenn auch das Notwendigste nur, wonach sie schrien, den Kleinbauern und Städtern der Rinnsteingassen, für Saat und Brot, damit sie lebten und nicht stürben.

Das war göttlich, und löblichem menschlichem Vorbild gemäß war es auch. Es hatte immer gute Beamte gegeben, die sich selbst mit berechtigter Rührung inschriftweise in ihren Gräbern nachsagten, daß sie in Hungerzeiten des Königs Untertanen ernährt, den Witwen gegeben, und weder Groß noch Klein bevorzugt, nachher aber, wenn der Nil wieder groß gewesen, ›nicht den Rückstand des Ackersmannes genommen‹, das heißt: nicht auf Vorschüsse und gestundete Steuern gedrungen hätten. An diese Inschriften fand das Volk sich erinnert durch Josephs Geschäftsführung. Aber in solchem Maßstabe, mit so großer Vollmacht ausgestattet und unter so göttlicher Handhabung dieser Vollmacht, hatte noch kein Beamter seit den Tagen des Set sich als gut erwiesen. Das Korngeschäft, versehen von zehntausend Schreibern und Unterschreibern, erstreckte sich über ganz Ober- und Unter-Ägypten, aber alle Fäden liefen zu Menfe im Amtspalaste des Schattenspenders und Alleinigen Freundes zusammen, und war keine letzte Entscheidung über Verkauf, Darlehen und Gift, die er nicht sich selber vorbehalten hätte. Es kamen vor ihn die Reichen und die viel Land hatten und schrien vor ihm nach Saatfrucht: denen verkaufte er für ihr Silber und Gold, nicht ohne ihnen zur Auflage und Bedingung zu machen, daß sie ihr Bewässerungssystem auf die Höhe der Zeit brächten und es nicht länger in feudaler Rückständigkeit dahinschlampen ließen: darin bewährte sich seine Treue zu Pharao, dem Höchsten, in dessen Schatz das Silber und Gold der Reichen floß. Und es kam vor ihn das Geschrei der Armen nach Brot, denen ließ er austeilen aus den Vorräten für nichts und wieder nichts, daß sie äßen und nicht hungerten: darin bewährte sich seine Sympathie, diese Grundeigenschaft seines Gemütes, über deren Wesen wir weiter oben schon alles bestens gesagt haben, so daß hier nicht not ist, darauf zurückzukommen. Daß sie mit dem Witz zu tun hatte, darauf möge immerhin kurz zurückgekommen sein. Und wirklich war etwas Witziges in seinem Geschäftssystem von Ausnutzung und Fürsorge, so daß er denn auch in dieser Zeit trotz großer Arbeitsbürde immer sehr heiter war und daheim zu Asnath, seiner Gemahlin, der Sonnentochter, wiederholt die Äußerung tat: »Mädchen, ich lebe gern.«

Dem Ausland verkaufte er auch zu Teuerungspreisen, wie wir wissen, und sah Verzeichnisse an des Getreides, geliefert ›den Edlen des elenden Retenu‹. Denn viele Stadtkönige Kanaans, darunter der von Meggido und der von Schahuren, schickten zu ihm, Getreide zu holen, und der Gesandte Askalunas kam und schrie vor ihm für seine Stadt und wurde beliefert, wenn auch nicht billig. Aber auch hier hielt Freundlichkeit der konjunkturalen Strenge die Waage, und hungernden Sandhasen, Hirtenstämmen von Syrien und dem Libanon, ›Barbaren, die nicht zu leben wußten‹, wie seine Schreiber es ausdrückten, erlaubte er, einzuwandern mit ihren Herden durch die sorgsam bewachten Zugänge des Landes und östlich des Stromes, wo es gegen die steinige Arabia geht, auf den feuchten Weiden von Zo'an, am tanitischen Arm, ihr Leben zu finden, wenn sie versprachen, das ihnen angewiesene Gebiet nicht zu überschreiten.
So las er Grenz-Rapporte von dieser Art: »Wir haben die Beduinen von Edom die Merneptach-Festung nach den Teichen des Merneptach passieren lassen, daß sie sich und ihr Vieh ernähren mögen auf dem großen Weideland des Pharao, der schönen Sonne der Länder.«
Er las es genau. Er las alle Grenzberichte genauestens, und höchst genau mußten sie sein nach seiner Willensweisung: die Buchführung der Sperren im Osten über alle Personen, die man durchließ ins kostbare Ägyptenland, das nun noch so viel kostbarer geworden war, — über jeden also, der aus dem Elend kam, um Getreide zu holen aus Pharao's Kornkammer, unterlag auf seinen Befehl peinlichster Verschärfung, und die Grenz-Offiziere vom Schlage des Leutnants Hor-waz von der Feste Zel, des Schreibers der großen Tore, der einst Joseph selbst mit den Ismaelitern ins Land gelassen hatte, waren gehalten, ihren Verzeichnissen große Sorgfalt zu widmen und die Einreisenden nicht nur nach Heimat, Gewerbe und Namen, sondern auch nach ihres Vaters und dessen Vaters Namen zu protokollieren, die Listen aber täglich, pünktlich und eilig hinabzusenden nach Menfe in des Schattenspenders großes Geschäftshaus.
Dort wurden sie nochmals säuberlich geschrieben, auf zweimal gutes Papyr, mit roter und schwarzer Tinte, und wurden so vorgelegt dem Ernährer. Der aber, obgleich sonst noch hinlänglich beschäftigt, las sie täglich von oben bis unten durch, so sorglich, wie sie hergestellt worden waren.

Es war im zweiten Jahr der mageren Kühe, an einem Tage Mitte Epiphi, nach unserer Rechnung zur Maienzeit, und furchtbar heiß – wie's in Ägyptenland nun einmal heiß ist im Sommer-Drittel, aber noch übers Maß hinaus: die Sonne fiel wie Feuer vom Himmel, im Schatten hätten wir vierzig Grad gemessen, der Staubwind ging und trieb dir in Menfes Gassen den Wüstensand in die entzündeten Augen. Es war den Fliegen zuviel, und matt wie sie waren die Menschen. Für eine halbe Stunde Nord-West-Brise hätten die Reichen viel Gold gegeben und es in Kauf genommen, daß auch die Armen ein Gutes davon gehabt hätten.
Joseph jedoch, des Königs Oberster Mund, zeigte sich, obgleich nassen, sandigen Angesichts auch er, um Mittag vom Schreibpalast nach Hause zurückkehrend, sehr lebhaft angeregt und von beweglichen Gliedern – wenn diese Worte seinem Zustand gerecht werden. Seine Sänfte, gefolgt von den Fahrzeugen einiger Großer des Ministeriums, die mit ihm zu Mittag speisen sollten, hatte ihn, einer Gewohnheit gemäß, die der Vize-Gott auch heute nicht verleugnete, von der Prunk-Avenue bald ablenkend, durch etliche Rinnsteingassen der Rippenmageren getragen, wo er sehr herzlich, begeistert-vertraulich begrüßt worden war. »Djepnuteefonech!« hatten die Leutchen gerufen und ihm Kußhände geworfen. »Chapi! Chapi! Zehntausend Lebensjahre dir, Ernährer, über dein Schicksalsende hinaus!« Und sie, die man nur in eine Matte wickeln würde, wenn man sie in die Wüste hinaustrug, wünschten ihm zu: »Vier feine Krüge für deine Eingeweide und deiner Mumie einen Sarg aus Alabaster!« – Das war ihre Sympathie, die der seinen erwiderte.
Nun trug man ihn durch das ausgemalte Mauertor seiner Gnaden-Villa in den Vorgarten ein, wo Öl-, Pfeffer- und Feigenbäume, Zypressendunkel und Palmen-Fächer sich nebst den bunten Papyrussäulen der dem Hause vorgelagerten Terrasse in dem ummauerten Karree eines Lotosteiches spiegelten. Um diesen herum führte der breite Sandweg der Anfahrt, und da die Träger standen, hielten die Läufer ihm Knie und Nacken hin, daß er erst darauf den Fuß setze, bevor er zu Boden stiege. Mai-Sachme, sein Haushalter, erwartete ihn in aller Ruhe auf der Terrasse, nämlich zu Häupten der seitlichen Freitreppe, zusammen mit den beiden Windspielen vom Lande Punt, Hepi und Hezes genannt, äußerst vornehmen, mit goldenen Halsringen geschmückten und vor Nervosität zitternden Tieren. Pharao's Freund sprang die flachen Stufen hurtiger als sonst hinauf, hurtiger eigentlich, als es einem ägyptischen Großen vor Zuschauern anstand. Er blickte sich nicht nach seinem Gefolge um.
»Mai«, sagte er hastig und mit gepreßter Stimme, während er die

Köpfe der Hunde streichelte, die ihm zur Begrüßung die Pfoten auf die Brust setzten, »ich muß dich sofort allein sprechen, komm gleich einmal mit mir in mein Eigen und laß die warten, es eilt nicht so mit dem Mahl, selbst werde ich doch nichts essen können, und es gibt Dringlicheres, die Rolle hier in meiner Hand betreffend, oder vielmehr: die Rolle hier betrifft das Dringlichere, – ich werde dir schon klarmachen, was ich rede, wenn du sofort einmal mit mir kommen willst in mein Eigen, wo wir allein sind ...«

»Nur Ruhe«, erwiderte Mai-Sachme. »Was hast du, Adôn? Du zappelst ja? Und daß du nicht solltest essen können, das will ich nicht gehört haben, – du, der so viele essen macht. Willst du dich nicht erst einmal mit lebendigem Wasser vom Schweiße reinigen? Man soll den Schweiß nicht veralten lassen in den Poren und Körperhöhlen. Er ätzt und reizt, besonders wenn er mit grießigem Staub vermischt ist.«

»Das auch, das später, Mai, Waschen und Essen ist jetzt vergleichsweise nicht dringlich, denn du mußt wissen, was ich weiß, weil diese Rolle mich's lehrt, die mir jetzt gerade, bevor ich aufbrach, im Amte zugestellt wurde, und zwar nämlich, daß es nun eingetroffen ist, oder vielmehr: sie sind eingetroffen, was ebendasselbe ist, – eingetroffen ist's, daß sie eintrafen, und nun fragt es sich, was geschehen soll, und wie wir's anfangen, und wo ich hin soll, denn ich bin furchtbar aufgeregt!«

»Wieso denn, Adôn? Nur Ruhe! Wovon man sagt, es sei eingetroffen, darauf war man gefaßt, und worauf man gefaßt war, das kann einen nicht erschrecken. Wenn du mir gütigst sagen willst, wer und was eingetroffen ist, so werde ich dir beweisen, daß kein Grund zum Erschrecken vorhanden, sondern einzig absolute Ruhe am Platze ist.«

Sie tauschten diese Worte bei raschem Schritt, den der Gelassene zu hemmen suchte, in dem Peristyl, wo es zum Brunnenhof durchging. Aber Joseph trat mit Mai-Sachme, begleitet von Hepi und Hezes, in ein Zimmer zur Rechten mit bunter Decke, einem malachitenen Türsturz und heiteren Friesen oben und unten die Wände entlang, das ihm als Bibliothek diente und den großen Empfangssaal des Hauses von seinem Schlafzimmer trennte. Der Raum war mit aller Zierlichkeit Ägyptenlands eingerichtet. Es gab dort ein inkrustiertes Ruhebett, belegt mit Fellen und Kissen, reizende Truhen auf Beinen, geschnitzt, beschriftet und eingelegt, zur Verwahrung der Bücherrollen, löwenfüßige Stühle mit Rohrsitzen und Lehnen aus gepreßtem, vergoldetem Leder, Blumentische und Ständer mit Fayence-Vasen und irisierenden Glasgefäßen. – Joseph drückte den Arm des Haushalters, indem er hüpfend auf seinen Fußballen federte. Ihm waren die Augen feucht.

»Mai«, rief er, unterdrückten Jubel, oder etwas wie Jubel, ein beklommen ausgelassenes Entzücken in der Stimme, »sie kommen, sie sind da, sie sind im Lande, sie haben die Feste Zel passiert, ich habe es gewußt, ich habe darauf gewartet, und nun glaub' ich's dennoch nicht, das Herz schlägt mir im Halse, und ich weiß vor Aufregung den Ort der Erde nicht, wo ich stehe ...«

»Sei so gütig, Adôn, und tanze nicht mit mir gemäßigtem Manne, sondern mach dich mir deutlicher, wenn's gefällig ist! Wer ist gekommen?«

»Meine Brüder, Mai, meine Brüder!« rief Joseph und federte.

»Deine Brüder? Die Reißenden, die dir das Kleid zerrissen, dich in die Grube warfen und dich in die Welt verkauften?« fragte der Hauptmann, dem sein Gebieter dies alles längst schon anvertraut hatte ...

»Aber ja! Aber ja! Sie, denen ich all mein Glück und meine Größe hier unten verdanke!«

»Nun, Adôn, das heißt die Dinge ein wenig kräftig zu ihren Gunsten drehen.«

»Gott hat sie gedreht, mein Hausvogt! Gott hat sie zum Guten und zu jedermanns Gunsten gewendet, und man muß das Ergebnis ansehen, worauf er zielte. Ehe denn das Ergebnis vorhanden, ist nur die Tat und mag übel scheinen. Ist aber jenes da, muß man die Tat nach dem Ergebnis beurteilen.«

»Das fragt sich denn doch, gnädiger Herr. Imhôtep der Weise wäre vielleicht anderer Meinung gewesen. Und deinem Vater haben sie das Blut des Tieres für deines geboten.«

»Ja, das war gräßlich. Bestimmt ist er auf den Rücken gefallen. Aber es mußte wohl sein, mein Freund, es ging nicht anders, weil es so damals nicht weiterging. Denn mein Vater, groß und weich von Gemüt – und dazu ich, – was für ein Grünschnabel war ich! Ein unsäglicher Grünschnabel, voll sträflichem Vertrauen und blinder Zumutung. Es ist eine Schande, wie spät manche Leute zur Reife gelangen! Gesetzt, daß ich reif bin jetzt. Vielleicht braucht es zum Reifwerden das ganze Leben.«

»Es könnte sein, Adôn, daß du immer noch viel vom Knaben hast. Und du bist sicher, daß es in der Tat deine Brüder sind?«

»Sicher? Da kann nicht der leiseste Zweifel walten! Habe ich umsonst so strikte Weisung gegeben wegen des Protokolls und des Rapportes wegen? Das habe ich nicht umsonst getan, denn mit Manasse, mußt du wissen, und daß wir unseren Ältesten so benannten, das war nur der Form wegen, ich habe durchaus nicht vergessen meines Vaters Haus, ach keineswegs, ich habe daran gedacht täglich und stündlich all die zahllosen Jahre her, wo ich doch Benjamin, dem Kleinen, versprochen habe im Irrgarten des Zerrissenen, daß ich sie alle nachkommen lassen wolle, wenn ich erhöht sein und Schlüsselgewalt haben würde ... Sicher, daß sie es sind? Hier, da steht es, das kam mit rennendem Boten und hat sie um einen Tag überholt oder zwei. Die Söhne Jaakobs, des Sohnes Jizchaks, vom Haine Mamre, der zu Hebron ist: Ruben, Schimeon, Levi, Juda, Dan, Naphtali... zum Behuf des Getreidekaufs ... Und du sprichst von Zweifel? Sie sind es, sie sind es zu zehnen! Sie kamen unter den Kommenden, mit einem Reisezug von Käufern. Die Schreiber ahnten nicht, wen sie da aufzeichneten. Und sie selber, sie ahnen nicht, sie haben nicht die leiseste Ahnung, vor wen man sie führen wird, und wer da Markt hält als des Königs Oberster Mund im Lande. Mai, wenn du wüßtest, wie mir zumute ist! Aber ich weiß es selber nicht, es ist Tohu und Bohu in mir, wenn du das Wort verstehst. Und dabei hab' ich's gewußt und erwartet und darauf gewartet seit Jahren und Tagen. Gewußt hab' ich's, als ich vor Pharao stand, und als ich ihm deutete, da habe ich's mir gedeutet, wo Gott hinauswollte, und wie er diese Geschichte lenkt. Was für eine Geschichte, Mai, in der wir sind! Es ist eine der besten! Und nun kommt's darauf an und liegt uns ob, daß wir sie ausgestalten recht und fein und das Ergötzlichste daraus machen und Gott all unseren Witz zur Verfügung stellen. Wie fangen wir's an, einer solchen Geschichte gerecht zu werden? Das ist's, was mich so aufregt ... Glaubst du, daß sie mich erkennen werden?«

»Wie soll ich das wissen, Adôn? Nein, ich glaube nicht. Du bist doch beträchtlich gereift, seit sie dich zerrissen. Und vor allem wird ihre Ahnungslosigkeit sie mit Blindheit schlagen, daß sie nicht auf den Gedanken kommen und ihren Augen nicht glauben werden. Zwischen Erkennen und Merken, daß man erkennt, ist noch ein gutes Stück Weges.«

»Richtig, richtig. Trotzdem schlägt mir das Herz vor Angst, daß sie mich erkennen.«

»Willst du denn nicht, daß sie's tun?«

»Aber nicht gleich, Mai, beileibe nicht gleich! Daß sich's verzögert und sie's nur langsam begreifen, bevor ich das Wort spreche und sage: ›Ich bin's‹, das ist erstens nötig zum Schmuck und zur Ausgestaltung dieser Gottesgeschichte, und zweitens ist da zuvor noch so manches zu prüfen und auszumachen, und will auf den Busch geklopft sein, vor allem von wegen Benjamins ...«

»Ist Benjamin mit ihnen?«

»Eben nicht! Ich sage dir ja, daß sie zu zehnen sind und nicht zu elfen. Wir sind doch zwölf! Es sind die Rotäugigen und die Söhne der Mägde, aber nicht meiner Mutter Sohn, der Kleine. Weißt du, was das bedeutet? Du verstehst das alles sehr langsam in deiner Ruhe. Daß Ben nicht dabei ist, das läßt doppelte Deutung zu. Es mag beweisen – möchte ihm doch diese Deutung zukommen! –, daß mein Vater noch lebt – denke dir, daß er noch lebt, der Feierliche! – und über den Jüngsten wacht, also daß er ihm die Reise verboten und sie ihm nicht zugemutet hat aus Besorgnis, es möchte ihn unterwegs ein Unglück betreten. Rahel starb ihm auf der Reise, ich starb ihm auf der Reise – wie sollt' er nicht eingenommen sein gegen das Reisen und davon zurückhalten das Letzte, was ihm blieb von der Lieblichen? – Das also kann's meinen. Es kann aber auch meinen, daß er dahin ist, mein Vater, und daß sie sich garstig gehaben gegen den Schutzlosen, daß sie ihn beiseite stoßen unbrüderlich und ihm Gemeinschaft verweigern, weil er von der Rechten ist, der arme Kleine ...«

»Du nennst ihn immer den Kleinen, Adôn, und scheinst nicht in Rechnung zu stellen, daß er doch auch gereift sein muß unterdessen, dein Brüderchen rechter Hand. Bedenkt man's klar, so muß er heute ein Mann sein in der Blüte der Jahre.«

»Schon möglich, schon richtig. Bleibt aber doch immer der Jüngste, Freund, der Jüngste von Zwölfen, wie sollte man den nicht klein nennen? Um den Jüngsten ist's immer eine besondere, liebliche Sache, und ist eine Gunst und ein Zauber um ihn in der Welt, für die es sich beinah gehört, daß sie Mißgunst und Tücke zeitigen auf seiten der Älteren.«

»Sieht man deine Geschichte an, lieber Herr, so gewinnt man ein Bild, als ob eigentlich du der Jüngste wärst.«

»Eben, eben. Ich will's nicht leugnen, mag sein, daß etwas Wahres ist an deiner Bemerkung, und daß die Geschichte hier etwas ungenau spielt, mit einer Abweichung. Daraus eben mach' ich mir ein Gewissen und halte mit aller Entschiedenheit darauf, daß dem Kleinsten sein Teil wird und seine Ehre als Jüngster, und wenn die Zehn ihn verstoßen haben und sich garstig gegen ihn stellen; wenn sie gar, ich will's nicht denken, mit ihm umgesprungen sind, wie einst mit mir, – dann mögen ihnen die Elohim gnaden, Mai, sie würden übel anlaufen bei mir, gar nicht zu erkennen geben würd' ich mich ihnen, das schöne ›Ich bin's‹ fiele unter den Tisch; erkennten sie mich, so würde ich sprechen: ›Nein, ich bin's nicht, ihr Missetäter!‹, und nur einen fremden, strengen Richter würden sie in mir finden.«

»Seh einer an, Adôn! Nun machst du schon eine andere Miene und ziehst andere Saiten auf deine Leier. Gar nicht mehr eitel Sanftmut und milde Versöhnung hast du im Sinn, sondern gedenkst, wie sie mit dir umgesprungen, und scheinst mir der Mann denn doch, zwischen Tat und Ergebnis recht wohl zu unterscheiden.«

»Ich weiß es nicht, Mai, was für ein Mann ich bin. Das weiß der Mensch nicht im voraus, wie er sich halten wird in seiner Geschichte, sondern wenn's da ist, so zeigt es sich, und er wird sich bekannt. Ich bin neugierig auf mich selbst und darauf, wie ich zu ihnen sprechen werde, denn ich habe keine Idee davon. Das ist es ja, was mich zappeln macht, — als ich vor Pharao stehen sollte, war ich kein Teilchen so aufgeregt. Und dabei sind's meine Brüder. Aber das ist es eben. In meinem Herzen geht's drunter und drüber, wie ich dir sagte, und ist ein Wirrwarr darin von Freude, Neugier und Angst, ganz unbeschreiblich. Wie ich erschrak, als ich die Namen las auf der Liste, obgleich ich's doch gewußt und bestimmtest erwartet hatte, das bildest du dir nicht ein, du kannst ja nicht erschrecken. Erschrak ich für sie oder für mich? Das weiß ich nicht. Aber daß sie für ihr Teil wohl Grund hätten, in ihre Seele hinein zu erschrecken, das wollen wir gut sein lassen, es ist schon so. Denn es war keine Kleinigkeit damals — so lange es her ist, es ist darüber nicht zur Kleinigkeit worden. Daß ich sagte, ich käme zu ihnen, um nach dem Rechten zu sehen, war schreiend unreif, ich gebe es zu, — ich gebe alles zu, vor allem, daß ich ihnen meine Träume nicht hätte erzählen sollen, und auch, daß ich natürlich dem Vater alles angesagt hätte, wenn sie mich aus der Grube begnadigt hätten, — so mußten sie mich darinnen lassen. Und doch, und doch, daß sie taub blieben, als ich zu ihnen schrie aus der Tiefe, zerbeult und in Banden, und sie jammernd beschwor, es doch dem Vater nicht anzutun und mich verkommen zu lassen im Loch, ihm aber des Tieres Blut zu weisen, — Freund, es war schon trotz allem ein starkes Stück, stark nicht so sehr in Hinsicht auf mich, davon will ich nicht reden, aber in Hinsicht auf den Vater. Wenn er nun gestorben ist vor Gram und ist mit Leide hinuntergefahren nach Scheol — werde ich dann auch gut mit ihnen sein können? Ich weiß es nicht, ich kenne mich nicht in diesem Fall, aber ich fürchte mich vor mir, ich fürchte, ich würde nicht gut mit ihnen sein können. Haben sie seine grauen Haare mit Herzeleid in die Grube gebracht, das würde *auch* zum Ergebnis gehören, Mai, sogar in erster Linie, und es würde das Licht, das vom Ergebnis fällt auf die Tat, gar sehr verdüstern. Auf jeden Fall aber bleibt's eine Tat, die es verdient, daß man sie dem Ergebnis gegenüberstelle, Aug in Auge mit ihm, damit sie sich vor seiner Güte doch vielleicht ihrer Bösheit schäme.«

»Was hast du vor mit ihnen?«

»Weiß ich's denn? Ich will ja dich um Rat und Beistand fragen, da ich nicht weiß, wo ich hin soll vor ihnen, — dich, meinen Haushalter, den ich in diese Geschichte hineinnahm, damit du mir von deiner Ruhe leihst in meiner Aufgeregtheit. Du kannst schon was davon abgeben, du hast zuviel davon; allzu ruhig bist du und stehst da nur und ziehst die Brauen hoch und machst einen kleinen Mund, denn du kannst nun mal nicht erschrecken, und darum fällt dir nichts ein. Dies ist aber eine Geschichte, zu der einem eine Menge einfallen muß, das ist man ihr schuldig. Denn die Begegnung von Tat und Ergebnis ist ein Fest sondergleichen, das gefeiert und ausgeschmückt sein will mit allerlei Zierat und heiligem Schabernack, damit die Welt unter Tränen zu lachen habe länger als fünftausend Jahre lang!«

»Aufregung und Erschrockenheit, Adôn, sind unfruchtbarer denn Ruhe. Ich werde dir gleich einmal etwas einmischen, was niederschlägt. Ich schütte ein Pulver in Wasser, das ist stille darin. Schütte ich aber ein gewisses andres hinzu, so brausen sie auf miteinander, und trinkst du den Braus, so kehrt Beruhigung ein in dein Herz.«

»Ich will es später gern trinken, Mai, im rechten Augenblick, wenn mir's am nötigsten ist. Jetzt höre, was ich getan habe vorderhand. Ich habe durch rennenden Boten Order gegeben, daß man sie absondere von den Kommenden, mit denen sie kamen, und sie nicht mit Getreide versehe in den Grenzstädten, sondern sie nach Menfe herab verweise ins Große Schreibhaus. Ich habe veranlaßt, daß man ein Auge habe auf ihre Reise im Land und sie in guten Rasthäusern unterbringe mit ihren Tieren und unterderhand für sie sorge in der Fremde, die ihnen so fremd und sonderbar ist, wie sie mir war, als ich hierher verstarb mit siebzehn Jahren. Da war ich schmiegsam, sie aber, wenn ich's bedenke, sind ja des Alters bis zu Ende vierzig hinauf, wenn ich Benjamin ausnehme; er ist aber nicht dabei, und alles, was ich weiß, ist, daß er hergeschafft werden muß, erstens, daß ich ihn sehe, und zweitens, wenn er da ist, Mai, so kommt auch der Vater. Kurzum, verpflichtet habe ich unsere Leute, ihnen diskret die Hände unter die Füße zu breiten, daß ihr Fuß nicht an einen Stein stoße, wenn dir die Redensart etwas sagt. Hier aber soll man sie vor mich leiten ins Ministerium, in den Saal, wo ich Gehör gebe.«

»Nicht in dein Haus?«

»Nein, noch nicht. Erst ganz amtlich ins Schreibhaus. Unter uns gesagt, ist dort der Empfangssaal auch größer und eindrucksvoller.«

»Und was willst du da tun mit ihnen?«

»Ja, dann wird wohl der Augenblick gekommen sein, daß ich deinen Braus trinke, denn wo ich dann hin soll vor ihnen, bei dem Gedanken nämlich, wie sie nicht wissen werden, wohin, wenn ich das Wort spreche und sage: ›Ich bin's‹, – das weiß ich mitnichten. Keinesfalls werde ich aber so ungeschickt sein und so dürftig das Fest schmücken, daß ich mit der Tür ins Haus falle und gleich herausplatze mit dem ›Ich bin's‹, sondern will noch des längeren hübsch hinter der Tür bleiben und mich fremd gegen sie stellen.«

»Du meinst: feindlich?«

»Ich meine fremd bis zur Feindlichkeit. Denn, Mai, ich glaube, die Fremdheit würd' ich nicht über mich bringen, ohne, ich triebe

sie bis zur Feindseligkeit. Das ist leichter. Ich muß mir etwas ausdenken, weshalb ich hart mit ihnen sprechen und sie recht anfahren kann. Ich muß tun, als ob ihr Fall mir sehr verdächtig und dunkel wäre, und als ob da erst strenge Nachforschung und Klarstellung der Verhältnisse geboten wäre, oder so, oder so.«
»Wirst du in ihrer Sprache mit ihnen reden?«
»Das ist das erste hilfreiche Wort, das deine Ruhe zustande bringt, Mai!« rief Joseph und schlug sich mit der Hand vor die Stirn. »Es war unbedingt notwendig, daß du mich darauf aufmerksam machtest, denn in Gedanken rede ich die ganze Zeit kanaanäisch mit ihnen, ich Dummkopf. Wie komme ich dazu, kanaanäisch zu können? Es wäre die größte Ungeschicklichkeit! Dabei spreche ich es mit den Kindern — glaube allerdings, daß sie einen ägyptischen Akzent von mir bekommen. Nun, das ist jetzt meine letzte Sorge. Mir scheint, ich rede Überflüssiges, was allenfalls unter viel ruhigeren Umständen erwähnenswert wäre, aber nicht jetzt. Selbstverständlich darf ich kein Kanaanäisch verstehen, ich muß durch einen Dolmetscher mit ihnen reden, es muß ein Dolmetscher her, ich werde im Ministerium Weisung geben, — ein vorzüglicher, der gleichermaßen in beiden Sprachen Bescheid weiß, damit er ihnen genau und ohne zu mildern oder plump zu vergröbern übermitteln kann, was ich zu ihnen sage. Denn was sie selber sagen, zum Beispiel der große Ruben — ah, Ruben, mein Gott, er war am leeren Loch, er wollte mich retten, ich weiß es vom Wächter, ich glaube nicht, daß ich dir das schon erzählt habe, ich erzähle es dir ein andermal! —, was sie selber sagen, das werde ich schon verstehen, darf mir aber nicht merken lassen, daß ich's verstehe, indem ich etwa aus Unbedachtsamkeit gleich darauf antworte, sondern muß warten, bis der langweilige Wichtigtuer zwischen uns es mir übersetzt hat.«
»Wenn du eingenommen hast, Adôn, wirst du das schon recht machen. Und dann würde ich dir vorschlagen, daß du so tust, als ob du sie für Kundschafter hieltest, die des Landes Blöße erspähen wollen.«
»Ich bitte dich, Mai, spare dir doch deine Vorschläge! Wie kommst du plötzlich dazu, mir mit guten runden Augen Vorschläge zu machen?«
»Ich dachte, ich sollte dir welche machen, gnädiger Herr.«
»Ich dacht' es ja ursprünglich selber, Freund. Aber wenn ich doch sehe, daß in dieser hoch-festlichen Sache mir niemand raten kann und darf, sondern daß ich sie selber ganz allein ausgestalten muß, wie das Herz es mir eingibt! Denke du, wie du die Geschichte von den drei Liebschaften am erfreulichsten und erregendsten schmückst, und laß mich die meine schmücken! Wer sagt dir, daß ich nicht selbst schon auf den Gedanken gekommen bin, mir die Miene zu geben, als hielte ich sie für Spione?«

»So sind wir auf denselben Gedanken gekommen.«
»Natürlich, weil er der einzig richtige ist und es so schon so gut wie geschrieben steht. Diese ganze Geschichte steht überhaupt schon geschrieben, Mai, in Gottes Buch, und wir werden sie miteinander lesen unter Lachen und Tränen. Denn nicht wahr, du bist doch dabei und kommst ins Schreibhaus, wenn sie da sind, morgen oder übermorgen und werden vor mich geführt im großen Saal des Ernährers, wo er mannigfach abgebildet ist an den Wänden? Du bist natürlich von meiner Umgebung. Ich muß eine stattliche Umgebung haben bei dem Empfang ... Ach, Mai«, rief der Erhöhte und schlug die Hände vor sein Gesicht, dieselben Hände, denen Benoni, der Knirps, einst zugesehen hatte im Hain des Herrn beim Flechten des Myrtenkranzes, und an deren einer nun Pharao's Ring ›Sei wie ich‹, der himmelblaue Lasurstein saß, — »ich werde sie sehen, die Meinen, die Meinen, denn das waren sie immer, so arg es auch zeitweise zuging zwischen uns durch gemeinsame Schuld! Ich werde mit ihnen reden, den Söhnen Jaakobs, meinen Brüdern, ich werde hören, ob der Vater noch lebt, dem ich so lange im Tode verstummen mußte, und ob er noch hören kann, daß ich lebe, und daß Gott das Tier für den Sohn genommen! Alles werde ich hören und aus ihnen herausbekommen — wie Benjamin lebt, und ob sie sich brüderlich zu ihm stellen, und müssen ihn herbeischaffen und den Vater auch! Ach, mein Fronvogt, der nun mein Hausvogt ist, es ist gar zu aufregend und festlich! Und mit festlichem Spaß soll es ausgeführt sein aufs allerheiterste. Denn die Heiterkeit, Freund, und der verschlagene Scherz sind das Beste, was Gott uns gab, und sind die innigste Auskunft vor dem verwickelten, fragwürdigen Leben. Gott gab sie unserem Geist, daß wir selbst dieses, das strenge Leben, mögen damit zum Lächeln bringen. Daß mich die Brüder zerrissen und mich in die Grube warfen und daß sie nun sollen vor mir stehen, das ist Leben; und Leben ist auch die Frage, ob man die Tat beurteilen soll nach dem Ergebnis und soll gut heißen die böse, weil sie notwendig war fürs gute Ergebnis. Das sind so Fragen, wie sie das Leben stellt. Man kann sie im Ernst nicht beantworten. Nur in Heiterkeit kann sich der Menschengeist aufheben über sie, daß er vielleicht mit innigem Spaß über das Antwortlose Gott selbst, den gewaltig Antwortlosen, zum Lächeln bringe.«

Das Verhör

Joseph war wie Pharao, wenn er, unter weißen Straußenfächern, die Schurzknaben in Pagen-Haartracht über ihn hielten und deren Federn in getriebenen Goldschilden steckten, umgeben von Großschreibern des Amtshauses, außerordentlich hochnäsigen Magi-

straten, auf seinem Stuhl im Saal des Ernährers saß, an dessen Estrade, rechts und links, Lanzenträger der Hauswache Standdienst versahen. Zwei Doppelreihen schmuckhaft beschrifteter, orangefarbener Säulen auf weißen Basen mit grünen Lotoskapitellen liefen vor ihm dahin gegen die fernen Eingangstüren mit Oberstücken in Schmelzfarben, und an den raumreichen Seitenwänden der Halle, über dem Sockelfries, war vielfach wiederkehrend Chapi, der Überwallende, abgebildet, menschengestaltig, mit verhülltem Geschlecht, eine Brust männlich, die andre vom Weibe, den Königsbart am Kinn, Sumpfpflanzen auf dem Haupt, auf den Handflächen das Gabenbrett mit Blüten des Dickichts und schlanken Wasserkrügen. Zwischen den Wiederholungen des Gottes war noch anderes Leben in großen Linien und freudigen Farben abgebildet, aufjubelnd in den Lichtbündeln, die durch die Steingitter der hochgelegenen Fenster fielen: Saat und Drusch, und wie Pharao selbst mit Ochsen pflügte und den ersten Schnitt mit der Sichel ins Goldene tat, auch die sieben Osiris-Kühe nebst dem Bullen, dessen Namen er weiß, hintereinander schreitend, wozu Inschriften kamen, herrlich angeordnet, wie zum Beispiel: »Oh, daß der Nil mir Speise schaffe, Nahrung, jedes Gewächs zu seiner Zeit!«
So der Saal des Gehörs, wo der Vize-Horus alles Geschrei nach Saat- und Brotfrucht vor sich kommen ließ, über das er sich selbst die Entscheidung vorbehielt. Hier saß er auch den dritten Tag nach jener Unterredung mit Mai-Sachme, seinem Haushalter, der hinter ihm stand und ihm in der Tat vorher einen Braus gemischt hatte, und hatte eben eine bezopfte und bärtige, in Schnabelschuhen einhertretende Abordnung aus dem Lande des Großkönigs Murschili, nämlich Chatti, wo auch Dürre herrschte, beschieden, — auf recht zerstreute und lässige Art, wie allgemein auffiel, denn er hatte den chetitischen Stadtschulzen, seinem ›Wirklichen Schreiber‹ diktierend, mehr Weizen, Spelt, Mohrenhirse und Reiskorn zu einem billigeren Preise bewilligt, als sie selber in Vorschlag gebracht hatten. Einige vermuteten staatsweise Gründe dafür und daß es, wer wußte, warum, vielleicht der weltpolitische Augenblick sei, dem König Murschili eine Aufmerksamkeit zu erweisen; andere schoben es auf eine Unpäßlichkeit des Alleinigen, denn er hatte vor der Sitzung erklärt, daß er einen Staub-Katarrh habe, und hielt sich fortwährend ein Tuch vor den Mund.
Über dieses hin blickte er groß in den Saal hinaus, als die Chetiter abgetreten waren und man die Gruppe asiatischer Männer hereinführte, die nun an der Reihe war: einer ragte hervor, einer hatte ein schwermütig Löwenhaupt, einer war markig und fest, ein andrer wies lange, geläufige Beine auf, zwei weitere verleugneten nicht eine rohe Streitbarkeit, einer schoß stechende Blicke,

an einem gewahrte man feuchte Augen und Lippen, einer interessierte durch auffallend knochige Glieder, einer durch lockiges Haar, einen Rundbart und reichliches Rot und Blau der Purpurschnecke in seinem Kleide. So hatte jeder seine Besonderheit. In der Mitte des Saales fanden sie es an der Zeit, den Boden zu küssen, und der Alleinige mußte warten, bis sie wieder aufrecht waren, daß er ihnen mit dem Wedel winken konnte, näher heranzutreten. Sie kamen und fielen nieder aufs neue.
»So viele?« fragte er mit verschleierter Stimme, die er, Gott wußte warum, beinahe brummend senkte. »Zehne auf einmal? Warum nicht lieber gleich elfe! Wiederholer! frage sie, warum sie nicht gleich zu elfen kommen, und womöglich zu zwölfen. Oder versteht ihr Männer ägyptisch?«
»Nicht wie wir möchten und wünschten, Herr, unsre Zuflucht«, erwiderte einer in seiner Sprache: der auf den Läuferbeinen, der offenbar auch eine geläufige Zunge hatte. »Du bist wie Pharao. Du bist wie der Mond, der barmherzige Vater, der in hehrem Gewande einherschreitet. Du bist wie ein erstgeborener Stier, der seinen Schmuck hat, Moschel, Gebieter! Unsere Herzen preisen einstimmig den, der da Markt hält, den Ernährer der Länder, die Speise der Welt, ohne den niemand Atem hätte, und wünschen ihm Lebensjahre soviel, wie das Jahr Tage hat. Deine Zunge aber, Adôn, verstehen wir, deine Knechte, nicht hinlänglich, daß wir einen Handel darin tätigen könnten, halt es zu Gnaden!«
»Du bist wie Pharao«, wiederholten sie im Chor.
Während der Dolmetsch die Rede Naphtali's rasch und geschäftsmäßig-eintönig übersetzte, verschlang Joseph die mit den Augen, die vor ihm standen. Er erkannte sie alle, unterschied mit geringer Mühe jeden einzelnen, welches Werk auch die Zeit an ihnen getan hatte. Da war der große Ruben, schon ganz grau bei Haupt, auf Säulenbeinen, bärbeißig angezogen die starken Muskeln seines Angesichts. Gott der Fügungen, es war vollzählig da, das haßverhungerte Wolfsrudel, das sich auf ihn gestürzt mit »Herunter, herunter!«, so sehr er gebettelt: »Zerreißt es nicht!«, die Wütigen alle, die ihn zu Grabe geschleift mit Hoihupp und Hoihe, so fassungslos er sie, sich selbst, den Himmel gefragt: »Ach, ach, wie geschieht mir!«, die ihn als Heda und Hundejungen an die Ismaeliter verkauft hatten für zwanzig Silberlinge und hatten des Kleides Trümmer vor seinen Augen durchs Schlachtblut gezogen. Sie waren da, seine Brüder in Jaakob, aufgetaucht aus der Zeit, — seine Mörder durch Träume, zu ihm geführt durch Träume und das Ganze war wie ein Traum. Es waren die Rotäugigen zu sechsen, und die vier von den Mägden: Bilha's Otterschlange und ihr Nachrichtenkrämer, Silpa's stämmiger Erster im Waffenrock, der gerade Gad, und sein Bruder, das Leckermaul. Der war der jüngsten einer nächst Isakhar, dem tragenden Esel,

und dem gepichten Sebulun, — und hatte doch auch schon Runzeln und Furchen im Antlitz und schon viel Silber im Bart, im glatten geölten Haupthaar. Du Ewiger, wie alt sie geworden waren! Es war ergreifend — wie eben das Leben ergreifend ist. Er erschrak aber bei ihrem Anblick, weil fast nicht denkbar war, daß der Vater noch lebte, wo sie schon so alt waren.

Das Herz voll Lachen und Weinen und Bangigkeit, sah er sie an und kannte sie alle wieder durch die Bärte hindurch, die einige von ihnen zu seiner Zeit noch gar nicht getragen. Sie aber, die ihn ansahen ebenfalls, dachten nicht daran, ihn zu erkennen, und ihre sehenden Augen waren mit Blindheit bedeckt für die Möglichkeit, daß er es sein könnte. Sie hatten einst ein unverschämtes Bruderblut in die Welt verkauft, in die Horizonte hinaus und in Nebelfremde, das wußten sie immer, wußten es auch jetzt. Aber daß der vornehme Heide dort auf dem Thronstuhl unter den Fächern, in Blütenweiß, gegen das das tiefe Braun seiner Stirne und Arme gar ägyptisch abstach, — daß der Machthaber und Markthalter hier, zu dem sie in Nöten kamen, mit der Gnadenkette, die ein unglaubliches Stück Goldschmiedewerk war und eine Brusttafel einrahmte, die das auch war, aus Falken, Sonnenkäfern und Lebenskreuzen nach höchstem Geschmack zusammengesetzt, — daß der da mit dem Prunk-Fliegenwedel, dem silbernen Zierbeil im Hüftband und dem nach hiesigem Eigensinn geschlungenen Kopftuch mit starren Schulterflügeln, — daß dieser der einstmals Abgeschaffte, vom Vater schließlich Verschmerzte, der Träumer von Träumen sein könnte, der Lebensgedanke war ihnen verschlossen, verwehrt und vorenthalten, und auch daß der Mann sich immerfort das Tuch vors Untergesicht hielt, war unvermögend, sie darauf zu bringen.

Da sprach er wieder, und immer sogleich, wenn er innehielt, echote der Dolmetsch neben ihm rappelnd und ohne Betonung auf kanaanäisch, was er gesagt.

»Ob hier ein Handel getätigt und eine Belieferung kann verordnet werden«, sagte er übellaunig, »das steht dahin und muß sich erweisen — sehr möglich, daß sich ganz anderes erweist. Daß ihr die Sprache der Menschen nicht redet, ist dabei der Schwierigkeiten geringste. Ich bedaure euch übrigens, wenn ihr erwartetet, daß ihr mit Pharao's Oberstem Mund in eurem Kauderwelsch würdet verkehren können. Ein Mann wie ich spricht Babels Sprache, er spricht auch chetitisch, zum Chabirischen aber und dergleichen Aulasaukaula läßt er sich schwerlich herbei, und sollte er's je gekonnt haben, so beeilt er sich, es zu vergessen.«

Pause und Übersetzung.

»Ihr seht mich an«, fuhr er fort, ohne eine Antwort abzuwarten, »ihr betrachtet mich indiskret nach Barbarenart und beobachtet im stillen, daß ich mich mit einem Tuche beschütze, woraus ihr heimlich schließt, daß ich wohl unpäßlich sein müsse. Ja, ich bin etwas unpäßlich – was gibt es da zu spähen, zu kundschaften und zu schließen? Ich habe mir einen Staub-Katarrh zugezogen – auch ein Mann wie ich ist dagegen nicht gefeit. Meine Ärzte werden mich heilen. Die ärztliche Weisheit steht sehr hoch im Land Ägypten. Mein eigener Haushalter, der Verwalter meines Privatpalastes, ist nebenbei auch noch ein Arzt. Da seht ihr's, er wird mich heilen. Menschen aber, und ständen sie mir noch so fern, die unter diesen abnormen und mißliebigen Witterungsverhältnissen eine Reise und gar eine Wüstenreise zu machen gezwungen waren, solchen schlägt mein Herz in Mitgefühl und in Besorgnis entgegen, was sie ausgestanden haben mögen auf ihrer Fahrt. Woher kommt ihr?«

»Von Hebron, großer Adôn, von Kirjath Arba, der Vierstadt, und von den Terebinthen Mamres im Lande Kanaan, Speise zu kaufen in Ägyptenland. Wir sind alle ...«

»Halt! Wer spricht da? Wer ist der Kleine mit blanken Lippen, der da spricht? Warum spricht gerade er und nicht zum Beispiel der Herdenturm da – denn er ist gebaut wie ein solcher –, der mir der Älteste und Verständigste von eurer Rotte zu sein scheint?«

»Es ist Ascher, der antwortete, Herr, mit deinem Wohlnehmen. Ascher, so ist deines Knechtes Name, der ein Bruder ist unter uns Brüdern. Denn wir sind alle Brüder und eines Mannes Söhne, verbunden durch Brudertum, und wenn es unsre Gemeinschaft gilt und daß wir gebündelt sind, so pflegt Ascher, dein gehorsamer Diener, die Aussage zu machen.«

»So, du bist also ein Bundesschwätzer und ein Gemeinplatz. Gut. Aber wenn ich euch recht ins Auge fasse, so entgeht meinem Scharfblick nicht, daß ihr, trotz angeblicher Brüderlichkeit, deutlich verschiedene Leute seid und der mit jenem zusammengehört, andere aber wieder ein Gemeinsames haben. Der Bundesredner, der sich vernehmen ließ, zeigt mir eine Ähnlichkeit mit dem da im kurzen Rock, auf den er Erz genäht hat, und jener dort, mit den Augen der Schlange, hat, ich weiß nicht was gemein mit dem nahe bei ihm, der von einem Dünnbein aufs andere tritt. Mehrere aber ordnen sich dadurch zusammen, daß ihre Augenlider rötlich entzündet sind.«

Es war Re'uben, der's über sich nahm, zu antworten.

»Wahrlich, du siehst alles, Herr«, hörte Joseph ihn sagen. »Laß dich bedeuten! Die Ähnlichkeiten und Sonderungen unter uns kommen daher, daß wir von verschiedenen Müttern sind, viere von zweien, und sechs von einer. Aber wir sind alle eines Mannes Söhne, Jaakobs, deines Knechts, der uns zeugte und der uns zu dir sandte, Speise zu kaufen.«

»Er sandte euch zu mir?« wiederholte Joseph und schob sein

Schnupftuch übers ganze Gesicht hinauf. Dann blickte er wieder darüber hervor.
»Mann, du überraschst mich durch die Dünnigkeit deiner Stimme, die aus einem turmartig gebauten Leibe kommt, aber noch mehr erstaunt mich die Meinung deiner Worte. Euch hat ja alle die Zeit schon versilbert in Haar und Bärten und euer Ältester, der sich des Bartes enthält, ist desto greiser dafür auf dem Kopf. Ihr verstrickt euch in Aussagen, die mir nicht glaubwürdig, denn nicht wie Leute seht ihr mir aus, deren Vater noch lebt.«
»Bei deinem Antlitz, er lebt, o Herr«, sagte nun Juda. »Laß mich meines leiblichen Bruders Worte bezeugen! Wir gehen mit Wahrheit um. Unser Vater, dein Knecht, lebt in Feierlichkeit und ist nicht gar so alt, etliche achtzig oder auch bis zu neunzig, was nichts Besonderes ist in unserem Stamm. Denn unser Urgroßvater war schon hundert, als er sich noch den Rechten und Echten erzeugte, unseres Vaters Erzeuger.«
»Was für eine Barbarei!« sagte Joseph mit brechender Stimme. Er sah sich nach seinem Haushalter um, wandte sich wieder zurück und sprach eine Weile kein Wort, so daß alle Welt unruhig wurde.
»Ihr könntet«, sagte er endlich, »präziser und ohne auf Unwesentliches abzukommen, meine Fragen beantworten. Was ich euch fragte, war, wie ihr unter so widrigen Umständen die Reise bestanden, ob ihr sehr unter der Dürre gelitten, ob sich euer Wasser gehalten, ob Raubgesind oder ein Staub-Abubu euch heimgesucht, ob keinen der Hitzstich getroffen – das wollte ich wissen.«
»Es ist uns sehr leidlich ergangen, Adôn, wir danken der gütigen Nachfrage. Unser Reisezug war stark gegen Räuber, unser Wasser bestens versorgt, kaum einen Esel haben wir eingebüßt und blieben alle gesund. Ein Staub-Abubu von mittlerer Unannehmlichkeit war alles, was wir zu bestehen hatten.«
»Desto besser. Meine Nachfrage war nicht gütig, sie war streng sachlich. Etwas Ungewöhnliches ist eine Reise wie eure ja auch durchaus nicht. Es wird soviel gereist in der Welt; siebzehntägige Reisen, selbst siebenmal siebzehntägige sind gang und gäbe, und Schritt vor Schritt wollen sie zurückgelegt sein, denn schwerlich springt jemandem die Erde entgegen. Da ziehen die Kaufleute von Gilead den Weg, der von der Stätte Beisan über Jenin geht, durch das Tal – wartet! ich wußt' es doch, aber ich weiß es schon wieder: durch das Tal Dotan, von wo sie die große Karawanenstraße gewinnen von Damaschki nach Lejun und Ramleh zum Hafen Chazati. Ihr hattet's bequemer. Ihr seid von Hebron nach Gaza hinunter, ganz einfach, und seid dann der Küste gleich geschritten, hinab, gegen dieses Land?«
»Du sagst es, Moschel. Du weißt alles.«

»Ich weiß sehr vieles. Teils vermöge natürlichen Scharfsinns, teils durch andere Mittel, die einem Manne wie mir zu Gebote stehen. In Gaza aber, wo ihr euch wohl mit dem Reisezuge vereinigtet, begann erst der Reise übelster Teil. Man hat da eine eiserne Stadt und einen verdammten Meeresgrund zu bestehen, bedeckt mit Gerippen.«

»Wir sahen nicht hin und kamen mit Gott durchs Greuliche.«

»Das freut mich. Führte euch wohl auch eine Feuersäule?«

»Zeitweise zog uns eine voran. Sie stürzte zusammen, und dann kam der mäßig unangenehme Staub-Abubu.«

»Ihr wolltet mit seinen Schrecken wohl nur nicht prahlen. Leicht hätte er euch tödlich werden können. Es bekümmert mich, daß Reisende solchen Unbilden ausgesetzt sind auf der Fahrt herab nach Ägypten. Ich sage das streng sachlich. Aber dann prieset ihr euch wohl glücklich, als ihr in den Bereich unserer Bastionen und Wachttürme kamt?«

»Laut priesen wir uns glücklich und dankten dem Herrn für unsere Verschonung.«

»Erschrakt ihr vor der Feste Zel und ihren Heerscharen?«

»Wir erschraken vor ihr in verehrendem Sinn.«

»Und wie geschah euch dort?«

»Man verwehrte uns nicht den Durchzug, da wir bekundeten, Käufer zu sein und Korn entnehmen zu wollen aus dieser Kornkammer, damit unsere Weiber und Kinder lebten und nicht stürben. Aber man sonderte uns ab.«

»Das wollte ich hören. Wundert ihr euch über die Maßnahme der Absonderung? So etwas wie Absonderung war euch wohl niemals vorgekommen, geschweige denn, daß ihr jemals selbst dergleichen bewirkt hättet? Immerhin ließ man euch Bündel gebündelt und vollzählig beisammen, alle zehn, wenn man zehn vollzählig nennen kann; man sonderte keinen von euch ab und trennte euch nur von den anderen Kommenden?«

»So war es, Herr. Man bedeutete uns, wir würden nirgends Brotfrucht kaufen dürfen im Lande für unser Geld, es sei denn zu Mempi, der Waage der Länder, und von dir selbst, dem Herrn der Speise, dem Freunde der Ernte Gottes.«

»Korrekt. Man leitete euch in die Wege? Ihr hattet gute Fahrt von der Grenze herab zur Stadt des Gewickelten?«

»Eine sehr gute, Adôn. Man hatte ein Auge auf uns. Männer, die kamen und wieder entschwanden, wiesen uns zu Herbergen und Rasthöfen mit unseren Tieren, und wollten wir zahlen am Morgen, so wollte der Wirt es nicht nehmen.«

»Freie Hausung und Kost haben zweierlei Leute: der Ehrengast und der Gefangene. – Wie gefällt euch Ägyptenland?«

»Es ist ein wundersames Land, großer Wesir. Wie Nimrods ist seine Macht und Herrlichkeit, es prunkt mit Zier und Gestalt, ob

sie ragt oder lagert, seine Tempel sind überwältigend, und seine Gräber berühren den Himmel. Oft gingen die Augen uns über.«
»So völlig nicht, will ich hoffen, daß ihr darüber Gewerbe und Auftrag versäumtet und es euch gehindert hätte, zu spähen, zu kundschaften und heimliche Schlüsse zu ziehen.«
»Deine Rede, Herr, ist uns dunkel.«
»Ihr wollt also nicht wissen, warum man euch absonderte von den Kommenden, warum man ein Auge auf euch hatte und euch vor mein Angesicht brachte?«
»Wir wüßten es gern, Erlauchter, aber wir wissen's nicht.«
»Ihr gebt euch die Miene, als ahntet ihr nicht, – und nicht flüstert euer Gewissen euch zu, daß ihr unter Verdacht steht, daß ein Verdacht auf euch ruht, ein schwerer, finsterer, der bereits mehr ist als ein Verdacht, so daß eure Schelmerei unserem Blicke offenliegt?«
»Was sagst du da, Herr! Du bist wie ein Pharao. Welcher Verdacht?«
»Daß ihr Kundschafter seid!« rief Joseph, schlug mit der Hand auf die Lehne und stand auf vom Löwenstuhl. Er sagte ›daialu‹, Spione, ein akkadisches Wort, schwer anrüchig, und wies ihnen dabei mit dem Fliegenwedel in die Gesichter.
»Daialu«, echote dumpf der Wiederholer.
Sie prallten zurück, wie *ein* Mann, verdonnert, entsetzt.
»Was sagst du!« wiederholten sie, im Chore murmelnd.
»Was ich sagte, das sagte ich! Kundschafter seid ihr, gekommen, des Landes Blöße zu erspähen, die es geheimhält, daß ihr sie aufdeckt und Zugang verratet für Überfall und Plünderei. Das ist meine Überzeugung. Könnt ihr sie widerlegen, so tut's!«
Ruben sprach, da die andren ihm einhellig-eifrig zunickten, daß er sie rechtfertige. Er schüttelte langsam den Kopf und sagte:
»Was ist da, Gebieter, zu widerlegen? Nur weil du's sagst, ist's der Rede wert, sonst könnte man's abtun bloß mit den Achseln. Auch Große irren. Dein Verdacht geht fehl. Wir schlagen vor ihm nicht die Augen nieder, sondern du siehst: frei und redlich blikken wir alle auf zu dir und sogar mit höflichem Vorwurf, daß du uns so verkennen magst. Denn wir erkennen dich in deiner Größe, du aber erkennst uns nicht in unsrer Redlichkeit. Sieh uns an und laß dir die Augen öffnen durch unsren Anblick! Wir sind alle eines Mannes Söhne, eines vorzüglichen, im Lande Kanaan, eines Herdenkönigs und Gottesfreundes. Wir gehen mit Wahrheit um. Gekommen sind wir unter den Kommenden, Speise zu kaufen um gute Silberringe, die du wägen magst auf genauer Waage, Speise für unsre Weiber und Kinder. Das ist unser Begehr. Daialu, beim Gott der Götter, sind deine Knechte niemals gewesen.«
»Und ihr seid's doch!« antwortete Joseph und stampfte mit der Sandale auf. »Was ein Mann wie ich sich in den Kopf setzt, dabei

bleibt's. Ihr seid gekommen, des Landes Scham zu entdecken, daß ihm mit der Sichel ein Leids geschehe. Daß ihr zehn diesen Auftrag habt von bösen Königen des Ostens, ist meine Überzeugung, die zu widerlegen euch obliegt. Weit gefehlt aber, daß der Turm da sie entkräftet hätte, hat er vielmehr nur ins Leere behauptet, sie treffe nicht zu. Das ist keine Rechtfertigung, mit der ein Mann wie ich sich zufriedengäbe.«

»Erwäge doch aber in Gnaden, Herr«, sagte einer, »daß es eher dir obliegt, einen solchen Inzicht zu beweisen, denn daß es uns zufiele, ihn zu widerlegen!«

»Wer redet nun da höchst spitzfindig hervor aus eurer Mitte und sticht mit den Augen? Du bist mir längst aufgefallen durch deinen Schlangenblick. Wie nennst du dich?«

»Dan, mit deinem Wohlnehmen, Adôn, Dan bin ich geheißen, von einer Magd auf dem Schoß der Herrin geboren.«

»Ich bin erfreut. Und so, Meister Dan, nach der Spitzfindigkeit deiner Worte zu urteilen, bildest du dir wohl ein, zum Richter zu taugen, und zwar in eigener Sache? Aber hier bin ich es, der aufstellt das Recht, und weiß zu machen hat sich vor mir der Verdächtige. Habt wohl ihr Sandbewohner und Söhne des Elends einen Begriff von der verletzlichen Kostbarkeit dieses hochfeinen Landes, über das ich gesetzt bin und habe sein Heil zu verantworten vor Gottes Sohn im Palaste? Bedroht ist es immerdar von der lüsternen Gier der Wüstlinge, die nach seiner Blöße spähen, Bedu, Mentiu, Antiu und Peztiu. Sollen es hier die Chabiren treiben, wie sie's getrieben haben dann und wann draußen in Pharao's Provinzen? Ich weiß von Städten, über die sie gekommen sind wie die Tollen und haben in ihrer Wut den Mann erwürgt und den Ochsen verderbt in ihrem barbarischen Mutwillen. Ihr seht, ich weiß mehr, als ihr dachtet. Zwei oder drei von euch, ich will nicht sagen: alle, sehen mir ganz so aus, als wären sie sehr wohl solcher Streiche fähig. Und ich soll euch aufs bloße Wort glauben, daß ihr's nicht übel vorhättet und hättet's nicht abgesehen auf des Landes Geheimnis?«

Sie bewegten sich untereinander und berieten mit aufgeregten Gebärden. Am Ende war's Juda, dem sie zunickten, daß er antworte und ihre Sache führe. Er tat es mit der Würde des Geprüften.

»Herr«, sagte er, »laß mich reden vor dir und dir unsere Bewandtnisse darlegen, der genauen Wahrheit gemäß, daß du erkennen mögest, mit ihr gehen wir um. Siehe, wir, deine Knechte, sind zwölf Brüder, alle eines Mannes Söhne im Lande . . .«

»Halt! Wie?« rief Joseph, der sich wieder gesetzt hatte, hier aber beinahe aufs neue aufgesprungen wäre. »Jetzt seid ihr auf einmal zwölf? Ihr seid also nicht mit Wahrheit umgegangen, als ihr behauptet, ihr wäret zehn?«

»... im Lande Kanaan«, vollendete Juda mit Festigkeit und fast mit dem Ausdruck, als sei es unschicklich und voreilig, ihn zu unterbrechen, jetzt, wo er sich anschickte, alles zu sagen und reinen Wein einzuschenken. »Zwölf Söhne sind wir, deine Knechte, oder waren es doch – nie haben wir vorgegeben, vollzählig zu sein, so wie wir dir vor Augen stehen, sondern nur bezeugt, daß wir alle zehn eines Mannes Söhne sind. Von Hause aus sind wir zwölf, aber unser jüngster Bruder, von keiner unserer Mütter gebürtig, sondern von einer vierten, die seit so vielen Jahren tot ist, wie sein Leben Jahre zählt, ist bei unserem Vater zurückgeblieben, und einer von uns ist nicht mehr vorhanden.«

»Was heißt das: nicht mehr vorhanden?«

»Abhanden gekommen, Herr, bei frühen Jahren, dem Vater und uns von der Hand gekommen. Er hat sich in die Welt verloren.«

»Das muß ein abenteuerlustiger Bursche gewesen sein. Was geht er mich übrigens an. Der Kleine aber, euer jüngster Bruder, ist nicht von eurer Hand – er ist euch nicht von der Hand gekommen, sondern ist bei der Hand?«

»Er ist zu Hause, Herr, immer zu Hause an unsres Vaters Hand.«

»Woraus ich zu schließen habe, daß dieser euer alter Vater noch lebt und daß es ihm wohl geht?«

»Du fragtest das einmal schon, Adôn, halt es zu Gnaden, und wir bejahten es dir.«

»Durchaus nicht! Es mag wohl sein, daß ich euch schon einmal nach eures Vaters Leben verhörte, aber nach seinem Wohlergehen verhöre ich euch hiemit zum ersten Mal.«

»Deinem Knecht, unserm Vater«, antwortete Juda, »geht es wohl nach den Umständen. Diese aber sind drückend worden seit Jahr und Tag in der Welt, wie mein Herr weiß. Denn da der Himmel sein Segenswasser versagte einmal und zweimal, drückt die Teuerung je länger, je schwerer, wie in allen Landen, so in den unseren. Sogar heißt, von Teuerung reden, das Übel verkleinern, denn es ist keine Halmfrucht vorhanden, für alles Geld nicht, weder zur Saat noch zur Speise. Unser Vater ist reich, er lebt auf behäglichstem Fuße ...«

»Inwiefern reich und behäglich? Hat er zum Beispiel ein Erbbegräbnis?«

»Du sagst es, Herr. Machpelach, die zweifache Höhle. Dort ruhen unsere Ahnen.«

»Lebt er zum Beispiel auf solchem Fuß, daß er einen Ältesten Knecht hat, einen Hausvogt, wie ich einen habe, der zudem noch Arzt ist?«

»So ist es, Durchlauchtiger. Er hatte einen weisen und vielerfahrenen Großknecht, Eliezer mit Namen. Scheol birgt ihn; er neigte das Haupt und starb. Aber er hinterließ zwei Söhne: Damasek und Elinos, und der Älteste, Damasek, ist an des Verstorbenen Stelle getreten; er ist nun Eliezer geheißen.«

»Was du sagst«, erwiderte Joseph. »Was du sagst.« Und eine Weile verschwamm sein Blick, über ihre Köpfe dahingehend, im Leeren, in der Weite des Saals.

»Warum unterbrichst du, Löwenhaupt, den Versuch eurer Rechtfertigung?« fragte er dann. »Weißt du nicht weiter damit?«

Juda lächelte nachsichtig. Er sagte nicht geradezu, daß nicht er selbst sich immerfort unterbreche.

»Dein Diener war im Begriffe und bleibt es«, antwortete er, »dir, mein Herr, unsere Bewandtnisse, und wie es herging mit unsrer Fahrt, im Zusammenhang und getreulich darzutun, daß du sehest, wir gehen mit Wahrheit um. Zahlreich ist unser Haus — nicht gerade schon wie der Sand am Meer, aber sehr vielköpfig. An die siebenzig zählen wir, denn wir alle sind Häupter unter des Vaters Haupt, alle sind wir vermählt und gesegnet mit . . .«

»Vermählt alle zehn?«

»Vermählt alle elf, o Herr, und gesegnet mit . . .«

»Was, auch euer Jüngster ist ein vermähltes Haupt?«

»Ganz wie du sagst, Herr. Von zwei Weibern hat er acht Kinder.«

»Es ist nicht möglich!« rief Joseph, ohne die Übersetzung abzuwarten, schlug auf die Löwenlehne und brach in lautes Lachen aus. Auch die ägyptischen Beamten hinter ihm lachten aus Unterwürfigkeit mit. Die Brüder lächelten ängstlich. Mai-Sachme, sein Haushalter, gab ihm einen heimlichen Stupf in den Rücken.

»Ihr nicktet«, sprach Joseph und trocknete sich die Augen; »so verstand ich, daß auch euer Jüngster vermählt und Vater ist. Das ist ja prächtig. Ich lache nur, weil es so prächtig ist — und eben zum Lachen. Denn einen Jüngsten pflegt man sich ja als Knirps vorzustellen und als ein Kleinchen, nicht aber als Eheherrn und Vaterhaupt. Von dieser Vorstellung ging ich aus bei meinem Lachen, das übrigens, wie ihr seht, sehr bald ein Ende genommen hat. Diese Sache ist viel zu ernst und verdächtig, als daß man lachen sollte. Und daß du, Löwenhaupt, schon wieder stocktest in deiner Rechtfertigung, dünkt mich ein bedenkliches Zeichen.«

»Mit deiner Gewährung«, antwortete Juda, »fahre ich fort in ihr ohne Stocken und im Zusammenhang. Denn die Teuerung, welche man lieber mit Schrecken eine Hungersnot nennen sollte, weil nichts da ist, was teuer sein könnte, dieses Ungemach drückte das Land, die Herden verdarben und an unser Ohr schlug das Weinen unserer Kinder nach Brot, welches, o Herr, der bitterst-unleidliche aller Laute ist für ein Menschenohr, außer etwa gar noch die Beklagnis heiligen Alters, daß sogar ihm abgehe das Tägliche und würdige Gewohnte; denn wir hörten den Vater

sagen, nicht viel fehle, so gehe die Lampe ihm aus, und er müsse im Dunkeln schlafen.«
»Unerhört«, sagte Joseph. »Das ist ja ein Ärgernis, um nicht zu sagen: ein Greuel! Läßt man es dahin kommen? Keine Vorsorge, keine Gewärtigung und kein Vorbauen gegen die Heimsuchung, die noch in der Welt ist und immer Gegenwart annehmen kann! Keine Einbildungskraft, keine Furcht und keine Rücklage! In den Tag gelebt wie das liebe Vieh und nichts bedacht, was nicht gerade Eräugnis ist, bis dann schließlich der Vater auf seine alten Tage muß das Gewohnte entbehren. Schämt euch! Habt ihr denn keine Bildung und keine Geschichten? Wißt ihr nicht, daß unter bestimmten Umständen das Sprossen gefesselt und alles Blühen gebunden ist, weil nämlich das Feld nur noch Salz gebiert und kein Kraut mehr aufgeht, noch gar Getreide wächst? Daß dann das Leben in Trauer erstarrt, so daß der Stier nicht die Kuh bespringt, noch der Esel sich über die Eselin beugt? Habt ihr gar nie von Wasserfluten gehört, die die Erde ersäufen und die nur der Gescheite übersteht, der sich einen Kasten gemacht hat, darin zu schwimmen auf der wiedergekehrten Urflut? Muß sich, bis ihr sorgt, erst alles eräugnen und gegenwendig werden, was nur abgewendet war, so daß es dann teuerstem Alter an Öl für die Lampe gebricht?«
Sie ließen die Köpfe hängen.
»Fahrt fort!« sagte er. »Der da sprach, fahre fort! Aber laßt mich nichts mehr davon hören, daß euer Vater im Dunklen schläft!«
»Es ist nur bildlich gemeint, Adonai, und will nur bedeuten, daß er mitbetroffen ist von dem Ungemach und hat keine Opfersemmeln. Viele sahen wir sich gürten und sich auf den Weg machen in dieses Land, daß sie kauften aus Pharao's Scheuern und heimbrächten Speise, denn in Ägypten allein ist Korn und ist Markt. Aber lange mochten wir dem Vater nicht mit dem Vorschlage kommen, daß wir uns auch gürteten und geschäftlich herabzögen ebenfalls, um einzukaufen.«
»Warum mochtet ihr nicht?«
»Er hat den eigenen Sinn seiner Jahre, Herr, und vorgefaßte Meinungen über die Dinge, so auch über das Land deiner Götter, — eigensinnig denkt er über Mizraim und hegt dieses und jenes Vorurteil in betreff seiner Sitten.«
»Da muß man ein Auge zudrücken und sich nichts merken lassen.«
»Er hätte uns wahrscheinlich nicht erlaubt, herabzuziehen, wenn wir ihn darum gefragt hätten. Deshalb hielten wir's für weiser im Rat, zu warten, daß der Mangel ihn selbst darauf brächte.«
»Das sollte vielleicht nun auch nicht sein, daß man so über den Vater rate und ihn klüglich behandle, denn es sieht aus, als spränge man mit ihm um.«

»Es blieb uns nichts anderes übrig. Auch sahen wir wohl seine Seitenblicke und daß er den Mund halb auftat zur Rede, tat ihn aber wieder zu. Endlich sprach er zu uns: ›Was tauscht ihr Blicke und seht euch viel um? Siehe, ich höre und das Gerücht drang zu mir, daß im Unterlande Getreide feil ist und wird Markt gehalten dortselbst. Auf, und sitzt nicht auf euren Gesäßen, daß wir verderben! Loset aus einen oder zweie von euch, und wen das Los trifft, Schimeon oder Dan, die mögen sich gürten und hinabreisen mit den Reisenden und Speise kaufen für euere Weiber und Kinder, daß wir leben und nicht sterben!‹ – ›Wohl‹, erwiderten ihm wir Brüder, ›aber es ist nicht genug, daß zweie ziehen, denn die Bedarfsfrage wird aufgeworfen. Wir müssen alle fahren und unsere Kopfzahl zeigen, daß die Kinder Ägyptens erkennen, wir brauchen Getreide nicht nach dem Epha, sondern dem Chômer nach.‹ – Er sagte: ›So ziehet zu zehnen!‹ – ›Es wäre besser‹, antworteten wir, ›wir zögen alle und zeigten, daß wir elf Häuser sind unter dem deinen, sonst werden wir knapp beliefert.‹ – Er aber antwortete und sprach: ›Seid ihr bei Troste? Ich sehe, ihr wollt mich kinderlos machen. Wißt ihr nicht, daß Benjamin zu Hause sein muß und an meiner Hand? Wie stellt ihr euch's vor, wenn ihm ein Unfall begegnete auf der Reise? Ihr fahrt zu zehnen oder wir schlafen im Dunkeln.‹ – Also fuhren wir.«
»Ist das deine Rechtfertigung?« fragte Joseph.
»Herr«, antwortete Juda, »wenn mein getreuliches Zeugnis nicht deinen Verdacht überzeugt und du daran nicht erkennst, daß wir harmlose Leute sind und mit Wahrheit umgehen, so müßten wir an jeder Rechtfertigung verzagen.«
»Ich fürchte, es wird dahin kommen«, sprach Joseph. »Denn über eure Harmlosigkeit hab' ich nun mal meine eigenen Gedanken. Was aber den Verdacht betrifft, unter dem ihr steht, und meine bis jetzt noch unerschütterte Zeihung, daß ihr Kundschafter seid und gar nichts anderes – gut, so will ich euch prüfen. An der Getreulichkeit eurer Depositionen, sagt ihr, soll ich merken, daß ihr mit Wahrheit umgeht und keine Schelme seid. Ich sage: gut! Bringt euren jüngsten Bruder bei, von dem ihr redet! Stellt ihn hier mit euch vor mein Angesicht, daß ich sehe und mich durch den Augenschein überzeuge, es stimmt in den Einzelheiten bei euch und hat seine Zuverlässigkeit mit euren Bewandtnissen – so will ich anfangen, den Verdacht zu bezweifeln, und langsam schwankend werden der Zeihung wegen. Wo aber nicht, – bei Pharao's Leben! – und hoffentlich wißt ihr, man kann nicht höher schwören bei uns zulande –, so kann nicht nur nicht von Belieferung die Rede sein, sei es dem Epha nach oder gar nach dem Chômer, sondern erwiesen ist's endgültig dann, daß ihr Daialu seid, und wie man mit solchen handelt, des hättet ihr eingedenk sein sollen, als ihr diesen Beruf ergriffet.«

Sie waren bleich und fleckig in den Gesichtern und standen da in Ratlosigkeit.
»Du willst, Herr«, ließen sie fragen, »daß wir des Weges zurückziehen, neun oder siebzehn Tage lang (denn uns springt nicht die Erde entgegen) und mit dem Jüngsten die Fahrt wiederholen hierher vor dein Angesicht?«
»Das wäre noch schöner«, gab er zurück. »Nein, sehr mitnichten! Glaubt ihr, ein Mann wie ich läßt einen solchen Spionenfang einfach wieder ziehen? Ihr seid Gefangene. Ich sondere euch ab in ein Nebengemach dieses Hauses und verwahre euch für drei Tage, womit ich heut meine, morgen und etwas von übermorgen. Bis dahin mögt ihr einen von euch erküren durch Los oder Abrede, der die Reise tun soll und hole den Prüfling. Die anderen aber bleiben gefangen, bis er vor mich gestellt ist, denn bei Pharao's Leben, ohne ihn seht ihr mein Antlitz nicht wieder.«
Sie blickten auf ihre Füße und kauten die Lippen.
»Herr«, sagte der Älteste, »was du gebietest, ist tunlich bis zu dem Augenblick, wo der Bote zu Haus wieder anlangt und unserem Vater gesteht: ehe denn daß wir beliefert werden, sollen wir beibringen den Jüngsten. Du weißt nicht, wie er da anlaufen wird, denn des Vaters Sinn ist sehr eigen und am allereigensten in dem Punkt, daß der Kleine zu Hause sei und niemals reise. Siehe, er ist das Nestküchlein ...«
»Aber das ist ja absurd!« rief Joseph. »Jede ruhige Überlegung führt doch zu dem Ergebnis, daß einer schon längst kein Nesthäkchen und kein Knirps mehr zu sein braucht, dieweil er der Jüngste. Das ist ein Vorurteil, das man nicht hätscheln soll. Sind die Älteren schon hübsch alt, so mag man zehnmal der Jüngste sein und dabei doch ein reisefähiger Mann in der Blüte der Jahre. Glaubt ihr, euer Vater wird euch alle hier in Gefangenschaft lassen als Kundschafter, lieber als daß er euch seinen Jüngsten leihe auf eine Reise?«
Sie berieten sich eine Weile untereinander mit Blicken und Schulterlüpfen und schließlich erwiderte Ruben:
»Wir halten das, Herr, für möglich.«
»Nun denn«, sagte Joseph und stellte sich auf seine Füße, »ich halte es *nicht* für möglich. Das macht ihr einem Mann wie mir nicht weis. Und was meine Worte betrifft, so bleibt's bei ihnen. Stellt euren jüngsten Bruder vor mich, hart bind' ich's euch ein. Denn bei Pharao's Leben, vermögt ihr's nicht, so seid ihr der Kundschafterei überführt!«
Er winkte dem Offizier der Standwache, der sprach ein Wort und Lanzener traten den Männern zur Seite und führten die Erschrockenen zum Saale hinaus.

»Es wird gefordert.«

Es war kein Gefängnis und kein Loch, in das man sie warf, sondern nur in Klausur tat man sie: in ein abgelegenes Blütenpfeiler-Gelaß, zu dem einige Stufen hinabführten und das ein unbenutztes Schreibzimmer, ein Archiv veralteter Akten zu sein schien. Es bot hinlänglichen Raum für zehn und war von Bänken umlaufen. Für zeltende Hirten war es immer noch ein ans Noble grenzender Aufenthalt. Daß die Lichtluken vergittert waren, wollte nichts heißen, denn irgendein Gitterwerk haben solche immer. Freilich gingen Wachen vor der Tür auf und ab.
Jaakobs Söhne setzten sich auf ihre Fersen und berieten die Dinge. Sie hatten viel Zeit, den Mann zu wählen, der zurückreisen sollte, dem Vater die Zumutung zu stellen, Zeit bis übermorgen. Darum berieten sie erst einmal die Lage im allgemeinen, die Patsche, in die sie geraten waren und die sie einstimmig und mit besorgten Mienen sehr arg und bedrohlich nannten. Was für ein dämonisches Mißgeschick, in diesen Verdacht geraten zu sein – kein Mensch wußte, wie! Sie machten einander Vorwürfe, daß sie das Unheil nicht hatten kommen sehen; denn ihre Absonderung an der Grenze, ihre Bestellung nach Menfe, das Auge, das man während der Reise dorthin auf sie gehabt, das alles, sagten sie jetzt, war schon verdächtig gewesen, verdächtig im Sinn eines Verdachts, mochte es sich anfangs auch eher freundlich angefühlt haben. Es war hier überhaupt ein Gemisch von Freundlichkeit und Gefährlichkeit, aus dem sie nicht klug wurden, das sie verstörte und ihnen zugleich ein eigentümliches Glücksgefühl schuf, unterhalb aller schweren Sorge und Kränkung. Nicht klug wurden sie aus dem Wesen des Mannes, vor dem sie gestanden und der diesen unseligen Verdacht gegen sie, die Lauteren, hegte, indem er ihnen die Widerlegung zuschob, – einen abgeschmackten, unglaublich launenhaften Verdacht, von ihnen aus gesehen, – denn sie, die zehnfache Unschuld und geschäftliche Harmlosigkeit, sie – Spione, gekommen, des Landes Scham auszulugen! Er aber hatte es sich nun einmal in den Kopf gesetzt, und außer daß das höchst bedenklich war und ihr Leben anging, tat es den Brüdern auch in der Seele weh; denn der Mann, dieser Markthalter und Große Ägyptens gefiel ihnen, und ganz abgesehen von ihrem Leben schmerzte es sie, daß gerade er so Übles von ihnen dachte.
Ein augenfälliger Mann. Man mochte ihn hübsch und schön nennen und ging kaum zu weit, wenn man ihn einem erstgeborenen Stier verglich, der seinen Schmuck hat. Auch freundlich war er auf eine Weise. Aber das war es eben, daß in seiner Person die Mischung von Freundlichkeit und Argnis sich konzentrierte, die für die Lage kennzeichnend war. Er war ›tâm‹, die Brüder einig-

ten sich auf diese Kennzeichnung. Er war zweideutig, doppelgesichtig und ein Mann des Zugleich, schön und mächtig, ermutigend und beängstigend, gütig und gefährlich. Man wurde nicht klug aus ihm, wie man eben aus der Eigenschaft ›tâm‹ nicht klug wird, in der Ober- und Unterwelt sich begegnen. Er konnte teilnehmend sein und hatte sich um die Fährnisse ihrer Reise bekümmert. Leben und Wohlsein ihres Vaters waren ihm der Erkundigung wert gewesen, und über des Jüngsten Vermähltsein hatte er laut in den Saal gelacht. Aber dann, als ob er sie nur in freundliche Sicherheit hätte wiegen wollen, war er ihnen mit dem schrullenhaft-willkürlichen und lebensgefährlichen Verdacht des Kundschaftertums ins Gesicht gefahren und hatte sie unerbittlich in Geiselhaft getan, bis sie zum Gegenbeweise den Elften beibrächten, — als ob das im Ernst eine Weißwaschung gewesen wäre! Tâm — es gab gar keine andre Vokabel dafür. Ein Mann des Wendepunktes und der Vertauschung der Eigenschaften, der oben und unten zu Hause war. Ein Handelsmann war er ja auch, und ins Kaufmännische war schon der Diebstahl einschlägig, was ganz zur Zweideutigkeit stimmte.

Aber was half die Bemerkung und was half's, zu beklagen, daß der anziehende Mann so böse mit ihnen war? Es besserte nichts an der Patsche, in der sie saßen, einer Zwicklage, von der sie einander gestanden, daß sie bedrohlicher sei, als ihnen je eine zugestoßen. Und der Augenblick kam, wo sie dem unvernünftigen Verdacht, unter dem sie standen, mit einem sehr vernünftigen eignen begegneten: dem nämlich, daß jener zu tun haben möchte mit dem Verdacht, unter welchem zu leben sie häuslich gewohnt waren, — kurzum, daß diese Heimsuchung Vergeltung bedeute für alte Schuld.

Es wäre nämlich ein Irrtum, zu glauben und aus den Texten zu schließen, sie hätten erst vor Josephs Ohren, beim zweiten Gespräch mit ihm, diese Vermutung ausgetauscht. Nein, schon hier, in der Klausur, drängte sie sich ihnen auf die Lippen, und sie sprachen von Joseph. Es war merkwürdig genug: die Person des Markthalters mit der des Begrabenen und Verkauften auch nur in die leiseste Gedankenverbindung zu bringen, war ihnen doch völlig verwehrt, — und dennoch sprachen sie von dem Bruder. Ein bloß moralischer Vorgang war das nicht; sie kamen von einem zum anderen nicht erst auf dem Weg von Verdacht zu Verdacht, von der Schuld zur Strafe. Es war eine Sache der Berührung.

Mai-Sachme hatte in seiner Ruhe wohl recht gehabt, zu sagen, zwischen Erkennen und Merken, daß man erkennt, liege noch mancher Schritt. Man kommt nicht mit einem Bruderblut in Berührung, ohne es zu erkennen, besonders, wenn man es einst vergossen hat. Aber ein anderes ist es, sich's einzugestehen.

Wenn einer behauptete, die Söhne hätten zu dieser Stunde in dem Markthalter bereits den Bruder erkannt, so drückte er sich sehr linkisch aus und begegnete mit Recht dem entschiedensten Widerspruch; denn woher dann auch ihr maßloses Erstaunen, als er sich ihnen zu erkennen gab? Sie hatten keine Ahnung! Nämlich davon hatten sie keine, warum ihnen Josephs Bild und ihre alte Schuld vor die Seele traten nach oder schon bei der Berührung mit dem anziehend-gefährlichen Machthaber.

Diesmal war es nicht Ascher, der aus Genäschigkeit das gemeinsame Fühlen, das sie bündelte, in Worte gefaßt hätte, sondern Juda tat es, der Mann des Gewissens. Jener entschied, daß er zu gering dafür sei, dieser aber, es komme ihm zu.

»Brüder in Jaakob«, sagte er, »wir sind in großer Not. Fremde dahier, sind wir in eine Schlinge getappt, in eine Grube unbegreiflichen, aber verderblichen Verdachtes sind wir gefallen. Weigert Israel unserm Boten den Benjamin, wie er tun wird nach meiner Befürchtung, so sind wir entweder des Todes und man läßt uns in das Haus der Marter und Hinrichtung eintreten, wie die Kinder Ägyptens sagen, oder wir werden doch in die Sklaverei verkauft, zum Gräberbau oder zum Goldwaschen an entsetzlichem Ort, nie sehen wir unsre Kinder wieder, und die Fuchtel des ägyptischen Diensthauses wird unsre Rücken striemen. Wie geschieht uns da? Gedenket Brüder, warum uns das geschieht, und erkennet Gott! Denn unsrer Väter Gott ist ein Gott der Rache, und er vergißt uns nicht. Auch uns hat er nicht erlaubt, zu vergessen, aber am wenigsten vergißt er selbst. Warum er nicht gleich losschnaubte dazumal, sondern ließ Lebenszeiten vergehen und kalt abstehen das Strafgericht, bis er uns nun dies zurichtet, das fraget ihn und nicht mich. Denn wir waren Knaben, als wir's taten, und jener ein Knäblein, und die Strafe trifft andre Leute. Aber ich sage euch: verschuldet haben wir's an unserm Bruder, daß wir sahen die Angst seiner Seele, als er von unten zu uns schrie und wir wollten ihn nicht erhören. Darum kommt nun diese Trübsal über uns.«

Sie nickten schwer mit den Köpfen allesamt, denn die Gedanken aller hatte er ausgesprochen, und murmelten:

»Shaddai, Jahu, Eloah.«

Re'uben aber, den Weißkopf zwischen den Fäusten, rot im Gesicht vor Bedrängnis und mit geschwollenen Stirnadern, stieß zwischen seinen Lippen hervor:

»Ja, ja, gedenkt nur, murmelt und seufzt! Sagte ich's nicht? Hab' ich's euch dazumal nicht gesagt, als ich euch warnte und sprach: ›Vergreift euch nicht an dem Knaben!‹? Wer aber nicht hören wollte, wart ihr. Da habt ihr's nun — sein Blut wird von uns gefordert!«

Ganz so hatte der gute Ruben damals eigentlich nicht gesprochen.

Doch immerhin, er hatte manches verhindert, nämlich gerade, daß Josephs Blut geflossen war, oder doch, daß mehr davon war vergossen worden, als bei oberflächlicher Verletzung der Schönheit entquillt, und genau war es also nicht, zu sagen, sein Blut werde gefordert. Oder meinte Ruben das Blut des Tieres, das vor dem Vater für Josephs Blut hatte stehen müssen? Jedenfalls war auch den anderen zumut, als ob er sie damals gewarnt und ihnen Vergeltung vorhergesagt hätte, und sie nickten wieder und murmelten:
»Wahr, wahr, es wird gefordert.«
Sie bekamen zu essen, recht gut übrigens, Kringel und Bier, was wiederum der Mischung aus Freundlichkeit und Gefährlichkeit entsprach, die hier waltete, und schliefen nachts auf den Bänken, wo es sogar Nackenstützen gab, zu ihrer Haupterhebung. Am nächsten Tag galt es, den Boten zu wählen, der nach des Mannes Willen zurückreisen sollte, den Jüngsten zu holen, — und der vielleicht nie wiederkommen würde, nämlich, wenn Jaakob nein sagte. Es kostete sie wirklich den ganzen Tag, denn nicht dem Lose mochten sie's überlassen, sondern wollten lieber ihren Verstand zu Rate ziehen in einer so schwerwiegenden Frage, die unter verschiedenen Gesichtspunkten zu beurteilen war. Wem unter ihnen trauten sie den meisten Einfluß zu auf den Vater, daß er ihn berede? Wen konnten sie hier in der Not am leichtesten entbehren? Wer war der Unentbehrlichste für den Stamm, daß er überlebe, wenn sie zugrunde gingen? Das alles wollte geschlichtet, es wollten die Antworten unter einen Hut gebracht sein und bis zum Abend kamen sie nicht damit zu Rande. Da die Verfluchten oder Halb-Verfluchten sich nicht empfahlen, sprach vieles für Juda. Zwar hätten sie ihn nur ungern ziehen lassen; den Vater zu gewinnen aber mochte er der Rechte sein, und über seine Stammes-Unentbehrlichkeit waren alle einig — mit seiner eigenen Ausnahme, die den Beschluß verhinderte. Denn er schüttelte das Löwenhaupt und sagte, er sei ein Sünder und Knecht, nicht wert noch willens zu überleben.
Wen sollte man also bestellen und auf wen mit dem Finger weisen? Auf Dan wegen seiner Findigkeit? Auf Gaddiel seiner Nervigkeit wegen? Auf Ascher, weil er gern feuchtmäulig für alle sprach, — da Sebulun und Issakhar selber fanden, daß für sie so gut wie nichts ins Feld zu führen sei? Auf Naphtali, Bilha's Sohn, mußte es schließlich hinauslaufen: sein Botentrieb drängte ihn zu der Aufgabe, ihm zuckten die Läuferbeine, die Zunge lief ihm im voraus, und nur nicht bedeutend, von Geistes wegen nicht ansehnlich genug erschien er den andren, erschien er sich selbst, um in einem mehr als oberflächlich-mythischen Sinn für die Rolle zu taugen. Darum war bis zum dritten Morgen der Weiser noch immer nicht eindeutig entschieden auf einen von

ihnen gerichtet; aber auf Naphtali wäre er notfalls wohl stehngeblieben, wenn sich bei neuer Audienz nicht gezeigt hätte, daß ihr Kopfzerbrechen umsonst gewesen war, da der gestrenge Markthalter sich eines anderen besonnen hatte.

Nicht sobald war Joseph nach dem Empfange und nach Entlassung seiner Großen mit Mai-Sachme, seinem Haushalter, allein gewesen, als er ihn auch schon, noch heißen Gesichts, bestürmt und jubelnd befragt hatte:

»Hast du gehört, Mai, hast du's gehört? Er lebt noch, Jaakob lebt, er kann noch hören, daß ich lebe und nicht gestorben bin, er kann – und Benjamin ist ein Ehemann und hat einen Haufen Kinder!«

»Das war ein arger Schnitzer, Adôn, daß du gleich loslachtest darüber, ohne die Wiederholung!«

»Denken wir nicht mehr daran! Ich hab's vertuscht. Man kann bei einer so aufregenden Sache nicht jeden Augenblick die Besonnenheit wahren. Aber sonst, wie war es? Wie hab' ich's gemacht? Hab' ich's leidlich geführt? Hab' ich die Gottesgeschichte anständig geschmückt? Hab' ich für festliche Einzelheiten gesorgt?«

»Du hast es recht hübsch gemacht, Adôn, wunderhübsch. Es war aber auch eine dankbare Aufgabe.«

»Ja, dankbar. Wer nicht dankbar ist, das bist du. Du bist nicht aus der Ruhe zu bringen und machst nur runde Augen. Wie ich aufstand und sie bezichtigte, war das von wuchtiger Natur? Ich hatte es vorbereitet, man hätte es können kommen sehen, und doch blieb es wuchtig! Und wie der große Ruben sagte: ›Wir erkennen dich in deiner Größe, du aber erkennst uns nicht in unsrer Unschuld‹, war das nicht golden und silbern?«

»Du kannst doch nichts dafür, Adôn, daß er so sagte.«

»Aber ich hatte es darauf angelegt! Und überhaupt bin ich verantwortlich für alle Einzelheiten des Festes. Nein, Mai, du bist undankbar, und ist dir nicht beizukommen, denn du kannst nicht erschrecken. Nun aber will *ich* dir sagen, daß ich keinesfalls so zufrieden bin, wie ich mich stelle, denn ich hab's ganz dumm gemacht.«

»Wieso, Adôn? Du hast es reizend gemacht.«

»Eine Hauptsache hab' ich dumm gemacht und es gleich selber gemerkt im nächsten Augenblick; nur war's für diesmal zu spät, es noch zu verbessern. Daß ich neune hier will in Geiselhaft halten und einer soll ziehen, den Kleinen zu holen, ist ausgemacht ungeschickt und ein viel ärgerer Schnitzer, als daß ich gleich loslachte. Man muß das ändern. Was soll ich machen hier mit den Neunen, da ich die Gotteshandlung nicht fördern kann, solange Benoni nicht da ist, und kann sie nicht einmal sehen, da sie ja meines Angesichts verwiesen sind, bis sie ihn vor mich stellen?

Das ist pure Stümperei. Sollen sie hier nutzlos im Geiselloch liegen, indes zu Hause kein Brot ist und der Vater hat keine Opfersemmeln? Nein, so soll's verordnet sein, gerade umgekehrt: Einer bleibt hier als Bürge gefangen, einer, an dem dem Vater weniger liegt, sagen wir von den Zwillingen einer (unter uns gesagt, haben sie sich bei meiner Zerstückelung am allerrohesten aufgeführt), die anderen aber sollen ziehen und Notdurft heimbringen für den Hunger, die sie natürlich bezahlen müssen, – wenn ich's ihnen schenkte, das wäre gar zu verdächtig. Daß sie den Bürgen im Stich lassen und sich als Kundschafter bekennen allzumal, indem sie ihn opfern und mir den Jüngsten nicht bringen, das glaube ich keinen Augenblick.«

»Aber lange kann's dauern, lieber Herr. Ich seh' es kommen, daß dein Vater ihnen den Ehemann nicht eher zur Reise leiht, als bis das Brot aufgezehrt ist, das du ihnen verkaufen willst, und ihnen wieder die Lampe auszugehen droht. Du nimmst dir Zeit für die Geschichte.«

»Ja, Mai, wie soll man sich nicht Zeit nehmen für solche Gottesgeschichte und sich nicht Geduld zumuten für ihre sorgfältige Ausschmückung! Und wenn's ein ganzes Jahr dauert, bis sie mit Benjamin kommen, das wäre mir nicht zuviel. Was ist denn ein Jahr vor dieser Geschichte! Dich hab' ich doch eigens hineingenommen, weil du die Ruhe selber bist und mir von deiner Ruhe leihen sollst, wenn ich zappelig werde.«

»Das tu' ich gern, Adôn. Es ist mir eine Ehre, dabeizusein. Ich errate auch manches im voraus, was du tun willst zur Ausgestaltung. Ich denke mir, du hast vor, sie für die Speise zwar zahlen zu lassen, mit der du sie beliefern willst, ihnen aber heimlich, bevor sie reisen, das Geld in die Futtersäcke zu stecken, obenauf, und wenn sie füttern, so finden sie das Bezahlte wieder – einen rätselhaften Stich wird ihnen das geben.«

Joseph sah ihn mit großen Augen an.

»Mai«, sagte er, »das ist ja ausgezeichnet! Das ist ja golden und silbern! Du errätst da etwas und erinnerst mich an eine Einzelheit, auf die ich wohl auch noch gekommen wäre, weil sie natürlich dazu gehört, aber fast hätt' ich sie übersehen. Nie hätt' ich gedacht, daß einer, der nicht erschrecken kann, sich etwas so wunderlich Schreckhaftes ausdenken könnte.«

»Ich würde nicht erschrecken, Herr; aber sie werden.«

»Ja, auf rätselhaft-ahnungsvolle Weise. Und werden spüren, daß da einer ist, der's freundlich mit ihnen meint und der sie foppt. Besorge das sorglich, es steht schon so gut wie geschrieben! Ich binde dir's ein: Du praktizierst ihnen fein die Beträge in ihre Futtersäcke, daß jeder den seinen findet, sobald sie füttern, und sie nur fester gebunden sind, außer noch durch den Bürgen, ans Wiederkommen. Und nun bis übermorgen! Wir müssen leben bis übermorgen, daß ich's ihnen sage und die Verbesserung vornehme. Aber Tag und Jahr, Jahr und Tag, was ist das vor dieser Geschichte!«

Das Geld in den Säcken

So standen am dritten Tag die Brüder denn wieder im Saal des Ernährers vor Josephs Stuhl – vielmehr sie lagen, ihre Stirnen drückten sie auf den Estrich, richteten sich halb auf, hoben die flachen Hände und neigten sich wieder, im Chore murmelnd:
»Du bist wie Pharao. Deine Knechte sind ohne Schuld vor dir.«
»Ja, eine Garbe tauber Ähren seid ihr«, sagte er, »und wollt mich bestechen mit eurem Beugen und Neigen. Dolmetsch, wiederhole ihnen das, was ich gesagt habe, was sie seien, – von hohlen Ähren ein Greifbund! Mit der Hohlheit aber meine ich Heuchelei und falschen Anstrich, die mich nicht täuschen. Denn mit äußerer Höflichkeit und Verneigung blendet man nicht einen Mann wie mich und schläfert sein Mißtrauen nicht ein mit Knicksen. Solange ihr den Prüfling nicht beigebracht und ihn hier vor mich hingestellt habt, euren Jüngsten, von dem ihr redetet, solange seid ihr Spitzbuben in meinen Augen und fürchtet Gott nicht. Ich aber fürchte ihn. Darum will ich euch sagen, wie ich's verordne. Ich will nicht, daß euere Kinder Hunger leiden, und daß euer alter Vater im Dunklen schlafe. Ihr sollt beliefert sein nach eurer Kopfzahl zu dem Preise, wie die Teurung ihn zeitigt und die Geschäftslage ihn unerbittlich diktiert, denn das dachtet ihr wohl selber nicht, daß ich euch das Brot schenken würde, nur weil ihr die und die seid, alle eines Mannes Söhne und eigentlich zu zwölfen. Das sind keine Gründe für einen Mann wie mich, nicht hart die Geschäftslage auszunutzen, besonders, wenn er's wahrscheinlich mit Spitzeln zu tun hat. Für zehn Häuser sollt ihr beliefert sein, wenn ihr die Beträge darwiegen könnt; aber heimbringen lass' ich's euch nur zu neunen: einer von euch bleibt mir in Banden als Bürge und liegt im Gewahrsam hier, bis ihr wiederkehrt und euch rein wascht vor mir durch Gestellung des Elften von euch, des einstigen Zwölften. Leibbürge aber sei mir der erste beste, nämlich *der.*«
Und er wies mit dem Wedel auf Schimeon, der trutzig dreinblickte und tat, als mache es ihm nichts aus.
Er wurde gefesselt, und während die Soldaten ihm die Stricke anzogen, umdrängten die Brüder ihn und redeten ihm zu. Da war es, wo sie zurückkamen aufs schon Gesagte und redeten, was nicht für Joseph bestimmt war, er aber verstand es.
»Schimeon«, sagten sie, »Mut! Du bist's nun einmal, und er will dich haben, trag's als der Mann, der du bist, ein fester, ein Lamech! Wir werden alles tun, daß wir wiederkommen und dich

befreien. Sei getrost, du wirst's unterdessen nicht allzu schlecht haben, nicht so, daß es über deine ansehnlichen Kräfte ginge. Der Mann ist nur halb böse, zum Teil ist er gut und wird dich nicht unüberführt in die Bergwerke schicken. Hast du nicht gesehen, daß er uns Gansbraten schickte in die Geiselhaft? Unberechenbar ist er, aber der Schlimmste nicht, und vielleicht wirst du nicht allezeit gebunden sein, wenn aber doch, so ist's besser, als Gold waschen! Bei alledem bist du sehr zu bemitleiden, aber dich hat's nun einmal getroffen nach der Laune des Mannes, was willst du da machen? Einen jeden von uns hätt' es treffen können, und getroffen, weiß Gott, sind wir alle, du aber mußt wenigstens nicht vor Jaakob stehn und bekennen: ›Einen haben wir eingebüßt, und den Jüngsten sollen wir bringen‹, – dessen bist du überhoben. Eine Heimsuchung ist das Ganze und eine Trübsal, uns gesandt vom Rächenden. Denn gedenke, was Juda sagte, als er uns allen aus der Seele sprach und uns gemahnte, wie einst der Bruder zu uns schrie aus der Tiefe, wir aber blieben taub seinem Weinen, womit er für den Vater flehte, daß er nicht auf den Rücken falle. Du aber kannst nicht leugnen, daß ihr beiden damals, Levi und du, bei der Verprügelung wie bei der Versenkung, euch besonders herzhaft aufgeführt habt!«
Und Ruben fügte hinzu:
»Mut, Zwilling, deine Kinder sollen zu essen haben. Dies ist uns alles zugerichtet, weil damals niemand hören wollte, als ich warnte: ›Legt euere Hand nicht an den Knaben!‹ Aber nein, ihr wart nicht zu halten, und als ich zur Grube kam, da war sie leer und das Kind aus der Welt. Nun fragt uns Gott: ›Wo ist dein Bruder Habel?‹«
Joseph hörte es. Ein Prickeln stieg ihm in die Nase, er mußte ein wenig schnauben, da es ihn von innen stieß, und jäh gingen die Augen ihm über, so daß er sich abwandte im Stuhl und Mai-Sachme ihn stupfen mußte, was aber nicht sogleich half. Als er sich wieder zu jenen wandte, blinzelte er, und seine Redeweise war verschnupft und getragen.
»Ich werde euch«, sagte er, »nicht den höchsten Teuerungspreis berechnen für Scheffel und Eselslast, den die Geschäftslage uns zu fordern erlaubte. Ihr sollt nicht sagen, daß Pharao's Freund euch bewuchert habe, wenn ihr zu euerem Vater kommt. Was ihr tragen könnt, und was euere Säcke fassen, damit sollt ihr beliefert sein, ich weis' es euch an. Ich weise euch Weizen und Gerste an. Wollt ihr unter- oder oberägyptische Gerste? Ich empfehle euch solche vom Lande Uto's, der Schlange, sie ist die bessere. Was ich euch ferner rate, ist, das Korn zum Brote zu nutzen und nicht viel an die Saat zu wagen. Die Dürre möchte noch anhalten – sie wird noch anhalten, und es wäre vertan. Lebt wohl! Ich biete euch ein Lebewohl wie ehrlichen Leuten, denn noch seid ihr nicht

überführt, wenn auch schwer verdächtig, und falls ihr den Elften vor mich stellt, so will ich euch glauben und euch nicht für elf Ungeheuer des Chaos halten, sondern für die elf heiligen Bilder des Kreises, — wo aber ist der zwölfte? Die Sonne verbirgt es. Soll es, Männer, so sein? Glück auf die Reise! Ihr seid ein wunderliches, verdächtiges Volk. Habt sorgsamen Weg, jetzt, da ihr zieht, und erst recht, wenn ihr wiederkommt! Denn jetzt führt ihr nur Notdurft, die ist kostbar genug, kommt ihr aber wieder, so führt ihr den Jüngsten. Der Gott eurer Väter sei euer Schild und euere Böschung! Und vergeßt nicht Ägyptenland, wo Usir in die Lade gelockt und zerstückelt wurde, aber der Erste ward er im Reich der Toten und erleuchtet den unterirdischen Schafstall!«

Damit brach er auf vom Stuhl des Gehörs unter den Fächern und ging von ihnen hinaus. Die Neun aber bekamen Belieferungsscheine in einem Schreibsaal des Hauses, wohin man sie führte, und ward der Preis ihnen festgesetzt für Scheffel, Malter und Eselslast, und als sie vom Fremdenhof ihre Tiere geholt, Lastesel und Reitesel, wogen sie den Geschworenen der Waage ihr Geld dar, ein jeder zehn Silberringe, daß es heilig einstand zwischen diesen und den Gewichten, und aus den Entnehmungsluken quoll das Weizen- und Gerstenkorn, womit sie prall ihre Säcke füllten, große Doppelsäcke, die ausladend den schwerhinschreitenden Trageseln an den Flanken hingen. Die Futtersäcke aber hingen den Reiteseln vorm Sattel. So wollten sie ziehen, um keine Zeit zu verlieren und heute noch ein Stück Wegs von Menfe gegen die Grenze zurückzulegen, doch wurde ihnen von den Beamten erst noch ein Freimahl gereicht zu ihrer Stärkung, während die Tiere im Hofe warteten: Biersuppe mit Rosinen und Hammelkeule, und Wegzehrung erhielten sie obendrein für die ersten Tage, in schmucker, bewahrender Packung, — das sei so Sitte, sagte man ihnen, daß Mundvorrat eingeschlossen sei in den Kaufpreis, denn dies sei Ägyptenland, das Land der Götter, ein Land, das sich's leisten könne.

Es war Mai-Sachme, des Markthalters Hausmeier, der ihnen dies sagte und der überhaupt all diese Zuteilungen mit runden Augen, die starken schwarzen Brauen darüber emporgezogen, sorgsam überwachte. Er gefiel ihnen sehr in seiner Ruhe, besonders, da er sie über das Schicksal Schimeons tröstete und sagte, daß es nach seiner Meinung verhältnismäßig sehr leidlich sein werde. Die Fesselung vor ihren Augen sei mehr nur ein Wahrzeichen der Geiselhaft gewesen, sie werde vermutlich nicht andauern. Nur, allerdings, wenn sie sich drückten und ihn im Stich ließen und nicht spätestens binnen Jahresfrist mit dem Kleinsten sich wieder einfänden, dann freilich stehe er, Mai, für nichts. Denn sein Herr, das sei so ein Gebieter, — freundlich gewiß, aber

unerbittlich dann wieder auch in Dingen, die er sich einmal in den Kopf gesetzt. Er halte für möglich, daß es um Schimeon auf eine sehr unangenehme Weise geschehen sein würde, wenn sie nicht erfüllten, was der Herr ihnen eingebunden, und dann sei ihre Schar schon um zweie gelichtet, was doch gewiß nach dem Sinne ihres alten Vaters nicht sei.
»O nein!« sagten sie. Und ihr möglichstes wollten sie tun. Aber es sei schwer, zu leben zwischen zwei Starrsinnigkeiten. Dies Wort in Ehren, was seinen Herrn betreffe, denn er sei tâm, ein Mann des Wendepunktes und habe was Göttliches in seiner Güte und Schrecklichkeit.
»Das mögt ihr wohl sagen«, erwiderte er. »Seid ihr satt? Dann Glück auf die Fahrt! Und merkt's euch, was ich gesagt habe!«
So zogen sie denn aus der Stadt, viel schweigend, weil sie bedrückt waren wegen Schimeons und der Frage wegen, wie sie's dem Vater beibringen sollten, daß sie ihn eingebüßt hatten und wie allein er ausgelöst werden konnte. Aber bis zum Vater war es noch weit, und sie unterhielten sich auch. Sie äußerten, daß ihnen die ägyptische Biersuppe behagt habe, daß zwar Ungemach sie ereilt habe, daß sie bei der Belieferung aber verhältnismäßig leichten Kaufes davongekommen seien, was denn Jaakob doch freuen werde. Sie sprachen vom kurz gestalteten Haushalter, und wie er ein angenehm phlegmatischer Mann sei – nicht tâm, sondern eindeutig freundlich und ohne Dorn. Aber wer wußte, wie er sich verhalten hätte, wenn er nicht nur ein Ältester Knecht, sondern der Herr und Markthalter gewesen wäre. Einfache Leute sind minder versucht und haben leicht gutherzig sein, aber Größe und Unumschränktheit macht fast notwendig launenhaft und unberechenbar, – man hatte ja ein Beispiel am Allergrößten, der auch oft schwer zu begreifen war in seiner Ungeheuerlichkeit. Übrigens war der Moschel heute fast eindeutig freundlich gewesen, bis eben darauf nur, daß er den Schimeon in Geiselbande gelegt hatte: Ratschläge hatte er ihnen gegeben, sie gesegnet und sie fast feierlich mit den Kreislauf-Tieren verglichen, von denen eines verborgen. Wahrscheinlich war er sternkundig, allenfalls sogar ein Leser und Deuter. Er habe ja eine Anspielung fallenlassen, daß es ihm zur Ergänzung seines Scharfsinns nicht an höheren Mitteln fehle. Wundern täte es sie nicht, wenn er Sterndeuterei triebe. Hätten aber die Gestirne ihm eingeredet, sie seien Spione, so habe er sich groben Unsinn erlesen.
Ähnliches tauschten sie aus und kamen diesen Tag noch ein gut Stück voran gegen die Bitterseen. Als es aber dunkelte, wählten sie sich einen Rastplatz zum Übernachten, einen hübschen, wohnlichen Ort, halb umfriedet von lehmigem Fels, aus dem ein gebogener Palmbaum erst seitlich dahin und dann in die Höhe wuchs. Es war ein Brunnen da, auch eine Baude zum Unterstand,

und vor derselben zeugte die Schwärzung des Bodens davon, daß hier Feuer gemacht und der Platz zum Kampieren manchmal benutzt werde. Da er in der Geschichte auch noch fernerhin eine Rolle spielt, kennzeichnen wir ihn durch Palmbaum, Brunnen und Baude. Die Neun machten sich's da bequem. Einige luden die Esel ab und legten die Lasten zusammen. Andere schöpften Wasser und schichteten Reisig zum Feuer. Einer aber von ihnen, Issakhar, war gleich beschäftigt, seinen Tieren Futter zu geben; denn da er einen Esels-Beinamen trug, lebte er in besonderer Sympathie mit diesem Geschöpf, und sein Reittier hatte schon mehrmals aus kläglich bemühter Brust nach einem Mahle geröhrt.

Seinen Futtersack öffnet der Lea-Sohn und schreit laut auf.

»He!« ruft er. »Seht! Wie geschieht mir! Brüder in Jaakob! Zu mir, was ich finde!«

Sie kommen von allen Seiten, recken die Hälse und schauen. Issakhar hat in seinem Futtersack, gleich obenauf, sein Geld, den Kaufpreis für seine Kornlast, zehn Silberringe, gefunden.

Sie stehen und staunen, schütteln die Köpfe, machen übelabwehrende Zeichen.

»Ja, Knochiger, wie geschieht denn dir?«

Plötzlich stieben sie auseinander, jeder zu seinem Futtersack. Jeder sucht und braucht nicht zu suchen: obenauf liegt jedem sein Kaufgeld.

Sie setzten sich auf die Erde, einfach nur so dahin. Was war das? Heilig hatte die Zahlung eingestanden gegen das Steingewicht; nun war sie ihnen wiedergeworden. Konnte einem da nicht das Herz entfallen vor Unverständnis? Was in aller Welt sollte es heißen? Es ist angenehm und zum Lachen, sein Geld wiederzufinden bei der Ware, für die man's gezahlt, aber auch unheimlich, sogar vorwiegend unheimlich, wenn man ohnedies unter Bezichtigung steht, – eine verdächtige Annehmlichkeit, verdächtig nach beiden Seiten hin, nach der Seite der Absichten und nach der eigenen, auf die dadurch ein noch schieferes Licht fällt. Und dabei hatte es etwas Vergnügtes und dann wieder was Tückisches – wer wurde klug daraus und wer wollte sagen, warum ihnen Gott das getan?

»Wißt ihr, warum Gott uns dies tut?« fragte der große Ruben und nickte ihnen mit angezogenen Gesichtsmuskeln zu.

Sie verstanden wohl, was er meinte. Er spielte auf die alte Geschichte an, rechnete den vertrackten Fund der Unglückssträhne zu, die sich ihnen nun drehte, weil sie einst gegen seine Warnung (hatte er sie eigentlich gewarnt?) die Hand an den Knaben gelegt. Sie verstanden ihn, weil ihnen mehr oder weniger der gleiche, unbestimmte Zusammenhang schwante. Schon daß sie Gott ins Spiel brachten und einander fragten, warum Er ihnen dies tat,

bewies, daß sie denselben Gedanken hegten. Aber mit dem Gedanken, fanden sie, war es genug gewesen und Ruben hätte nicht auch noch eigens zu nicken brauchen. Vor den Vater zu treten war schwieriger als je, nach diesem Vorkommnis; noch ein Geständnis mehr war da abzulegen. Schimeon, Benjamin und nun diese Schiefigkeit noch, – nicht gerade erhobenen Hauptes kehrten sie heim. Zum Schmunzeln war ja etwas daran für ihn, daß sie gratis bezogen hatten, aber seine Handelsehre würde doch schwer beunruhigt dabei sein, und auch vor ihm sogar würden sie in einem Licht von erhöhter Schiefigkeit stehen.
Einmal sprangen sie alle gleichzeitig auf, um zu den Eseln zu laufen und sofort das Kaufgeld zurückzubringen. Aber ebenso gleichzeitig ließen sie ab von dem Vorhaben, erschlafften, verzichteten und setzten sich wieder hin. »Es hat keinen Sinn«, sagten sie und meinten damit, daß es ebenso wenig Sinn habe und vielleicht noch weniger, das Geld wieder hinzubringen, wie es Sinn hatte, daß es ihnen wiedergeworden war.
Sie schüttelten die Köpfe. Noch im Schlafe taten sie das, einer jetzt, dann ein anderer, und zuweilen mehrere gleichzeitig. Sie seufzten auf in ihrem Schlaf – es war wohl keiner, der nicht unwissentlich zwei- oder dreimal im Lauf der Nacht geseufzt hätte. Zwischendurch aber geschah es, daß um die Lippen des einen oder des anderen Schlummernden ein Lächeln spielte, ja, es kam vor, daß mehrere auf einmal glücklich im Schlafe lächelten.

Die Unvollzähligen

Gute Nachricht! Dem Jaakob wurde die Heimkehr seiner Söhne gemeldet, ihre Annäherung ans Vaterzelt mit tragenden Tieren, mit ihren Eseln, schwer wandelnd unter dem Korne Mizraims. Daß sie nur zu neunen waren, anstatt zu zehnen, wie bei ihrem Weggang, war denen nicht aufgefallen, die ihn benachrichtigten. Neun sind eine starke Gruppe, besonders mit all den Eseln; neun sind der Ansehnlichkeit nach so gut wie zehn; daß es nicht noch einer mehr ist, wird dem mäßig genauen Blick gar nicht bemerklich. Auch Benjamin, der neben dem Vater vorm härenen Hause stand (der Greis hielt den Gatten Mahalia's und Arbaths bei der Hand wie einen kleinen Buben), bemerkte es nicht; er sah weder neun noch zehn, sondern einfach die Brüder, die in stattlicher Anzahl wieder herankamen. Nur Jaakob erkannte es sofort.
Erstaunlich, der Patriarch war nun doch an die Neunzig, und man traute seinen altersstumpfen und nickenden braunen Augen mit den matten Drüsen-Zartheiten darunter nicht viel Scharfblick mehr zu. Für Gleichgültiges – und was wird nicht gleichgültig in diesen Jahren! – besaßen sie auch keinen. Aber die Ausfälle des Alters sind weit mehr seelischer als körperlicher Art: genug ge-

sehen und gehört; mögen die Sinne dämmern. Es gibt jedoch Dinge, um derentwillen sie unvermutet Jägerschärfe, die Raschheit des stückezählenden Hirten zurückgewinnen, und die Vollzähligkeit Israels war etwas, wobei Jaakob besser sah als irgend jemand.
»Es sind nur neun«, sagte er bestimmten und dennoch ein wenig bebenden Tones und wies hinaus. Nach einem sehr kurzen Augenblick fügte er hinzu:
»Schimeon fehlt!«
»Richtig, Schimeon geht noch ab«, erwiderte Benoni nach einigem Suchen. »Ich sehe ihn auch nicht. Er muß gleich nachkommen.«
»Das wollen wir hoffen«, sagte der Alte sehr bestimmt und ergriff wieder die Hand des Jüngsten. So ließ er jene herankommen. Er lächelte ihnen nicht zu, er sagte kein Wort der Begrüßung. Er fragte nur:
»Wo ist Schimeon?«
Da hatten sie es. Offenbar war er wieder gewillt, es ihnen so schwer wie möglich zu machen.
»Von Schimeon später«, antwortete Juda. »Sei, Vater, gegrüßt! Von ihm alsbald und nur dies gleich zuvor, daß du dir seinetwegen keine Sorgen zu machen brauchst. Siehe, wir sind zurück von der Handelsfahrt und wieder bei unserm Herrn.«
»Aber nicht alle«, sagte er unbeweglich. »Ihr mögt gegrüßt sein. Aber wo ist Schimeon?«
»Nun ja, er ist etwas rückständig«, antworteten sie, »und für den Augenblick noch nicht zur Hand. Es hängt das mit dem Handelsgeschäft zusammen und mit den Launen des Mannes da ...«
»Habt ihr etwa meinen Sohn für Korn verkauft?« fragte er.
»Keineswegs. Aber Korn bringen wir, wie unser Herr sieht, reichliches Korn, reichlich jedenfalls für eine Weile und sehr gutes Korn, Weizen und prima Gerste von Unter-Ägypten, und du wirst Opfersemmeln haben. Das ist das erste, das wir dir melden.«
»Und das zweite?«
»Das zweite mag etwas wunderlich klingen, man könnte auch ›wunderbar‹ sagen und es, wenn du willst, sogar abnorm nennen. Aber wir dachten doch, daß es dir Freude machen würde. Wir haben das gute Korn umsonst bekommen. Will sagen, nicht gleich umsonst; wir haben gezahlt dafür, und heilig stand ein unser Geld gegen das Gewicht des Landes. Aber da wir erstmals rasteten, fand Issakhar sein Bezahltes wieder in seinem Futtersack und siehe, wir alle fanden's wieder, so daß wir das Gut bringen und das Geld obendrein, wofür wir auf deinen Beifall rechnen.«
»Nur meinen Sohn Schimeon bringt ihr nicht wieder. Es ist so gut wie klar, daß ihr ihn für gemeine Speise eingetauscht habt.«

»Wo denkt unser Herr hin, schon zum zweiten Mal! Wir sind nicht die Männer für solche Geschäfte. Wollen wir uns nicht niederlassen hier mit dir, daß wir dich in Ruhe über unsern Bruder beruhigen, dir aber zuvor ein wenig goldne Frucht in die Hand rinnen lassen zur Probe und dir das Geld zeigen, wie Gold und Silber zugleich vorhanden sind?«
»Ich wünsche sofort über meinen Sohn Schimeon unterrichtet zu werden«, sagte er.
Sie saßen nieder mit ihm in einem Kreise, nebst Benjamin, und gaben Rechenschaft: Wie man sie abgesondert am Eingang des Landes und nach Mempi verwiesen habe, einer Stadt voll Getümmels. Wie man sie durch Reihen lagernder Menschentiere eingeführt habe in den großen Geschäftspalast, in einen Saal von erdrückender Schönheit und vor den Stuhl des Mannes, der da Herr sei im Lande und gleich wie Pharao, nämlich des Markthalters, zu dem die Welt komme, eines sonderartigen Mannes, verwöhnt von Größe, lieblich und schrullenhaft. Wie sie sich geneigt und gebeugt hätten vor dem Manne, Pharao's Freund, dem Ernährer, und ihn ersucht hätten um ein Geschäft, er aber habe sich doppelt erwiesen, freundlich und grimm, habe teils warmherzig mit ihnen geredet, teils plötzlich sehr hart, und habe behauptet, was man kaum wiederholen möge, nämlich sie seien Späher, die des Landes geheime Blöße ausspitzeln wollten, — sie, die zehn Biedermänner! Wie da das Herz sie gestoßen habe, daß sie ihm dargetan hätten, wer sie denn doch schließlich seien: alle feierlich *eines* Mannes Söhne, eines Gottesfreundes, im Lande Kanaan und eigentlich nicht nur zehn, sondern zwölf, feierlicherweise; Einer sei nur eben von früh auf nicht mehr vorhanden, der Jüngste aber zu Haus an des Vaters Hand. Wie der Mann da, der Herr im Lande, nicht habe glauben wollen, daß ihr Vater noch lebe, bloß weil sie selber nicht mehr die Jüngsten, — zweimal habe er sich dessen versichern lassen, denn in Ägyptenland kenne man solche Lebensdauer wohl nicht, wie ihr lieber Herr sie betätige, man gehe dort wohl gewöhnlich rasch an äffischer Ausschweifung zugrunde.
»Genug davon«, sagte er. »Wo ist mein Sohn Schimeon?«
Auf den kämen sie nun, antworteten sie, oder doch sehr bald. Denn erst müßten sie wohl oder übel noch auf einen anderen kommen, und es sei nur zu beklagen, daß er nicht gleich, ihrem Wunsch und Vorschlag gemäß, mit ihnen gezogen sei auf der Fahrt; in diesem Fall wären sie heute aller Wahrscheinlichkeit nach vollzählig wieder zurück; sie würden den Zeugen gleich bei sich gehabt haben, nach dem der Mann in seinem Argwohn verlangt habe. Denn von der Schrulle, sie seien Spähbuben, habe er nun einmal nicht gelassen, noch ihnen aufs bloße Wort Glauben geschenkt, was ihre feierliche Herkunft betreffe, sondern zum

Beweis ihrer Unschuld verlangt, daß sie den Jüngsten vor ihn stellten, – wo nicht, so seien sie Spähbuben.
Benjamin lachte.
»Führt mich zu ihm!« sagte er. »Ich bin neugierig auf den neugierigen Mann.«
»Du schweigst, Benoni«, verwies ihn Jaakob mit Strenge, »und lallst nicht länger kindisch daher! Mischt wohl ein Knirps wie du sich in solchen Rat? – Ich habe immer noch nichts gehört von meinem Sohne Schimeon.«
»Doch, du hast«, sagten sie; »wenn du wolltest, Herr, und uns nicht zwängest, alles peinlich herauszusagen, so könntest du jetzt schon Bescheid über ihn wissen.« Denn es sei ja klar, daß sie unter solchem Verdacht und bei dieser Auflage nicht einfach hätten abfahren dürfen – und zwar mit Korn. Ein Bürge sei zu stellen gewesen. Der Mann habe sie ursprünglich alle behalten wollen und nur einen schicken, daß er für ihre Reinigung sorge; aber ihrer Geschicklichkeit und Überredungskunst sei es gelungen, den Sinn des Mannes zu wenden, daß er nur einen behalten habe, den Schimeon, sie aber mit Speise vorerst habe ziehen lassen.
»Und so ist euer Bruder, mein Sohn Schimeon als Schuldsklave dem ägyptischen Fronhaus verfallen«, sagte er mit bedrohlicher Mäßigung.
Der Haushalter des Herrn im Lande, antworteten sie, ein guter, ruhiger Mann, habe sie versichert, daß der Einbehaltene es den Umständen nach bequem haben und nur vorübergehend in Banden liegen werde.
»Besser als je«, sagte er, »weiß ich nun, warum ich zögerte, euch die Erlaubnis zu dieser Reise zu geben. Ihr liegt mir in den Ohren mit eurer Lust, gen Ägypten zu ziehen, und da ich euch endlich willfahre, macht ihr solchen Gebrauch von meiner Nachgiebigkeit, daß ihr nur teilweise wiederkommt und laßt den Besten von euch in den Krallen des Zwingherrn!«
»Du warst nicht immer so günstig auf Schimeon zu sprechen.«
»Herr der Himmel«, sprach er in die Höhe, »sie bezichtigen mich, ich hätte nicht Herz und Sinn gehabt für Lea's Zweiten, den streitbaren Helden! Die Miene geben sie sich, als hätte *ich* ihn veräußert für ein Maß Mehl und ihn dem Rachen Leviathans dahingegeben um Atzung für ihre Kleinen – ich und nicht sie! Wie muß ich dir's danken, daß du mir wenigstens das Herz stärktest gegen ihren Ansturm und machtest mich fest gegen ihren Mutwillen, als sie wollten zu elfen fahren und auch den Jüngsten dahinnehmen! Sie wären imstande gewesen, mir wiederzukehren ohne ihn und mir zu antworten: ›Gar viel lag dir ja doch nicht an ihm!‹«
»Im Gegenteil, Vater! Wären wir nur zu elfen gefahren und hät-

ten den Jüngsten mit uns gehabt, daß wir ihn vor des Mannes Angesicht hätten stellen können, des Herrn im Lande, da er nach ihm verlangte, so wären wir sämtlich zurück. Aber nichts ist verloren, denn wir brauchen nur Benjamin hinzuführen und ihn vor den Mann zu stellen, Pharao's Markthalter, dort im Saal des Ernährers, so ist Schimeon frei und du hast beide wieder, das Kind und den Helden.«
»Mit anderen Worten: da ihr Schimeon schon verschleudert habt, wollt ihr mir jetzt auch Benjamin von der Hand reißen und ihn dorthin bringen, wo Schimeon ist.«
»Das wollen wir um der Schrulle willen des Mannes dort, um uns zu reinigen und mit dem Zeugen den Bürgen zu lösen.«
»Ihr Wolfsherzen! Meiner Kinder beraubt ihr mich und all euer Sinnen ist, wie ihr Israel zehntet. Joseph ist nicht mehr vorhanden, Schimeon ist nicht mehr vorhanden, nun wollt ihr auch Benjamin dahinnehmen. Was ihr euch einbrockt, das soll ich aussessen, und alles geht über mich!«
»Nein, Herr, du beschreibst es nicht richtig! Nicht hingegeben sein soll Benjamin zu Schimeon auch noch dazu, sondern beide sollen dir wieder werden, wenn wir den Jüngsten nur vor den Mann stellen, daß er daran merkt, wir gehen mit Wahrheit um. Wir bitten ergebenst, gib uns Benjamin frei für die Reise, daß wir Schimeon lösen und Israel wieder vollzählig sei!«
»Vollzählig? Und wo ist Joseph? Mit klaren Worten verlangt ihr von mir, daß ich diesen hier soll zu Joseph dahinschicken auf den Weg. Ihr seid abgewiesen.«
Da ereiferte sich Ruben, ihr Ältester, sprudelte wie kochend Wasser und sprach:
»Vater, nun höre mich! Höre auf mich allein, dieser aller Haupt! Denn nicht ihnen sollst du den Knaben geben zur Fahrt, sondern nur mir. Wenn ich ihn dir nicht wiederbringe, so geschehe mir dies und das! Wenn ich ihn dir nicht wiederbringe, so sollst du meine beiden Söhne erwürgen, Hannuch und Pallu. Erwürge sie, sage ich, vor meinen Augen mit eigener Hand, und ich will nicht mit der Wimper zucken, wenn ich dir nicht mein Wort hielt und einlöste die Bürgschaft!«
»Ja, schieße nur, schieße dahin!« antwortete ihm Jaakob. »Wo warst du, als den Schönen das Schwein betrat, und hast du wohl Joseph zu schützen gewußt? Was hab' ich von deinen Söhnen, und bin ich ein Würgengel, daß ich sie würge und Israel zehnte noch eigenhändig? Abgewiesen bleibt ihr mit euerem Ansinnen, daß mein Sohn mit euch hinabziehe, denn sein Bruder ist tot, und er allein ist mir übrig. Stieße ihm etwas zu auf dem Wege, so hätte die Welt den Anblick, daß meine grauen Haare mit Jammer in die Grube gebracht wären.«
Sie sahen einander verpreßten Mundes an. Das war ja lieblich,

daß er Benjamin ›seinen Sohn‹ nannte, nicht ihren Bruder, und sagte, er allein sei ihm übrig.
»Und Schimeon, dein Held?« fragten sie.
»Allein will ich hier sitzen«, antwortete er, »und mich um ihn grämen. Zerstreut euch!«
»Kindlichen Dank für Gespräch und Urlaub!« sagten sie und verließen ihn. Auch Benjamin ging mit ihnen und streichelte einem und dem anderen den Arm mit seiner kurzfingrigen Hand.
»Laßt es euch nicht verdrießen, was er gesagt hat«, bat er, »und verbittert euch nicht gegen seine würdige Seele! Meint ihr, es schmeichelt mir und ich überhebe mich dessen, daß er mich seinen Sohn nennt, der allein ihm übriggeblieben, und daß er's euch abschlägt, mich mit euch ziehen zu lassen? Weiß ich doch, er vergißt mir's nie, daß Rahel starb an meinem Leben, und ist eine traurige Obhut, in der ich wandle. Denkt, wie lange es brauchte, bis er sich überwand, euch hinabziehen zu lassen ohne mich, und merkt daran, wie ihr ihm teuer! Nun braucht's wieder nur eine Weile, bis er beigibt und schickt mich mit euch hinab zu dem Mann, denn er läßt unseren Bruder nicht in der Heiden Hand, er kann's nicht, und außerdem – wie lange wird wohl die Speise reichen, die ihr Klugen dort unten umsonst bekommen? Also getrost! Ich Kleiner komm' doch noch zu meiner Reise. Nun aber erzählt mir ein wenig noch von dem Markthalter da, dem Gestrengen, der euch so garstig beschuldigte und so schrullenhaft nach dem Jüngsten verlangte. Dessen könnt' ich mich fast überheben, daß er mich durchaus sehen will und will mich zum Zeugen. Was ist es mit ihm? Der Oberste, sagt ihr, der Unteren? Und über alle erhöht? Wie sieht er euch aus und wie spricht er? Es ist kein Wunder, daß ich neugierig bin auf einen Mann, der so neugierig ist nach mir.«

Jaakob ringt am Jabbok

Ja, was ist ein Jahr von dieser Geschichte, und wer wollte wohl geizen mit Zeit und Geduld um ihretwillen! Geduld übte Joseph und mußte leben dabei und den Staats- und Handelsmann abgeben in Ägyptenland. Geduld übten die Brüder wohl oder übel mit Jaakobs Starrsinn, und so tat Benjamin, indem er die Neugier bezwang auf seine Reise und auf den neugierigen Markthalter. Wir haben es von ihnen allen am besten – nicht etwa, weil wir schon wissen, wie alles kam. Das ist vielmehr ein Nachteil gegen die, die in der Geschichte lebten und sie am eigenen Leibe erfuhren; denn Lebensneugier müssen wir schaffen, wo von Rechts wegen gar keine sein kann. Aber den Vorteil haben wir über jene, daß uns Macht gegeben ist über das Maß der Zeit und wir es dehnen und kürzen können nach freiem Belieben. Wir müssen das Wartejahr nicht ausbaden in allen seinen Täglichkeiten, wie Jaakob tun mußte mit den sieben in Mesopotamien. Erzählenden Mundes dürfen wir einfach sagen: Ein Jahr verging – und siehe, da ist es herum, und Jaakob ist mürbe.

Denn es ist ja allbekannt, daß es damals mit den wässerigen Dingen noch lange nicht in die Reihe kam und Dürre zu drücken fortfuhr auf die Länder, die um unsere Geschichte liegen. Was kommen nicht für Teufelsserien vor in der Welt, und wie ficht es den Zufall an, der sonst den Wechsel liebt und den Sprung hin und her zwischen Gut und Schlimm, daß er wie versessen auf einmal mit Dämonengekicher immer dasselbe entstehen läßt, einmal übers andere! Schließlich muß er umspringen – er höbe sich selber auf, wenn's immer so weiterginge. Aber toll kann er's treiben, und daß er es bis zu siebenmal treibt, ist, wenn man ins Große rechnet, keine Seltenheit.

Mit unseren Aufklärungen über den Wolkenverkehr zwischen dem Meere und den Alpen des Mohrenlands, wo die Wasser des Nils entspringt, haben wir, ehrlich gesagt, nur aufgeklärt, wie es geschah, nicht aber, warum. Denn mit dem Warum der Dinge kommt niemand zu Ende. Die Ursachen alles Geschehens gleichen den Dünenkulissen am Meere: eine ist immer der anderen vorgelagert, und das Weil, bei dem sich ruhen ließe, liegt im Unendlichen. Der Ernährer wurde nicht groß und ergoß sich nicht, weil es droben im Mohrenland nicht regnete. Das tat es nicht, weil auch in Kanaan keine Regen fielen, aus dem Grunde nämlich, weil das Meer keine Wolken gebar, und zwar sieben, mindestens aber fünf Jahre lang. Warum? Das hat übergeordnete Gründe, es führt ins Kosmische und zu den Gestirnen, die zweifellos Wind und Wetter bei uns regieren. Da sind die Sonnenflecke – eine beträchtlich entlegene Ursache. Aber daß die Sonne nicht das Letzte und Höchste ist, weiß jedes Kind, und wenn schon Abram sich weigerte, sie als die Endursache anzubeten, so müßten wir uns schämen, bei ihr stehenzubleiben. Es gibt Überordnungen im All, welche den königlichen Ruhestand der Sonne zu untergeordneter Bewegung aufheben, und die so einflußreichen Flekken in ihrem Schilde sind selbst ein Warum, von dem nicht anzunehmen ist, daß sein endgültiges Weil, bei dem sich ruhen ließe, in jenen Über-Systemen oder abermals übergeordneten liege. Das End-Weil liegt oder thront offenbar in einer Ferne, die bereits wieder Nähe ist, da in ihr Ferne und Nähe, Ursache und Wirkung eines sind; es ist dort, wo wir uns finden, indem wir uns verlieren, und wo wir eine Planung vermuten, die um ihrer Ziele willen sich wohl auch einmal der Opfersemmeln entschlägt.

Dürre und Teuerung drückten, und nicht einmal einen ganzen

Umlauf dauerte es, bis Jaakob mürbe war. Die Speise, die seine Söhne erfreulich-unheimlicherweise umsonst bezogen, war aufgezehrt; sie war nicht viel gewesen unter so viele, und neue war hierzuland auch für teures Geld nicht zu haben. Schon ein paar Monde früher denn, als voriges Jahr, leitete Israel das Gespräch ein, auf das die Brüder gewartet hatten.

»Wie dünket euch?« sagte er. »Ist es nicht also, daß ein Widerspruch klafft und eine Ungereimtheit obwaltet zwischen meinem Vermögensstande, den ich bewahrt und vermehrt, seit ich die staubigen Riegel brach von Labans Reich, — und diesem Ungemach, daß wir schon wieder des Saatkorns und Mehlgebäcks entbehren und eure Kinder nach Brot schreien?«

Ja, meinten sie, das brächten die Zeiten so mit sich.

»Es sind seltsame Zeiten«, sagte er, »wo einer vollreife Söhne hat, eine ganze Mannschaft, und ließ es mit Gottes Hilfe nicht fehlen, sie sich zu erzeugen, sie aber sitzen auf ihren Gesäßen und rühren sich nicht, dem Mangel zu steuern.«

»Das sagst du so, Vater. Aber was soll man machen!«

»Machen? In Ägypten ist Kornmarkt, wie ich von mehreren Seiten höre. Wie wäre es, wenn ihr euch die Reise zumutetet und führet hinab, uns ein wenig Speise zu kaufen?«

»Das wäre schon recht, Vater, wir zögen schon. Aber du läßt außer acht, was uns der Mann da unten hart eingebunden hat wegen Benjamins: daß wir sein Angesicht nicht sehen sollten, ohne, es wäre denn unser Bruder mit uns, der Jüngste, den wir nicht aufweisen konnten zum Zeichen unsrer Wahrhaftigkeit. Der Mann ist ein Sterngelehrter, dem Anschein nach. Er sagte, von den Zwölfen sei eines hinter der Sonne verborgen, aber nicht zweie seien's auf einmal, und der Elfte müsse vor ihn gestellt sein, eh' er uns nur wieder ansehe. Gib uns Benjamin mit, und wir reisen.«

Jaakob seufzte.

»Ich wußte«, sagte er, »daß das kommen werde, und daß ihr mich nun wieder quälen würdet des Kindes wegen.«

Und laut schalt er sie:

»Unselige! Unbedachte! Mußtet ihr auch schwatzen und trätschen vor dem Mann und eure Bewandtnisse leichtfertig auskramen, daß er nun weiß, ihr habt noch einen Bruder, meinen Sohn, und mochte nach ihm verlangen? Wärt ihr würdig beim Handelsgeschäft geblieben, ohne Geträtsch, so wüßte er gar nichts von Benjamin und könnte nicht mein Herzblut zum Preise setzen für Semmelmehl! Ihr verdientet, daß ich euch alle verfluchte!«

»Tu das nicht, Herr«, sprach Juda, »denn was würde aus Israel? Sondern bedenke, in welcher Not wir waren und wie genötigt, ihm reinen Wein einzuschenken, da er uns zusetzte mit seinem

Verdacht und uns nach unsrer Freundschaft verhörte! Denn er verhörte uns so genau und wollte wissen: ›Lebt euer Vater noch?‹ – ›Habt ihr noch einen Bruder?‹ – ›Geht es eurem Vater wohl?‹ Und da wir ihm sagten, es gehe dir nicht so wohl, wie dir's gebührte, schalt er uns laut und zürnte, daß wir's dahin hätten kommen lassen.«

»Hm«, machte Jaakob und strich sich den Bart.

»Geängstigt waren wir«, fuhr Juda fort, »von seiner Strenge und eingenommen von seiner Teilnahme. Denn es ist doch nicht wenig, wenn einem solche erwiesen wird, so angelegentlich, von einem Großen der Welt, von dem man abhängig ist für den Augenblick. Das öffnet wohl dem Menschen das Herz und macht mitteilsam, wenn auch nicht trätschig.« Und wie hätten sie auch voraussehen können, fragte Jehuda noch, daß der Mann gleich nach dem Bruder verlangen und ihnen auflegen würde: »Bringt ihn hernieder!«?

Er war es, der Geprüfte, der heute vornehmlich sprach. So war es ausgemacht zwischen ihnen für den Fall, daß Jaakob Zeichen von Mürbigkeit gäbe, denn Re'uben, da er recht ungeschickt und eher geschmacklos mit seinen beiden Söhnen dahingeschossen, daß Jaakob sie erwürge, war schon zurückgewiesen, und Levi, obgleich stark betroffen durch den Verlust seines Zwillings und nur noch ein halber Mann seitdem, konnte nicht vorgeschickt werden von wegen Schekems. Juda aber sprach vorzüglich, mit männlicher Wärme und überzeugend.

»Israel«, sagte er, »überwinde dich, und sollst du ringen müssen mit dir selbst bis zum Morgenrot, wie einst mit einem andern! Dies ist eine Jabboks-Stunde, wolltest du doch daraus hervorgehen wie ein Held Gottes! Siehe, des Mannes Sinn dort unten ist unwandelbar. Wir sehen ihn nicht, und Lea's Dritter bleibt dem Diensthaus verfallen, auch ist kein Gedanke an Brot, es sei denn Benjamin mit uns. Ich, dein Löwe, weiß, wie sauer dich's ankommt, das Rahelspfand auf die Fahrt zu geben, von wegen ›immer zu Hause sein‹, und noch dazu ins Land des Schlammes hinab und der toten Götter. Auch traust du wohl dem Manne nicht, dem Herrn im Lande, und argwöhnst, daß er uns eine Falle stellt und weder den Jüngsten noch den Bürgen wieder herausgibt oder vielleicht uns alle nicht. Aber ich sage dir, der ich die Menschen kenne und nicht viel Gutes erwarte weder von Hoch noch Niedrig: so ist der Mann nicht, und soweit habe ich ihn erkannt, daß ich weiß und lege die Hand ins Feuer dafür: uns in die Falle zu locken, das hat der Mann nicht im Sinn. Er ist wohl wunderlich und nicht geheuer, aber auch einnehmend und, wenn auch voll Irrtums, so doch ohne Falsch. Ich, Juda, bürge für ihn, wie ich für diesen bürge, deinen Sohn, unsern jüngsten Bruder. Laß ihn mit mir ziehen an meiner Seite, und ich will ihm

Vater und Mutter sein, wie du es bist, unterwegs und im Lande drunten, daß sein Fuß nicht an einen Stein stoße noch die Laster Ägyptens seine Seele beflecken. Gib ihn mir in die Hand, daß wir endlich reisen und leben und nicht sterben, wir, du und unsere Kindlein! Denn von meinen Händen sollst du ihn fordern, und wenn ich ihn dir nicht wiederbringe und vor deine Augen stelle, so will ich die Schuld tragen mein Leben lang. Wie du ihn hast, so sollst du ihn haben und könntest ihn längst wieder haben, da du ihn noch hast, denn hätten wir nicht so verzogen, wir könnten schon zweimal zurück sein samt Bürgen, Zeugen und Brot!«
»Bis zum Frührot«, antwortete Jaakob, »gebt mir Bedenkzeit!«
Und morgens hatte er sich ergeben und bei sich eingewilligt, den Benjamin auf die Reise zu geben, die nicht nach Schekem, nur ein paar Tage weit, sondern wohl siebzehn Tage weit ins Untere führte. Er hatte rote Augen und ließ es nicht an Ausdruck dafür fehlen, wie hart der zwangvolle Entschluß seine Seele angekommen war. Da er aber wirklich so hart mit der Notwendigkeit gerungen hatte und nicht bloß so tat, sondern es nun auch würdig, leidend und groß zum Ausdruck brachte, so war es höchst eindrucksvoll für jedermann, und ergriffen sprachen die Leute: »Seht, Israel hat diese Nacht sich selbst überwunden!«
Das Haupt zur Schulter geneigt, sagte er:
»Muß es denn ja so sein und steht es in Erz geschrieben, daß an mir alles ausgehen soll, so nehmt und tut's und zieht dahin, ich willige drein. Nehmt beste Dinge in euer Gepäck, für die man das Land besingt, dem Manne da zum Geschenk und zur Milderung seines Herzens: Balsamöl, Tragakanth vom Bocksdorn, Traubenhonig, den man mir dicklich eingekocht und den er mit Wasser schlürfen oder den Nachtisch sich damit süßen möge, auch Pistaziennüsse und Terebinthenfrucht, und nennt es wenig vor ihm! Nehmt ferner doppelt Geld mit, für neue Ware und die vorige, da ich mich erinnere, daß euch das erste Mal euer Silber oben in eueren Säcken wiedergeworden – es mag da ein Irrtum geschehen sein. Und nehmet Benjamin – ja, ja, ihr versteht mich recht, nehmt ihn und führt ihn hinab zu dem Mann, daß er vor ihm stehe, ich willige drein! Ich sehe, es malt sich Bestürzung in euren Zügen ob meines Entschlusses, aber er ist gefaßt, und Israel schickt sich an, zu sein wie einer, der gar seiner Kinder beraubt ist. El Shaddai aber«, brach er aus, die Hände zum Himmel erhoben, »gebe euch Barmherzigkeit vor dem Mann, daß er euch euren anderen Bruder lasse und Benjamin! Herr, nur auf Borg und Rückgabe geb' ich ihn dir dahin auf die Reise, kein Mißverstehen sei zwischen dir und mir, ich opfere ihn dir nicht, daß du ihn verschlingest wie mein anderes Kind, ich will ihn zurückhaben! Gedenke des Bundes, Herr, daß des Menschen Herz

fein und heilig werde in dir und du in ihm! Bleibe nicht hinter dem fühlsamen Menschenherzen zurück, Gewaltiger, daß du mir den Knaben veruntreust auf der Reise und wirfst ihn dem Untier vor, sondern mäßige dich, ich flehe dich an, und erstatte mir redlich die Leihgabe zurück, so will ich dir auf der Stirne dienen und dir verbrennen, was deine Nase entzückt, die besten Teile!«
So betete er empor und traf dann Anstalten zusammen mit Eliezer (eigentlich Damasek), den Todessohn abzufertigen für die Fahrt und ihn zu versorgen dafür wie eine Mutter; denn in nächster Frühe sollten die Brüder sich aufmachen, um zu Gaza drunten den Reisezug nicht zu verfehlen, der sich dort versammelte, und das kam der frohen Ungeduld Benoni's zustatten, der überglücklich war, daß er endlich aus seiner symbolischen Eingesperrtheit, diesem Immer-zu-Hause-Sein, das Unschuld bedeutete, entlassen sein und die Welt sehen sollte. Er hüpfte nicht vor Jaakob und schlug nicht mit den Fersen auf, weil er nicht siebzehn war, wie damals Joseph, sondern schon an die dreißig, und das pathetische Herz nicht kränken wollte durch seine Freude, davonzukommen; auch weil sein umflortes Dasein als Muttermörder ihm keine Sprünge gestattete und er nicht aus der Rolle fallen durfte. Aber vor seinen Weibern und Kindern brüstete er sich nicht wenig mit seiner Freizügigkeit und daß er nach Mizraim fahren werde, um Schimeon zu befreien durch sein Eintreten; denn nur er allein vermöge das über den Herrn des Landes.
Man konnte sich aber so kurz fassen mit den Anstalten, weil erst in Gaza die Reisenden ihren Bedarf einkaufen würden für die Wüstenreise. Für jetzt bestand ihr Hauptgepäck in den Geschenken für Schimeons Kerkermeister, den Markthalter Ägyptens, die Jung-Eliezer aus den Magazinen herbeigeschafft hatte: als da waren das Aromatisch-Abgetropfte, der Traubensirup, die Myrrhenharze, die Nüsse und Früchte. Ein eigener Esel war für diese Gaben bestellt, für deren Güte das Land gepriesen war.
Im Morgenlicht schieden die Brüder zur zweiten Reise, in gleicher Zahl wie das erste Mal, denn um einen waren sie weniger und um einen mehr. Die Hofleute standen umher und weiter innen die Zehn, ihre Tiere am Halfter. Aber ganz innen stand Jaakob und hielt, was ihm geblieben war von der Frühgeliebten. Dazu waren die Leute gekommen, um zu sehen, wie Jaakob von dem Behüteten Abschied nahm, und sich zu erbauen an dem Ausdruck würdigsten Trennungsschmerzes. Lange hielt er den Jüngsten, hing ihm den Schutz um des eigenen Halses und murmelte an seiner Wange mit aufgehobenen Augen. Aber die Brüder schlugen die ihren mit bitter-duldsamem Lächeln zu Boden.
»Juda, du bist's«, sprach er endlich allen vernehmlich. »Du hast dich verbürgt für diesen, daß ich ihn fordern solle von deiner Hand. Aber höre: Du bist deiner Bürgschaft entbunden. Denn

bürgt auch ein Mensch wohl für Gott? Nicht auf dich will ich bauen, denn was vermöchtest du wider Gottes Zorn? Sondern ich baue auf ihn allein, den Fels und den Hirten, daß er mir diesen erstatte, den ich ihm anvertraue im Glauben. Hört es alle: Er ist kein Unhold, der da spottet des Menschenherzens und tritt's in den Staub wie ein Wüstling. Er ist ein großer Gott, geläutert und abgeklärt, ein Gott des Bundes und der Verläßlichkeit, und soll ein Mensch bürgen für Ihn, so brauch' ich dich nicht, mein Löwe, sondern ich selbst will bürgen für seine Treue, und er wird sich's nicht antun, zuschanden werden zu lassen die Bürgschaft. Ziehet hin«, sagte er und schob Benjamin von sich, »im Namen Gottes, des Barmherzigen und Getreuen! – Aber habt dennoch ein Auge auf ihn!« setzte er mit versagender Stimme hinzu und wandte sich gegen sein Haus hinweg.

Der silberne Becher

Als diesmal Joseph, der Ernährer, vom Amte nach Hause kam, die Nachricht im Herzen, daß die zehn Leute von Kanaan die Grenze passiert hatten, merkte Mai-Sachme, sein Haushalter, ihm gleich alles an und fragte:
»Nun denn, Adôn, es ist wohl an dem, und um ist die Wartezeit?«
»Es ist an dem«, antwortete Joseph, »und sie ist um. Gekommen ist es, wie es kommen sollte, und sie sind gekommen. Von heute den dritten Tag werden sie hier sein – mit dem Kleinen«, sagte er, »mit dem Kleinen! Diese Gottesgeschichte stand still eine Weile, und wir hatten zu warten. Aber Geschehen ist immerfort, auch wenn keine Geschichte zu sein scheint, und sachte wandert der Sonnenschatten. Man muß sich nur gleichmütig der Zeit anvertrauen und sich fast nicht um sie kümmern – das lehrten mich schon die Ismaeliter, mit denen ich reiste –, denn sie zeitigt es schon und bringt alles heran.«
»Gar viel also«, sagte Mai-Sachme, »wäre denn nun zu bedenken und der Fortgang des Spiels genau zu veranstalten. Sind dir Vorschläge gefällig?«
»Ach, Mai, als ob ich's nicht alles längst bedacht und verordnet hätte und hätte beim Dichten irgend die Sorgfalt gespart! Das wird sich abspielen, als ob's schon geschrieben stände und spielte sich eben nur ab nach der Schrift. Überraschungen gibt es da nicht, sondern nur die Ergriffenheit davon, daß Gegenwart gewinnt das Vertraute. Auch bin ich gar nicht aufgeregt dieses Mal, sondern nur feierlich ist mir zumut, da wir zu Weiterem schreiten, und höchstens vor dem ›Ich bin's‹ schlägt mir denn doch das Herz, nämlich für *sie* erschrecke ich davor – für sie hältst du da besser wohl einen Braus bereit.«

»Es soll geschehen, Adôn. Aber, willst du auch keinen Rat, so rat' ich dir doch: gib acht auf den Kleinen! Er ist nicht nur halb deines Blutes, sondern dein Vollbruder, und dazu, wie ich dich kenne, wirst du manches nicht lassen können und wirst ihn mit der Nase auf die Fährte stoßen. Überdies ist der Jüngste immer der Schlauste, und leicht könnte es sein, daß er dein ›Ich bin's‹ schlüge mit einem ›Du bist's‹ und dir das ganze Spiel verrückte.«
»Nun, wenn auch, Mai! Ich hätte nicht viel gegen die Abwandlung. Das gäbe ein großes Lachen, wie wenn Kinder ein Aufgetürmtes über den Haufen werfen und jubeln dazu. Aber ich glaube nicht an deine Besorgnis. So ein Knirps – und wird Pharao's Freund, dem Vize-Horus und großen Geschäftsmann in sein Gesicht sagen: ›Pah, du bist weiter nichts als mein Bruder Joseph!‹ Das wäre ja unverschämt! Nein, daß ich's bin, das Wort der Rolle wird mir schon bleiben.«
»Willst du sie wieder im Großen Amte empfangen?«
»Nein, diesmal hier. Ich will zu Mittag das Brot mit ihnen essen, sie sollen zur Tafel gezogen sein. Schlachte und richte zu, mein Haushalter, für elf Gäste mehr, als vorgesehen für den Tag, den dritten von heute. Wer ist geladen für übermorgen?«
»Einige Ehrenhäupter der Stadt«, sprach Mai-Sachme seinem Täfelchen nach. »Seine Würden, Ptachhotpe, Vorlese-Priester vom Hause des Ptach; der Kämpfer des Herrschers, Oberst Entefoker, von des Gottes Standtruppe hier; der erste Landvermesser und Marksteinsetzer Pa-nesche, der ein Felsengrab hat, wo der Herr liegt; und vom Großen Ernährungsamt ein paar Meister der Bücher.«
»Gut, es wird ihnen merkwürdig sein, mit den Fremden zu speisen.«
»Allzu merkwürdig, muß ich fürchten, Adôn. Denn da ist leider die Schwierigkeit, laß dich gemahnen, mit dem Speise-Sittengesetz und gewissen Verboten. Manchem möcht' es ein Anstoß sein, mit den Ibrim das Brot zu essen.«
»Aber geh mir doch, Mai, du sprichst ja wie ein Dûdu, ein Zwerg, den ich kannte, ein Grundsatzfrommer! Lehr du mich meine Ägypter kennen – als ob die sich noch grausten! Sie müßten sich ja auch grausen, mit mir zu essen, denn daß ich nicht Nilwasser trank als Kind, ist keinem verborgen. Aber da ist Pharao's Ring ›Sei wie ich‹, der schlägt alles nieder. Mit wem ich esse, der wird ihnen recht sein auch zur Mahlzeit, denn außerdem ist ja da auch Pharao's Lehre noch, die jeder bewundert, der bei Hofe gefallen will, daß alle Menschen die lieben Kinder sind seines Vaters. Im übrigen richte uns nur besonders an, daß die Form gewahrt bleibe: den Ägyptern besonders, den Männern besonders und mir besonders. Meine Brüder aber sollst du genau nach der Reihe setzen und nach ihrem Alter, – den großen Ruben zuoberst und

Benoni zuletzt. Mach da keinen Fehler, ich will sie dir noch einmal der Ordnung nach nennen, schreib dir's in die Tafel!«
»Schon gut, Adôn. Aber es ist gefährlich. Woher weißt du so genau ihre Altersfolge, daß sie nicht stutzen sollten?«
»Ferner sollst du mir meinen Becher aufstellen, in den ich blicke, nun ja, den silbernen Schaubecher.«
»So, so, den Becher. Willst du ihnen ihre Geburt daraus weissagen?«
»Auch dazu könnte er gut sein.«
»Ich wollte, Adôn, er wäre mir gut zur Weissagung, und wie ein paar Stückchen Goldes und geschliffene Steine im reinen Wasser sich ausnehmen, daraus könnte ich lesen, was du gedichtet und wie du's vorhast mit der Geschichte, daß du sie an das Wort des Dich-zu-erkennen-Gebens heranführst. Ich fürchte, dir schlecht dabei dienen zu können, wenn ich's nicht weiß; und dienen muß ich dir doch und dir behilflich sein, damit ich nicht nur so in dieser Geschichte herumstehe, in die du mich gütig hineingenommen.«
»Das sollst du gewiß nicht, mein Haushalter. Es wäre nicht richtig. Stelle mir nur fürs erste den Becher auf, in dem ich spaßeshalber zuweilen lese!«
»Den Becher, wohl, wohl, den Becher«, sagte Mai-Sachme, mit Augen, als ob er sich zu erinnern suchte. »Da bringen sie dir nun den Benjamin und sollst unter den Brüdern dein Brüderchen wiedersehen. Aber wenn du mit ihnen gemahlzeitet hast und hast ihnen die Säcke gefüllt zum zweitenmal, so nehmen sie doch den Jüngsten wieder und ziehen heim mit ihm zu eurem Vater, und du hast das Nachsehen?«
»Lies nur besser im Becher, Mai, wie sich's ausnimmt im Wasser! Sie ziehen wohl wieder ab, aber vielleicht haben sie etwas vergessen, daß sie noch einmal umkehren müssen?«
Der Hauptmann schüttelte den Kopf.
»Oder sie haben etwas mit sich«, sagte Joseph, »das wir vermissen, und setzen ihnen nach um des Dinges willen und holen sie wieder?«
Mai-Sachme sah ihn an mit runden Augen, die schwarzen Brauen darüber emporgezogen, und siehe, allmählich formte sein kleiner Mund sich zum Lächeln. Hat ein Mann einen so kleinen Mund und lächelt damit, so sieht es, möge der Mann auch noch so dicklich-untersetzter Konstitution sein, ganz aus wie ein Frauenlächeln, und so frauenhaft lächelte dieser hier bei all seiner Bartschwärze, fein und fast hold. Es mußte der Mann wohl im Becher gelesen haben, denn er nickte dem Joseph zu in verschmitztem Begreifen, und der nickte gleichfalls, hob die Hand auf und klopfte dem Mai bestätigend und belobigend auf die Schulter; dieser aber, so unzulässig es war – doch schließlich war Joseph einmal Fronsträfling gewesen in seinem Gefängnis –, hob

auch die Hand, dem Herrn auf die Schulter zu klopfen, und so standen sie und nickten einander zu und klopften sich wechselseitig eine ganze Weile lang, in bestem Einvernehmen über den Fortgang der Festgeschichte.

Myrtenduft oder das Mahl mit den Brüdern

Die ging aber so und spielte sich ab in ihren Stunden, wie folgt. Eintrafen Jaakobs Söhne in Menfe, dem Hause des Ptach und stiegen ab im vorigen Gasthof, froh, daß sie den Benjamin glücklich hergebracht, den sie während der ganzen fast siebzehntägigen Reise gehegt und gewartet und wie ein rohes Ei gehandhabt hatten, aus Angst vor Jaakobs Gefühl und auch, weil er der Allerwichtigste war, als Zeuge gefordert von dem doppeldeutigen Markthalter, und ohne welchen sie dessen Antlitz nicht sehen noch Schimeon wiederbekommen würden. Das wären Gründe genug gewesen, den Kleinen zu hüten wie ihren Augapfel, zuerst immer ihn zu versorgen mit allem Guten und ihn zu hegen wie's liebe Wasser: die Furcht vor dem Manne hier stand im Vordergrund und dahinter die vor dem Vater. Ganz hinten aber stand stumm noch ein dritter Beweggrund für diese Beflissenheit, nämlich der, daß sie wünschten an Benjamin gutzumachen, was sie an Joseph gesündigt. Denn der Gedanke an diesen und an ihre Untat war ihnen allen nach so langer Zeit neu geweckt seit ihrer ersten Fahrt herab und dem, was sich dabei begeben; er war aus der Zeitverschüttung gestiegen, als sei es gestern gewesen, daß sie ein Glied vertilgt hatten aus Israel und ihren Bruder verkauft. Wie späte Vergeltung lag's in der Luft, sie spürten es wie eine Hand, die sie zur Rechenschaft ziehen wollte, und daß die Hand abließe und sich die Rachegeister zerstreuten, dazu schien ihnen die eifrige Fürsorge für Rahels Anderen noch das beste Mittel.

Einen schönen bunten Hemdrock zogen sie ihm an, mit Fransen und Überfällen, um ihn darin dem Manne, der im Lande Herr war, vorzustellen, salbten ihm seine Otternmütze von Haar mit Öl, daß sie sich nicht sträube und wahrlich ein blanker Helm daraus wurde, und verlängerten ihm die Augen mit spitzem Pinsel. Als sie aber im Großen Amt der Bewilligung und Belieferung, wo sie vorsprachen, hinausverwiesen wurden nach des Ernährers Eigen-Haus, erschraken sie, wie alles Unerwartete und was nicht ging, wie sie sich's vorgestellt, ihnen schreckhaft war und ihnen gleich neue Verwicklungen und Umheimlichkeiten anzuzeigen schien. Was war nun das, und warum sonderte man sie ab in dem Grade, daß sie sich gar im Eigen-Hause vorstellen sollten? Meinte es Gutes oder Böses? Möglicherweise hatte es mit dem Gelde zu tun, dem vorigen, das ihnen auf dunkle Weise wiedergeworden war, und sollte nun vielleicht diese Dunkelheit

gegen sie ausgenutzt werden, also daß ihnen hier ein Fallstrick gelegt war und sie hinterzogener Zahlung wegen allesamt gefänglich einbehalten und zu elfen versklavt werden sollten? Sie führten das dunkle Geld, zusammen mit neuem Kauf-Metall, wieder mit sich, was sie aber wenig beruhigte. Vielmehr waren sie stark versucht, umzukehren, sich vor dem Mann nicht blikken zu lassen und ihr Heil in der Flucht zu suchen – aus Sorge vor allem um Benjamin, der sie aber gerade ermutigte und kühnlich darauf bestand, daß sie ihn vor den Markthalter führten, denn nun sei er gesalbt und geschmückt und habe keinen Anlaß, sich vor dem Mann zu verbergen; aber auch sie hätten keinen, denn nur irrtümlich habe das Geld sich wieder eingefunden, und man dürfe sich nicht schuldig gebärden, wenn man's nicht sei.
Schuldig, schuldig, sagten sie, ganz allgemein schuldig fühle man sich immer ein bißchen, wenn auch nicht im besonderen Fall, weshalb man sich denn auch in einem solchen, wo man gerade unschuldig sei, nicht ganz wohl fühle. Übrigens habe er, der Kleine, leicht reden; er sei immer unschuldig zu Hause gewesen und sei nicht in die Lage gekommen, dunkles Geld in seinem Sack zu finden, da sie sich ständig in der Welt herumzuschlagen gehabt und nicht alle Schuld hätten vermeiden können.
Für so allgemeine Schuld, tröstete sie Benoni, werde der Mann schon Sinn haben; er sei ja ein Mann der Welt. Mit dem Gelde aber sei's richtig, wenn auch dunkel, und sie kämen ja unter anderm, es zu erstatten. Ferner aber müsse Schimeon ausgelöst sein, das wüßten sie so gut wie er, und neues Korn müßten sie auch haben. An Umkehr und Flucht sei also gar nicht zu denken, denn nicht nur das Andenken von Dieben, sondern auch das von Kundschaftern würden sie damit hinterlassen und würden noch überdies zum Brudermörder.
Sie wußten das alles wirklich so gut wie er, und daß sie es auf die Gefahr der Gesamt-Versklavung hin unbedingt wagen mußten. Die schönen Bestechungen, die sie mit sich führten, Jaakobs Geschenkproben vom Preis ihres Landes, ermutigten sie etwas, und namentlich faßten sie den Vorsatz, zuerst gleich einmal mit dem Haushalter, dem untersetzten, eindeutig gutmütigen, zu reden, wenn sie ihn ausfindig machen könnten.
Das gelang ihnen gut. Denn als sie vor des Markthalters Gnadenvilla kamen, im Schönen Viertel, unter dem Mauertor von ihren Eseln gestiegen waren und diese am Wasserspiegel vorbei gegen das Haus führten, kam der Vertrauenerweckende ihnen bereits, die Terrasse herunter, entgegen, hieß sie willkommen, lobte sie, daß sie Wort gehalten, wenn auch nach einigem Zögern erst, und ließ sich gleich ihren Jüngsten zeigen, den er mit runden Augen besah und »Brav, brav« dazu sagte. Die Tiere ließ er von seinen Leuten ums Haus herum in den Hof bringen, befahl ihnen,

die Ballen mit Kanaans Ruhm ins Haus zu tragen und führte die Brüder die Freitreppe hinauf, indes sie ängstlich erregt auf ihn einredeten wegen des Geldes.
Einige hatten damit schon angefangen, sobald sie ihn nur erblickt hatten, beinahe von weitem schon, sie konnten es gar nicht erwarten.
»Herr Haushofmeister«, sagten sie, »lieber Herr Ober-Meier«, so und so, es sei unbegreiflich, aber es sei einmal so gewesen, und hier sei zwiefältig Geld, sie seien ehrliche Männer. Gefunden, gefunden hätten sie vorhin die erlegten Silberringe, erst einer und alle dann, am Rastplatz in ihren Futtersäcken, und all die Zeit habe der dunkle Fund sie bedrückt. Aber hier sei er wieder, in vollem Gewicht, nebst anderem Gelde für neue Speise. Es werde doch wohl sein Gebieter nicht, Pharao's Freund, die Sache auf sie bringen und gar ein Urteil über sie fällen?
So redeten sie durcheinander, faßten ihn sogar an vor Sorge und gebärdeten sich, indem sie schworen, sie würden nicht durch die schöne Haustür gehen, ohne, er schwöre ihnen von seiner Seite, daß der Herr ihnen keinen Strick drehen werde aus dem vexierenden Vorkommnis von vorhin und es nicht werde auf sie bringen.
Er aber war die Ruhe selbst, beruhigte sie und sprach:
»Männer, gehabt euch wohl und fürchtet euch nicht, es ist alles in Ordnung. Oder, wenn außer der Ordnung, so ist's ein freundlich Wunder. Unser Geld ist uns worden, das muß uns genug sein, und ist gar kein Stoff für uns, einen Strick draus zu drehen. Nach allem, was ihr mir sagt, kann ich nur annehmen, daß euer Gott und der Gott eures Vaters sich einen Spaß gemacht und euch einen Schatz gegeben hat in euere Säcke – eine andere Erklärung will meine Vernunft mir nicht vorschlagen. Wahrscheinlich seid ihr ihm fromme und eifrige Diener, und er wollte sich endlich einmal dafür erkenntlich zeigen, das kann man von ihm aus verstehen. Ihr aber scheint mir sehr aufgeregt, das ist nicht gut. Ich will euch Fußbäder zurichten lassen, erstens der Gastlichkeit wegen – denn unsere Gäste seid ihr und sollt mit Pharao's Freund zu Mittag speisen –, dann aber auch, weil es das Blut aus dem Kopfe zieht und den Sinn befriedet. Tretet nur ein und seht vor allem, wer euch in der Halle erwartet!«
In der Halle aber stand ihr Bruder Schimeon auf freiem Fuß, nicht im mindesten hohläugig und vom Fleisch gefallen, sondern so recken- und raudihaft wie je; denn er hatte es gut gehabt, wie er den freudig ihn Umringenden mitteilte, und in einem Gelasse des Großen Amtes für einen Geiselhäftling recht leidliche Tage verlebt, wenn er auch des Moschels Angesicht nicht mehr gesehen und in Sorge gelebt hätte, ob sie denn wiederkämen – aber immer aufrecht erhalten durch gutes Essen und Trinken. Sie

entschuldigten sich bei Lea's Zweitem, daß sie es mit der Wiederkehr so lange hätten anstehen lassen müssen, wegen Jaakobs Eigensinn, wie er verstünde; und er verstand es und war froh mit ihnen, besonders mit seinem Bruder Levi; denn der eine Raufbold hatte den andern entbehrt, und gab's zwischen ihnen auch kein Herzen und Küssen, so stießen sie doch einander oft und stark mit der Faust in die Schulter.

Nun saßen die Brüder sämtlich nieder, um ihre Füße zu waschen, und dann führte sie der Haushalter in den Saal, wo man das Brot auflegte, prangend von Blumen und Frucht-Aufsätzen und schönem Geschirr, und war ihnen behilflich, auf einem langen Anrichtetisch an der Wand ihre mitgebrachten Geschenke auszubreiten, Spezereien, Honig, Früchte und Nüsse, und eine hübsche Ausstellung davon zu machen für die Augen des Herrn. Mittendrin aber mußte Mai-Sachme enteilen, denn draußen war Ankunft, und Joseph kam heim auf den Mittag, zugleich mit den ägyptischen Herren, die er heute zum Brote geladen, dem Ptach-Propheten, dem Kämpfer des Herrschers, dem Obersten der Landvermesser und den Meistern der Bücher. Mit ihnen kam er herein und sagte: »Gegrüßt, ihr Männer!« Jene aber fielen auf ihre Stirnen wie hingemäht.

Er stand eine Weile und führte die Fingerspitzen über die Stirn. Dann wiederholte er:

»Freunde, gegrüßt! Stehet doch auf vor mir und laßt mich eure Mienen sehen, daß ich sie wiedererkenne. Denn ihr erkennt mich wieder, wie ich bemerke, und seht, daß ich der Markthalter Ägyptens bin, der sich streng gegen euch stellen mußte, um der Kostbarkeit des Landes willen. Nun aber habt ihr mich versöhnt und versichert durch eure Wiederkunft in rechter Anzahl, so daß alle Brüder versammelt sind unter einem Dach und in einem Gemach. Das ist ja schön. Merkt ihr, daß ich in eurer Sprache zu euch spreche? Ja, ich kann's nunmehr. Das vorige Mal, als ihr hier wart, fiel mir auf, daß ich kein Ebräisch verstände, und ärgerte mich. Darum hab' ich's unterdessen gelernt. Ein Mann wie ich lernt so was im Handumdrehen. Wie geht's und steht's aber? Vor allen Dingen: Lebt euer alter Vater noch, von dem ihr mir sagtet, und geht es ihm wohl?«

»Deinem Knecht«, antworteten sie, »unserem Vater, geht es recht wohl, und er lebt noch in Feierlichkeit. Er wäre sehr angetan von der gütigen Nachfrage.«

Und sie fielen aufs neue nieder, mit ihren Stirnen zum Estrich.

»Genug geneigt und gebeugt«, sagte er, »und schon zuviel! Laßt mich doch sehen. Ist das euer jüngster Bruder, da ihr mir von sagetet?« fragte er in etwas unbeholfenem Kanaanäisch, denn er hatte es wirklich ein wenig vergessen, und trat auf Benjamin zu.

Der geputzte Ehemann schlug andächtig seine grauen Augen, voll einer sanften und klaren Traurigkeit, zu ihm auf.
»Gott mit dir, mein Sohn!« sprach Joseph und legte die Hand auf seinen Rücken. »Hast du schon immer so gute Augen gehabt und einen so schönen blanken Helm von Haar auf dem Kopf, selbst als du noch ein Männlein warst und herumliefst als Knirps in der Welt, im Grünen?«
Er schluckte.
»Nun aber komme ich gleich wieder«, sagte er. »Ich will mir nur eben —« Und er ging schnell hinaus: in sein Eigen wohl und in sein Schlafgemach, kam aber bald wieder zurück mit gewaschenen Augen.
»All meine Pflichten versäum' ich«, sagte er, »und mache nicht einmal meines Hauses Gäste untereinander bekannt! Meine Herren, dies sind Käufer aus Kanaan, von feierlicher Herkunft, alle eines bedeutenden Mannes Söhne.«
Und er sagte den Ägyptern die Namen der Söhne Jaakobs her, genau nach der Reihe, sehr flüssig und wie ein Gedicht, indem er nach jedem dritten Namen ein wenig absetzte, — unter Auslassung seines eigenen natürlich: — nach Sebulun machte er eine kleine Pause, um dann zu enden: »und Benjamin«. Sie erstaunten aber, daß er so in der Reihenfolge ihre Namen zu sagen wußte, und verwunderten sich untereinander.
Danach nannte er ihnen die Namen der ägyptischen Ehrenhäupter, die sich recht steif verhielten. Er lächelte darüber, sagte: »Laß auftragen!« und rieb sich die Hände wie einer, der zu Tische geht. Aber sein Haushalter wies ihn noch auf die Geschenke hin, die da ausgebreitet waren, und er bewunderte sie mit Herzenshöflichkeit.
»Von euerem Vater, dem alten?« fragte er. »Das ist rührend aufmerksam! Wollt ihr ihm meinen besten Dank bestellen!«
Es sei nur eine Kleinigkeit, erklärten sie, vom Preis ihres Landes.
»Es ist sehr viel!« widersprach er. »Und vor allem ist es sehr schön. Ich habe nie so feines Tragakanth gesehen. Und solche Pistaziennüsse, denen man den öligen Wohlgeschmack von weitem anmerkt, gibt's freilich nur bei euch zu Hause. Kaum kann ich die Augen davon lassen. Nun aber heißt es, zu Mittag essen.«
Und Mai-Sachme wies allen die Plätze an, wobei denn die Brüder abermals Ursache fanden, sich zu verwundern; denn genau ihrem Alter nach setzte man sie, wenn auch, vom Hausherrn aus, in umgekehrter Reihenfolge, so daß der Jüngste ihm am nächsten saß und es von ihm über Sebulun, Issakhar und Ascher rückwärts hinaufging bis zum großen Ruben. Die Anordnung war so, daß zwischen den umlaufenden Säulen des ägyptischen Saales die Speiseplatten in einem offenen Triangel standen, dessen Spitze

der Tisch des Gastgebers bildete. Rechts von ihm reihten die Tische der einheimischen Herren und links von ihm die der asiatischen Fremden sich schräge dahin, so daß er beiden vorsaß und rechter Hand den Propheten des Ptach, zu seiner Linken aber den Benjamin hatte. Gastlich und frohgelaunt ermahnte er alle, derb zuzugreifen und Speisen und Wein nicht zu schonen.
Dieses Mahl ist ja berühmt wegen seiner Heiterkeit, vor der sehr bald auch die anfängliche Steifigkeit der ägyptischen Häupter zuschanden wurde, so daß sie auftauten und ganz vergaßen, daß es grundsätzlich ein Greuel vor ihnen war, mit den Ebräern Brot zu essen. Der Kämpfer des Herrschers, Oberst Entef-oker, wurde zuerst vergnügt, da er viel syrischen Wein trank, und unterhielt sich schallend von Tisch zu Tisch über den Dreiecksraum hinüber mit dem geraden Gad, der ihm unter den Sandbewohnern am besten gefiel.
Es darf nicht befremden, daß die Überlieferung bei alldem Josephs Gemahlin, Asnath, die Tochter des Sonnenpriesters, außer Sicht läßt und auf der Vorstellung eines reinen Herrenmahles besteht, obgleich doch nach ägyptischer Sitte Ehepaare zusammen speisten und auch bei Festgelagen die Hausfrau nicht fehlte. Aber die Richtigkeit dieser alten Darstellung sei hier bestätigt, – nicht mit der Erläuterung, daß etwa ›das Mädchen‹, dem Ehekontrakt gemäß, gerade bei ihren Eltern auf Urlaub gewesen sei – was ja leicht möglich gewesen wäre –, sondern mit dem Hinweis auf Josephs Tageseinteilung und Lebensweise, die es dem Erhöhten meistens verbot, tagsüber Frauen und Kinder zu sehen. Die – allerdings sehr muntere – Mahlzeit mit den Brüdern und den ansässigen Honoratioren war kein Festessen, sondern ein Geschäftsfrühstück, wie Pharao's Freund sie fast täglich zu geben hatte, so daß er gewöhnlich erst die Abendmahlzeit mit seiner Gattin – und zwar im Frauenflügel des Hauses – einnahm, nachdem er sich einige Beschäftigung mit Manasse und Ephraim, dem anmutigen Halbblut, gegönnt. Mittags dagegen aß er das Brot im Männerkreise, sei es nur mit höheren und höchsten Beamten des Großen Ernährungshauses oder mit durchreisenden Würdenträgern der beiden Länder oder mit Kömmlingen und Bevollmächtigten des Auslandes; und eine solche Mittagsmahlzeit beim Freunde der Ernte Gottes war diese hier – will sagen: von außen gesehen; denn welche bewegten Bewandtnisse es mit ihr hatte, wie sie sich in den Rahmen einer wunderbaren Fest- und Gottesgeschichte fügte, und warum der hohe Gastgeber so ansteckend lustig dabei war, das blieb den Teilnehmern allen vorerst verhüllt.
Allen. Soll das umfassende Wort stehen und seinen Platz behaupten? Mai-Sachme, der, gedrungen und mit emporgezogenen Brauen, in der offenen Seite des Triangels stand und mit einem weißen

Stabe die herumflitzenden Schenken und Dapiferen dahin und dorthin wies, wäre auszunehmen gewesen. Er wußte Bescheid, aber er war kein Teilnehmer. War unter den Tafelnden einer, für den die Verhüllung eine gewisse – halbe, ängstliche, wonnige, ungeheuerliche, uneingestandene Durchlässigkeit hatte? Man merkt schon, daß wir bei dieser vorsichtigen Frage, die am besten wohl eine Frage bleibt, Turturra-Benoni, den Jüngsten zur Linken des Wirtes, im Auge haben. Wie ihm zumute war, ist unbeschreiblich. Es ist nie beschrieben worden, und diese Erzählung unterwindet sich auch nicht des nie Versuchten, nämlich eine Ahnung und die sie begleitenden süßen Schreckensgefühle in Worte zu fassen, die sich noch längst nicht getraute, auch nur Ahnung zu sein, sondern sich lediglich bis zur Verzeichnung leiser und traumhafter Anwandlungen von Erinnerung, seltsamer Gemahnung, nur bis zur herzbebenden Wahrnehmung von Verwandtschaften zwischen zwei ganz verschiedenen und weit auseinanderstehenden Erscheinungen, einer seit Kindheitstagen versunkenen und einer gegenwärtigen, vorwagte. Denkt nur, wie es war:

Man saß auf bequemen Schemelstühlen, eine Tischplatte schräg vor sich, die mit Kost, Beikost und Schau-Erfreulichkeiten, Obst, Kuchen, Gemüse, Pasteten, Gurken und Kürbissen, Füllhörnern mit Blumen und Zuckerwerk hoch-heiter beladen war, zu seiner anderen Seite ein zierliches Waschgeschirr, einen hübschen Amphorenständer und ein kupfernes Becken zum Wegwerfen des Abgespeisten. So hatte es jeder. Schurzdiener füllten, unter Sonder-Aufsicht des Küfers, die Becher nach; andere empfingen vom Vorsteher des Anrichtetisches die Hauptgerichte, Kälbernes, Schöpsernes, Backfische, Geflügel, Wildbret, und lieferten es in die Hände der Gäste, die aber, bei des Gastgebers hohem Range, dabei nicht den Vorzug vor diesem hatten. Vielmehr erhielt der Adôn nicht nur von allem zuerst, sondern auch das Beste und viel mehr als jene, – freilich nur zu dem Zwecke, daß er davon austeilte und, wie geschrieben steht, den anderen »Essen vorgetragen wurde von seinem Tisch«. Will sagen: er schickte, nebst seinen besten Grüßen, bald diesem, bald jenem, jetzt einem Ägypter und jetzt einem der Fremden eine Rost-Ente, ein Quittengelee oder einen vergoldeten Knochen, der mit leckeren Ringen aus Schmalzgebackenem besteckt war; dem jüngsten Asiaten aber, seinem Nachbar zur Linken, gab er selbst von dem Seinen, einmal übers andere; und da diese Gunstbezeugungen viel besagten und von den Ägyptern überwacht und gezählt wurden, so rechneten sie einander vor und sprachen es später herum, so daß es auf uns gekommen ist: daß der kleine Beduine tatsächlich fünfmal soviel wie jeder andere bekommen habe vom Tisch des Herrn.

Benjamin war beschämt, bat abzustehen von diesen Gaben und

sah sich entschuldigend unter den Ägyptern sowohl wie unter seinen Brüdern um. Er hätte nicht soviel essen können, wie er erhielt, auch wenn überhaupt der Sinn ihm nach Essen gestanden hätte, – ein benommener und beklommener Sinn, der suchte, fand, verlor, und plötzlich so unleugbar wiederfand, daß ihm das Herz in spitzen, geschwinden Schlägen ging. Er blickte in das vom Barte freie, von hieratischer Flügelhaube eingerahmte Gesicht des Gastgebers, der ihn als Gewährsmann gefordert, dieses ägyptischen Großen von schon etwas schwerer Gestalt im weißen Gewand mit dem flimmernden Brustbehang; blickte auf diesen lächelnd im Gespräche so und so sich regenden Mund, in diese schwarzen Augen, die in scherzendem Glanz den seinen begegneten und sich, wie im Rückzuge, ernsthaft-verwehrend, zuweilen schlossen, gerade immer, wenn seine eigenen sich ungläubig-freudig und schreckhaft erweiterten; auf die Gliederung dieser Hand im Schmuck des geschnittenen Himmelssteines, die ihm darreichte oder den Becher hob, – und ihm war, als spürte er Kindheitsduft, strengen, würzig erwärmten, der die Essenz aller Bewunderung, liebenden Vertraulichkeit, aller bestürzenden Ahnung, alles kindlichen Nicht-Verstehens und Doch-Verstehens, aller Gläubigkeit und zärtlicher Besorgnis war: Myrtenduft. Eines war dieser Erinnerungsduft mit der inneren Arbeit an einem schönen Rätsel, dem ängstlich-stolzen und folgsamen Erforschen einer sich andeutenden schreckhaften Identität, mit dem halb gequälten, halb glückseligen Herumraten an der Einerleiheit des kameradschaftlich Gegenwärtigen mit etwas viel Höherem, Göttlichen, – darum glaubte Turturra's kurzes Näschen den Würzduft der Kindheit zu spüren, denn es war wieder so, nur umgekehrt, aber was macht die Umkehrung aus!: in dem gegenwärtig Hohen und Fremden wollte nun das Vertraute erraten sein, für das es augenblicksweise herzaufstörend durchsichtig wurde.

Der Herr des Kornes plauderte unterm Speisen anhaltend mit ihm – fünfmal soviel wie mit dem ägyptischen Ehrenhaupt zu seiner Rechten. Er fragte ihn aus nach seinem Leben daheim, nach seinem Vater, nach seinen Weibern und Kindern: das älteste davon hieß Bela, der vorläufig Jüngste Mupim. »Mupim!« sagte der Herr des Kornes. »Gib ihm einen Kuß von mir, wenn du heimkommst, denn es ist zauberhaft, daß der Jüngste gar einen Jüngsten hat. Wer ist aber der Vorjüngste ihm zunächst? Ros heißt er? Bravo! Ist er von derselben Mutter wie jener? Ja? Und treiben sie sich wohl viel miteinander herum in der Welt, im Grünen? Daß nur der Größere dabei den Kleinen nicht, der noch ein Knirps ist, mit weiß Gott was für Unzukömmlichkeit, Gottesgeschichten und großen Einbildungen ängstigt. Gib da acht, Vater Benjamin!« Und er erzählte ihm von seinen eigenen Söhnen, die ihm die Sonnentochter gebracht, Manasse und Ephraim, wie ihm die

Namen gefielen? »Gut!« sagte Benjamin und stand an der Schwelle der Frage, warum sie so auffallend hießen, stockte jedoch an der Schwelle der Frage und stand da mit weiten Augen. Aber nicht lange; denn sein Nachbar, der Fürst in Ägyptenland, erzählte Schnurren von Manasse und Ephraim, was der eine geplappert und der andere Verqueres angestellt, und das brachte Benoni auf eigene Kinderstubengeschichten derselben Art, und man sah die beiden sich biegen vor Lachen bei ihrem Austausch. Zwischenein faßte Benjamin sich ein Herz und klopfte an:
»Will wohl deine Herrlichkeit mir eine Frage beantworten und dem Gaste ein Rätsel lösen?«
»Nach bestem Vermögen«, erwiderte jener.
»Es ist nur«, sagte der Kleine, »daß du meine Unruhe stillst und mein Staunen besänftigst einer Kenntnis wegen, die du bekundet, und wegen einer Genauigkeit, die deine Verfügungen aufweisen. Es hat dein Geist unsere Namen am Schnürchen, meiner Brüder und meinen, nebst unsrer Altersfolge, so daß du uns ohne Stocken noch Irrtum der Reihe nach aufführen magst, wie wohl der Vater sagt, daß später einmal in aller Welt die Kinder es werden lernen müssen, denn wir sind eine gotterlesene Familie. Woher weißt du's, und wie ist's, daß dein ruhiger Haushalter uns die Plätze anzuweisen vermag, dem Erstgeborenen nach seiner Erstgeburt und dem Jüngsten nach seiner Jugend?«
»Ach«, antwortete der Markthalter, »darüber wundert ihr euch? Das ist ganz einfach. Denn da ist hier dieser Becher, siehst du? silbern, mit keilförmiger Inschrift, aus dem ich trinke und mit dem ich weissage. Ich habe ja meinen guten Verstand, der sogar überdurchschnittlich sein mag, da ich bin, der ich bin, und Pharao nur gerade des königlichen Stuhles höher sein wollte als ich; und doch wüßte ich ohne den Becher kaum auszukommen. Der König von Babel hat ihn Pharao's Vater zum Geschenk gemacht, – womit ich nicht mich meine, der ich den Titel ›Vater Pharao's‹ führe (Pharao aber pflegt mich ›Onkelchen‹ zu nennen), sondern seinen wirklichen Vater, will wiederum sagen: nicht den göttlichen, vielmehr den irdischen, Pharao's Vorgänger, König Neb-ma-rê. Diesem hat er das Ding zum Angebinde gesandt, und so kam es auf meinen Herrn, der mir eine Freude damit zu machen geruhte. Ein Ding, wie ich es wirklich brauchen kann, von nutzbarsten Eigenschaften. Denn es zeigt mir das Vergangene und Zukünftige an, wenn ich darin lese, läßt mich die Geheimnisse der Welt durchschauen und legt mir ihre Verhältnisse offen, wie zum Beispiel die Ordnung euerer Geburt, die ich mühelos daraus ablas. Ein gut Teil meiner Klugheit, ziemlich alles, was über den Durchschnitt hinausgeht, kommt von dem Becher. Das binde ich natürlich nicht jedem auf die Nase, aber da du mein Gast bist und mein Tischnachbar, so vertraue ich es dir an. Du glaubst es nicht, aber

das Ding läßt mich ferne Stätten im Bilde sehen, wenn ich es richtig handhabe, nebst dem, was sich einst dort abspielte. Soll ich dir deiner Mutter Grab beschreiben?«
»Du weißt, daß sie tot ist?«
»Das haben mir deine Brüder erzählt, daß sie früh nach Westen ging, die Liebliche, deren Wange duftete wie das Rosenblatt. Ich mache dir nicht vor, daß ich diese Kunde auf übernatürlichem Wege empfing. Aber nun brauche ich nur den Becher des Schauens an meine Stirn zu führen – siehst du, so – und mir dabei vorzunehmen, deiner Mutter Grab zu sehen, so sehe ich's augenblicklich in solcher Klarheit, daß ich mich selber wundere. Aber die Klarheit kommt von der Morgensonne, in der mir das Bild erscheint, und sind da Berge und eine Stadt auf einem Berge im Morgenstrahl, gar nicht weit, es ist nur ein Feldweg bis dahin. Da sind Ackerfeldchen zwischen dem Steingeröll und sind Weinhügel rechter Hand und eine Mauer davor, ohne Mörtel gebaut. Und an der Mauer wächst ein Maulbeerbaum, alt schon und hohl zum Teil, dessen sich neigenden Stamm man mit Steinen gestützt hat. Deutlicher hat nie einer einen Baum gesehen, als ich den Maulbeerbaum sehe, und wie der Morgenwind spielt in seinem Laube. Neben dem Baum aber ist das Grab und der Stein, den sie dort aufgestellt zum Gedenken. Und siehe, einer kniet an der Stätte und hat Zehrung hingestellt, Wasser und Süßbrot, – dem muß der Reise-Esel gehören, der unterm Baum wartet, so ein nettes Geschöpf, weiß, mit redenden Ohren, und die Stirnmähne wächst ihm in die freundlichen Augen. Ich hätte selbst nicht gedacht und es dem Becher nicht zugetraut, daß er's mir zeigen werde dermaßen deutlich. Ist es deiner Mutter Grab oder nicht?«
»Ja, ihres«, antwortete Benjamin. »Aber ich bitte dich, Herr, siehst du denn nur den Esel genau und nicht auch den Reiter?«
»Den sehe ich womöglich noch deutlicher«, erwiderte jener, »aber was ist daran zu sehen? Das ist eher ein Fant, siebzehnjährig zur Not, wie er da kniet und opfert. Hat sich einen bunten Staat umgetan, der Gimpel, mit eingewobenen Bildern, und ist albern im Kopf, denn er denkt, er fährt so dahin auf einen Spazierritt, fährt aber in sein Verderben, und nur ein paar Tagereisen von diesem Grabe wartet sein eigenes auf ihn.«
»Es ist mein Bruder Joseph«, sagte Benjamin, und seine grauen Augen füllten sich bis zum Überfließen mit Tränen.
»O vergib!« bat sein Nachbar erschrocken und setzte den Becher ab. »Dann hätte ich nicht so wegwerfend von ihm geredet, wenn ich gewußt hätte, daß es dein verlorener Bruder ist. Und was ich vom Grabe sagte, nämlich von seinem, das darfst du so schwer nicht nehmen, nicht übertrieben ernst. Das Grab ist freilich ein ernstes Loch, tief und dunkel; aber seine Kraft, zu halten, ist wenig bedeutend. Es ist leer von Natur, mußt du wissen, – leer

ist die Höhle, wenn sie der Beute wartet, und kommst du hin, wenn sie sie eingenommen, so ist sie wieder leer, – der Stein ist abgewälzt. Ich sage nicht, daß sie des Weinens nicht wert ist, die Grube, sogar schrill klagen soll man zu ihren Ehren, denn sie ist da, eine ernste, tieftraurige Einrichtung der Welt und der Festgeschichte in ihren Stunden. Ich gehe so weit, zu sagen, daß man aus Ehrerbietung gegen das Loch sich gar nicht das Wissen um seine natürliche Leerheit und seine Unkraft zu halten soll anmerken lassen. Das wäre unartig gegen eine so ernste Einrichtung. Schrill soll man weinen und jammern und nur ganz unter der Hand versichert sein, daß es gar keine Niederfahrt gibt, der nicht ihr Zubehör folgte, das Auferstehn. Was wäre denn das für ein Bruchstück und für eine Halbheit von Festgeschichte, die nur bis zur Grube reichte, und dann wüßt' sie nicht weiter? Nein, die Welt ist nicht halb, sondern ganz, und ein Ganzes das Fest, und Getrostheit, unverbrüchliche, ist in dem Ganzen. Darum laß dich's nicht weiter anfechten, was ich von deines Bruders Grab sagte, sondern sei getrost!«

Damit nahm er Benjamins Arm beim Handgelenk, hob ihn ein wenig auf und fächelte mit der losen Hand in der Luft, daß sie einen Wind machte.

Nun entsetzte der Kleine sich ganz und gar. Die Unbeschreiblichkeit seines Zustandes kam auf ihren Gipfel – es stand gleich fest, daß das nie jemand beschreiben würde. Es verschlug ihm den Atem, seine Augen schwammen in Tränen, und durch die Tränen starrte er dem Fürsten des Korns ins Gesicht bei angestrengt zusammengezogenen Brauen – das aber ergibt einen höchst unbeschreiblichen Ausdruck: Tränen unter zusammengewühlten Brauen –, und dabei stand der Mund ihm offen gleichwie zu einem Schrei, der aber blieb aus, und statt dessen neigte der Kopf des Kleinen sich etwas zur Seite, schloß sich der Mund, lösten sich seine Brauen, und sein Tränenblick war nur noch eine große, inständige Bitte, vor der freilich die schwarzen Augen drüben wieder den Rückzug antraten hinter die Lider, zwar verwehrend, und doch konnte man, wenn man wollte und sich getrost getraute, in dem Lidschlag etwas wie heimlich anvertrauende Bejahung erblicken.

Da komme einer und beschreibe, wie es aussah in Benjamins Brust – in eines Menschen Brust, der ganz nahe daran ist, zu glauben!

»Ich hebe nun gleich die Tafel auf«, hörte er den Fürsten sagen. »Hat dir's geschmeckt? Ich hoffe, daß es euch allen geschmeckt hat, muß aber nun wieder ins Amt bis auf den Abend. Ihr werdet denklich morgen früh, ihr Brüder, euch wieder heimwärts wenden, wenn ihr die Ware eingenommen, die ich euch anweisen will: Speise für zwölf Häuser diesmal, eueres Vaters Haus und

die euren. Gern will ich euer Geld dafür nehmen in Pharao's Schatz – was wollt ihr? Ich bin des Gottes Geschäftsmann. Lebe wohl, falls ich dich nicht mehr sehen sollte! Doch nebenbei und in guter Meinung gesprochen – warum eigentlich tut ihr euer Herz nicht auf und tauscht euer Land für dieses, daß ihr in Ägypten siedelt, Vater, Söhne, Weiber und Enkel, alle siebzig, oder wieviel ihr seid, und nährt euch auf Pharao's Triften? Das ist ein Vorschlag von mir zu euch, denkt drüber nach, es wäre bei weitem das dümmste nicht. Man würde euch passende Triften schon anweisen, das kostet mich nur ein Wort, ich habe hier alles zu sagen. Ich weiß wohl: Kanaan, es hat was auf sich damit für euch, aber schließlich, Ägyptenland, das ist große Welt und Kanaan nur ein Winkel, wo man in keinem Sinne zu leben weiß. Ihr aber seid ja bewegliches Volk, nicht eingemauerte Bürger. Wechselt doch also herunter! Hier ist gut sein und mögt freihin im Lande werben und handeln. So weit mein Ratschlag, hört auf ihn oder nicht, ich muß mich nun sputen, das Geschrei vor mich kommen zu lassen derer, die nicht vorgesorgt haben.«
Mit so weltlicher Rede nahm er Abschied vom Kleinen, während ein Diener ihm Wasser über die Hände goß. Dann erhob er sich, grüßte alle und löste die Mahlzeit auf, von der es heißt, daß seine Brüder dabei trunken wurden mit ihm. Aber sie waren nur heiter; sich zu betrinken hätten selbst die wilden Zwillinge nicht gewagt. Trunken allein war Benjamin, aber auch er nicht vom Weine.

Der verschlossene Schrei

Viel wohlgemuter als das erste Mal traten diesmal die Brüder die Heimreise an von Menfe gegen die Bitterseen und gegen die feste Grenze. Alles war so gut gegangen, daß es nicht besser hätte gehen können. Der Herr im Lande hatte sich eindeutig reizend erwiesen, Benjamin war heil, Schimeon ausgelöst, und des Verdachts der Kundschafterei waren sie ehrenvoll freigesprochen: dergestalt sogar, daß sie mit dem machthabenden Mann und seinen Edelingen hatten zu Mittag speisen dürfen. Das stimmte sie sehr vergnügt und machte ihnen die Herzen leicht und stolz; denn so ist der Mensch, daß er, wenn er in einer Sache als rein befunden und seine Untadeligkeit in diesem Punkt ihm lobend bestätigt wird, es ihm gleich vorkommt, als sei er unschuldig überhaupt, und ganz vergißt, daß er auch sonst noch dies und jenes am Stecken hat. Den Brüdern muß man's verzeihen. Das Mißgeschick, daß sie in Spitzel-Verdacht gefallen, hatten sie unwillkürlich ja in Verbindung gebracht mit alter Schuld; kein Wunder denn, daß sie, von jenem erlöst, vermeinten, es habe nun auch mit dieser nichts mehr auf sich.

Bald sollten sie merken, daß sie so leichten Kaufs nicht davonkämen und nicht frei dahinzögen, die Säcke prall von bezahlter Speise für zwölf Häuser, sondern ein Band schleppten, das sie zurückzog in neue Nöte. Vorerst aber waren sie guter Dinge und hätten trällern mögen vor anerkannter, geehrter Unschuld. Im Hause der Belieferung hatte es wieder ein Freimahl gegeben, unter Mai-Sachme's ruhiger Aufsicht, und Reisemitgift zum freundlichen Angedenken. Mit allem versehen, was sie brauchten, um hochgemut vor den Vater treten zu können, zogen sie hin: mit Benjamin, mit Schimeon und mit Speise – wobei die Speise, die sie vom großen Markthalter empfangen, gewissermaßen eintrat für den Zwölften von ihnen, der nun einmal unvorhanden blieb. Auf elf aber wenigstens hatten sie ihre Zahl wieder gebracht, dank ihrer Unschuld.
So sah es aus in den Gemütern der Brüder, will sagen: in denen der Söhne Lea's und denen der Söhne der Mägde, – es ist leicht zu beschreiben. Der Seelenzustand des Rahel-Sohnes bleibt unbeschreiblich, – was in so manchen tausend Jahren keiner sich zugetraut, das lassen wahrlich besser auch wir, wo es ist. Genug, daß der Kleine fast nicht geschlafen hatte nachts in der Herberge, und wenn schon einmal, dann unter wirren und tollen Träumen, die allbereits wieder ohne Namen waren. Will sagen: einen Namen hatten sie schon, einen lieben und schönen und nur eben völlig tollen; sie hießen ›Joseph‹. Benoni hatte einen Mann gesehen, in dem war Joseph. Wie wäre da an Beschreibung zu denken? Menschen sind Götter begegnet, die sich in die Person eines guten Bekannten verkleidet hatten und als dieser behandelt, selbst aber nicht angesprochen werden wollten. Hier lag es umgekehrt: Nicht war hier das menschlich Vertraute für das Göttliche durchsichtig, sondern das Hohe und Göttliche für das Innig-Kindheitsvertraute; dieses war vermummt in fremde Hoheitsgestalt und wollte sich nicht sprechen lassen, sondern trat den Rückzug an hinter verwehrend sich schließende Lider. Wohlgemerkt: der Verkleidete ist nicht der, in den er sich verkleidet und aus dem er hervorblickt. Sie bleiben zweierlei. Den einen im anderen erkennen, heißt nicht, einen machen aus zweien und sich die Brust mit dem Schrei entlasten: »Er ist es!« Dieses ›Er‹ ist noch keineswegs herstellbar, wenn auch der Geist sich zitternd müht, es zu formen; und der Schrei war zurückgebannt in Benjamins Brust, die er freilich fast sprengen wollte, ob er gleich eigentlich noch gar nicht vorhanden, sondern ein Un-Schrei war, ohne einheitlichen Aussage-Gegenstand, – das war das Unbeschreibliche. Nichts blieb dem die Brust überfüllenden Un-Schrei übrig, als sich aufzulösen in wirre und tolle Träume zur Nacht; als er aber aus diesen am Morgen wieder zusammenrann in sein bedrängendes Halb-Dasein, hatte er soviel Satz-Gegenstand

schon errungen, daß Benjamin nicht begriff, wie man es fertigbringen und jetzt abreisen sollte, indem man ›dies hier‹ einfach im Rücken ließ. ›Wir können doch, in des Ewigen Namen, nicht einfach abziehen!‹ rief er bei sich. ›Wir müssen doch hier bleiben und dies ins Auge fassen, nämlich den Mann und Vize-Gott, Pharao's Großen Markthalter! Es ist doch ein Schrei fällig, den es nur noch nicht gibt, und wir können doch nicht, mit ihm in der Brust, heimkehren zum Vater und dort leben wie ehedem, wo doch der Schrei fast drauf und dran ist, in die Welt zu treten und die ganze Welt zu erfüllen, wozu er ungeheuer genug ist, – kein Wunder denn, daß er, eingesperrt in meine Brust, sie fast sprengen will!‹

Und er wandte sich an den großen Ruben in seiner Not, ihn mit weiten Augen zu befragen, ob er denn wirklich meine, daß man nun abziehen solle, wieder nach Hause, oder ob ihm nicht vielleicht scheine, daß man hier noch nicht ganz fertig sei, richtiger gesagt: ganz und gar nicht fertig, und aus diesem triftigen Grunde besser noch hierbliebe?

»Wie denn, Kleiner?« fragte Ruben dagegen. »Und was meinst du mit ›triftig‹? Es ist alles bestens getan und beschafft und hat der Mann uns in Gnaden entlassen, da wir dich vorgeführt. Nun heißt es, eilends zum Vater kehren, der da wartet und sich fürchtet um deinetwillen, daß wir ihm das Erworbene bringen, und er wieder Opfersemmeln habe. Weißt du noch, wie der Mann sich erzürnte, als er Jaakobs Klage erfuhr, die Lampe gehe ihm aus und er müsse im Dunkeln schlafen?«

»Ja«, sagte Benjamin, »ich weiß es noch.« Und er blickte dringlich in des großen Bruders Miene empor, deren starke, vom Barte bloße Muskulatur bärbeißig zusammengezogen war, wie gewöhnlich. Plötzlich aber sah er – oder war es Trug? –, daß die rötlichen Lea-Augen vor seinem Blick den Rückzug antraten hinter die nickenden Lider, verwehrend-bestätigend, ganz so, wie er es gestern von anderen Augen gesehen.

Er sagte nichts mehr. Es konnte sein, daß er das Zeichen nur wiedererkannt zu haben meinte, weil er es gestern gesehen hatte und auch im Traum immerfort. Es blieb dabei, sie brachen auf, – es gab keine Worte, mit denen sich der Antrag hätte vertreten lassen, daß man noch bleiben möge, aber ein großer Schmerz war es für Benjamin. Eben daß der Mann sie in Gnaden entlassen hatte, das war der Schmerz. Daß er sie ziehen ließ, einfach wieder davonziehen, das war der große Kummer. Sie konnten doch nicht davonziehen, um keinen Preis! – doch allerdings, wenn der Mann sie ziehen ließ, dann konnten und mußten sie es. Und sie zogen.

Benjamin ritt mit Ruben, an seiner Seite, und das mit Recht, denn in mancher Beziehung bildeten ja die beiden ein Paar: nicht nur als der Älteste und der Jüngste, als Groß-Michel und Däumling, sondern viel innerlicher, in ihrem Verhältnis zu dem Nicht-mehr-Vorhandenen und zu seinem Nicht-mehr-Vorhandensein. Wir sind eingeweiht in die bärbeißige Schwäche, die Ruben für des Vaters Lamm immer gehegt hatte, und waren Zeugen seines absonderlichen, ihn von den Brüdern absondernden Benehmens bei Josephs Zerreißung und Begräbnis. Er hatte scheinbar volltätig daran teilgenommen, und teilgenommen hatte er auch an dem bündelnden Eide, dem gräßlichen, mit dem sich die Zehne gebunden, niemals mit einem Wink, Blink oder Zwink zu verraten, daß es nicht des Knaben Blut im Kleidfetzen, sondern des Tieres gewesen, das man dem Vater geschickt. Am Verkaufe aber hatte Ruben nicht teilgenommen; er war nicht zur Stelle dabei gewesen, sondern woanders, und darum war seine Vorstellung von Josephs Nicht-mehr-Vorhandensein viel vager noch als die der Brüder, die vage genug, nebelhaft genug war und doch in einem Sinne nicht hinlänglich so. Sie wußten, daß sie den Knaben den Wandernden verkauft hatten, und damit wußten sie etwas zuviel. Ruben hatte den Vorzug, es nicht zu wissen; die Stelle aber, wo er geweilt hatte, während sie Joseph verkauften, war die leere Grube gewesen, und eine leere Grube zeitigt denn doch noch ein andres Verhältnis zu einem Nicht-mehr-Vorhandensein, als der Verkauf des Opfers in die Horizonte hinaus und in Nebelfernen.

Kurzum, der große Ruben, ob er selbst es nun wußte oder nicht, hatte den Keim der Erwartung gehegt und genährt all die Jahre her, – und das verband ihn, über alle Brüder hinweg, mit Benjamin, dem Unschuldigen, der überhaupt an nichts teilgenommen hatte, und für den das Nicht-mehr-Vorhandensein des Bewunderten nie etwas anderes gewesen war, als ein Gegenstand der Zuversicht. Hören wir ihn nicht, so lange es auch her ist, mit seiner Kinderstimme zu dem gebrochenen Alten sagen: »Er wird wiederkommen! Oder er wird uns nachkommen lassen!«? Reichliche zwanzig Jahre ist das her, aber die Erwartung war sowenig aus seinem Herzen gekommen, wie uns sein Wort aus dem Ohr, – und dabei wußte er weder von dem Verkauf, wie die Neune, die ihn getätigt, noch von der leeren Höhle, aus der der Bestattete immerhin gestohlen sein konnte, sondern wußte es, wie der Vater, nicht anders, als daß Joseph tot sei, was eigentlich doch der Zuversicht gar keinen Raum ließ. Die aber scheint da am besten unterzukommen, wo gar kein Raum für sie ist.

Benjamin ritt mit Ruben, und dieser fragte ihn unterwegs, was denn der Mann beim Brote alles mit ihm gesprochen habe; er selbst, als Ältester, habe ihnen so ferne gesessen.

»Verschiedenartiges«, antwortete der Jüngste. »Er und ich, wir haben uns Schnurren von unseren Kindern erzählt.«

»Ja, da lachtet ihr«, sagte Ruben. »Alle sahen, daß ihr euch bogt und lachtet. Ich glaube, die Ägypter wunderten sich.«
»Sie wissen wohl, daß er reizend ist«, versetzte der Kleine, »und jeden zu unterhalten weiß, so daß man sich selbst vergißt und mit ihm lacht.«
»Daß er auch anders sein kann«, erwiderte Ruben, »und kann sehr unbequem werden, das wissen wir.«
»Schon«, sagte Benjamin. »Ihr mögt ein Lied davon singen. Und doch will er uns wohl, davon weiß ich ein Lied. Denn das letzte, was ich von ihm in den Ohren habe, war, daß er uns riet und uns sämtlich einlud durch mich, doch in Ägypten zu siedeln, so viele wir sind, und mit dem Vater herabzukommen, daß wir hier Triften bezögen.«
»Redete er dergleichen?« fragte Ruben. »Ja, so ein Mann weiß viel von uns und vom Vater! Von diesem namentlich weiß er gar viel und kennt ihn wohl und mutet ihm immer gerade das Rechte zu. Erst zwingt er ihn, dich auf Reisen zu schicken zu unserer Reinigung und um des Brotes willen, und dann lädt er ihn selbst nach Ägypten, ins Land des Schlammes. Daß der sich auf Jaakob versteht, das läßt sich nicht leugnen.«
»Spottest du über ihn«, fragte Benjamin dagegen, »oder über den Vater? Dem Kleinen ist beides nicht recht, denn, Ruben, mir ist so weh. Ruben, hör, was ich sage, mir ist so weh in der Brust, weil wir ziehen!«
»Ja«, sagte Ruben, »alle Tage kann man nicht mit dem Herrn Ägyptens zu Mittag essen und lustig werden mit ihm. Das ist eine Ausnahme. Nun heißt es bedenken, daß du kein Kind bist, sondern ein Hüttenhaupt, und daß deine Kinder nach Brot schreien.«

Bei Benjamin!

Bald kamen sie an einen Ort, da wollten sie Mittagsrast halten und kühlere Reisestunden erwarten. Das vorige Mal waren sie abends dorthin gelangt, nun kamen sie mittags. Man braucht nur Palmbaum, Brunnen und Baude zu nennen, um den Ort zu kennzeichnen und ihn dem Hörer so klar vor die Seele zu rufen, wie etwa der Mann, kraft seines Schaubechers, das Grab gesehen hatte von Benjamins Mutter. Sie freuten sich, die gemütliche Stätte wiederzusehen, mit der sich freilich die Erinnerung an einigen Schrecken verband, der ihnen hier rätselhaft zugestoßen. Doch der war beigelegt; aufgelöst war er in Harmonie und Beruhigung, und sorglos mochten sie sich der Rast im Schatten der Felsen erfreuen.
Noch stehen sie und blicken sich um, noch haben sie nicht die Hand ans Gepäck gelegt und begonnen, sich einzurichten, da gibt

es Lärm und anschwellend Getöse in ihrem Rücken und aus der Richtung, von wo sie gekommen, und Rufe tönen: »He! Ho!« und »Halt!« Gilt ihnen das? Sie stehen wie angewurzelt und lauschen auf den Tumult, so stutzig, daß sie sich nicht einmal umwenden. Nur einer wendet sich um, das ist Benjamin. Was ist mit Benjamin? Er wirft die Arme empor mit den kurzen Händen und stößt einen Schrei aus, einen Schrei: Dann freilich verstummt er – und zwar auf lange.

Es ist Mai-Sachme, der anrollt mit Roß und Wagen, mit mehreren Wagen. Bewaffnete stehen darin. Sie springen ab und sperren das offene Felsenrund. Der Haushalter tritt gedrungen unter die Brüder.

Sein Gesicht war sehr grimm. Er hatte die starken Brauen zusammengezogen und einen Winkel seines Mundes verkniffen, nur einen, das wirkte besonders grimm. Er sagte:

»Finde ich euch und hab' ich euch eingeholt? Nachgejagt bin ich euch auf Befehl des Herrn mit Rossen und Wagen und habe euch abgefangen, wo ihr euch lagern und euch verbergen wolltet. Wie wird euch zumute, da ihr mich seht?«

»Wir wissen nicht, wie«, antworteten die Verdutzten, die merkten, daß es wieder anging, daß die Hand wieder nach ihnen langte, sie vor Gericht zu ziehen und wieder sich alles mißtönig verwirrte, da eben noch Harmonie gewesen war. »Wir wissen gar nicht recht, wie. Wir freuen uns, dich so bald schon wiederzusehen, doch unverhofft kommt es.«

»Habt ihr's nicht gehofft«, sagte er, »so möchtet ihr's doch gefürchtet haben. Warum habt ihr Gutes mit Bösem vergolten, daß man euch nachsetzen muß und euch gestellig machen? Männer, es steht sehr ernst um euch.«

»Erkläre dich!« sagen sie. »Wovon ist die Rede?«

»Daß ihr fragen mögt!« antwortete er. »Ist es nicht das, woraus mein Herr trinkt, und womit er weissagt. Es wird vermißt. Der Herr hatte ihn gestern bei Tische. Er ist entwendet worden.«

»Sprichst du von einem Becher?«

»Das tu' ich. Von Pharao's silbernem Becher, dem Herrn zu eigen. Er trank daraus gestern mittag. Er ist nicht mehr da. Klärlich ist er gemaust. Jemand hat ihn mitgehen heißen. Wer? Da kann wohl leider kein Zweifel bestehen. Männer, ihr habt sehr übel getan!«

Sie schwiegen.

»Willst du andeuten«, fragte Juda, Lea's Sohn, mit leisem Beben, »und wollen deine Worte besagen, daß wir ein Gerät vom Tisch des Herrn veruntreut haben und haben es diebisch mitgehen heißen?«

»Einen anderen Namen gibt es unglücklicherweise kaum für euer Betragen. Das Stück ist abgängig seit gestern und offenkundig stibitzt worden. Wer soll es haben verschwinden lassen? Da gibt es leider nur eine Antwort. Ich kann euch nur wiederholen, ihr Männer, daß eure Sache sehr ernst steht, denn ihr habt übel getan.«

Sie schwiegen wieder, stemmten die Fäuste in ihre Weichen und bliesen die Luft aus den Mündern.

»Höre, mein Herr!« sprach Juda wieder. »Wie wäre es, wenn du nach deinen Worten sähest und überlegtest die Rede, bevor du sie tust? Sie ist nämlich unerhört. Wir fragen dich höflich, doch ernstlich: Was dünkt dich von uns? Ist es der Eindruck von Stromern und Schnapphähnen, den wir auf dich machen? Oder was sonst für ein Eindruck mag es wohl sein, daß du kommst und durchblicken läßt, wir hätten Edelgeschirr vom Tische des Markthalters beseitigt, einen Becher, so scheint es, und hätten lange Finger danach gemacht? Das ist es, was ich unerhört nenne im Namen von Elfen. Denn wir sind alle feierlich eines Mannes Söhne, und eigentlich zwölf. Nur, einer ist nicht mehr vorhanden, sonst würd' ich's unerhört nennen auch in seinem Namen. Du sprichst, wir hätten übel getan. Nun denn, ich prahle nicht und berühm' uns Brüder nicht scheinheilig, wir hätten nie übel getan und wären durchs rauhe Leben gekommen ganz ohne Übeltat. Nicht unschuldig nenn' ich uns, es wäre Frevel. Es gibt aber auch eine Würde der Schuld, die hält auf sich, mehr vielleicht noch als Unschuld, und silberne Becher zu mausen ist nicht ihre Sache. Gereinigt haben wir uns vor deinem Herrn, mein Herr, und ihm bewiesen, daß wir mit Wahrheit umgehen, indem wir den Elften brachten. Gereinigt haben wir uns vor dir, denn das Kaufgeld, das wir in unseren Säcken gefunden obenauf, das haben wir dir wiedergebracht aus dem Lande Kanaan und es dir dargeboten auf flachen Händen, du aber wolltest es nicht. Solltest du nach diesen Erfahrungen nicht anstehen und dich nicht bedenken, ehe du kommst und uns bezichtigst, wir hätten uns Silbers angenommen oder Goldes vom Tisch deines Herrn?«

Ruben aber setzte überkochend hinzu:

»Warum antwortest du nicht, Haushalter, auf diese vorzügliche Rede meines Bruders Jehuda, sondern ziehst nur den Winkel deines Mundes noch fester an, auf unerträgliche Weise? Hier sind wir. Suche unter uns! Und bei wem es gefunden wird, dein elendes Silbergerät, dieser Becher, der sei des Todes. Wir übrigen aber, alle dazu, wollen dir Knechte sein, lebenslänglich, wenn du ihn findest!«

»Ruben«, sprach Juda, »schieße nicht so dahin! Bei unserer völligen Reinheit in diesem Punkt braucht es nicht solche Verschwörungen.«

Mai-Sachme aber versetzte:

»Richtig, wozu das Gesprudel? Wir wissen Maß zu halten. Bei

wem ich den Becher finde, der sei uns als Knecht verfallen und bleibe in unseren Händen. Ihr anderen aber sollt ledig sein. Öffnet, wenn ich bitten darf, eure Säcke!«
Das taten sie schon. Sie waren nur so nach ihrem Pack gerannt, konnten es nicht schnell genug von den Eseln bringen und rissen den Säcken die Mäuler auf, sperrangelweit. »Laban!« riefen sie lachend. »Laban, der da sucht auf dem Berge Gilead! Ha, ha! Er schwitze nur und suche sich halb zuschanden! Zu mir, Herr Haushalter! Bei mir zuerst gesucht!«
»Nur ruhig«, sagte Mai-Sachme. »Alles wie sich's gehört und nach der Reihenfolge, so, wie mein Herr eure Namen zu nennen wußte. Beim großen Strudelkopf fang' ich an.«
Und unter ihrem Gespött, das immer sieghafter ward, je weiter er kam unter ihnen, und wobei sie ihn immerfort Laban nannten, den schwitzend suchenden Erdenkloß, unter lautem Gelächter, ging er von einem zum anderen nach ihrem Alter und kramte in ihrem Kram, stand gebückt und äugte, die Arme eingestemmt, in ihre Säcke, schüttelte auch wohl den Kopf oder zuckte die Achseln, wenn er beim Wühlen hier und beim Graben dort nichts fand, und ging zum nächsten. So kam er zu Ascher, zu Issakhar, kam zu Sebulun. Da war nichts Gestohlenes. Zu Rande kam er mit seinem Suchen. Nur Benjamin war noch übrig.
Da spotteten sie noch lauter.
»Jetzt sucht er bei Benjamin!« riefen sie. »Da wird er Glück haben! Beim Aller-Unschuldigsten sucht er jetzt, der nicht nur in diesem Punkte unschuldig ist, sondern unschuldig überhaupt, und nie im Leben eine Übeltat auf sich geladen hat! Aufgepaßt, das ist sehenswert, wie er zum Schlusse bei dem herumsucht, und neugierig sind wir, welche Worte er finden wird, wenn er ausgesucht hat, um sich bei uns — — —«
Sie verstummten auf einen Schlag. Man sah es blinken in des Haushalters Hand. Aus Benjamins Futtersack, nicht sehr tief aus dem Korn hervor, hatte der den silbernen Becher gezogen.
»Da ist er«, sagte er. »Beim Kleinsten ist er gefunden. Ich hätte umgekehrt anfangen sollen, so hätte ich mir viel Mühe und Spott erspart. So jung und bereits so diebisch! Natürlich freue ich mich, das Stück wieder aufgetrieben zu haben; doch arg verbittert wird mir die Freude durch die Erfahrung so früher Verderbnis und solchen Undankes. Jüngster, deine Sache steht außerordentlich ernst!«
Und die anderen? Sie griffen sich an die Köpfe, indem sie mit vortretenden Augen auf den Becher starrten. Sie stießen ein Zischen aus mit gebäumten Lippen; denn so gebäumt waren diese, daß sie nicht ausbilden konnten: »Was-ist-das!«, sondern von jeder Silbe nur den Zischlaut hervorbrachten.
»Benoni!!« riefen sie mit weinend empörten Stimmen. »Rechtfer-

tige dich! Tu gefälligst den Mund auf! Wie kommst du zu dem Becher?«

Aber Benjamin schwieg. Er senkte das Kinn auf die Brust, daß niemand konnte in seine Augen sehen, und verstummte.

Da zerrissen sie ihre Kleider. Einige wenigstens ergriffen tatsächlich den Saum ihres Leibrocks und zerrissen ihn mit einem Ratsch bis zur Brust herauf.

»Wir sind geschändet!« jammerten sie. »Geschändet vom Jüngsten! Benjamin, zum letzten Mal, tu den Mund auf! Rechtfertige dich!«

Doch Benjamin schwieg. Er hob nicht den Kopf auf und sprach kein Wort. Es war ein unbeschreibliches Schweigen.

»Vorhin hat er aufgeschrien!« rief Dan, von Bilha. »Jetzt weiß ich es wieder, daß er unbeschreiblich geschrien hat, als diese herankamen! Der Schrecken hat ihm den Schrei entrissen. Er wußte, warum sie uns nachsetzten!«

Da fielen sie über Benjamin her mit lautem Schimpf und pfetzten ihn und pfuiten ihn aus mit Pfui und Pfeu und nannten ihn Diebsbrut. ›Sohn einer Diebin‹ nannten sie ihn und fragten: »Hat nicht schon seine Mutter die Teraphim ihres Vaters gestohlen? Es ist ein Erbe, und er hat's im Blut. Ach, Diebesblut, mußtest du hier dein Erbteil zur Anwendung bringen, daß du uns dergleichen Pfuidian anrichtest und bringst in die Asche den ganzen Stamm, den Vater, uns alle und unsre Kinder?!«

»Jetzt übertreibt ihr«, sagte Mai-Sachme. »So ist es denn doch nicht. Ihr übrigen alle seid ja gereinigt und ledig. Wir nehmen nicht eure Mitschuld an, unterstellen vielmehr, daß der Kleine auf eigne Rechnung stibitzt hat. Frei mögt ihr nach Hause ziehen zu eurem redlichen Vater. Nur der sich des Bechers annahm, der bleibt uns verfallen.«

Aber Juda antwortete ihm.

»Keine Rede! Davon kann keine Rede sein, Haushofmeister, denn eine Rede will ich halten vor deinem Herrn, die Rede Juda's soll er hören, ich bin entschlossen dazu. Wir alle kehren um mit dir vor sein Gesicht, und über uns alle soll er beschließen. Denn sämtlich sind wir haftbar in dieser Sache und sind wie einer bezüglich des Vorkommnisses. Siehe, dieser Jüngste war unschuldig all seine Jahre hin, denn er war zu Hause. In der Welt aber waren wir anderen und wurden schuldig in ihr. Wir sind nicht gesonnen, die Reinen zu spielen und ihn im Stiche zu lassen, weil er schuldig wurde auf Reisen, wir aber unschuldig sind gerade in dieser Sache. Auf, und führe uns sämtlich mit ihm vor des Markthalters Stuhl!«

»Sei es darum«, sagte Mai-Sachme. »Ganz wie ihr meint.«

Und zurück ging es gegen die Stadt, unter Lanzenbedeckung, den Weg, den sie sorglos gekommen waren. Benjamin aber sprach noch immer kein Wort.

Es war schon späterer Nachmittag, als sie vor Josephs Haus wieder eintrafen; denn dorthin führte der Haushalter sie, wie geschrieben steht, und nicht ins Große Schreibhaus, wo sie sich erstmals vor ihm geneigt und gebeugt hatten; nicht dort war er anzutreffen; er war in seinem Hause.
›Er war noch daselbst‹, weiß die Geschichte und weiß es recht insofern, als Pharao's Freund zwar gestern nach dem fröhlichen Frühstück ins Amt zurückgekehrt war, heute aber von früh an das Haus nicht hatte verlassen mögen. Er wußte den Hauptmann, seinen Haushalter, am Werke, und er wartete in Ungeduld. Das heilige Spiel näherte sich seinem Höhepunkt, und bei den Zehnen stand es, ob sie am Ort der Handlung dabei mittätig sein oder nur davon hören würden. Es war aus der Maßen spannend, ob sie den Jüngsten allein mit Mai-Sachme umkehren lassen würden oder sich alle ihm anschließen. Für sein Verhalten zu ihnen in Zukunft hing viel davon ab. Wir unsererseits sind jeglicher Spannung überhoben, weil wir überhaupt die Phasen der hier aufgeführten Geschichte am Schnürchen haben, und hier besonders noch, weil schon in unserer eigenen Aufführung festgelegt ist, was für Joseph noch spannend-zukünftig war, und wir schon wissen, daß die Brüder den Benjamin nicht wollten allein lassen mit seiner Schuld. Darum mögen wir lächelnd und längst Bescheid wissend dem Joseph zusehen, wie er durch sein Haus ging in gespannter Erwartung vom Bücherzimmer in den Empfangssaal, von diesem in den Saal des Brotes, von diesem zurück durch die Räume in sein Schlafgemach, wo er mit erregter Hand diese oder jene Retouche an seinem Äußeren vornahm. Sein Benehmen erinnert uns sehr an das Herumrennen fertig maskierter Komödianten, bevor es angeht.
Er besuchte auch seine Gemahlin, Asnath, die Geraubte, im Frauenflügel, sah sich mit ihr nach den Spielen Manasse's und Ephraims um und plauderte mit ihr, ohne ihr Spannung und Lampenfieber verhehlen zu können.
»Mein Gatte«, sagte sie, »lieber Herr und Räuber, – wie ist dir? Du bist nicht gelassen, du horchst und stampfst. Hast du's auf dem Herzen? Wollen wir eine Partie auf dem Brette ziehen zu deiner Zerstreuung, oder sollen einige von meinen Zofen sich anmutig vor dir regen?«
Aber er antwortete:
»Nein, Mädchen, danke, jetzt nicht. Ich habe andere Züge im Kopf als solche des Brettes und kann nicht den Zuschauer machen beim Zofentanz, sondern muß selber gaukeln und mich im Spiele regen, Zuschauer aber sind Gott und die Welt. Zurück muß ich, näher zum Saal des Empfanges, denn das ist der Schauplatz. Für

deine Zofen aber weiß ich ein besseres Geschäft als Tanzen, denn weshalb ich kam, das ist eigentlich, ihnen anzubefehlen, daß sie dich schön machen über deine Schönheit hinaus und dich fein herausputzen, und daß auch Manasse's und Ephraims Pflegerinnen ihnen die Hände waschen und ihnen gestickte Hemdchen anziehen, da ich nämlich jeden Augenblick außerordentlichen Besuch erwarte, dem ich euch vorstellen will als die Meinen, wenn das Wort gesprochen ist, wer es ist, dessen ihr seid. Ja, da machst du große Augen, Schildmagd, schmal um die Mitte! Aber seid nur gehorsam und schmückt euch, ihr hört schon von mir!«

Damit rannte er fort, wieder zurück ins Herrenteil, durfte sich aber nicht der reinen Erwartung und Spannung anheimgeben, wie er doch einzig gern getan hätte, sondern mußte Groß-Verwandte des Amtes der Ernährung bei sich sehen im Büchergemach, nebst seinem Vorleser und seinem Wirklichen Schreiber, die gekommen waren, ihn mit Geschäften, Approbationen und Rechnereien um die reine Erwartung zu bringen, weswegen er sie verwünschte. Und doch waren sie ihm auch wieder willkommen, da er Komparsen brauchte.

Die Sonne neigte sich schon auf ihrer Bahn, als er, über den Papieren lauschend, an dumpfem Rumor vor dem Hause erkannte, daß die Stunde gekommen war und der Brüderzug anlangte. Mai-Sachme trat ein, den einen Mundwinkel fester als jemals angezogen, in der Hand den Becher, und reichte ihm den. »Beim Jüngsten«, sagte er. »Nach langem Suchen. Sie sind im Saal deines Spruches gewärtig.«

»Alle?« fragte er.

»Alle«, erwiderte der Dicke.

»Du siehst, daß ich ernstlich besetzt bin«, sagte Joseph. »Diese Herren sind nicht Spaßes halber bei mir, sondern in Krongeschäften. Lange genug stehst du schon in Haushalterdiensten bei mir, daß du unterscheiden können solltest, ob ich für solche Privat-Lappalien frei bin oder in Anspruch genommen von vordringlichen Inkumbenzen. Du und deine Männer, ihr wartet.«

Und er beugte sich wieder über das Papier, das ein Beamter vor ihm aufgerollt hielt. Da er aber nichts sah von dem, was darauf stand, sagte er nach einer Weile:

»Wir können übrigens jene Quisquilie, eine Gerichtssache, bei der es sich um das Verbrechen des Undanks handelt, ebensogut gleich aus dem Wege räumen. Folgt mir hinüber, ihr Herren, in meinen Saal, wo die Übeltäter des Spruches harren.«

Und sie umgaben ihn, da er von diesem Zimmer drei Stufen hinauf und durch den Teppich hinaus auf die Erhöhung des Saales trat, wo sein Stuhl stand; auf dem saß er nieder, den Becher in seiner Hand. Fächer waren gleich über ihm, denn nicht unbeschützt von solchen und unbewedelt ließen ihn seine Leute, sobald er den Stuhl einnahm. Schräges Licht voller Stäubchentanz fiel von links durch eine der Hochluken zwischen den Säulen hin und den Sphinxen, lagernden Löwen aus Rotstein mit dem Haupte Pharao's, auf die Gruppe der Sünder, die ein paar Schritte vor dem Hochsitz sich auf ihre Stirnen geworfen hatten. Spieße ragten zu ihren Seiten. Neugierige Haus-Offizianten, Köche und Kammersklaven, Bodenbesprenger und Wärter der Blumentische, drängten sich unter den Türen.

»Brüder, steht auf!« sagte Joseph. »Ich hätte wahrlich nicht gedacht, daß ich euch so bald wieder vor mir sehen würde und aus dergleichen Anlaß. Manches hätte ich nicht gedacht. Ich hätte nicht gedacht, daß ihr an mir tun könntet, wie ihr getan, ihr, die ich aufgenommen wie Herren. So froh ich bin, meinen Becher wiederzuhaben, aus dem ich trinke und mit dem ich weissage, so betrübt und in der Seele betroffen seht ihr mich durch euer krasses Benehmen. Es ist mir unfaßlich. Wie konntet ihr euch unterwinden, Gutes zu vergelten mit Bösem auf so krasse Weise und einen Mann, wie ich es bin, in seinen Gewohnheiten zu kränken, daß ihr ihn um seinen Becher bringt, an dem er hängt, und macht euch damit aus dem Staube? Die Unüberlegtheit eurer Handlung kommt ihrer Häßlichkeit gleich, denn mußtet ihr euch nicht sagen, daß ein Mann wie ich das teure Stück sofort vermissen und alles erraten würde? Dachtet ihr wirklich, des Bechers beraubt, würde ich nicht weissagen können, wo er sei? Und nun? Ich nehme an, daß ihr euch schuldig bekennt?«

Juda war es, der antwortete. Er war es überhaupt, der hier und heute das Wort führte für alle, er, der im Leben am meisten ausgestanden, der sich auf Schuld am meisten verstand und darum zum Reden berufen war. Denn Schuld schafft Geist – und schon umgekehrt: ohne Geist gibt es gar keine Schuld. Unterwegs hatte er sich von den anderen zur Rede bevollmächtigen lassen und sich die Worte bereitet. Zerrissenen Kleides stand er unter den Brüdern und sprach:

»Was sollen wir meinem Herrn sagen, und welchen Sinn hätte wohl der Versuch, uns vor ihm zu rechtfertigen? Wir sind schuldig vor dir, mein Herr, – schuldig in dem Sinne, daß dein Becher bei uns gefunden worden, bei einem von uns, das ist: bei uns. Wie das Stück in den Ranzen unseres Jüngsten gekommen ist, des Unschuldigen, der immer zu Hause war, – ich weiß es nicht. Wir wissen es nicht. Ohnmächtig sind wir, darüber Vermutungen anzustellen vor dem Stuhl meines Herrn. Ein Gewaltiger bist du, und bist gut und böse, erhebst und stürzest. Wir gehören dir. Keine Rechtfertigung lohnt sich vor dir, und töricht der Sünder, der auf gegenwärtige Unschuld pocht, wenn der Rächer Zahlung fordert für alte Missetat. Nicht umsonst war die Klage unseres Vaters, des alten, wir machten ihn kinderlos. Siehe, er behält

recht. Wir und der, bei dem der Becher gefunden ist, sind meinem Herrn zu Knechten verfallen.«
In dieser Rede, die noch keineswegs Juda's eigentliche Rede war, seine berühmte, deutete manches sich an, worauf Joseph besser tat, nicht einzugehen, sondern es klüglich zu überhören. Worauf er antwortete, war nur das Angebot sämtlicher Knechtschaft; er wies es von sich.
»Nein, nicht also«, sagte er. »Das sei ferne von mir. Es gibt kein noch so schlechtes Benehmen, das einen Mann wie mich zum Unmenschen machen könnte. Eurem Vater, dem alten, habt ihr Speise gekauft in Ägyptenland, und er wartet auf diese. Ich bin Pharao's großer Geschäftsmann; niemand soll sagen, ich hätte mir eure Sünde zunutze gemacht, um mit den Käufern Geld und Ware einzubehalten. Ob ihr zusammen gesündigt, oder nur einer, will ich nicht untersuchen. Euerem Kleinsten hab' ich vertraulich bei Tische, als wir lustig waren zusammen, die Tugenden meines lieben Bechers preisgegeben und ihm geweissagt von seiner Mutter Grab. Mag sein, daß er euch davon schwatzte; mag sein, daß ihr alle zusammen den Plan des Undanks schmiedetet, den Schatz zu beseitigen – nicht um seines Silberwertes willen, so nehme ich an. Zauberkraft wolltet ihr an euch bringen, – möglicherweise um zu erkunden, was aus euerem Bruder geworden, der nicht mehr vorhanden, der euch von der Hand gekommen, – was weiß ich? Die Neugier wäre begreiflich. Mag aber wiederum sein, der Kleine sündigte auf eigne Hand, sagte euch nichts und nahm den Becher. Ich will's nicht wissen und nicht erforschen. Bei dem Däumling wurde gefunden das Diebsgut. Er ist mir verfallen. Ihr aber mögt in Frieden nach Hause ziehen zu eurem Vater, dem alten, daß er nicht kinderlos sei und Speise habe.«
So der Erhöhte, und still war es eine Weile. Da aber trat aus ihrem Chore hervor Juda, der Geplagte, dem sie das Wort verliehen hatten, daß er es führe. Vor den Stuhl trat er, nahe zu Joseph heran, holte Atem und sprach:
»Höre mich nun, mein Herr, denn eine Rede will ich halten vor deinen Ohren und will dir rednerisch vorhalten, wie alles kam und wie du's gemacht, und wie es steht um diese und mich, um uns Brüder alle. Haarklein soll dir meine Rede beweisen, daß du den Jüngsten nicht von uns absondern kannst und darfst und ihn nicht behalten. Demnächst dann, daß wir anderen nicht und insbesondere ich nicht, Juda, von diesen der Vierte – daß wir unmöglich und nimmermehr zu unserem Vater heimkehren können ohne den Jüngsten, nimmermehr. Drittens aber will ich meinem Herrn ein Angebot machen und will dir vorschlagen, wie du zu deinem Rechte kommst auf eine mögliche Art und nicht auf eine unmögliche. Dies meiner Rede Ordnung. Darum laß deinen Zorn nicht ergrimmen über deinen Knecht, und falle ihm, bitte, nicht

in die Rede, die ich führe, wie der Geist sie mir eingibt und die Schuld. Du bist wie Pharao. Ich aber beginne, wie es begonnen hat und wie du's begannest, denn es war so:
Als wir hernieder kamen, von unserem Vater gesandt, daß wir Speise erwürben aus dieser Speisekammer, wie tausend andere, ging es uns nicht wie den tausend, sondern abgesondert wurden wir und hatten's sonderlich und wurden geleitet in deine Stadt herab vor das Angesicht meines Herrn. Und da blieb's sonderlich, denn sonderlich war auch mein Herr, nämlich harsch und huldig, das ist: doppeldeutig, und befragte uns eigentümlich nach unsrer Freundschaft. ›Habt ihr auch etwa noch‹, fragte mein Herr, ›einen Vater daheim oder einen Bruder?‹ — ›Wir haben‹, antworteten wir, ›einen Vater, der ist alt, und haben allerdings auch einen jungen Bruder, den Jüngsten, ihm spät geboren, den hütet er mit dem Stabe und hält ihn fest an der Hand, denn sein Bruder kam abhanden für tot und ist unserm Vater von ihrer Mutter nur jener übrig, darum hält er innigst auf ihn.‹ — Antwortete mein Herr: ›Bringt ihn herab zu mir! Es soll ihm kein Haar gekrümmt sein.‹ — ›Das kann nicht geschehen‹, antworteten wir, ›aus den obigen Gründen. Den Jüngsten vom Vater reißen, das wäre tödlich.‹ — Versetztest du harsch deinen Knechten: ›Beim Leben Pharao's! Wo ihr nicht mit eurem Jüngsten kommt, der von der lieblichen Mutter übrig, so sollt ihr mein Angesicht nicht mehr sehen.‹«
Und Juda fuhr fort und sprach:
»Ich frage meinen Herrn, ob es so war und begann, oder ob es nicht so war und anders begann, als daß mein Herr nach dem Knaben fragte und wider unsere Verwahrung auf seinem Kommen bestand. Denn meinem Herrn beliebte, es so hinzustellen, als ob wir uns reinigen sollten durch seine Beibringung von dem Verdachte der Späherei und sollten dadurch erhärten, daß wir mit Wahrheit umgehen. Aber was für eine Reinigung ist das und was für ein Verdacht? Uns kann kein Mensch für Spähbuben halten, so sehen wir Brüder in Jaakob nicht aus, und glaubt's einer dennoch, so ist's keine Reinigung, daß wir den Jüngsten erstellen, sondern ist pure Eigentümlichkeit und ist allein, weil nun einmal mein Herr unbedingt unseren Bruder wollte mit Augen sehen — warum? Darüber muß ich verstummen, es steht bei Gott.«
Und Jehuda ging weiter vor in seiner Rede, regte das Löwenhaupt, streckte die Hand aus und sprach:
»Siehe, an den Gott seiner Väter glaubt dieser dein Knecht, und daß alles Wissen bei ihm ist. Was er aber nicht glaubt, das ist, daß dieser Gott Schätze einschwärzt in seiner Knechte Ranzen, dergestalt, daß sie ihr Kaufgeld haben zusamt der Ware, — das ist nie dagewesen und besteht gar kein Herkommen in diesem

Betracht: weder Abram, noch Isaak, noch unser Vater Jaakob haben je Gottessilber im Sacke gefunden, das der Herr ihnen zugesteckt, – was es nicht gibt, das gibt es nicht, sondern ist alles bloß Eigentümlichkeit und kommt allzumal aus demselben Geheimnis.
Kannst du nun aber, mein Herr, – kannst du, da wir's beim Vater erwirkt mit Hilfe der Hungersnot, und von ihm den Kleinen entliehen für diese Reise, – kannst du, der du sein Kommen unerbittlich erzwungen und ohne dessen sonderliches Verlangen er nie den Fuß gesetzt hätte auf dieses Land, – kannst du, der da sprach: ›Ihm soll kein Leids geschehen hier unten‹, – kannst du ihn einbehalten als Sklaven, weil sie deinen Becher in seinem Ranzen gefunden?
Das kannst du nicht!
Wir aber unsrerseits und dein Knecht zumal, Juda, der diese Rede hält, wir können nicht vor unseres Vaters Angesicht treten ohne den Kleinsten – nie und nimmermehr. Wir können es sowenig, wie wir hätten vor dein Angesicht wieder kommen können ohne ihn – und nicht aus Gründen der Eigentümlichkeit, sondern aus den gewaltigsten Gründen. Denn als dein Knecht, unser Vater, uns wieder gemahnte und sprach: ›Ziehet doch hin und kauft uns ein wenig Speise!‹ und wir ihm antworteten: ›Wir können nicht, ohne, du gibst uns den Kleinsten dazu, denn der Mann dort unten, der Herr im Lande ist, hat's uns hart eingebunden, daß wir ihn bringen, oder wir sehen sein Angesicht nicht‹, – siehe, da stimmte der Greis eine Klage an, eine wohlbekannte, die ins Herz schneidet, wie die Flöte, die in den Schluchten schluchzt, und holte aus im Liede und sang:
›Rahel, die lieblich Bereitwillige, um die meine Jugend diente Laban, dem Schwarzmond, sieben Jahr, meines Herzens Herz, die mir am Wege starb, einen Feldweg nur von der Herberge, sie war mein Weib und brachte mir willfährig zwei Söhne: im Leben einen und einen im Tode, Dumuzi-Absu, das Lamm, Joseph, den Schmucken, der mich zu nehmen wußte, daß ich ihm alles gab, und Benoni, das Todessöhnchen an meiner Hand, der mir noch übrig. Denn jener ging hinaus von mir, da ich's ihm zugemutet, und ein Schrei erfüllte das Weltall: Zerrissen ist er, der Schöne zerrissen! Da fiel ich auf den Rücken und bin starr seitdem. Diesen aber halt' ich an starrer Hand, der mir das Einzige ist, da zerrissen, zerrissen der Einzige. Werdet ihr nun auch das Einzige von mir hinausnehmen, daß ihn vielleicht das Schwein betritt, so werdet ihr meine grauen Haare in die Grube bringen mit solchem Herzeleid, daß es für die Welt zuviel wäre, sie ständ' es nicht aus. Voll zum äußersten ist sie von dem stehenden Schrei: Zerrissen ist der Geliebte, und käme dieser hinzu, sie müßte ins Nichts zerplatzen.‹

Hat mein Herr diese Flötenklage vernommen und dieses Vaterlied? Dann, so urteile er nach eignem Verstand, ob wir Brüder vor den Alten treten können ohne den Jüngsten, den kleinen Mann, und bekennen: ›Eingebüßt haben wir ihn, er kam abhanden.‹ Ob wir's ausstehen könnten vor seiner Seele, die an dieser Seele hanget, und vor der Welt, die des Jammers voll ist und nicht mehr verträgt, es würd' ihr den Rest geben. Ob vor allem ich, Redner, Juda genannt, sein Vierter, so vor ihn kommen kann, das sollst du beurteilen. Denn noch nicht alles weiß mein Herr, noch lange nicht, und es fühlt deines Knechtes Herz, daß seine Rede sich zu noch ganz anderem aufheben wird in dieser notvollen Stunde. Ja, es fühlt, daß das Geheimnis, aus dem alle Eigentümlichkeit kommt, nur zu erhellen ist durch die Offenbarung anderen Geheimnisses.«

Hier geschah eine murmelnde Unruhe unter der Brüderschar. Aber Juda, der Löwe, erhob seine Stimme dagegen, redete fort und sprach:

»Bürgschaft hab' ich übernommen vor dem Vater und mich zum Bürgen aufgeworfen vor ihm für den Kleinen; denn ebenso wie ich jetzt zu dir trat, nahe an deinen Stuhl, um diese Rede zu halten, also trat ich dem Vater nahe und verschwor mich ihm mit den Worten: ›Gib ihn mir in die Hand, ich hafte für ihn, und wenn ich ihn dir nicht wiederbringe, so will ich die Schuld vor dir tragen ewiglich!‹ So meine Haftung, und nun urteile, eigentümlicher Mann, ob ich hinaufziehen kann zu meinem Vater ohne den Kleinen, daß ich einen Jammer sehe, der für mich und die Welt zuviel! Nimm mein Angebot! Mich sollst du einhalten an seiner Statt zu deinem Knecht, daß du mögliche Sühne hast und nicht unmögliche; denn ich will sühnen, sühnen für alle. Hier vor dir, Eigentümlicher, fass' ich den Eid, den wir Brüder schworen, den gräßlichen, mit dem wir uns bündelten — mit beiden Händen fass' ich ihn und breche ihn überm Knie entzwei. Unser Elfter, des Vaters Lamm, der Erste der Rechten, — das Tier hat ihn gar nicht zerrissen, sondern wir, seine Brüder, haben ihn einst in die Welt verkauft.«

So und nicht anders endete Juda seine berühmte Rede. Wogenden Leibes stand er, und bleich standen die Brüder, wenn auch tief erleichtert, weil es heraus war. Dies kommt sehr wohl vor: die bleiche Erleichterung. Aber zwei Rufe ertönten: sie kamen vom Größten und Kleinsten. Ruben rief: »Was hör' ich!«, und Benjamin macht' es genau wie vordem, als sie der Haushalter eingeholt: die Arme warf er empor und schrie unbeschreiblich auf. — Und Joseph? — Er war aufgestanden von seinem Stuhl und glitzernd liefen die Tränen ihm die Wangen hinab. Denn es war so, daß die Garbe Lichtes, die vorhin von der Seite her auf die Brüdergruppe gefallen war, nach stiller Wanderschaft nun durch eine

Luke am Ende des Saales ihm gegenüber gerade auf ihn fiel: davon glitzerten die rinnenden Tränen auf seinen Backen als wie Geschmeide.
»Was ägyptisch ist, gehe hinaus von hier«, sagte er, »alles hinaus. Denn ich habe Gott und die Welt zu Gaste geladen bei diesem Spiel, nun aber soll nur noch Gott allein Zuschauer dabei sein.«
Ungern gehorchte man. Den Schreibern auf der Estrade legte Mai-Sachme, indem er sie mit Zwinkern bedeutete, seine Hände auf die Rücken und half ihnen höflich davon, und auch das Hausgesinde räumte die Türen. Aber das redeten wir wohl niemandem ein, daß es sich sehr weit davon entfernt hätte. Vielmehr stand draußen und drinnen im Büchergemach jedermann seitlich auf ein Bein gelehnt, dem Schauplatze zugeneigt und hielt die hohle Hand hinters Ohr.
Dort aber breitete Joseph, ohne des Geschmeides auf seinen Bakken zu achten, die Arme aus und gab sich zu erkennen. Er hatte sich oft zu erkennen gegeben und die Leute stutzen gemacht, indem er zu verstehen gab, daß ein Höheres sich in ihm darstellte, als was er war, so daß dies Höhere träumerisch-verführerisch ineinanderlief mit seiner Person. Jetzt sagte er einfach und trotz der gebreiteten Arme sogar mit einem kleinen bescheidenen Lachen:
»Kinder, ich bin's ja. Ich bin ja euer Bruder Joseph.«
»Aber er ist's ja natürlich doch!« schrie Benjamin, fast erstickt vom Jubel, und stürzte vorwärts, die Stufen hinan zur Erhöhung, fiel auf seine Knie und umfing mit Ungestüm die Knie des Wiedergefundenen.
»Jaschup, Joseph-el, Jehosiph!« schluchzte er zu ihm hinauf, den Kopf im Nacken. »Du bist's, du bist's, aber selbstverständlich bist du's natürlich ja doch! Du bist nicht tot, umgestürzt hast du die große Wohnung des Todesschattens, aufgefahren bist du zum siebenten Söller und bist eingesetzt als Metatron und Innerer Fürst, ich hab's gewußt, ich hab's gewußt, hoch erhoben bist du, und der Herr hat dir einen Stuhl gemacht, ähnlich dem Seinen! Mich aber kennst du noch, deiner Mutter Sohn, und hast im Winde gewedelt mit meiner Hand!«
»Kleiner«, sprach Joseph. »Kleiner«, sagte er, hob Benjamin auf und tat ihre Köpfe zusammen. »Rede nicht, es ist nicht so groß und nicht so weit her, und kein solcher Ruhm ist es mit mir, und die Hauptsache ist, daß wir wieder zwölfe sind.«

Zanket nicht!

Und er schlang den Arm um seine Schulter und trat hinab mit ihm zu den Brüdern – ja, wie stand es mit denen und wie stan-

den die da! Einige standen, die Beine gespreizt, mit hängenden Armen, die viel länger schienen als sonst, knielang beinahe, und suchten offenen Mundes mit den Augen im Leeren herum. Andere preßten die Brust mit beiden Fäusten, – die wuchteten auf und ab von ihrem gehenden Atem. Alle waren sie bleich gewesen von Juda's Bekenntnis, nun waren sie dunkelrot im Gesicht, rot wie Kiefernstämme, rot wie einst, als sie auf ihren Fersen gesessen hatten und Joseph dahergekommen war im bunten Kleid. Hätte Benoni nicht mit seinem ›Natürlich doch‹ und all seinem Entzücken des Mannes Erklärung besiegelt, so hätten sie überhaupt nichts begriffen und nichts geglaubt. Wie nun aber die Rahelssöhne umschlungen zu ihnen herunterkamen, war ihren armen Köpfen aufgegeben, aus einer bloßen Assoziation eine Einerleiheit zu machen und in dem Mann, der freilich in ihrem Sinn längst irgend etwas mit Joseph zu tun gehabt hatte, den abgeschafften Bruder selbst zu erkennen, – was Wunder, daß es in ihren Hirnen nur so knackte? Kaum schien es den Hampelnden und Strampelnden gelungen, den Herrn hier und ihr Opfer, den Knaben, in eins zu denken, so ging das Geeinte schon wieder entzwei, – nicht nur, weil es so schwerhielt, es zusammenzuhalten, sondern schwerhielt es, weil es so äußerst beschämend und auch entsetzenerregend war.
»Tretet doch her zu mir«, sagte Joseph, während er selber zu ihnen trat. »Ja, ja, ich bin's. Ich bin Joseph, euer Bruder, den ihr nach Ägypten verkauft habt, – macht euch nichts draus, es war schon recht. Sagt, lebt mein Vater noch? Redet mir doch ein bißchen und bekümmert euch nicht! Juda, das war eine gewaltige Rede! Die hast du für immer und ewig gehalten. Innig umarm' ich dich zur Beglückwünschung wie auch zum Willkomm und küsse dein Löwenhaupt. Siehe, es ist der Kuß, den du mir gabst vor den Minäern, – heute geb' ich ihn dir wieder, mein Bruder, und ist nun ausgelöscht. Alle küss' ich in einem, denn denkt doch nur nicht, daß ich darum zürne, daß ihr mich hierher verkauftet! Das mußte alles so sein, und Gott hat's getan, nicht ihr, El Shaddai hat mich abgesondert schon frühzeitig vom Vaterhaus und mich verfremdet nach seinem Plan. Er hat mich vor euch hergesandt, euch zum Ernährer, – und hat eine schöne Errettung veranstaltet, daß ich Israel speise mitsamt den Fremden in Hungersnot. Das ist eine zwar leiblich wichtige, aber ganz einfache, praktische Sache und ist weiter kein Hosiannah dabei. Denn euer Bruder ist kein Gottesheld und kein Bote geistlichen Heils, sondern ist nur ein Volkswirt, und daß sich eure Garben neigten vor meiner im Traum, wovon ich euch schwatzte, und sich die Sterne verbeugten, das wollte so übertrieben Großes nicht heißen, sondern nur, daß Vater und Brüder mir Dank wissen würden für leibliche Wohltat. Denn für Brot sagt man ›Recht schönen Dank‹

und nicht ›Hosiannah‹. Muß aber freilich sein, das Brot. Brot kommt zuerst und dann das Hosiannah. – Nun habt ihr verstanden, wie einfach der Herr es meinte, und wollt ihr nicht glauben, daß ich noch lebe? Ihr wißt es doch selbst, daß mich die Grube nicht hielt, sondern daß die Kinder Ismaels mich herauszogen, und daß ihr mich ihnen verkauftet. Hebt nur die Hände auf und faßt mich an, daß ihr seht, ich lebe als euer Bruder Joseph!«

Zwei oder drei von ihnen rührten ihn auch wirklich an, strichen mit der Hand behutsam an seinem Kleide herunter und grienten zaghaft dazu.

»Dann war's also nur ein Scherz und hast nur so getan wie ein Fürst«, fragte Issakhar, »bist aber eigentlich bloß unser Bruder Joseph?«

»Bloß?« antwortete er. »Das ist ja wohl das meiste, was ich bin! Aber ihr müßt es recht verstehen: ich bin beides; ich bin Joseph, den der Herr Pharao zum Vater gesetzt hat und zu einem Fürsten in ganz Ägyptenland. Joseph bin ich, überkleidet mit der Herrlichkeit dieser Welt.«

»Freilich«, sagte Sebulun, »so wird es ja denn wohl sein, daß man nicht sagen kann, du bist nur das eine und nicht das andere, sondern bist beides in einem. Es ahnte uns auch. Und ist ja nur gut, daß du nicht durch und durch der Markthalter bist, sonst ginge es uns schlecht. Sondern bist unter dem Kleid unser Bruder Joseph, der uns beschützen wird gegen des Markthalters Zorn. Aber du mußt verstehen, Herr –«

»Willst du das, dummer Mann, wohl sein lassen, mit ›Herr, Herr‹? Damit hat's nun ein Ende!«

»Du mußt verstehen, daß wir auch wieder beim Markthalter Schutz suchen möchten vor dem Bruder, denn vor Zeiten haben wir übel an ihm getan.«

»Das habt ihr!« sprach Ruben und zog grimmig die Muskeln seines Gesichtes an. »Es ist unerhört, Jehosiph, was ich erfahren muß bei dieser Gelegenheit. Denn sie haben dich verkauft hinter meinem Rücken und mir nichts davon angezeigt und hab's nicht gewußt all die Zeit her, daß sie dich losgeschlagen und Kaufgeld für dich genommen . . .«

»Laß gut sein, Ruben«, sprach Dan, von Bilha. »Du hast auch dies und das getan hinter unserem Rücken und warst hinterrücks bei der Grube, daß du den Kleinen stählest. Und was das Kaufgeld betrifft, so war es kein Reichtum damit, wie Gnaden Joseph sehr wohl weiß, zwanzig Schekel phönizisch, das war alles, dank des Alten Zähigkeit, und wir können jederzeit darüber abrechnen, daß du zu dem Deinen kommst.«

»Zanket nicht, Männer!« sagte Joseph. »Zanket euch nicht deswegen und darum, was der eine getan und der andre nicht wußte.

Denn Gott hat es alles recht gemacht. Dir dank' ich, Ruben, mein großer Bruder, daß du zur Höhle kamst mit deinem Gestrick, um mich herauszuziehen und mich dem Vater wiederzugeben. Ich aber war nicht mehr da, und das war gut, denn so sollt' es nicht sein und wäre nicht richtig gewesen. Nun aber ist's recht. Nun wollen wir alle an nichts als den Vater denken ...«
»Ja, ja«, nickte Naphtali, ließ plappernd die Zunge laufen und zuckte mit seinen Beinen. »So ist's, so ist's, unser Bruder sagt es ganz recht, der Erhöhte, denn völlig unleidlich ist so ein Zustand, daß Jaakob ferne sitzt im härenen Hause, oder davor, und nicht die leiseste Ahnung hat von dem, was hier aufgekommen, nämlich daß Joseph lebt und hat's hoch hinausgebracht in der Welt und nimmt einen schimmernden Posten ein bei den Heiden. Denkt euch, da sitzt er, gehüllt in Ungewißheit, da wir hier stehen und reden mündlich mit dem Entschwundenen und fassen sein Kleid an, daß wir's mit Händen greifen: alles war Mißverständnis und falsche Kunde, – nichtig des Vaters hochgradiger Jammer und nichtig der Wurm, der uns wurmte all unser Leben lang. Das ist so aufregend, daß man mit dem Kopf durch die Decke möchte, und ist eine unausstehliche Schiefigkeit in der Welt, daß wir es wissen dahier, er aber nicht, nur, weil es weit ist von uns zu ihm und eine Masse stumpfen Gebreites sein Wissen von unserm trennt, darin die Wahrheit nur ein paar Schritt weit vorankommt, dann bleibt sie liegen und kann nicht mehr. Oh, könnte man die hohlen Hände legen an seinen Mund und siebzehn Tage weit rufen: ›Vater, hoheh! Joseph lebt und ist wie Pharao in Ägyptenland, das ist das Neueste!‹ Aber schriee man noch so laut, unberührt sitzt er und hört es nicht. Oh, daß man eine Taube könnte auffliegen lassen, deren Flügel die Schnelle des Blitzes hätten, mit einer Schrift unterm Flügel: ›Wisse, so steht's‹, daß die Schiefigkeit aus der Welt wäre und jeder dasselbe wüßte dort und hier! Nein, ich steh' hier nicht länger, ich steh' es nicht aus. Schickt mich, schickt mich! Ich will's besorgen. Laufen will ich dem Hirschen zum Trotz und ihm schöne Rede geben. Denn könnte eine Rede wohl schöner sein als die, die das Neueste bringt?«
Joseph aber begütigte seinen Eifer und sprach:
»Laß gut sein, Naphtali, und überstürze dich nicht, denn du sollst nicht allein laufen und soll keiner ein Vorrecht haben, unserem Vater anzusagen, was ich ihm sagen lasse und was ich längst ausgedacht, wenn ich nachts auf dem Rücken lag und diese Geschichte besann. Sieben Tage sollt ihr rasten bei mir und all meine Ehren teilen und will euch vor meine Hausfrau stellen, die Sonnenmagd, und meine Söhne sollen sich vor euch neigen. Dann aber sollt ihr eure Tiere beladen und sämtlich hinaufziehen mit Benjamin zu meinem Vater und ihm verkünden: Joseph, dein

Sohn, ist nicht tot, sondern lebt und spricht lebenden Mundes zu dir: ›Gott gab mir den Vorrang unter den Fremden, und mir ist untertänig Volks, das ich nicht kannte. Komm herab zu mir, säume nicht und erschrick, Lieber, nicht vorm Lande der Gräber, wohin schon Abraham kam in Hungersnot! Denn die Teuerung und daß kein Pflügen und Ernten ist in der Welt seit zwei Jahren schon, das wird bestimmt noch drei oder fünf Jahre währen, ich aber will dich versorgen und sollst hier auf fetten Triften siedeln. Fragst du, ob Pharao es erlaubt, so antwortete ich dir: den wickelt dein Sohn um den Finger. Und will Seine Majestät ersuchen, daß ihr in der Gegend Gosen siedeln sollt und auf den Feldern von Zoan, gegen Arabia, da will ich euch versorgen, dich und deine Kinder und Kindeskinder, dein klein Vieh und groß Vieh und alles, was dein ist. Denn die Gegend Gosen, auch Gosem genannt, oder Goschen, die hab' ich schon frühe erwählt für euch zum Nachkommenlassen, weil sie noch nicht recht Ägyptenland ist, noch nicht so ausgeprägt, und könnt dort leben von den Fischen der Mündung und vom Fett des Feldes, hübsch für euch, daß ihr nicht viel zu schaffen habt mit den Kindern Ägyptens und ihrer Altklugheit und eure Originalität nicht leide. Und seid doch nahe bei mir.‹ – So sollt ihr zu meinem Vater sprechen in meinem Namen und es gescheit und geschickt machen, Männer, daß ihr's seinem starren Alter sänftiglich beibringt, zuerst, daß ich lebe, und dann, daß er herniederkommen soll mit euch allen. Ach, könnt' ich nur selber mit euch hinaufziehen und es ihm abschwatzen, da ging' ich sicher. Aber ich kann nicht, nicht einen Tag bin ich abkömmlich. Darum macht's fein und liebeslistig an meiner Statt mit meinem Leben und seinem Kommen! Sagt ihm nicht gleich: ›Joseph lebt‹, sondern fragt erst: ›Wie wäre es wohl, und wie würde unserm Herrn gegebenen Falls zumute, wenn Joseph noch lebte?‹ Damit er es erst probiere. Und sagt ihm nicht geradezu: ›Im Unteren sollst du siedeln, bei den Gottesleichen‹, sondern umschreibt es und sagt: ›In der Gegend Gosen.‹ Wollt ihr's so liebesschlau machen auch ohne mich? Ich bind' es euch dieser Tage noch besser ein. Nun will ich euch mit meiner Frau, dem Sonnenmädchen, bekannt machen und euch meine Buben zeigen, Manasse und Ephraim. Und wollen essen und trinken zu zwölfen und fröhlich sein und alter Zeiten gedenken, doch nicht zu genau. Daß ich's aber nicht vergesse: Wenn ihr hinaufkommt zum Vater, so kündet ihm alles, was ihr gesehen habt, und geizt nicht mit Schilderungen von meiner Pracht hier unten! Denn seinem Herzen ist übel mitgespielt worden – nun soll ihm aufgespielt sein die süße Musik von seines Sohnes Herrlichkeit.«

Nichts wäre bedauerlicher, als wenn nach diesen Ereignissen die Menge der Zuhörer anfinge auseinanderzulaufen und sich von hier zu zerstreuen, denkend: ›Das war's denn, das schöne ‹Ich bin's› ist gesprochen, und schöner kann's nicht mehr kommen, es war der Höhepunkt, und nun spielt sich's nur noch zu Ende, wir wissen eh schon, wie, und ist nicht mehr aufregend.‹ — Nehmt guten Rat an und bleibt hübsch beisammen! Der Verfasser dieser Geschichte, unter welchem wir den zu begreifen haben, der alles Geschehen verfaßt, hat ihr viele Höhepunkte verliehen und hat es heraus, wie man einen überhöht durch den anderen. Bei ihm heißt's immer: Das Beste kommt noch, und immer stellt er etwas in Aussicht, sich darauf zu freuen. Wie Joseph erfuhr, sein Vater sei noch am Leben, das war wohl reizend; wenn aber Jaakob, dem Kummerstarren, das Frühlingslied aufgespielt wird von seines Sohnes Leben, und wenn er hinabfährt, ihn zu umarmen — das wird wohl keineswegs aufregend sein? Wer jetzt nach Hause geht, der möge nachher die anderen fragen, die zu Ende hörten, ob es aufregend war oder nicht. Dann mag die Reue ihn ankommen, und all seiner Lebtage wird er sich im Nachteil fühlen, weil er nicht dabei war, als Jaakob die ägyptischen Enkel kreuzweis segnete, und als der Feierliche seine Sterbestunde beging. »Wir wissen's eh schon!« Das ist ganz töricht gesprochen. Die Geschichte kennen kann jeder. Dabei gewesen zu sein, das ist's. — Aber es scheint, die Einschärfung war unnötig, denn keiner rührt sich vom Fleck.

Als denn nun Joseph so mit den Elfen geredet hatte und sie mit ihm und miteinander hinausgingen von da, wo er sich zu erkennen gegeben, hinüber zu Asnath, dem Mädchen, seinem Weibe, daß sie sich vor dieser neigten und ihre Neffen sähen mit der ägyptischen Kinderlocke, da herrschte ein heiterer Tumult und freudiges Lachen im ganzen Gnadenhause; denn alles Gesinde hatte gehorcht, und Joseph brauchte nichts anzuzeigen und keine Erklärung ergehen zu lassen, denn alle wußten es gleich und riefen es lachend einander zu, daß des Ernährers Brüder gekommen seien und seines Vaters Söhne sich eingefunden hätten aus Zahi-Land, was für sie alle ein Riesenspaß war, besonders, da sie mit Sicherheit auf Bier und Kuchen rechnen konnten zur Feier dieses Ereignisses. Die Schreiber aber vom Haus der Ernährung und Gewährung, die auch gehorcht hatten, verkündeten es in der Stadt, und es hätte Naphtali, den Geläufigen, trösten mögen, wie dieses Neueste, einem Lauffeuer gleich, durch ganz Menfe lief und so alle rasch auf gleichen Fuß des Wissens kamen — des lachenden Wissens, die Brüderschar des Alleinigen sei bei ihm eingetroffen, so daß es viele Freudensprünge gab auf den Straßen und eine Menge vor Josephs Haus in der kostbaren Vorstadt rückte, unter Vivat-Rufen verlangend, ihn im Kreis seiner asiatischen Sippschaft zu sehen, was ihr denn auch schließlich gewährt wurde: die Zwölfe zeigten sich den Begierigen auf der Terrasse, und nur für uns ist's ein Jammer, daß Menfes Leute auf ihrer Augen Linsen allein angewiesen waren und nicht mit dem Lichte umzuspringen wußten wie wir, so daß die Gruppe nicht konnte im Bilde festgehalten werden. Jene aber litten darunter nicht und vermißten es nicht, weil eben einfach gar nicht daran zu denken war.

Auch blieb die reizvolle Neuigkeit nicht lange in die Mauern der Grabes-Großstadt eingeschlossen, sondern flog darüber hinweg wie eine Taube ins Land hinaus, und vor allem kam das Geschrei davon schnellstens vor Pharao, der mit seinem ganzen Hofe sehr davon unterhalten war. Pharao, der nun Ech-n-atôn hieß – denn seinem Vorsatz gemäß hatte er den drückenden Amun-Namen abgelegt und jenen dafür angenommen, der den Namen seines Vaters im Himmel trug –, Pharao war schon seit Jahr und Tag der Residenz seines Lieblingsministers näher gerückt, da er die seine von Theben, dem Hause des Amun-Rê, wegverlegt hatte, weiter nördlich hinab, an eine Stätte des oberägyptischen ›Hasengaues‹, die er nach längerer Ausschau zum Bau einer neuen, ganz der geliebten Gottheit geweihten Stadt für tauglich befunden. Der Ort war ein wenig südlich von Chmunu, dem Hause des Thot, an einer Stelle, wo eine kleine Insel, die nach Errichtung zierlicher Lust-Pavillons auf ihrem Grunde geradezu schrie, dem Strome entstieg und die Felsen von dessen Ostufer im Bogen zurücktraten, Raum bietend für die Anlage von Tempeln, Palästen und Ufergärten, wie sie einem Gottesdenker, der es schwer hat und es also auch gut haben soll, geziemen. Nach seinem Herzen hatte der Herr des süßen Hauches die Stätte gefunden, beraten von niemandem als von seinem Herzen und dem, der darin wohnte und dem allein hier Lobgesänge erschallen sollten; und so war der schöne Befehl Seiner Majestät an seine Künstler und Steinmetzen ergangen, mit größter Beschleunigung hier eine Stadt, die Stadt seines Vaters, die Stadt des Horizontes, Achet-Atôn, zu erbauen, – ein harter Schlag für Nowet-Amun, Theben, die ›hunderttorige‹, die durch den Wegzug des Hofes Gefahr lief, zur Provinzstadt herabzusinken, und eine krasse Kundgebung gegen den Reichsgott zu Karnak, mit dessen gebieterischer Hausbetreterschaft Pharao's zarte Inbrunst für den Liebend-All-Einigen schon während der fetten Jahre in immer schwereres Zerwürfnis geraten war.

Pharao's zartes Lebenssystem vertrug nicht diese immer wiederkehrenden Zusammenstöße mit der traditionsgewappneten Macht des kriegerischen Nationalgottes; unter dem Widerspruch zwischen der Friedfertigkeit seiner Seele und der Notwendigkeit, seine höhere Gotteserfindung gegen das All-Mächtige kämpferisch zu verteidigen, ja im Angriff dagegen zu stehen, litt seine Gesundheit mehr und mehr, und da er fand, es treffe sich gut, daß in seinem Falle die Flucht das Mittel war, dem Feinde den empfindlichsten Schaden zuzufügen, so beschloß er, für seine geheiligte Person Wêses Staub von seinen Sandalen zu schütteln, mochte auch Mamachen, seine Mutter, teils zum Zwecke der Überwachung Amuns, teils aus Anhänglichkeit an den Palast weiland König Neb-ma-rê's, ihres Gatten, in der alten Hauptstadt zurückbleiben. Zwei Jahre hatte Echnatôn seine Ungeduld, Amuns Bannkreis zu entkommen, bemeistern müssen, denn so lange hatte trotz rücksichtsloser Aushebung befuchtelter Robotwerker die notdürftige Erstellung der neuen Stadt gedauert, die, als der König sie unter hochfestlichen Opferdarbringungen an Brot, Bier, gehörnten und ungehörnten Stieren, Kleinvieh, Vögeln, Wein, Weihrauch und allen schönen Kräutern bezog, eigentlich noch gar keine Stadt, sondern nur ein improvisiertes Hoflager von halbfertigem Luxus war, bestehend aus einem Palast für ihn, die Große Gemahlin Neferne-fruatôn-Nofretête und die königlichen Prinzessinnen, darin man gerade schlafen, aber so recht noch nicht wohnen konnte, weil überall noch Verputzstreicher, Kunstmaler und Dekorateure am Werke waren; einem Tempel für Gott den Herrn, von größter Heiterkeit, in Blumendüften schwimmend und flatternd von roten Wimpeln, mit sieben Höfen, prachtvollen Pylonen und herrlichen Säulenhallen; ferner erstaunlichen Parkanlagen und Naturschutzgebieten mit künstlichen Teichen, Bäumen und Gebüschen, die man in Erdballen vom fruchtbaren Ufersaum mitten in die Wüste verpflanzt hatte; weiß schimmernden Kaibauten am Fluß; einem Dutzend brandneuer Wohnhäuser für die atônfromme Umgebung des Königs und einer Reihe höchst wohnlicher Felsengräber in den umgebenden Bergen, die zum Beziehen am allerfertigsten waren.

Mehr war es zur Zeit noch nicht mit Achet-Atôn, aber es war ja zu erwarten, daß der Hof eine wachsende Bevölkerung rasch nach sich ziehen werde, und an der Schönheit der Stadt wurde eifrig weitergebaut, während Pharao dort schon thronte, seinem himmlischen Vater diente, Tribut-Feste abhielt und Töchter bekam, die seinen Frauenhofstaat vermehrten: die dritte, Anchsenpaatôn, war bereits eingetroffen.

Als Josephs Eilbrief, worin er dem Gotte die Ankunft seiner Brüder, von denen er seit früher Jugend getrennt gewesen, formell zu wissen gab, im neu riechenden Palaste eintraf, war die Nachricht geschreiweise dort schon verbreitet, und Pharao hatte schon viel und angeregt davon gesprochen mit der Königin Nofretête, mit ihrer Schwester Nezemmut, mit seiner eigenen Schwester

Baketatôn und mit seinen Künstlern und Kämmerlingen. Den Brief beantwortete er sofort. »Befehl an den Vorsteher dessen, was der Himmel gibt«, lautete das Diktat, »den Wirklichen Vorsteher der Aufträge, den Schattenspender des Königs und den Alleinigen Freund, Meinen Ohm. Wisse, daß Meine Majestät deinen Brief als einen solchen erachtet, wie sie ihn wirklich gern liest. Siehe, der Pharao hat viel geweint über die Nachrichten, die er von dir empfing, und die Große Gemahlin Neferne-fruatôn, wie auch die Süßen Prinzessinnen Baketatôn und Nezemmut haben die Tränen ihrer Freude mit denen vermischt des lieben Sohnes Meines Vaters im Himmel. Alles, was du Mir anzeigst, ist außerordentlich schön, und was du Mir meldest, macht Mein Herz hüpfen. Darüber, was du Mir schreibst, daß deine Brüder zu dir gekommen sind und daß dein Vater noch lebt, ist der Himmel in Freude, die Erde fröhlich und die Herzen der guten Menschen frohlocken, während ohne Zweifel sogar diejenigen der Bösen davon erweicht sind. Nimm zur Kenntnis, daß das schöne Kind des Atôn, Nefer-cheperu-Rê, der Herr beider Länder, sich infolge deines Schreibens in außerordentlich gnädiger Stimmung befindet! Die Wünsche, die du an deine Eröffnungen knüpfst, waren im voraus gewährt, schon bevor du sie niederschriebst. Es ist Mein schöner Wille und hat Meine gewährende Zustimmung, daß alle die Deinen, soviel ihrer seien, nach Ägyptenland kommen, wo du bist wie Ich, und ihnen Siedelland zuweisen magst nach deinem Gutdünken, dessen Mark soll sie nähren. Sage deinen Brüdern: ›So sollt ihr tun, und so gebietet euch Pharao, in dessen Herzen die Liebe ist seines Vaters Atôn. Beladet eure Tiere und nehmt Wagen mit euch aus des Königs Beständen für eure Kleinen und eure Frauen und führt euren Vater und kommt! Sehet euren Hausrat nicht an, denn ihr sollt versorgt sein im Lande mit allem, was ihr braucht. Weiß doch Pharao, daß eure Kultur nicht gar so hoch steht und eure Ansprüche leicht zu befriedigen sind. Und wenn ihr in euer Land kommt, so nehmt euren Vater und sein Gesinde und sein ganzes Haus und führt sie zu Mir herab, daß ihr nahe eurem Bruder weidet, dem Vorsteher aller Dinge im ganzen Land, denn das Land soll euch offenstehen.‹ Soweit die Weisung des Pharao an deine Brüder, unter Tränen gegeben. Hielten nicht viele und wichtige Geschäfte Mich zu Achet-Atôn, der einzigen Hauptstadt der Länder, Meiner Residenz, zurück, so würde Ich Meinen großen Wagen aus Elektron besteigen und nach Men-nefru-Mirê eilen, daß ich dich unter den Deinen sähe und du deine Brüder vor Mich stelltest. Wenn aber deine Brüder zurückgekehrt sind, so sollst du sie, wenn auch nicht alle, was für den Pharao zu ermüdend wäre, so doch eine Auswahl von ihnen vor Mich stellen, damit Ich sie befrage, und auch deinen Vater, den Alten, sollst du vor Mich stel-

len, daß Ich ihn liebreich auszeichne durch Mein Gespräch und er in Ehren lebe, da Pharao mit ihm gesprochen. Lebe wohl!«
Dies Schreiben erhielt Joseph durch rennenden Boten in seinem Hause zu Menfe und zeigte es den Elfen, die ihre Fingerspitzen küßten. Eines Mondes Viertel blieben sie bei ihm in seinem Hause; denn da es zwanzig Jahre waren, daß ihn der Vater für tot und zerrissen hielt, kam es nun auf den Tag auch nicht mehr an, daß er erführe, er lebe noch. Und Josephs Gesinde diente ihnen, und sein Weib, die Sonnentochter, gab ihnen freundliche Worte, und sie redeten mit ihren vornehmen Neffen in der Kinderlocke, Manasse und Ephraim, die ihre Sprache konnten, und von denen der Jüngere, Ephraim, dem Joseph und also der Rahel viel ähnlicher sah als Manasse, der ganz ins Mütterlich-Ägyptische fiel, so daß Juda sagte: »Du sollst sehen, Jaakob wird dem Ephraim gönnen und wird in seinem Munde nicht heißen: Manasse und Ephraim, sondern Ephraim und Manasse.« Er riet ihm aber, ihnen die ägyptische Kinderlocke abzuschneiden überm Ohr, bevor Jaakob käme, denn dem würd' es ein Anstoß sein.
Danach, als die Woche zu Ende ging, packten sie auf und rüsteten sich zur Reise. Denn ein königlicher Handelszug war im Begriffe, von Menfe, der Waage der Länder, hinaufzuziehen durch das Land Kanaan nach Mitanniland, dem sollten sie sich vereinen mit den Wagen aus Kronbesitz, zu zwei Rädern und vieren, die man ihnen überhändigt nebst Mäulern und Knechten. Rechnet man dazu zehn Esel, beladen mit allerlei Galanterie- und Luxusgut Ägyptenlandes, ausgesuchtem Kulturtand und Dingen des Hochgeschmacks, die Joseph dem Jaakob zum Angebinde sandte, und zehn Eselinnen, ebenfalls für Jaakob bestimmt, deren Last Getreide, Wein, Eingekochtes, Räucherwerk und Salben war, so sieht man wohl, daß sie selbst schon einen stattlichen Reisezug bildeten, zumal noch der persönliche Besitz eines jeden angeschwollen war durch Geschenke, mit denen der hohe Bruder sie überhäuft hatte. Denn es ist bekannt, daß er jedem ein Feierkleid schenkte; dem Benjamin aber schenkte er dreihundert Silberdeben und nicht weniger als fünf Feierkleider, nach der Zahl der Übertage des Jahres, so daß er schon einigen Grund hatte, wenn er beim Abschied zu ihnen sagte: »Zanket nicht auf dem Wege!« Er meinte damit aber mehr, daß sie nicht sollten auf alte Dinge kommen und einander nicht vorhalten, was der eine getan und der andere nicht wußte. Denn daß sie auf Benjamin eifern könnten, weil er sein Brüderchen rechter Hand so viel reicher beschenkt, das kam ihm gar nicht in den Sinn, und es war denn auch fern von ihnen. Wie Lämmer waren sie und fanden alles ganz in der Ordnung. Als stürmische junge Leute hatten sie sich tätlich empört gegen Ungerechtigkeit, und nun war es so damit ausgegangen, daß sie sich mit Ungerechtigkeit gründlich ab-

gefunden und ewig nichts einzuwenden hatten gegen das große ›Ich gönne, wem ich gönne, und erbarme, wes ich erbarme‹.

Wie fangen wir's an?

Es ist bewundernswert und schmeichelt dem Geiste, wie in dieser Geschichte die schönen Entsprechungen sich ordnen und ein Stück sich in seinem Gegenstücke erfüllt. Da waren nun vor Zeiten, sieben Tage nachdem Jaakob das Zeichen empfangen, die Brüder heimgekehrt vom Tale Dotan, um mit dem Vater zu klagen über Josephs Tod, und war ihnen übel gewesen vor Angst, wie sie ihn finden und wie mit ihm leben würden unterm halbfalschen, aber hinlänglich zutreffenden Argwohn, daß sie des Knaben Mörder seien. Jetzt, weiß auf den Köpfen, kehrten sie wieder nach Hebron heim, die nicht minder ungeheuerliche Nachricht im Gewande, daß Joseph die ganze Zeit nicht tot gewesen und es auch jetzt nicht sei, sondern lebe, und zwar in Herrlichkeit; und beinahe ebenso beklommen war ihnen zumut bei der Aufgabe, dieses dem Alten beizubringen; denn ungeheuerlich ist ungeheuerlich und überwältigend – überwältigend, ob es nun Leben beinhalte oder Tod, und sie fürchteten sehr, daß Jaakob auf den Rücken fallen werde, so gut wie damals, diesmal aber, da er unterdessen zwanzig Jahre älter geworden, einfach des Todes sterben werde vor ›Freude‹, das heißt vor Glückesentsetzen und von Schockes wegen, so daß Josephs Leben die Ursache seines Todes sein und er den Lebenden gar nicht mit Augen mehr sehen würde, noch dieser ihn. Außerdem würde bei dieser Gelegenheit fast unvermeidlich herauskommen, daß sie zwar nicht des einstigen Knaben Mörder seien, wofür Jaakob sie all die Zeit her halb und halb gehalten, daß sie es eben halb und halb aber doch gewesen seien und nur zufällig nicht ganz, dank der Findigkeit der Ismaeliter, die ihn nach Ägypten gebracht. Dies trug nicht wenig zu ihrem freudig-furchtsamen Leibziehen bei, und nur der Gedanke beruhigte sie zu einem Teil, daß die Gnade, die Gott ihnen erwiesen, indem er durch seine Sendlinge, die Midianiter, die volle Mordtat von ihnen abgewandt hatte, den Jaakob notwendig beeindrucken und ihn abhalten werde, mit so gottbegnadeten Leuten ins Gericht zu gehen und sie zu verfluchen.
Um diese Dinge drehte sich ihr Gespräch während der ganzen siebzehntägigen Reise, die ihnen, bei aller Ungeduld, sie zu vollenden, doch wieder zu kurz schien, um zu Rande zu kommen mit ihren Beratungen, wie sie's dem Jaakob schonend beibrächten, und wie sie vor ihm dastehen würden, wenn sie's ihm beigebracht.
»Kinder«, sprachen sie untereinander – denn seit Joseph gesagt hatte »Kinder, ich bin es ja«, redeten sie sich gegenseitig öfters

mit ›Kinder‹ an, was früher ganz ungebräuchlich bei ihnen gewesen war, – »Kinder, ihr sollt sehen, er fällt uns auf den Rükken, wenn wir's ihm sagen, außer, wir stecken's ihm sehr fein und sänftiglich! Aber ob fein oder gröblich – meint ihr denn, er wird uns glauben, was wir ihm sagen? Aller Voraussicht nach wird er uns überhaupt nicht glauben wollen, denn in so ungezählten Jahren, da setzt der Gedanke des Todes sich fest in einem Kopf und Herzen und ist nicht so leicht umzustoßen noch zu vertauschen mit dem Gedanken des Lebens, – das ist der Seele am Ende gar nicht willkommen, denn sie hängt an ihrer Gewohnheit. Bruder Joseph meint, es wird eine große Freude sein für den Alten, und das wird es natürlich auch, – eine gewaltige Freude, – laßt uns hoffen, nicht übergewaltig für seine Kräfte. Aber weiß auch der Mensch mit der Freude immer gleich etwas anzufangen, wenn der Gram seine Speise war Jubiläen lang, und ist's ihm recht, zu erfahren, daß er im Wahn sein Leben verbracht hat und seine Tage im Irrtum? Denn der Gram war sein Leben, und nun ist's Essig damit. Das wird mehr als sonderbar sein, daß wir ihm ausreden müssen, was wir ihm einstmals eingeredet durch das blutige Kleid, und woran er nun hängt. Und wird uns am Ende mehr gram sein, weil wir's ihm nehmen, als weil wir's ihm antaten. Sicherlich wird er sich sperren und uns nicht glauben, und das ist auch wieder gut und erforderlich. Eine Zeitlang soll und darf er uns gar nicht glauben, denn glaubte er's gleich, es streckte ihn hin. Ja, wie es ihm sagen, daß nicht die Freude zu jäh für ihn sei und nicht übergroß die Gramesenttäuschung? Das beste wäre, wir brauchten ihm gar nichts zu sagen, sondern könnten ihn hinabführen nach Ägyptenland und ihn vor Joseph stellen, seinen Sohn, daß er ihn mit Augen sähe und sich alle Worte erübrigten. Aber es wird schon schwer genug sein, ihn nach Mizraim zu bringen auf die fetten Triften, selbst wenn er weiß, daß Joseph dort lebt; darum, wissen muß er's zuvor, sonst geht er gewiß nicht. Nun aber hat die Wahrheit ja nicht nur Worte, sondern auch Zeichen, als da sind: des Erhöhten Geschenke und Pharao's Wagen zu unsrer Beförderung, – die werden wir ihm zeigen, vielleicht sogar zuerst, vor allem Reden, und ihm dann die Zeichen erklären. An den Zeichen aber wird er erkennen, wie freundlich der Erhöhte es mit uns meint und wie wir ein Herz und eine Seele sind mit dem Verkauften, also, daß der Alte uns auch nicht lange wird zürnen können, wenn es herauskommt, noch uns verfluchen, – kann er denn auch Israel verfluchen, zehne von zwölfen? Das kann er ja gar nicht, denn löcken hieße es gegen Gottes Rat, der den Joseph vor uns hergesandt hat zum Quartiermacher in Ägyptenland. Darum denn, Kinder, fürchten wir uns nicht allzusehr! Die Stunde wird's geben, und der Augenblick wird es uns einflüstern, wie wir es deichseln. Erst

einmal breiten wir die Geschenke vor ihm aus, die Güter Ägyptens, und fragen: ›Woher kommt das wohl, Vater, und von wem mag es kommen? Rate einmal! Ei, vom großen Markthalter drunten kommt es, er sendet es dir. Da er's dir aber sendet, so muß er dich wohl sehr lieben? So muß er dich wohl fast lieben, wie ein Sohn seinen Vater liebt?‹ Sind wir aber erst beim Wörtchen Sohn, so haben wir schon halben Weg gemacht, so sind wir schon aus dem dicksten. Denn dann reiten wir noch eine Weile auf dem Worte herum und sagen allmählich nicht mehr: ›Das schickt dir der Markthalter‹, sondern: ›Das schickt dir dein Sohn. Joseph schickt es dir, weil er nämlich lebt und ein Herr ist in ganz Ägyptenland!‹«
So planten sie, die Elfe, und berieten sich jeden Tag und jede Nacht unterm Zelt, und fast zu rasch für ihre Besorgnis ging die schon vertraute Reise zu Ende: von Menfe hinauf gegen die Grenzfesten und durch's Greuliche dann gegen Philisterland und gen Gaza, den Hafen Chazati am Meer, wo sie sich von dem Handelszug trennten, dem sie sich angeschlossen, und zogen landeinwärts von da ins Gebirge hinauf gegen Hebron in kleinen Tagemärschen und noch lieber in Nachtmärschen; denn es war blumiger Frühling, da sie kamen, und die Nächte waren schon lieblich, versilbert vom nahezu vollschönen Mond; und da es ihnen beschwerlich war, wie ihr geschwollener Aufzug mit den ägyptischen Wagen, Mäulern und Knechten und einer Eselherde, fast fünfzig Stück stark, überall die Neugier der Leute erregte und machte, daß sie gaffend zusammenliefen, so pflegten sie tags sich still zu halten und nächtlicherweile der Heimat näher zu rükken, den Terebinthen des Haines Mamre, wo das härene Haus des Vaters war und die Hütten standen der meisten von ihnen.
Den letzten Tag freilich waren sie frühe aufgebrochen und fanden sich nachmittags um die fünfte Stunde dem Ziele schon nah, wenn sie von der Halde, über die sie da zogen, das Sippenlager auch noch nicht sahen, denn bekannte Hügel verbargen es ihnen. Sie hatten den Troß in einigem Abstande hinter sich gelassen und ritten voran, elf nachdenkliche Eselreiter, die alle Rede eingestellt hatten, denn ihre Herzen schlugen, und trotz so vieler Verabredung wußte keiner mehr recht, wie es anzufangen sei, daß sie's dem Vater steckten, ohne daß es ihn umwürfe. So nahe bei ihm, mißfiel ihnen alles, was sie sich früher vorgenommen; sie fanden's dämlich und ungeziemend, und namentlich solches Zeug wie ›Rate einmal!‹ und ›Wer denn wohl?‹ schien ihnen greulich abgeschmackt und völlig unpassend in dieser Sache; ein jeder verwarf und verschmähte es bei sich selbst, und einige suchten im letzten Augenblick Neues an seine Stelle zu setzen: Vielleicht, daß man einen voranschicken sollte, Naphtali, den Geläufigen, damit er Jaakob verkünde, sie seien im Anzuge mit Benjamin

und brächten große, unglaubliche Kunde, – unglaublich, teils in dem Sinn, daß man sie nicht glauben *könne*, teils auch vielleicht sogar, weil sie so sehr gegen alle Gewöhnung ginge, daß man sie gar nicht glauben *wolle* – und dennoch sei sie Gottes lebendige Wahrheit. So, dachte einer oder der andere, ließe sich das Vaterherz vielleicht am besten für den Empfang der Nachricht stimmen und dafür zubereiten durch einen Vorläufer, ehe die übrigen nachkämen. Sie ritten im Schritt.

Verkündigung

Es war eine harsche, steinige Halde, wo ihre Tiere schritten, war aber doch über und über vom Frühling beblümt. Größeres Geröll lag umher, und viel kleiner Schutt bedeckte dazu den Grund; aber wo nur was Weiches war und, so schien es, selbst aus der Härte hervor, wucherte unbezähmbar der wilde Flor – Blumen weithin, weiß, gelb, himmelblau, rosig und purpurn, Blumen zuhauf, Blumen in Büscheln und Kissen, ein Überschwang bunter Lieblichkeit. Der Frühling hatte sie gerufen, und sie waren hervorgeblüht zu ihrer Stunde, auch ohne Winterregen, der Tau der Frühe schien ihnen genug zu sein, wenn auch nur für eine flüchtige, rasch welkende Pracht. Auch die Sträucher, die hier und da im Gebreite standen, blühten weiß und rosa, da es ihre Zeit war. Nur leichtes Gewölk flockte hoch in der Bläue des Himmels.
Auf einem Stein, an dem die Blumen emporschäumten wie die Wellen am Riff, saß eine Gestalt, selbst blumenhaft, von weitem gesehen, ein zartes Mägdlein, wie sich bald zeigte, allein unterm Himmel, in rotem Hemdkleid, Margeriten im Haar, im Arm eine Zither, darauf sich ihre feinen, bräunlichen Finger ergingen. Es war Serach, des Ascher Kind; ihr Vater erkannte sie schon aus der Ferne vor allen anderen und sprach vergnügt:
»Serach sitzt da auf dem Stein, meine Kleine, und gaukelt sich eins auf ihrer Klampfe. Das sieht ihr gleich, dem Balg, sie sitzt gern einsam und übt sich im Psaltern. Ist von der Klasse der Geiger und Pfeifer, das Ding, Gott weiß, wo sie's her hat; es ist ihr in die Wiege gelegt, daß sie psalmen und psaltern muß, und macht's gut auf dem Saitenspiel mit Schalle, mischt auch ihre Stimme darein im Lobgesang, volltönender, als sich's einer versehen sollte von ihrem Grillenleib, und wird noch ein Ruhm werden in Israel, der Grasaff. Seht, jetzt merkt sie uns, wirft die Arme und läuft uns entgegen. Holla, Serach, dein Vater Ascher kommt heim mit den Onkeln!«
Da war das Kind schon heran: auf bloßen Füßen lief sie durch die Blumen zwischen den Felsbrocken dahin, daß an ihren Handgelenken und Fußknöcheln die Silberringe klirrten und auf ihrem schwarzen Scheitel der weiß-gelbe Kranz sich hüpfend verschob.

Sie lachte keuchend vor Freude des Wiedersehens und rief atemknappe Begrüßungsworte; aber selbst ihr Seufzen und ihre Kurzatmigkeit hatten etwas Klingendes und Tönendes, wovon man nicht wohl begriff, woher es komme, da sie noch so dürftig bei Leibe war.
Sie war recht, was man ein Mägdlein nennt, kein Kind mehr und auch eine Jungfrau noch nicht, allenfalls zwölf Jahre alt. Aschers Weib galt für eine Ur-Enkelin Ismaels, – hatte Serach von dem schönen und wilden Halbbruder Isaaks etwas ins Blut bekommen, das sie singen machte? Oder, da ja die Eigenschaften der Menschen die seltsamsten Umwandlungen erfahren in ihren Nachkommen, – waren Vater Aschers leckere Lippen und feuchte Augen, seine Neugier und seine Lust zur Gefühls- und Gesinnungsbündelei in der kleinen Serach zum Musikantentum geworden? Das mögt ihr allzu kühn und weit hergeholt finden, auf des Vaters Leckermäuligkeit die Sangeslust und -kunst des Kindes zurückzuführen. Aber was versucht man nicht, um eine so kuriose Wiegengabe wie Serachs Psalterei zu erklären!
Die Elfe sahen von ihren hochbeinigen Eseln auf das Mägdlein herab, sagten ihr Grußworte, streichelten sie und bekamen sinnende Augen dabei. Die Mehrzahl stieg ab von den Eseln und stellte sich um Serach herum, die Hände auf dem Rücken, nikkend und die Köpfe wiegend, mit »So, so« und »Ei, ei«, und »Schau einer an!« und »Was, Liedermäulchen, kommst du uns vor die Hufe gelaufen zu allererst, da du hier zufällig saßest und es auf der Gittith triebst nach deiner Art?« Schließlich aber sagte Dan, der Schlange und Otter genannt war:
»Kinder, hört, ich seh's euch an den Augen an, daß wir alle dasselbe im Sinne haben, und wäre eigentlich Aschers Sache, zu sagen, was ich jetzt sage, aber da er der Vater ist, so kommt er nicht drauf. Ich aber habe oft bewiesen, daß ich zum Richter tauge, und die mir eigene Spitzfindigkeit gibt mir das Folgende ein. Daß dies Mägdlein uns hier in den Weg läuft, Serach, der Liederfratz, als erste vom ganzen Stamm, das ist kein Zufall nicht, sondern Gott hat sie uns gesandt zur Auskunft und gibt uns Weisung damit, wie wir es machen sollen. Denn das war alles Unsinn und linkisches Zeug, was wir geplant und uns ausgedacht, wie wir's dem Vater beibringen sollten und es ihm steckten, ohne daß es ihn streckte. Serach, die soll's ihm stecken auf ihre Art, daß ihm die Wahrheit erscheint in Liedesgestalt, was immer die schonendste Art ist, sie zu erfahren, ob sie bitter ist oder selig, oder gar beides. Serach soll vor uns herziehen und es ihm singen als Lied, und wenn er auch nicht glauben wird, daß das Lied die Wahrheit ist, so werden wir doch den Grund seiner Seele erweicht und lieblich bestellt finden für die Saat der Wahrheit, wenn wir nachrücken mit Wort und Zeichen, und wird be-

greifen müssen, daß Lied und Wahrheit dasselbe sind, wie wir begreifen mußten, trotz größter Schwierigkeit, daß Pharao's Markthalter derselbe war wie unser Bruder Joseph. Nun? hab' ich's recht gesagt und zu Boden gestellt, was euch allen vorschwebte, wenn ihr sinnend über Serachs närrisches Köpfchen hinweg in die Lüfte blicktet?«
Ja, sagten sie, das habe er und habe recht gerichtet. So solle es sein, es sei des Himmels Auskunft und eine große Erleichterung. Und nun nahmen sie das Kind in die Lehre und schärften ihm ein, was los sei – schwierig war das, denn sie wollten immer alle auf einmal reden und ließen nur selten einem allein das Wort, so daß Serach mit erschrocken-belustigten Augen von einem zum anderen, in ihre eifrig redenden Gesichter und auf das Gebärdenspiel ihrer Hände blickte.
»Serach«, sagten sie, »so und so. Glaub's oder nicht, nur sing es, dann wollen wir schon kommen und es beweisen. Aber besser, du glaubst es, dann singst du es besser, denn es ist wahr, so unglaublich es klingt, du wirst ja deinem leiblichen Vater und deinen sämtlichen Onkeln glauben. Sieh also an, du hast deinen Oheim Jehosiph nicht gekannt, der abhanden kam, den Sohn der Rechten, Rahels Sohn, die die Sternenjungfrau hieß, er aber hieß der Dumuzi. Nun ja, nun ja! Und starb dem Jaakob, deinem Großväterlein, lange vor deiner Geburt, da ihn die Welt verschlang, so daß er nicht mehr vorhanden und tot war im Herzen Jaakobs durch all die Jahre. Nun aber hat sich herausgestellt, unglaublicherweise, daß es sich ganz anders verhält –«

»O Wunder, nun hat sich herausgestellt,
daß es sich ganz, ganz anders verhält«,

fing Serach voreilig an zu singen, lachend und mit so klangvollem Jubel, daß sie alle die rauhen Stimmen um sie her übertönte.
»Still, du Ausbund!« riefen sie. »Du kannst doch nicht lossingen, bevor du Bescheid weißt und ehe wir dich ins Bild gesetzt! Lerne erst was, bevor du schmetterst! Lerne dies: Dein Oheim Joseph ist auferstanden, will sagen: er war gar nicht tot, sondern er lebet, und nicht nur, daß er lebet, sondern er lebet auch so und so. Zu Mizraim lebet er, und zwar als der und der. Es war alles ein Irrtum, verstehst du, und das blutige Kleid war ein Irrtum, und Gott hat's hinausgeführt über alles Erwarten. Hast du das aufgefaßt? Wir waren bei ihm in Ägyptenland, und er hat sich uns zu erkennen gegeben über allen Zweifel mit dem Worte ›Ich bin's‹ und hat zu uns geredet so und so, daß er uns alle will nachkommen lassen, dich auch. Ist dir das eingegangen, daß du's in Liedform bringen kannst? Dann sollst du's dem Jaakob sin-

gen. Ein anstellig Kind ist unsere Serach und macht es so. Du nimmst jetzt gleich deine Klampfe und gehst damit vor uns her übers Land, singend mit Schalle, daß Joseph lebt. Zwischen den Hügeln da gehst du hindurch, gerad' auf Israels Hüttenlager zu, und siehst weder rechts noch links, sondern singst nur immer. Wenn dir einer begegnet und dich zur Rede stellt, was das meint und was du da zitherst und reimst, so stehst du nicht Rede dem Frager, sondern gehst nur und singst: ›Er lebet!‹ Und wenn du zu Jaakob kommst, deinem Großväterchen, so sitzest du nieder zu seinen Füßen und singst so süß du nur kannst: ›Joseph ist nicht tot, sondern lebet‹. Auch er wird dich fragen, was das heißen soll und was du dir da gesanglich erlaubst. Aber auch ihm sprichst du nicht, sondern zitherst und singst nur fort. Dann werden wir Elfe schon nachkommen und es ihm vernünftig erklären. Willst du ein braves Liedermäulchen sein und es so machen?«
»Gern will ich das«, antwortete Serach klingend. »So etwas hab' ich noch nie gehabt, meinem Saitenspiel unterzulegen, und mag da doch einer mal zeigen, was er kann! Es singen manche in Stadt und Land, aber den Stoff, den habe ich nun vor ihnen dahin und will sie alle damit aus dem Felde singen!«
Dies gesagt, holte sie sich ihre Laute vom Stein, wo sie gesessen, nahm sie in den Arm, spreizte die spitzen, braunen Finger darauf, den Daumen dort und die viere hier, und fing an, durch die Blumen dahinzugehen unentwegt, wenn auch in wechselndem Taktschritt, indes sie psalterte:

»Singe, du Seele, ein neues Lied im Schreiten!
Mein Herz dichtet ein fein Gedicht auf acht Saiten.
Wovon es voll ist, davon strömt's über im Sange hold,
köstlicher denn Gold und viel feines Gold,
süßer denn Honig und Honigseim,
denn Frühlingsbotschaft bringe ich heim.

Höret zu, alle Völker, meinem Geharf!
Merket auf, was ich verkünden darf!
Denn aufs Liebliche ist mir das Los gefallen
und bin auserwählt unter den Töchtern allen,
da mir ward der wundersamste von allen Stoffen,
der je einem Dichter untergeloffen.
Den darf ich nun auf acht Saiten singen
und dem Großvater die goldene Kunde bringen.

Lieblich ist der Töne Reigen,
Balsam allem Weh der Welt;
aber wie erst, wenn dem höheren Schweigen

menschlich deutend sich das Wort gesellt!
Wie ist dieses dann erhoben!
Wie vernünftig ist der Klang!
Über alles ist zu loben
feines Lied und Psaltersang!«

So singend ging sie über die Trift dahin gegen die Hügel und die Öffnung der Hügel, schlug und zwickte die Saiten, daß sie schollerten und zirpten, und sang wieder:

»Solch ein Wort, das wert der Töne,
ward dem Klang, der in mir webt,
daß sie tauschen ihre Schöne,
und es heißt: der Knabe lebt!

Ja, du Grundgütiger, was hab' ich vernommen,
und was ist dem Kinde zu Ohren gekommen!
Was hab' ich offenen Mundes erfahren
von Männern, die in Ägypten waren!
Nämlich vom Vater mein und den Herren Oheimen.
Die gaben mir was zu dichten und reimen!
Die beuten mir den herrlichsten von allen Stoffen,
denn wen haben sie in Ägypten getroffen?
Großväterchen, du wirst es nicht fassen,
wirst's aber doch müssen gelten lassen.
Ist wie ein schöner Traum und doch wahr,
ist so wirklich wie wunderbar

Welch ein Fall erlesner Rarheit,
daß dies beides einerlei,
daß das Schöne ist die Wahrheit
und das Leben Poesei!
Hier ist's einmal denn gelungen,
wonach stets die Seele strebt,
und so sei's im Kehrreim dir gesungen,
schön und wahr: dein Knabe lebt!

Besser doch, daß eine Weile
du es noch für bloße Schönheit hältst,
damit dich's nicht jählings übereile
und du gar uns auf den Rücken fällst.
So wie einst, als sie das blutige Zeichen brachten:
Schweigend logen sie in ihren Hals,
und dir wollt' es ewig in der Seele nachten,
wurdest stracks zur Säule Salz.
Ach, was littest du für Schmerzen,

dachtest nie ihn mehr zu sehn;
tot war er in deinem Herzen,
und nun soll er liebreich darin auferstehn!«

Hier wollte ein Mann sie befragen, der auf dem Hügel gestanden hatte, ein Schäfer im Sonnenhut. Er hatte schon lange auf sie hinabgeblickt und ihr mit Verwunderung gelauscht; nun kam er hinab zu ihr, schloß sich ihren Schritten an und fragte:
»Fräulein, was singt Ihr da im Marschieren? Es lautet so auffallend. Hab' ich Euch doch öfters lobsingen gehört und ist mir nicht neu, daß Ihr's wohl könnt auf den Saiten mit Schalle, aber so kraus und anzüglich hat's noch nie geklungen. Und daß Ihr dabei so darauflos marschiert! Wollt Ihr zu Jaakob, dem Herrn, und gilt es ihm, was Ihr singt? Es schien mir so. Aber was ist's, das Euch untergeloffen? Was ist so wirklich wie wunderbar, und was will Euer Kehrreim bedeuten: ›Der Knabe lebt‹?«
Die Schreitende aber sah gar nicht nach ihm hin, sondern schüttelte nur lächelnd den Kopf und nahm ihre Hand einen Augenblick von den Saiten, um den Finger auf ihre Lippen zu legen. Danach hob sie weiter an:

»Singe, Serach, Aschers Kind, was du vernommen
von den Elfen, die aus Ägypten gekommen!
Singe, wie Gott sie in seiner Güte gesegnet,
daß sie dort unten dem Manne begegnet.
Wer ist denn der Mann? Es ist Joseph allein!
Es ist mein Oheim, hoch und fein.
Alter, schaue darauf, es ist dein lieber Sohn;
größer denn er ist nur Pharao um seinen Thron.
Herr der Länder nennen sie ihn,
fremdes Volk dient ihm auf den Knien,
und von Königen wird er gelobt,
ist als erster Diener des Staates erprobt.
Der Bereich seiner Befugnisse ist ungemessen,
allen Völkern gibt er zu essen;
aus abertausend Scheuern spendet er Brot,
trägt die Welt durch die Hungersnot.
Denn er war es, der Vorsorge geübt;
dafür ist er nun hochgeliebt.
Seine Kleider sind Myrrhe und Aloe in seinen Kästen,
wohnt in elfenbeinernen Palästen,
daraus er hervortritt wie ein Bräutigam.
Alter, da hinaus wollt' es mit deinem Lamm!«

Der Hirtenknecht ging immer mit und horchte mit wachsendem Erstaunen. Sah er andere Leute von fern, Magd oder Mann, so winkte er ihnen mit dem Arm, daß sie auch herankämen und dies mit anhörten. So war Serach bald von einer kleinen Zuhörerschar, Männern, Frauen und Kindern begleitet, die anwuchs, je näher sie dem Familienlager kam. Die Kinder trippelten, die Großen schritten, und alle wandten ihr die Gesichter zu, indes sie sang:

»Du aber dachtest, er wäre zerrissen,
hast mit Tränen genetzt deine Bissen.
Zwanzig Jahre wohl hat es gedauert,
daß du in der Asche um ihn getrauert.

Siehst du es, Alter, siehst du es nun:
Gott kann striemen und lindern.
Ach, wie wunderlich ist er mit seinem Tun
unter den Menschenkindern!
Unbegreiflich ist es, wie er regiert,
groß seiner Hände Geschäfte,
ruhmreich, wie er dich nasgeführt,
majestätisch dich äffte.

Der ganzen Schöpfung kommt's himmlisch vor,
Thabor und Hermon jauchzen seinem Humor.
Hat dir den Teuren vom Herzen genommen,
nun aber sollst du ihn wiederbekommen.
Hast dich, Alter, vor Schmerz gewunden
und dich endlich darein gefunden.
Da nun gibt er ihn dir wieder zurück,
immer noch schön, wenn auch schon etwas dick.

Wirst ihn nicht kennen,
wirst nicht wissen, wie ihn nennen,
werdet euch fremde Grüße lallen,
wird keiner wissen, wer wem soll zu Füßen fallen.
Also hat Gott sich's ausgeheckt,
wie er mein Großväterchen schaberneckt.«

Hier nun war sie nebst ihren Mitgängern den Wohnungen der Ihren unter Mamres Terebinthen schon ganz nahe gekommen und sah Jaakob, den Gesegneten, vor dem Gehänge seines Hauses ehrwürdig auf der Matte sitzen. Darum nahm sie ihr Instrument höher und fester in den Arm, und da sie ihm letzthin wohlgekonnte Scherz- und Mißtöne abgezwickt, ließ sie es nun in vollem, rauschendem Wohllaut erklingen und wandte auch aus Brust und Kehle das Reinste auf zu den Strophen:

»Ist ein Wort doch ewiger Schöne,
das sich meinem Spiel verwebt,
innig wert des Schmucks der Töne,
jenes Wort: Der Knabe lebt!
  Sing es jauchzend, meine Seele,
  zu der Saiten Goldgetön!
  Denn nicht hielt den Sohn die Höhle;
  Herz, er soll dir auferstehn.
Herz, es ist der bang Vermißte,
dem die Erde Trauer trug,
den sie lockten in die Kiste,
den des Schweines Hauer schlug.
  Ach, er war nicht mehr vorhanden,
  und verödet lag die Flur.
  Doch nun klingt's: Er ist erstanden.
  Alter Vater, glaube nur!
Eines Gottes ist sein Schreiten,
bunte Sommervögel taumeln mit,
wie er aus beblümten Weiten
lächelnd dir entgegentritt.
  Wintersgram und Todesbangen
  scheucht der Gruß, den er dir beut;
  auf die Lippen, auf die Wangen
  hat der Ewige Huld gestreut.
Lies in seinen Schelmenblicken:
Es war nur ein Gottesscherz.
Und mit spätestem Entzücken
zieh ihn an das Vaterherz!«

Jaakob hatte seine Enkelin, das Liedermäulchen, längst schon kommen sehen und mit Wohlgefallen ihrer Stimme gelauscht. Er war sogar so gütig gewesen, beifällig begleitend seine Hände gegeneinander zu bewegen während ihres Herannahens, wie wohl Umsitzende gern zu Gesang und Spiel rhythmisch in die Hände klatschen. Bei ihm angelangt, hatte das Mägdlein, ohne etwas zu sagen, sondern immer nur singend, sich zu ihm auf die Matte niedergelassen, während das von ihr angelockte Hofvolk in geziemender Entfernung von den beiden stehengeblieben war. Der Greis lauschte und ließ dabei langsam die Hände sinken. Aus dem Wiegen seines Hauptes wurde allmählich ein befremdetes Schütteln. Als sie geendet hatte, sagte er:
»Brav und lieblich soweit, mein Großkind! Es ist aufmerksam von dir, daß du gezogen kommst, Serach, um dem verlassenen Alten einen kleinen Ohrenschmaus zu bereiten. Du siehst, ich kenne dich wohl bei Namen, wie nicht alle meine Enkel, denn es sind ihrer zu viele. Du aber hebst dich behältlich aus ihnen her-

vor, denn durch deine Wiegengabe, den Gesang, erfährt deine Person eine starke Betonung, und man merkt sich leicht, wie du heißt. Höre nun aber, Begabte, wie ich dir zugehört habe mit sinnigem Anteil, aber nicht ohne Besorgnis des Geistes. Denn um die Poesei, liebe Kleine, ist's immer ein gefährliches, schmeichlerisch-verführerisch Ding; Liederwesen ist leider nicht ferne der Liederlichkeit und neigt zu Rückfall und zierlicher Abirrung, wenn's nicht gezügelt ist von der Gottessorge. Schön ist das Spiel, aber heilig der Geist. Spielender Geist ist die Poesei, und ich klatsche herzlich angetan in die Hände dazu, wenn sich der Geist nichts vergibt im Spiel und bleibt Gottessorge. Was aber hast du mir da geträllert, und was soll ich halten von dem, der über die Flur gewandelt kommt mit Schelmenblicken, umgaukelt von Sommervögeln? Das scheint mir eine Art von bedenklichem Wiesengott zu sein und ist offenbar der, den die Landeskinder den ›Herrn‹ nennen zur Verwirrung der Meinen und zur Betörung der Kinder Abrahams. Denn auch wir sprechen vom Herrn, meinen's aber ganz anders, und ich kann nicht genug achthaben auf Israels Seele und nicht genug predigen unterm Unterweisungsbaum, daß der ›Herr‹ nicht der Herr ist, weil nämlich immer das Volk im Begriffe steht, sie zu verwechseln und rückfällig zu werden auf den Wiesengott nach seiner Lust. Denn Gott ist eine Anstrengung, aber die Götter sind ein Vergnügen. Ist es nun recht und gut, liebes Kind, daß du's dahingehen läßt mit deiner Gabe in Laxheit und mir Landespoesei psalterst?«
Aber Serach schüttelte nur lächelnd den Kopf und gab nicht Antwort mit Rede, sondern griff nur wieder in die Saiten und sang:

»Wer ist's denn, den ich singe? Es ist Joseph allein!
Es ist mein Oheim hoch und fein.
Alter, schaue darauf, es ist dein lieber Sohn;
größer denn er ist nur Pharao um seinen Thron.
Großväterchen, du wirst es nicht fassen,
wirst's aber doch müssen gelten lassen.
  Denn ein Wort, gar wert der Töne,
  ward dem Klang, der in mir webt,
  daß sie tauschen ihre Schöne,
  und es heißt: Der Knabe lebt!«

»Kind«, sagte Jaakob bewegt, »es ist wohl lieb und artig, daß du kommst und mir von Joseph singst, meinem Sohn, den du nie gekannt, und widmest ihm deine Gabe, um mir eine Freude zu machen. Dein Liedchen aber lautet verworren, und ob deine Reime auch passen, singst du doch Ungereimtes. Ich kann's nicht gelten lassen, denn wie magst du wohl psaltern ›Der Knabe

lebt‹? Das kann mich nicht freuen, denn es ist leere Schönsingerei. Joseph ist lange tot. Zerrissen ist er, zerrissen.«
Und Serach erwiderte unter vollen Griffen:

»Sing es jauchzend, meine Seele,
Zu der Saiten Goldgetön, —
daß nicht hielt den Sohn die Höhle;
Herz, er soll dir auferstehn.
  Lange war er nicht vorhanden,
  und verödet lag die Flur,
  doch nun klingt's: Er ist erstanden.
  Alter Vater, glaube nur!
Alle Völker versieht er mit Brot,
trägt die Welt durch die Hungersnot.
Denn Noahs Vorsorge hat er geübt,
dafür ist er nun hochgeliebt.
Seine Kleider sind Myrrhe und Aloe in seinen Kästen,
wohnt in elfenbeinernen Palästen,
daraus er hervortritt wie ein Bräutigam.
Alter, da hinaus wollt' es mit deinem Lamm!«

»Serach, mein Enkelkind, du unbändiger Sangesmund«, sprach Jaakob dringlich, »was soll ich von dir denken? Außerhalb der Psalterei wär' es schon wenig schicklich, daß du mich einfach ›Alter‹ nennst. Als Sangeslizenz wollt' ich's hingehen lassen, wäre es nur die einzige, die dein Lied sich nimmt! Aber es besteht ja aus lauter Freiheiten und tollen Trugbildern, mit denen du mich, wie es scheint, ergötzen möchtest, da doch die Ergötzung durch das Nichtige nur Betörung ist und der Seele nicht frommt. Darf denn das wohl die Poesei sich herausnehmen, und ist's nicht ein Mißbrauch der Gabe, Dinge zu künden, die gar keinen Bezug haben zum Wirklichen? Einiger Verstand muß doch bei der Schönheit sein, oder sie ist nur ein Spott dem Herzen.«
»Staune«, sang Serach,

»Staune glücklich dieser Rarheit,
daß hier beides einerlei,
daß das Schöne lautre Wahrheit,
Leben — Gottespoesei!
  Ja, hier ist's einmal gelungen,
  wonach stets die Seele strebt,
  und so sei es aber dir gesungen,
  schön und wahr: Dein Knabe lebt!«

»Kind«, sagte Jaakob zitternden Hauptes. »Liebes Kind ...«
Sie aber frohlockte in beflügeltem Zeitmaß, zu Klängen, die stoben und sprangen:

»Siehst du es, Alter, siehst du es nun?
Gott kann striemen und lindern.
Ach, wie wunderlich ist er mit seinem Tun
unter den Menschenkindern!
Hat dir den Liebling vom Herzen genommen,
und nun sollst du ihn wiederbekommen.

Hast dich, Armer, vor Schmerz gewunden,
dich mit den Jahren darein gefunden;
da nun gibt er ihn dir wieder her,
immer noch schön, wenn auch schon etwas schwer.
Ja, so hat Gott sich's ausgeheckt,
daß er mein Großväterchen schaberneckt!«

Er streckte abgewandt seine Hand nach ihr aus, als wollte er ihr Einhalt tun, die müden braunen Augen voll Tränen. »Kind«, sagte er immer nur, »Kind . . .« Und achtete nicht der Bewegung, die in der Nähe von ihnen entstanden war, nicht der Meldung, die man ihm freudig erstattete. Denn zu den Neugierigen, die mit Serach gekommen waren und ihrem Psaltern gelauscht hatten, waren andere gestoßen, die frohe Heimkehr verkündeten, und während das Hofvolk von allen Seiten zusammenlief, eilten zwei Männer vor ihn und sagten ihm an:
»Israel, die Elfe sind wieder da von Ägypten, deine Söhne mit Mann und Wagen und viel mehr Eseln, als mit denen sie ausgezogen!«
Aber da waren sie schon, saßen ab und kamen heran, Benjamin in ihrer Mitte, den die anderen Zehn alle ein wenig anfaßten, weil jeder ihn eigenhändig wieder vor den Vater zu bringen wünschte.
»Frieden und volle Gesundheit«, sprachen sie, »Vater und Herr! Hier ist Benjamin. Wir haben ihn dir heilig bewahrt, ob wir auch zeitweise in starkes Gedränge mit ihm gerieten, und magst ihn nun wieder gängeln. Hier ist auch Schimeon wieder, dein Held. Dazu bringen wir Speise in Fülle und reiche Geschenke vom Herrn des Brotes. Siehe, glücklich sind wir zurück und ist ›glücklich‹ auch annähernd noch nicht das rechte Wort.«
»Knaben«, antwortete Jaakob, der sich erhoben hatte, »Knaben, gewiß, seid willkommen.«
Er legte Besitz ergreifend den Arm um den Jüngsten, tat's aber, ohne es recht zu wissen, und schaute benommen.
»Ihr seid wieder da«, sagte er, »seid allzumal zurück von fährlicher Reise, — das wäre ein großer Augenblick unter andern Umständen, und er füllte mir zweifellos ganz die Seele aus, wäre sie nicht gerade so vorbeschäftigt. Ja, höchst vollbeschäftigt trefft ihr mich an, nämlich durch dieses Mägdlein — Ascher, es ist dein

Kind –, das sich zu mir gesetzt hat mit süß faselndem Gesang und tollen Märlein von meinem Sohne Joseph, also daß ich nicht weiß, wie meinen Verstand vor ihr wahren, und euere Ankunft hauptsächlich deswegen begrüße, weil ich erwarten darf, daß ihr mich schützen werdet vor diesem Kinde und der Betörung seines Geharfs, denn ihr werdet nicht dulden, daß meines grauen Hauptes gespottet sei.«

»Niemals werden wir das«, erwiderte Juda, »soweit wir's irgend verhindern können. Aber nach unser aller Meinung, Vater, – und es ist eine begründete Meinung –, tätest du besser, wenn auch zum Anbeginn nur entfernt, die Möglichkeit in Erwägung zu ziehen, daß etwas Wahres sein könnte an ihrem Geharf.«

»Etwas Wahres?« wiederholte der Alte und richtete sich auf. »Wagt ihr es, mir zu kommen mit solcher Schwächlichkeit und Israel zuzumuten das Halb-und-Halbe? Wo wären wir und wo wäre Gott, hätten wir je uns abspeisen lassen mit dem Allenfallsigen? Die Wahrheit ist eine und ist unteilbar. Dreimal hat mir dies Kind gesungen: ›Der Knabe lebt!‹ Es kann nichts Wahres sein an dem Wort, ohne, es wäre die Wahrheit. Darum, was ist es?«

»Die Wahrheit«, sprachen die Elf im Chor, indem sie die flachen Hände hoben. Und:

»Die Wahrheit!« kam es jauchzend und staunend zurück von hinter ihnen aus der Menge der versammelten Hofleute. Kinder-, Frauen- und Männerstimmen echoten es jubelnd: »Sie sang die Wahrheit!«

»Väterchen«, sagte Benjamin, indem er Jaakob umschlang. »Du hörst es und so begreife es auch, wie wir es begreifen mußten, der eine früher, der andere später: Der Mann dort unten, der nach mir fragte und der so viel nach dir fragte ›Lebt euer Vater noch?‹ – Joseph ist es, er und Joseph sind einer. Nie war er tot, meiner Mutter Sohn. Ziehende Männer haben ihn dem Untier aus den Klauen gerissen und ihn nach Ägypten geführt, da ist er gewachsen wie an einer Quelle und der Erste geworden der Unteren, – die Söhne der Fremde schmeicheln ihm, denn sie würden dahinschmachten ohne seine Weisheit. Willst du Zeichen für Wunder? Sieh dort unseren Troß! Zwanzig Esel schickt er dir, deren Last ist Speise und ist der Preis Ägyptens, und die Wagen dort aus Pharao's Schatz sollen uns alle hinabbringen zu deinem Sohn. Denn daß du kämest, war sein Betreiben von Anbeginn, ich hab's durchschaut, und er will, daß wir nahe bei ihm weiden auf fetten Triften, wo's aber noch nicht gar zu ägyptisch ist, im Lande Gosen.«

Jaakob hatte volle, fast strenge Haltung bewahrt.

»Darüber wird Gott befinden«, sprach er mit fester Stimme, »denn nur von Ihm nimmt Israel Weisungen an, nicht von den

Großen der Welt. – Mein Damu, mein Kind!« kam es danach von seinen Lippen. Er hatte die Hände ob der Brust ineinandergetan und die Stirn zu den Wolken gewandt: da hinauf schüttelte er langsam das alte Haupt.

»Knaben«, sagte er, indem er es wieder senkte, »dies Mägdlein, das ich segne und das den Tod nicht schmecken soll, sondern lebend ins Himmelreich eingehen, wenn Gott mich erhört, – es hat mir gesungen, der Herr erstatte mir Rahels Ersten zurück, schön zwar immer noch, doch bereits etwas schwer. Das will wohl besagen, daß er von den Jahren und von den Fleischtöpfen Ägyptens unvermeidlich schon stark bei Leibe ist?«

»Nicht sehr, lieber Vater, nicht sehr«, antwortete Juda beschwichtigend. »Nur in den Grenzen der Stattlichkeit. Du mußt bedenken, daß nicht der Tod ihn dir wiedergibt, sondern das Leben. Jener, wenn's denkbar wäre, würde ihn dir herausgeben so, wie er war; da's aber das Leben ist, aus dessen Händen du ihn zurückempfängst, ist er das Rehkalb nicht mehr von ehemals, sondern ist ein Haupthirsch geworden, der seinen Schmuck hat. Auch mußt du gefaßt sein, daß er ein wenig weltlich verfremdet ist nach seinen Bräuchen und trägt gefältelten Byssus, weißer als Hermons Schnee.«

»Ich will hin und ihn sehen, ehe ich sterbe«, sagte Jaakob. »Hätte er nicht gelebt, er lebte nicht. Der Name des Herrn sei gepriesen.«

»Gepriesen!« rief alles Volk und drängte stürmisch heran, um ihm mit den Brüdern beglückwünschend den Saum des Gewandes zu küssen. Er sah nicht auf ihre Köpfe hinab; gen Himmel waren wieder seine Augen gewandt, und schüttelte immer den Kopf da hinauf. Serach aber, der Liedermund, saß auf der Matte und sang:

»Lies in seinen Schelmenblicken:
Alles war nur Gottes-Scherz;
und in spätem Hochentzücken
zieh ihn an das Vaterherz!«

Siebentes Hauptstück
Der Wiedererstattete

Ich will hin und ihn sehen

So hatte denn die störrige Kuh die Stimme ihres Kindes, des Kalbes, vernommen, das der listige Herr auf den Acker gebracht, der gepflügt werden sollte, damit auch sie sich dorthin bequeme; und die Kuh trug das Joch und folgte. Schwer genug kam es sie immer noch an bei ihrer bedeutenden Abneigung gegen den Acker, den sie für einen Totenacker erachtete. Bedenklich genug blieb dem Jaakob sein erklärter Entschluß, und er war froh, daß er Zeit hatte, ihn wenigstens zu bedenken; denn die Ausführung, die Ablösung vom Ur-Gewohnten, die Gesamt-Übersiedelung der Sippe ins Unterland verlangte Zeit und gewährte ihm solche. Die Bene Jisrael waren nicht die Leute, die Weisung Pharao's, ihren Hausrat nicht anzusehen, da sie im Gosen-Lande mit allem versehen sein sollten, wörtlich zu nehmen und einfach alles stehen- und liegenzulassen. »Nicht ansehen«, das hieß höchstens: nicht alles mitnehmen, denn das war untunlich; nicht alles Gebrauchsgut, auch nicht alles Klein- und Hornvieh; aber mitnichten hieß es, das, was die Wanderung überschwert hätte, demjenigen zu lassen, der es sich nehmen wollte. Ausgedehnte Verkäufe waren zu tätigen, und zwar nicht überhastet, sondern mit üblicher zäh-zeremonieller Gemächlichkeit. Daß aber Jaakob sie geschehen ließ, zeigte an, daß er an seinem Entschluß in vollem Umfange festhielt, obgleich seine Art, ihn auszusprechen, verschiedene Deutungsmöglichkeiten zugelassen hatte.
›Ich will hin und ihn sehen‹, das mochte allenfalls, und wenn man's so hörte, nur bedeuten wollen: ›Ich will ihn besuchen, sein Angesicht wiedersehen, bevor ich sterbe, und dann zurückkehren.‹ Aber es konnte das, wie allen und auch dem Jaakob selbst klar war, eben doch wieder niemals bedeuten. Hätte es sich nur um einen Besuch zum Zwecke des Wiedersehens gehandelt, so wäre, mit Verlaub gesagt, Seine Herrlichkeit, Gnaden Joseph, seinem Väterchen diesen Besuch schuldig gewesen, um ihn der gewaltigen Unbequemlichkeit einer Reise nach Mizraim zu überheben. Dem aber stand das Ideenmotiv des Nachkommenlassens entgegen, das, wie auch Jaakob völlig verstand, die Sternenstunde bestimmte. Joseph war nicht darum abgesondert und entrückt worden, und nicht darum war Jaakobs Gesicht hochgeschwollen gewesen vom Weinen um ihn, damit man nun einander einmal besuchte, sondern damit er Israel nachkommen lasse; und Jaakob war ein viel zu geübter Gotteskenner, um nicht zu begreifen, daß die Dahinraffung des Schönen, seine Ver-

herrlichung drunten, die hartnäckige Teuerung, die die Brüder nach Ägypten genötigt, — daß dies alles einer weitschauenden Planung angehörige Veranstaltungen waren, denen Beachtung zu verweigern grobe Narrheit gewesen wäre.

Man möge es anmaßend und allzu ichbezogen nennen, daß Jaakob in einer so ausgebreiteten, viele Völker bedrückenden und ganze wirtschaftliche Umwälzungen hervorrufenden Kalamität, wie der herrschenden Dauerdürre, nichts sah als eine Maßregel zur Leitung und Beförderung der Geschichte seines eigensten Hauses: in der Meinung offenbar, daß, wenn es sich um ihn und die Seinen handle, der Rest der Welt schon dies und das in Kauf nehmen müsse. Aber Anmaßung und Ichbezogenheit sind nur verneinende Namen für ein denn doch höchst bejahenswertes und fruchtbares Verhalten, dessen schönerer Name Frömmigkeit lautet. Gibt es eine Tugend, die nicht tadelnden Bezeichnungen bloßstünde, und in der sich nicht Widersprüche, wie der von Demut und Hoffart, vereinigten? Frömmigkeit ist eine Verinnigung der Welt zur Geschichte des Ich und seines Heils, und ohne die bis zur Anstößigkeit getriebene Überzeugung von Gottes besonderer, ja alleiniger Kümmernis um jenes, ohne die Versetzung des Ich und seines Heils in den Mittlepunkt aller Dinge, gibt es Frömmigkeit nicht; das ist vielmehr die Bestimmung dieser sehr starken Tugend. Ihr Gegenteil ist die Nichtachtung des eigenen Selbst und seine Verweisung ins Gleichgültig-Peripherische, aus welcher auch für die Welt nichts Gutes kommen kann. Wer sich nicht wichtig nimmt, ist bald verkommen. Wer aber auf sich hält, wie Abram es tat, als er entschied, daß er, und in ihm der Mensch, nur dem Höchsten dienen dürfe, der zeigt sich zwar anspruchsvoll, wird aber mit seinem Anspruch vielen ein Segen sein. Darin eben erweist sich der Zusammenhang der Würde des Ich mit der Würde der Menschheit. Der Anspruch des menschlichen Ich auf zentrale Wichtigkeit war die Voraussetzung für die Entdeckung Gottes, und nur gemeinsam, mit dem Erfolge gründlichen Verkommens einer Menschheit, die sich nicht wichtig nimmt, können beide Entdeckungen wieder verlorengehen.

Hier ist aber folgendermaßen fortzufahren: Verinnigung bedeutet nicht Verengung, und die Hochschätzung des Ich meint keineswegs seine Vereinzelung, Abschnürung und Verhärtung gegen das Allgemeine, das Außer- und Überpersönliche, kurz, gegen alles, was über das Ich hinausreicht, aber worin es sich feierlich wiedererkennt. Wenn nämlich Frömmigkeit die Durchdrungenheit ist von der Wichtigkeit des Ich, so ist Feierlichkeit seine Ausdehnung und sein Verfließen ins Immer-Seiende, das in ihm wiederkehrt und in dem es sich wiedererkennt, — ein Verlust an Geschlossenheit und Einzeltum, der seiner Würde nicht

nur nicht Abbruch tut, ja, sich nicht nur mit dieser Würde verträgt, sondern sie zur Weihe steigert.
So ist die Stimmung Jaakobs in dieser Zeit des Aufbruchs, während seine Söhne die damit verbundenen Geschäfte abwickelten, nicht weihevoll genug vorzustellen. Er war im Begriffe, ganz tatsächlich auszuführen, wovon er in der Zeit seines hochgradigsten Jammers geträumt und vor Eliezers Ohren fieberhaft geschwatzt hatte: nämlich zu seinem verstorbenen Sohn in die Unterwelt hinabzusteigen. Das war ein sternenhafter Vorgang; und wo das Ich seine Grenzen gegen das Kosmische öffnet, sich darin verliert, sich damit verwechselt, kann da von einer Vereinzelung und Abschnürung die Rede sein? Der Gedanke des Aufbruchs selbst war voll von ausdehnenden und bedeutenden Elementen des Immerseins und der Wiederkehr, die den Augenblick über alle Punkthaftigkeit und dürre Einmaligkeit erhoben. Jaakob, der Greis, war Jaakob, der Jüngling, wieder, der nach richtigstellendem Betruge von Beerscheba aufbrach gegen Naharaim. Er war Jaakob, der Mann, der, mit Weibern und Herden, sich von Charran gelöst hatte nach einer Station von fünfundzwanzig Jahren. Aber er war nicht nur er selbst, in dessen Leben auf anderen Altersspiralen dasselbe sich wieder einfand: der Aufbruch. Er war auch Isaak, der nach Gerar zu Abimelech zog ins Philisterland. Mehr noch und tiefer zurück: die Urform des Aufbruchs sah er wiederkehren: Abrams, des Wanderers, Auszug von Ur und Chaldäa, – der die Urform nicht war, sondern nur die irdische Spiegelung und Nachahmung himmlischer Wanderschaft: derjenigen des Mondes, der seinen Weg dahinzog, sich aus einer Station nach der anderen lösend: Bel Charran, der Herr des Weges. Und da denn Abram, der irdische Urwanderer, zu Charran Station gemacht hatte, so stand gleich fest, daß dafür Beerscheba einzutreten hatte und Jaakob dort seine erste Mondstation machen werde.
Der Gedanke an Abram und daran, daß dieser auch während einer Hungersnot nach Ägypten gezogen war, um dort als Fremdling zu wohnen, tröstete ihn sehr; und wie bedurft' er des Trostes! Zwar winkte in seliger Schmerzlichkeit ein Wiedersehen, nach welchem er ruhig würde sterben können, da keine Freude nachher mehr befahrenswert schien; zwar galt, in Ägypten einzuwandern und auf Pharao's Triften weiden zu dürfen, als eine große Vergünstigung, um die viele sich bewarben und viele ihn und sein Haus beneideten. Und doch war es ein schwerer Entschluß für Jaakob, sich in Gottes Beschluß zu fügen, das Land seiner Väter zu meiden und es zu vertauschen mit dem anstößigen Lande der Tiergötter, dem Land des Schlammes, dem Land der Kinder Chams. Locker und auf Widerruf, wie die Väter, und stets als ein halber Fremder, wie sie, hatte er in dem von

Abram erwanderten Lande gesiedelt; aber er hatte gemeint, hier zu sterben wie jene, und das Wahrwort, das Abram vernommen: sein Same werde fremd sein in einem Lande, das nicht ihm gehöre, das hatte er auf dies Land hier, wo er geboren war und wo seine Toten ruhten, beziehen zu dürfen geglaubt. Nun stellte sich heraus, daß die Verkündigung, die nicht umsonst mit Schrecken und großer Finsternis verbunden gewesen war, weiter reichte und offenbar auf das nun zu erwandernde Land zielte: Mizraim, das ägyptische Diensthaus. So hatte Jaakob das streng verwaltete Unterland mißbilligend immer genannt, nicht aber dabei vermeint, daß es seinem eigenen Samen zum Diensthaus werden sollte – wie ihm nun sorgenvoll klar wurde. Sein Aufbruch war mit der Einsicht belastet, daß die bedrohliche Fortsetzung der Gottesanzeige: ›Und da wird man sie zu dienen zwingen und plagen vierhundert Jahre‹ sich auf das Land bezog, wohin er aufbrach; der Frondienst vieler Geschlechter war es, aller Wahrscheinlichkeit nach, dem er sein Haus entgegenführte, und mochte auch alles dem Heilsplan Zugehörige gut sein; mochte, was Glück und Unglück heißt, sich aufheben im großen Gedanken des Schicksals und der Zukunft: ein schicksalsvoller Aufbruch war es nun einmal gewiß, zu dem sich Jaakob in Gott entschloß.
Ins Land der Gräber ging es, bedenklicherweise; doch Gräber wiederum waren es, die er am schwersten zurückließ: das Grab Rahels am Wege und Machpelach, die doppelte Höhle, die Abram gekauft hatte samt dem Acker, darauf sie gelegen, von Ephron, dem Chetiter, zum Erbbegräbnis, für vierhundert Schekel Silbers nach dem Gewicht, wie es gang und gäbe war. Israel war beweglich, wie Schafzüchter es sind; doch diese Liegenschaften besaß es: den Acker mit der Höhle, und sie sollten ihm bleiben. Die Auswandernden veräußerten manches Bewegliche, das Unbewegliche aber gerade, der Acker mit dem Grab, war ihnen unveräußerlich. Sie waren dem Jaakob das Unterpfand seiner Wiederkehr. Denn wieviele Geschlechter auch, während sein Haus sich mehrte, in ägyptischer Erde verwesen würden, er selbst war entschlossen, es Gott und den Menschen zur Auflage zu machen, daß er, war der Rest seines Lebens verlebt, heimgebracht werde in das feste Heim, das er, der sonst lose Hausende, auf Erden besaß, auf daß er liege, wo seine Väter und seiner Söhne Mütter lagen – bis auf die Geliebte, Gesonderte, die abseits am Wege lag, die Mutter des Geliebten, Dahingenommenen, der ihn berief.
War es nicht gut, daß Jaakob Zeit hatte, seinen Aufbruch zu bedenken, hinab zu dem Weggerafften? Welche Aufgabe stellte nicht dem Gottesverständnis die eigentümliche Rolle des abgesonderten Lieblings! Von Jaakobs Gedankenbeschlüssen nach dieser Seite wird man durch ihn selbst erfahren. Sprach er von

Joseph jetzt, so nannte er ihn nicht anders als ›mein Herr Sohn‹. »Ich beabsichtige«, äußerte er, »zu meinem Herrn Sohn nach Ägypten hinabzufahren. Er bekleidet dort hohen Rang.« Die Leute, zu denen er so sprach, lächelten wohl gar hinter dem Rücken des Alten und machten sich lustig über seine Vater-Eitelkeit. Sie wußten nicht, wieviel ernste Abstandnahme, Verzicht und strenger Beschluß auch wieder in dieser Redeweise sich ausdrückte.

Ihrer siebzig

Aus blumigem Frühling war später Sommer geworden, bis Israel seine Abwickelungsgeschäfte getätigt hatte und der Auszug vom Haine Mamre, der gen Hebron liegt, geschehen konnte: Beerscheba war nächstes Ziel, und einige Tage frommen Säumens waren verordnet an dieser Grenzstätte, der Stätte von Jaakobs und seines Vaters Geburt, der Stätte, wo Rebekka, die entschlossene Mutter, den Segensdieb einst abgefertigt hatte zur Reise nach Mesopotamien.
Jaakob löste sich von seiner Stätte und brach auf mit Herden und Habe, mit Söhnen und Sohnessöhnen, mit Töchtern und Tochtersöhnen. Oder, wie es auch heißt: er zog mit seinen Weibern, Töchtern und Söhnen und den Weibern der Söhne, — eine verschränkte Aufzählung, denn mit seinen ›Weibern‹ waren eben die Weiber der Söhne gemeint und mit den ›Töchtern‹ wiederum dieselben, dazu etwa noch die Töchter der Söhne, zum Beispiel die singende Serach. Man brach auf zu siebzig Seelen — das heißt: man erachtete sich für siebzig an der Zahl; aber das war keine gezählte Zahl, sondern ein Zahlgefühl und sinnige Übereinkunft: es herrschte dabei jene Mondlicht-Genauigkeit, von der wir wohl wissen, daß sie sich für unseren Äon nicht schickt, in jenem aber durchaus gerechtfertigt war und für das Richtige stand. Siebzig war die Zahl der auf Gottes Tafel verzeichneten Völker der Welt, und daß sie folglich die Zahl der aus den Lenden des Erzvaters hervorgegangenen Nachkommen war, unterlag keiner taghellen Nachprüfung. Aber wenn es sich um Jaakobs Lenden handelte, so hätte man die Weiber der Söhne nicht mitzählen dürfen? Das tat man auch nicht. Wo überhaupt nicht gezählt wird, wird auch nicht mitgezählt, und angesichts eines heilig vorweggenommenen und auf schönem Vorurteil beruhenden Resultats verfällt die Frage, was mitgezählt und was nicht mitgezählt wird, der Müßigkeit. Es ist nicht einmal sicher, ob Jaakob sich selber mitzählte, und ob die anderen ihn in ihre Zahl, nämlich siebzig, einschlossen oder als Einundsiebzigsten draußen ließen. Wir müssen es uns gefallen lassen, daß der Äon beide Möglichkeiten gleichzeitig gewährte. Viel später zum Beispiel hatte ein Nach-

komme Juda's, genauer: seines Sohnes Perez, den Thamar ihm zielbewußt geschenkt, – hatte also dieser Nachkomme, ein Mann namens Isai, sieben Söhne und einen Jüngsten, der die Schafe hütete, und über den das Salbhorn erhoben wurde. Was meint dieses ›Und‹? War er in die Siebenzahl als Jüngster eingeschlossen, oder hatte Isai acht Söhne? Jenes ist das Wahrscheinlichere, denn es ist viel schöner und richtiger sieben Söhne zu haben als acht. Mehr als wahrscheinlich aber, nämlich gewiß ist, daß die Siebenzahl von Isai's Söhnen sich nicht änderte, wenn etwa der Jüngste noch zu ihr hinzukam, und daß es diesem gelang, in sie eingeschlossen zu bleiben, auch wenn er über sie hinausging. – Ein andermal hatte ein Mann volle siebzig Söhne, denn er besaß viele Frauen. Ein Sohn einer dieser Mütter tötete alle seine Brüder, des Mannes siebzig Söhne, auf ein und demselben Stein. Nach unseren trockenen Begriffen kann er, da er ihr Bruder war, nur neunundsechzig getötet haben, richtiger sogar noch: nur achtundsechzig, denn ein anderer Bruder, ausdrücklich bei Namen genannt, Jotam, blieb zum Überfluß auch noch am Leben. Es ist hart, es hinzunehmen, aber hier tötete einer von siebzig alle siebzig und ließ außer sich selbst sogar noch einen anderen übrig – ein starkes und lehrreiches Beispiel für die Gleichzeitigkeit von Eingeschlossensein und Außenstehen.
Jaakob also, recht verstanden, war unter den siebzig Wandernden der einundsiebzigste – soweit diese Zahl überhaupt dem Tageslicht standhält. Sie war in nüchterner Wahrheit sowohl niedriger als höher – ein neuer Widerspruch, aber nicht anders ist es zu sehen und zu sagen. Jaakob, der Vater, war insofern der Siebzigste und nicht der Einundsiebzigste, als der männliche Teil des Stammes sich auf neunundsechzig Seelen belief. Er tat das jedoch mit Einschluß von Joseph, der in Ägypten war, und seinen beiden Söhnen, die dort sogar geboren waren. Da diese drei Glieder nicht zu dem Wanderzug gehörten, sind sie, obgleich darin eingeschlossen, davon abzuziehen. Der Notwendigkeit, Abzüge zu machen, ist aber damit aus dem Grunde noch nicht Genüge geschehen, weil unverkennbar Seelen mitgezählt wurden, die zum Zeitpunkt der Ausreise noch gar nicht auf der Welt waren. Über die Berechtigung dazu mag zu reden sein im Falle Jochebeds, einer Tochter Levi's, mit der die Mutter damals schwanger ging und die beim Eintritt in Ägypten ›zwischen den Mauern‹, denen der Grenzfeste offenbar, geboren wurde. Aber es ist klar, daß in die Summe der Wandernden Enkel und Großenkel Jaakobs einbezogen wurden, die weder geboren noch auch nur schon gezeugt, also nur vorgesehen, nicht aber bereits vorhanden waren. Sie kamen nach Ägypten, wie fromme Gelehrsamkeit es ausdrückt, ›in lumbis patrum‹ und nahmen am Auszuge nur in einem sehr geistigen Sinne teil.

Soviel über die notwendigen Abzüge. Aber auch an zwingenden Gründen, die Neunundsechzig aufzuhöhen, fehlt es nicht. Soviel betrug ja allein der männliche Samen Jaakobs; wenn aber — oder besser gesagt: *da* seine gesamte unmittelbare Nachkommenschaft in Rechnung zu stellen ist, so sind, wenn auch gewiß nicht die Weiber der Söhne, so doch deren Töchter hinzuzunehmen, zum Beispiel Serach, um nur diese, sie aber mit Nachdruck, zu nennen. Das Mägdlein nicht mitzuzählen, das dem Vater zuerst die Kunde von Josephs Leben gebracht hatte, wäre völlig unstatthaft gewesen. Ihr Ansehen war sehr groß in Israel, und über die Erfüllung des Segens, den Jaakob in seiner Dankbarkeit über sie ausgesprochen, nämlich, daß sie den Tod nicht schmecken und lebend ins Himmelreich eingehen solle, gab es nirgends einen Zweifel. Tatsächlich weiß niemand, wann sie gestorben sein sollte; ihr Leben hat allen Anschein unabsehbarer Dauer. Von ihr geht die Nachricht, sie habe nach Menschenaltern dem auf der Suche nach Josephs Grab umherirrenden Mann Mose die Stelle dieses Grabes, nämlich im Nilstrom, gewiesen; und ungeheuer viel später noch soll sie unter dem Namen der ›Weisen Frau‹ ihr Wesen im Abramsvolke getrieben haben. Wie es nun auch damit stehe; ob wirklich zu so verschiedenen Zeiten dieselbe Serach am Leben war oder andere Mägdelein das Bewußtsein der kleinen Meldegängerin und Verkünderin aufnahmen — daß sie in die Zahl der siebzig Wandernden einzuschließen war, was ›siebzig‹ hier immer meinen mochte, daran wird niemand rütteln.
Nicht einmal aber in Ansehung der Weiber der Söhne, also der Mütter von Jaakobs Enkelvolk, ist die Nichteignung zum Mitgezähltwerden durchgehend gesichert. Wir sprechen von ›Müttern‹ und nicht nur von ›Weibern‹, weil wir Thamar im Auge haben, die, dem Worte gemäß, ›Wohin du gehst, da will ich auch hingehen‹, nebst ihren beiden weidlichen Juda-Söhnen im Zug ging. Meistens zu Fuß ging sie, an einem langen Stabe, für eine Frau sehr weit ausschreitend, hoch und dunkel, mit kreisrunden Nasenlöchern und stolzen Mundes, dabei mit dem ihr eigentümlichen auf Fernes eingestellten Blick, — und diese Entschlossene, die sich nicht hatte ausschalten lassen, hätte nicht sollen mitgezählt werden? — Etwas anderes war es mit ihren beiden Gatten 'Er und Onan: weder bei Mond- noch bei Tageslicht waren die mitzuzählen, denn sie waren tot, und wenn Israel zwar Zukünftiges mitzählte, so doch nicht Verstorbenes. Schelach dagegen, der Gatte, den sie nicht bekommen hatte, den sie aber auch nicht mehr brauchte, da sie ihm ausgezeichnete Halbbrüder gegeben hatte, war mit dabei und war von der Zahl der Lea-Enkel, die zweiunddreißig betrug.

In der Übereinkunft also, zu siebzig zu sein, zog Israel aus vom Haine Mamre, des Amoriters. Alles mitgezählt, was nicht mitgezählt wurde, auch Hirten, Treiber, Sklaven, Fuhr- und Packknechte, war sicher der Zug über hundert Personen stark – ein bunter, geräuschvoller, durch die mitgetriebenen Herden schwerfälliger, in Staubwolken gehüllter Heerwurm und Wanderstamm. Die Fortbewegungsart seiner Teile war verschiedenartig – unter uns gesagt, war der von Joseph gesandte ägyptische Wagenpark dabei wenig nütze. Dies soll nicht gerade von den ›Agolt‹ genannten Lastwagen gelten, zweirädrigen und meist mit Ochsen bespannten Karren, deren Wert für die Beförderung von Hausrat, Wasserschläuchen und Furage, auch von Frauen mit kleinen Kindern, dankbar anerkannt werden möge. Die eigentlichen Reisewagen dagegen, vom Typus des ›Merkobṭ‹, diese leichten, zum Teil sehr luxuriös ausgestatteten und von einem Mäuler- oder Pferdepaar gezogenen Gefährte mit dem zierlichen, hinten offenen, mit gepreßtem Purpurleder bezogenen Wagenkasten, der manchmal nur aus einem geschwungenen und vergoldeten Holzgeländer bestand, – diese Tändel-Karossen, so gut Joseph und sein königlicher Herr es damit gemeint hatten, erwiesen sich als recht unverwendlich und kehrten meist ebenso leer nach Ägyptenland wieder zurück, wie sie gekommen waren. Niemand hatte etwas davon, daß ihre Radnägel Mohrenköpfe in schönster Ausführung darstellten, ja daß einige von ihnen innen und außen mit Leinwand und Stuck überzogen und aus dem Stuck die anschaulichsten Reliefdarstellungen aus dem höfischen und bäuerlichen Leben gearbeitet waren. Man konnte nur zu zweien, oder, sehr gedrängt, zu dreien darin stehen, was bei unsanften Wegen und mangelnder Federung auf die Dauer äußerst ermüdend war; oder man mußte sich, mit dem Rücken gegen das Gespann, auf den Boden setzen und die Füße nach außen hängen lassen, was wenigen beliebte. Viele, wie Thamar, bevorzugten die Muster- und Urform des Wanderns, das zu Fuße am Stabe Schreiten. Die meisten, Männer wie Frauen, waren beritten: breitfüßige Kamele, knochige Maultiere, weiße und graue Esel, mit großen Glasperlen, bestickten Satteldecken, baumelnden Wollblumen sämtlich geschmückt, das waren die Reittiere, die den Staub der Wege erregten, auf ihnen wanderte Jaakobs Volk, das Joseph nachkommen ließ, eine bunte Sippe in gewirkter Wolle, die bärtigen Männer in Flauschmänteln der Wüste oft und Kopfbehängen, die ein Filzring festhielt auf dem Scheitel, die Frauen mit Flechten schwarzen Haares auf den Schultern, die Handgelenke klirrend von Silber- und Erzkettchen, die Stirnen mit Münzen behangen, die Nägel von Henna rot, Säuglinge im Arm, die in große und milde Tücher mit Brokaträndern gewickelt waren, – so zogen sie hin, geröstete Zwiebeln, saures Brot und Oliven verspeisend, meist auf dem Kamm des Gebirges, die Straße, die von Urusalim und den Höhen Hebrons hinab ging ins tiefere Südland, Negeb, das Trockene genannt, nach Kirjath Sefer, der Buchstadt, und nach Beerscheba.

Unsere Hauptsorge gilt selbstverständlich der Bequemlichkeit Jaakobs, des Vaters. Wie stand es mit seiner Beförderung? Hatte Joseph, als er seine Wagen schickte, gemeint, der hohe Greis werde stehend in einem Reliefkästchen oder hinter einem Goldgeländer die Reise vollbringen? Das hatte er nicht. Nicht einmal Pharao, seinem Herrn, war solche Zumutung in den Sinn gekommen. Die Weisung, die das schöne Kind des Atôn aus seinem neu riechenden Palaste hatte ergehen lassen, war dies Wort: »Nehmet euren Vater und *traget* ihn.« Der Patriarch sollte getragen werden, gleichsam im Triumph, das war die Idee; und unter den von Joseph geschickten, meist unnützen Wagen befand sich ein einzelnes Beförderungsmittel anderer Art, das eben diesem feierlichen Zweck, dem Getragenwerden Jaakobs, zugedacht war: ein ägyptischer Sänftenstuhl, wie solcher die Vornehmen Kemes sich wohl auf den Straßen der Städte und auf Reisen bedienten, und zwar ein ausnehmend elegantes Beispiel dieser Kommodität, mit einer Rückenlehne aus feinem Rohr, zierlich beschrifteten Seitenwänden, reichen Behängen und bronzierten Tragstangen, versehen sogar noch mit einem leichten und bunt bemalten Holzkasten im Rücken, zum Schutz gegen Wind und Staub. Der Reisestuhl konnte von Jünglingen getragen, er konnte aber auch vermittelst vorgesehener Querstangen den Rücken zweier Esel oder Maultiere aufgelegt werden, und Jaakob fühlte sich sehr wohl darin, als er sich erst einmal entschlossen hatte, ihn zu gebrauchen. Er tat es jedoch erst von Beerscheba an, das seiner Auffassung nach den Grenzpunkt von Heimat und Fremde bezeichnete. Bis dorthin trug ihn ein kluges Dromedar von langsamen Blicken, an dessen Sattel ein schattender Sonnenschirm befestigt war.

Der Greis bot einen sehr schönen und würdevollen Anblick und wußte es auch, wie er, umgeben von seinen Söhnen, auf hohem Rücken, im Wiegetritte des weisen Tieres dahinschwankte. Der feine Wollmusselin seiner Kofia zackte sich in der Stirn, schlang sich faltig um Hals und Schultern und fiel leicht auf sein Kleid von dunklem Rotbraun hinab, das, wo es sich öffnete, das gewirkte Untergewand sehen ließ. In seinem Silberbarte spielten die Lüfte. Der in sich gekehrte Blick seiner sanften Hirtenaugen bekundete, daß er seine Geschichten besann, die vergangenen und die zukünftigen, und niemand unterfing sich, ihn darin zu stören, es sei denn höchstens, daß man ihn ehrerbietig nach seinem

Wohlsein befragte. Vor allem war er des Wiedersehens mit dem von Abraham gepflanzten heiligen Baum zu Beerscheba gewärtig, unter dem er zu opfern, zu lehren und zu schlafen gedachte.

Jaakob lehrt und träumt

Die riesige Tamariske stand, einen urtümlichen Steintisch und eine aufrechte Steinsäule oder Massebe beschattend, abseits der bevölkerten Siedelung Beerscheba, die unsere Wanderer gar nicht berührten, auf einem mäßigen Hügel und war, scharf hingesehen, wohl nicht von Jaakobs Vatersvater gepflanzt, sondern von ihm als Gottesbaum und 'élôn môreh, das ist: Orakelbaum, von den Kindern des Landes übernommen und aus einem Baalsheiligtum zum Mittelpunkt einer Kultstätte seines höchsten und einzigen Gottes umgedeutet worden. Dies mochte Jaakob sogar bewußt sein, ohne ihn in der Auffassung zu stören, der Baum sei eine Pflanzung Abrams. In einem geistigen Sinn war er es allerdings, und des Vaters Denkungsart war milder und weiter als die unsere, die nur eines oder das andere kennt und gleich auf den Tisch schlägt: »Wenn das schon ein Baalsbaum gewesen war, so hatte nicht Abraham ihn gepflanzt!« Mehr hitzig und störrisch ist solcher Wahrheitseifer als weise, und weit mehr Würde ist bei der stillen Vereinigung beider Aspekte, wie Jaakob sie tätigte.
Unterschieden sich doch auch die Formen, in denen Israel unter dem Baum dem Gott der Ewigkeiten huldigte, fast nicht von den Kultbräuchen der Kinder Kanaans – mit Ausnahme alles Unfugs, versteht sich, und anstößiger Scherze, in die unvermeidlich der Dienst jener Kinder auszulaufen pflegte. Zu Füßen des heiligen Hügels, rund herum, wurden die Rastzelte aufgeschlagen, und sogleich begann die Zurüstung der Schlachtungen, die auf dem Dolmen, dem Steintisch der Urzeit, vollzogen werden sollten, des Opfermahls, das gemeinsam danach zu verzehren war. Hatten die Baalskinder es anders gemacht? Hatten nicht auch sie das Blut von Lämmern und Böcken hinlaufen lassen auf dem Altar und den starrenden Stein zur Seite damit bestrichen? Allerdings; die Kinder Israels aber taten's in anderem Geist und in gebildeterer Frömmigkeit, was hauptsächlich darin seinen Ausdruck fand, daß sie nach dem Gottesessen nicht paarweise miteinander scherzten, wenigstens nicht öffentlich.
Jaakob unterwies sie auch in Gott unter dem Baum, was ihnen nicht etwa langweilig, sondern sogar den Halbwüchsigen schon höchst unterhaltend und wichtig war, denn alle waren sie mehr oder weniger begabt in dieser Richtung und erfaßten mit Lust auch das Knifflige. Er belehrte sie über den Unterschied zwischen der Vielnamigkeit Baals und derjenigen des Gottes ihrer Väter, des Höchsten und Einzigen. Jene bedeutete in der Tat eine Viel-

heit, denn es gab keinen Baal, es gab nur Baale, das heißt Inhaber, Besitzer und Beschützer von Kultstätten, Hainen, Plätzen, Quellen, Bäumen, eine Menge Flur- und Hausgötter, die vereinzelt und ortsgebunden webten, in ihrer Gesamtheit kein Gesicht, keine Person, keinen Eigennamen hatten und höchstens ›Melkart‹, Stadtkönig hießen, wenn sie eben dergleichen waren, wie der von Tyrus. Es hieß einer Baal Peôr nach seinem Orte, oder Baal Hermôn oder Baal Meôn, es hieß wohl einer auch Baal des Bundes, was zu gebrauchen gewesen war für Abrams Gottesarbeit, und einer hieß lächerlicherweise sogar Tanz-Baal. Da war wenig Würde und gar keine Gesamt-Majestät. Ganz anders dagegen stand es mit der Namensvielheit des Vätergottes, die seiner persönlichen Einheit nicht den leisesten Abbruch tat. Er hieß El eljon, der höchste Gott, El ro'i, der Gott, der mich sieht, El olâm, der Gott der Äonen, oder, seit Jaakobs aus der Erniedrigung geborenem großen Gesicht, El bêtêl, der Gott von Lus. Aber das alles waren nur wechselnde Bezeichnungen für ein und dieselbe höchst seiende Gottesperson, nicht ortsgebunden, wie die verzettelte Vielheit der Flur- und Stadtbaale, sondern in allem wesend, wovon ihnen die einzelne Inhaberschaft beigelegt wurde. Die Fruchtbarkeit, die sie spendeten, die Quellen, die sie bewachten, die Bäume, in denen sie wohnten und flüsterten, die Gewitter, in denen sie tobten, der keimreiche Frühling, der dörrende Ostwind – Er war dies alles, was jene im einzelnen waren, Ihm eignete es, der Allgott war Er allhiervon, denn aus Ihm kam es, in Sich faßt Er's Ich sagend zusammen, das Sein alles Seins, Elohim, die Vielheit als Einheit.

Über diesen Namen, Elohim, ließ Jaakob sich sehr fesselnd aus, aufregend für die Siebzig und nicht ohne Spitzfindigkeit. Man merkte schon, woher Dan, sein Fünfter, es hatte: dessen Spitzfindigkeit war nur eine geringere Sohnesabzweigung der höheren des Alten. Die Frage, die er erörterte, war, ob man ›Elohim‹ als Einzahl oder als Mehrzahl zu denken und also zu sprechen habe: ›Elohim will‹ oder ›Elohim wollen‹. Die Wichtigkeit richtiger Redeweise zugegeben, war hier eine Entscheidung notwendig, und Jaakob schien sie zu treffen, indem er die Einzahl befürwortete. Gott war Einer, und der hätte sich in Irrtum verfangen, der gemeint hätte, ›Elohim‹ sei die Mehrzahl von ›El‹ oder ›Gott‹. Diese Mehrzahl hätte ja ›Elim‹ gelautet. ‹Elohim‹ war etwas ganz anderes. Es meinte sowenig eine Vielheit, wie der Name Abraham eine solche meinte. Der Mann von Ur hatte Abram geheißen, und dann hatte sein Name die Ehrendehnung zu Abraham erfahren. So auch mit Elohim. Es war eine majestätische Ehrendehnung, nichts weiter, – beileibe war nichts damit gemeint, was man mit dem Worte Vielgötterei hätte strafen müssen. Der Lehrende prägte das ein. Elohim war Einer. Aber dann kam es doch

wieder so heraus, als seien es mehrere, etwa drei. Drei Männer waren zu Abraham gekommen im Haine Mamre, als er an der Tür seiner Hütte gesessen hatte und der Tag am heißesten gewesen war. Und die drei Männer waren, wie der herbeieilende Abraham sofort erkannte, Gott der Herr gewesen. ›Herr‹, hatte er gesagt, indem er sich vor ihnen niederbückte zur Erde, ›Herr‹ und ›du‹. Dazwischen aber auch ›ihr‹ und ›euch‹. Und hatte sie gebeten, sich in den Schatten zu setzen und sich mit Milch und Kalbfleisch zu stärken. Und sie aßen. Und dann sagten sie: »Ich will wieder zu dir kommen über ein Jahr.« Das war Gott. Er war Einer, aber er war ausdrücklich zu dritt. Er trieb Mehrgötterei, sagte aber stets und grundsätzlich nur ›ich‹ dabei, während Abraham abwechselnd ›du‹ und ›ihr‹ gesagt hatte. Den Namen Elohim als Mehrzahl zu gebrauchen, hatte, hörte man Jaakob länger reden, trotz vorangegangener gegenteiliger Einprägung also doch etwas für sich. Ja, hörte man ihm länger zu, so schimmerte durch, daß auch seine Gotteserfahrung, wie Abrams, dreifältig gewesen sei und sich aus drei Männern, drei selbständigen und dennoch auch wieder zusammenfallenden Ich-sagenden Personen zusammensetzte. Er sprach nämlich erstens vom Vätergott oder auch Gott, dem Vater, zweitens von einem Guten Hirten, der uns, seine Schafe, weide, und drittens von Einem, den er den ›Engel‹ nannte, und von dem die Siebzig den Eindruck gewannen, daß er uns mit Taubenflügeln überschatte. Sie machten Elohim aus, die dreifältige Einheit.
Ich weiß nicht, ob euch das nahegeht, aber für Jaakobs Zuhörer unter dem Baum war es höchst unterhaltend und aufregend; sie waren begabt dafür. Im Auseinandergehen und noch auf ihren Lagern vorm Einschlafen diskutierten sie lange und eifrig über das Gehörte, über die Ehrendehnung und Abrahams dreifachen Ehrengast, über das gebotene Vermeiden der Vielgötterei im Angesicht einer Gottheit, von deren mehrfältiger Existenz eine gewisse Versuchung dazu immerhin ausging, was aber eben nur einer Probe gleichkam auf unsere Begabung fürs Göttliche, – einer Probe, der unter den Jaakobsleuten sogar die Halbwüchsigen schon sich fröhlich gewachsen fühlten.
Ihr Oberhaupt selbst ließ sich sein Lager unter dem heiligen Baum bereiten alle drei Nächte, die er zu Beerscheba verbrachte. Die ersten beiden Nächte träumte er nicht, die dritte aber brachte ihm den Traum, um dessen willen er schlief, und dessen er zu Trost und Stärkung bedurfte. Er fürchtete sich vor Ägyptenland und brauchte dringend die Versicherung, daß er sich nicht fürchten müsse, dorthin hinabzuziehen: aus dem Grunde nicht, weil der Gott seiner Väter nicht ortsgebunden war und mit ihm sein werde in dieser Unterwelt auch, wie er mit ihm gewesen war in Labans Reich. Notwendig und aus Herzensgrund brauchte er die

Bestätigung, daß Gott nicht nur mit ihm hinabziehen, sondern ihn auch, oder doch seinen Stamm, nachdem Er ihn zum Haufen Volks gemacht, wieder hinaufführen werde ins Väterland, dies Land zwischen den Nimrod-Reichen, das zwar auch ein unwissend Land voll törichter Ursassen war, aber doch eben kein Nimrod-Reich, so daß man dort besser als irgendwo einem geistigen Gotte dienen mochte. Kurzum, was seine Seele bedurfte, war die Getröstung, daß durch sein Scheiden von hier die Verheißungen des großen Rampentraumes, der ihm im Gilgal von Beth-el geworden, nicht aufgehoben seien, sondern daß Gott, der König, fest zu den Worten stand, die er damals in die Harfen gerufen. Um dies zu erfahren, schlief er, und im Schlafe erfuhr er's. Gott sprach ihm mit heiliger Stimme zu, wessen seine Seele bedurfte, und sein süßestes Wort war, daß Joseph solle ›seine Hände auf Jaakobs Augen legen‹, – ein innig-mehrdeutiges Traumwort, das heißen mochte, der weltmächtige Sohn werde ihn schützen und für sein Alter sorgen unter den Heiden, und auch, der Liebling werde ihm einst die Augen zudrücken, – was ja der Träumer sich längst nicht mehr hatte träumen lassen.
Nun ließ er sich's träumen, dies und das andere, und seine schlafenden Augen waren feucht davon unter den Lidern. Als er aber erwachte, war er gestärkt und versichert und mochte sich lösen aus dieser Station, um weiterzuziehen mit allen Siebzig. Den feinen ägyptischen Reisestuhl mit dem Windschutz bestieg er nun, der den Rücken zweier weißer Esel mit Wollblumen aufgelegt war, und nahm sich noch schöner und würdiger darin aus als auf dem Kamel.

Von absprechender Liebe

Es ging eine Handelsstraße vom Nordosten des Delta durch das trockene Südland von Kanaan über Beerscheba nach Hebron. Diese zogen die Kinder Israel und zogen also einen etwas anderen Weg, als die Brüder auf ihren Kauffahrten genommen. Die Gegend, durch die er führte, war anfangs wohlbevölkert, und zahlreich waren die kleinen und größeren Siedlungen. Dann, als der Tage mehr wurden, ging es freilich durch ausgesprochen verfluchte Strecken ohne Halm, wo man nur vagabundierende und zur Übeltat aufgelegte Wüstlinge in weiter Entfernung dahinflitzen sah und die wehrhaften Männer des Zuges ihre Schießbogen nicht gern von der Hand ließen. Aber die Gesittung verlor sich doch auch im Schlimmsten nicht ganz, sondern begleitete sie, etwa wie Gott es tat, wenn auch mit schaurigen Unterbrechungen, wo sie aussetzte und es keinen Trost mehr gab außer Gott allein, – begleitete sie in Gestalt beschützter Wüstenbrunnen und vom Geist des Verkehrs gegründeter und unterhaltener Wegmale, Lugtürme und Rastplätze bis zum Ziel, will vorerst sagen: bis in die Gegend, in die schon das kostbare Ägyptenland seine Wachen und Wehren ein gut Stück ins Elende vorschob, ehe man seine unbestürmbare Grenze und ihren krittligen Durchlaß erreichte, die Mauern der Feste Zel.

In siebzehn Tagen erreichten sie sie – oder waren es noch einige mehr? Sie sahen die Zahl ihrer Reisetage für siebzehn an und hätten mit einem Zähler und Rechner nicht gestritten darum. Eine Tage-Zahl im Charakter von siebzehn war es gewiß, gleichviel, ob sie etwas höher oder niedriger war – leicht mochten es ein paar mehr gewesen sein, zum mindesten, wenn man den Aufenthalt zu Beerscheba mit einrechnete; denn noch hatte der Sommer Gewalt, und nur die frühen und späten Tagesstunden hatte man, um der Schonung willen Jaakobs, des Vaters, immer zur Fortbewegung benutzt. Ja, reichlich siebzehn Tage war es her, daß man von Mamre aufgebrochen war und die Fahrt unternommen, das heißt: sich für einige Zeit einem Wanderleben mit wechselnd aufgeschlagenen Zelten überlassen hatte. Und nun hatten die Tage sie vor Zel, die Feste, gebracht, wo es durchging in Josephs Reich.

Hegt irgend jemand die geringste Besorgnis betreffend die grimme Paßfeste und unsere Wanderer, daß ihnen etwa dort Schwierigkeiten erwachsen könnten? Er müßte sich auslachen lassen. Denn die hatten Ferman, Paß und Beglaubigung, – du lieber Gott! Dergleichen hatten Leute des Elends entschieden noch niemals geführt, die an die Pforte Ägyptenlands geklopft hatten, – es gab keine Pforte und Mauern und Gatter für diese, die Werke und Wehrtürme Zels waren wie Dunst und Luft für diese, und nichts als lächelnde Dienstfertigkeit war die Krittelsucht der Kontrolleure. Pharao's Paßoffiziere hatten ja wohl ihre Weisungen betreffend die Leute hier; Weisungen, die sie schmeidigten! Eingeladen ins Land waren die Jaakobskinder ja wohl von keinem Geringeren als dem Herrn des Brotes zu Menfe, dem Schattenspender des Königs, Djepnuteefonech, Pharao's Alleinigem Freund, eingeladen zum Weiden und Siedeln! Besorgnis? Schwierigkeiten? Der Reisestuhl, in dem man den alten Häuptling dahintrug, sprach ja wohl für sich selbst und für seinen Inhaber, es waren Uräen daran, sie stammten aus Pharao's Schatz. Und der darin saß, der feierlich Müd' und Milde, den trugen sie ja schließlich wohl zum Stelldichein, nicht weit von hier, mit seinem Sohn, einem leidlich Hochgestellten, der jeden in Leichenfarbe versetzen mochte, der diesen Kindern auch nur mit verzögernden Fragen kam.

Kurzum, die Geschmeidigkeit der Kontrolloffiziere ist nicht katzbuckelnd-lieblich und süß genug vorzustellen, – auf schwebten die erzenen Gatter, durch zog das Jaakobsvolk zwischen aufgehobenen Händen, über die Schiffsbrücke wälzte es sich mit Troß und trippelnden Herden auf Pharao's Fluren und zogen ein in ein bruchiges Marschen- und Weidenland mit Baumgruppen, Dämmen, Kanalläufen und auf der Strecke verstreuten Weilern; das war Gosen, auch Kosen, Kesem, auch Gosem und Goschem genannt.

So verschiedentlich drückten die Leute sich darüber aus, die zur Seite des Dammweges, auf dem man zog, ein von einem schilfgesäumten Wassergraben umgebenes Ackerstück bestellten, und die man befragte, um der Versicherung willen, daß man recht auf dem Wege sei. In einer knappen Tagesfahrt gegen Abend, sagten sie, würden die Reisenden den Nilarm von Per-Bastet erreichen und diese Stätte selbst, das Haus der Kätzin. Aber noch näher lag das nahrhafte Städtchen Pa-Kôs, das den Haupt- und Marktplatz des Gaues hier vorzustellen schien und nach dem er wohl auch seinen Namen hatte: Schaute man weit übers Land hin mit seinen Wiesen und Sumpfbinsen, spiegelnden Wasserlachen, buschigen Inseln und saftigen Flächen, so sah man den Pylon von Pa-Kôsens Tempel sich im Morgenschein am Horizonte abzeichnen. Denn früher Morgen war es, als Israel hier einzog, da sie vor der Grenzfeste genächtigt hatten; und noch ein paar Stunden zogen sie in den Tag hinein, gegen das Baumal am Horizont, dann machten sie halt, und Jaakobs Tragestuhl wurde von den Rücken der Esel herab zu Boden gestellt zum Verweilen; denn irgendwo nahe dem Markte Pa-Kôs, nicht weit von hier, war der Ort, den Joseph zum Stelldichein bestimmt hatte und zum Orte der Begegnung, wohin er erklärt hatte, den Seinen entgegenkommen zu wollen.

Daß es dergestalt bestimmt und verordnet war, dafür stehen wir ein, und wenn es wahrheitsgemäß heißt: »Er sandte Juda vor sich hin zu Joseph, daß dieser ihn anwiese zu Gosen«, so würde die Deutung fehlgehen, Juda sei vor dem Vater hinabgereist bis zur Stadt des Gewickelten, und da erst habe Joseph anspannen lassen und sei hinaufgezogen, seinem Vater entgegen gen Gosen. Sondern der Erhöhte war längst in der Nähe, seit gestern und vorgestern schon, und Juda ward ausgesandt in die Gegend, um ihn zu suchen und ihm des Vaters Ort zu weisen, daß sie einander fänden. »Hier will Israel warten auf seinen Herrn Sohn«, sprach Jaakob. »Stellet mich nieder! Und du, Jehuda, mein Sohn, nimm drei Knechte und reite von hier, daß du mir deinen Bruder findest, Rahels Ersten, und ihm unsere Stätte verkündest!« — Und Juda gehorchte.

Wir können versichern, daß er nicht lange ausblieb, nur eine Stunde oder zwei, und dann nach geglückter Bestellung zurückkehrte; denn daß er nicht erst mit Joseph kam, sondern sich wieder einfand, bevor dieser dem Vater erschien, ergibt sich aus der

Frage, die Jaakob bei Josephs Annäherung an ihn richtete, wie wir gleich hören werden.
Es war ein recht lieblicher Ort, wo Jaakob wartete: drei Palmbäume, die wie aus *einer* Wurzel kamen, beschatteten seinen Sitz, und Kühle kam von einem kleinen Weiher, an dem hoch das Papyrusschilf stand und blau und rosa die Lotuslilie blühte. Da saß er, umgeben von seinen Söhnen, den Zehnen, die bald wieder Elf wurden, als Juda zurückkehrte; und vor ihm war das von Vögeln überflogene Hürden- und Wiesenland offen, so daß seine alten Augen weit hinaussehen konnten, wo der Zwölfte erschien.
Da war es nun so, daß sie Juda wieder herantraben sahen mit den drei Knechten, und daß er nur nickte und hinter sich über Land wies, ohne ein Wort zu sagen. So sahen sie an ihm vorbei, hinaus in die Weite: Da war ein Getümmel, noch klein von ferne, darin es gleißte und blendete und zuckte von Farben, das wälzte sich näher in Eile und waren Wagen mit Rossegespannen, blitzend geschirrt und federbunt, Fußläufer davor und dazwischen, Fußläufer auch hinterdrein und zu den Seiten – die wandten ihre Gesichter und blickten nach dem vordersten Wagen, über den Stangenfächer stiegen. So kam es heran und nahm seine Größe an, und vor den Augen derer, auf die es zukam, trennten sich seine Gestalten. Jaakob aber, der schaute, die Greisenhand über den Augen, rief seiner Söhne einen, der wieder bei ihm stand, und sprach:
»Juda!«
»Hier bin ich, Vater«, antwortete der.
»Wer ist der Mann von mäßiger Leibesstärke«, fragte Jaakob, »gekleidet in die Vornehmheit dieser Welt, der eben herabtritt von seinem Wagen und von dem Goldkorbe seines Wagens, und sein Halsschmuck ist als wie der Regenbogen und sein Kleid durchaus wie das Licht des Himmels?«
»Das ist dein Sohn Joseph, Vater«, erwiderte Juda.
»Ist er es«, sprach Jaakob, »so will ich aufstehen und ihm entgegengehen.«
Und obgleich Benjamin und die anderen ihn hindern wollten, bevor sie ihm halfen, verließ er mit würdiger Mühsal den Tragstuhl und ging allein, mehr als sonst aus der Hüfte lahmend, denn absichtlich übertrieb er sein Ehrenhinken, auf den Kommenden zu, der seinen Schritt überstürzte, um ihm den Weg zu kürzen. Die lächelnden Lippen des Mannes bildeten das Wort ›Vater‹, und er hielt seine Arme offen; Jaakob aber streckte die seinen geradeaus vor sich hin, wie wohl ein tastender Blinder tut, und bewegte die Hände daran wie in verlangendem Winken und doch wie in Abwehr auch wieder; denn da sie zusammentrafen, ließ er es nicht geschehen, daß Joseph ihm um den Hals fiel und sein Gesicht an seiner Schulter barg, wie er wollte, sondern hielt ihn

von sich ab bei den Schultern, und seine müden Augen forschten und suchten bei schräg zurückgelegtem Haupt lange und dringlich mit Leid und Liebe in dem Gesicht des Ägypters und erkannte ihn nicht. Es geschah aber, daß dessen Augen sich bei dem Anschauen langsam und bis zum Überquellen mit Tränen füllten; und wie ihre Schwärze in Feuchte schwamm, siehe, da waren es Rahels Augen, unter denen Jaakob in Traumfernen des Lebens die Tränen hinweggeküßt, und er erkannte ihn, ließ sein Haupt sinken an die Schulter des Verfremdeten und weinte bitterlich.
Sie standen allein und für sich auf dem Plan, denn die Brüder hielten sich scheu zurück von ihrer Begegnung, und auch die Gefolgsleute Josephs, sein Marschall, die Stallmeister zu Wagen, die Läufer und Fächerträger, nebst allerlei Neugierigen des nahen Städtchens, die mitgerannt waren, verharrten in Abstand.
»Vater, verzeihst du mir?« fragte der Sohn, und was meinte er nicht alles mit dieser Frage — daß er mit ihm umgesprungen war und hatt' es ihm eingebrockt; Lieblings-Übermut und heillose Schlingelei, sträflich Vertrauen und blinde Zumutung, hundert Narrheiten, für die er gebüßt mit dem Schweigen der Toten, da er gelebt hatte hinter dem Rücken des mit ihm büßenden Alten. »Vater, verzeihst du mir?«
Jaakob richtete sich mit wiedergewonnener Fassung von seiner Schulter auf.
»Gott hat uns verziehen«, antwortete er. »Du siehst es ja, denn er hat dich mir wiedergegeben, und Israel mag nun selig sterben, da du mir erschienen bist.«
»Und du mir«, sagte Joseph, »Väterchen — darf ich dich wieder so nennen?«
»Wenn es dir genehm wäre, mein Sohn«, antwortete Jaakob formell und neigte sich, so alt und würdig er war, sogar ein wenig vor dem jungen Mann, »so würde ich vorziehen, daß du mich ›Vater‹ nenntest. Unser Herz halte sich ernsthaft und schäkere nicht.«
Joseph verstand vollkommen.
»Ich höre und gehorche«, sagte er und neigte sich ebenfalls. — »Nichts von Sterben jedoch!« setzte er heiter hinzu. »Leben, Vater, wollen wir miteinander, jetzt wo die Strafe verbüßt und die lange Karenz beendet!«
»Bitter lang war sie«, nickte der Alte, »denn Sein Zorn ist gar wütig und Sein Grimm eines gewaltigen Gottes Grimm. Siehe, Er ist so groß und gewaltig, daß Er nur dergleichen Zorn hegen kann, keinen geringeren, und straft uns Schwächlinge, daß unser Heulen herausfährt wie Wasser.«
»Es wäre begreiflich«, meinte Joseph gesprächhaft, »wenn Er's vielleicht nicht so abmessen könnte in Seiner Größe und könnte sich, der nicht Seinesgleichen hat, nicht recht versetzen in unser-

einen. Mag sein, Er hat eine etwas schwere Hand, so daß Seine Berührung gleich zermalmend ist, ob Er's schon gar nicht so meint und nur stupfen und tupfen will.«
Jaakob konnte sich eines Lächelns nicht enthalten.
»Ich sehe«, versetzte er, »mein Sohn hat sich seinen reizvollen Gottesscharfsinn bewahrt von ehedem, auch unter fremden Göttern. Was dir zu äußern beliebt, daran mag etwas Wahres sein. Abraham schon hat Ihm das Ungestüm öfters verwiesen und auch ich sprach wohl mahnend zu Ihm: ›Sachte, Herr, nicht so heftig!‹ Aber Er ist, wie Er ist, und kann sich nicht mäßiger machen um unserer zärtlichen Herzen willen.«
»Eine freundliche Anhaltung«, erwiderte Joseph, »durch die, die Er liebt, kann trotzdem nicht schaden. Nun aber wollen wir Seine Gnade preisen und Seine Versöhnlichkeit, hat es auch lang damit angestanden! Denn Seiner Größe gleich ist nur Seine Weisheit, das will sagen die Fülle Seines Gedankens und der reiche Sinn Seines Tuns. Immer kommt mehrfache Verrichtung Seinen Ratschlüssen zu, das ist das Bewundernswerte. Straft Er, so meint Er zwar Strafe, und ist diese ernstlichster Zweck ihrer selbst und doch Mittel auch wieder zur Förderung größern Geschehens. Dich, mein Vater, und mich hat Er hart angefaßt und uns einander genommen, daß ich dir starb. Er meint' es und tat's. Aber in einem damit meint' Er, mich vor euch herzusenden um der Errettung willen, daß ich euch versorgte, dich und die Brüder und dein ganzes Haus in der Hungersnot, die Er im vielbedeutenden Sinne trug, und die für ihr Teil ein Mittel zu vielem war, dazu vor allem, daß wir uns wieder zusammenfänden. Das alles ist höchst bewundernswert in seiner weisen Verschränktheit. Wir sind heiß oder kalt, aber Seine Leidenschaft ist Vorsehung, und Sein Zorn weitschauende Güte. Hat dein Sohn sich annähernd schicklich ausgedrückt über den Gott der Väter?«
»Annähernd«, bestätigte Jaakob. »Er ist der Gott des Lebens, und das Leben spricht man, versteht sich, nur annähernd aus. Dies zu deinem Lobe und deiner Entschuldigung. Meines Lobes aber bedarfst du nicht, denn von Königen wirst du gelobt. Möchte dein Leben, das du in der Entrücktheit geführt hast, der Entschuldigung nicht allzu bedürftig sein.«
Er sprach es, indem sein Blick sorgenvoll an des ägyptischen Joseph Erscheinung hinabglitt, von der grün und gelb gestreiften Haube seines Hauptes, über seinen flimmernden Schmuck, das kostbare, seltsam geschnittene Kleid, die eingelegten Luxus-Geräte in seinem Gürtel und seiner Hand, bis zu den goldenen Spangen seiner Sandalen.
»Kind«, sagte er dringlich, »hast du deine Reinheit bewahrt unter einem Volk, dessen Brunst wie der Esel und wie der Hengste Brunst ist?«

»O Väterchen – will sagen: Vater«, erwiderte Joseph in einiger Verlegenheit, »was bekümmert sich doch mein lieber Herr! Laß das gut sein, die Kinder Ägyptens sind wie andere Kinder, nicht wesentlich besser und schlechter. Glaube mir, nur Sodom zu seiner Zeit hat sich besonders ausgezeichnet im Übel. Seitdem es in Pech und Schwefel verschwunden ist, steht's überall so ziemlich gleich, nämlich schlecht und recht, in dieser Beziehung. Du hast wohl einmal Gott vermahnt und ihm gesagt: ›Nicht so heftig, Herr.‹ So wird's nicht Sünde sein, daß auch ich nun wieder, dein Kind, dich ermahne und möchte dir liebevoll anempfehlen, da du nun hier bist: Laß die Leute des Landes nicht merken, wie du nun einmal über sie denkst, und schildere ihnen nicht strafend ihr Gebaren, wie es dir vorschwebt auf geistliche Weise, sondern vergiß nicht, daß wir fremd sind und Gerim dahier, und daß Pharao mich groß gemacht hat unter diesen Kindern und nehme nach Gottes Beschluß eine Stellung ein unter ihnen.«
»Ich weiß, mein Sohn, ich weiß«, antwortete Jaakob und neigte sich wieder ein wenig. »Zweifle nicht an meinem Respekt vor der Welt! – Sie sagen, du habest Söhne?« setzte er fragend hinzu.
»Freilich, Vater. Von meinem Mädchen, der Sonnentochter, einer sehr vornehmen Frau. Sie heißen . . .«
»Mädchen? Tochter der Sonne? Das verwirrt mich nicht. Ich habe Enkel von Schekem und Enkel von Moab und habe Enkel von Midian. Warum nicht auch Enkel von einer Tochter Ons? Bin doch ich es, von dem sie stammen. Wie heißen die Knaben?«
»Menasse, Vater, und Ephraim.«
»Ephraim und Menasse. Es ist gut, mein Sohn, mein Lamm, es ist sehr gut, daß du Söhne hast, ihrer zwei, und hast sie treulich mit solchen Namen benannt. Ich will sie sehen. Ehetunlichst sollst du sie vor mich stellen, wenn es dir gefällig ist.«
»Du befiehlst«, sagte Joseph.
»Und weißt du auch, teures Kind«, fuhr Jaakob leise fort und mit feuchten Augen, »warum es so gut ist und so sehr angebracht vor dem Herrn?« Er legte den Arm um Josephs Hals und sprach an seinem Ohr, das der Sohn mit abgewandtem Gesicht seinem Munde neigte:
»Jehosiph, einst ließ ich dir das bunte Kleid und vermacht' es dir, da du darum betteltest. Du weißt, daß es nicht die Erstgeburt bedeutete und das Erbe?«
»Ich weiß es«, antwortete Joseph ebenso leise.
»Ich aber meinte es wohl so, oder halb und halb so, in meinem Herzen«, sprach Jaakob wieder; »denn mein Herz hat dich geliebt und wird dich immer lieben, ob du nun tot seist oder am Leben, mehr denn deine Gesellen. Gott aber hat dir das Kleid zerrissen und meine Liebe zurechtgewiesen mit mächtiger Hand, gegen die kein Löcken ist. Er hat dich gesondert und dich abgetrennt von

meinem Hause; das Reis hat Er vom Stamm genommen und es ist in die Welt verpflanzt – da bleibt nur Gehorsam. Gehorsam des Handelns und der Beschlüsse, denn das Herz unterliegt nicht dem Gehorsam. Er kann mir mein Herz nicht nehmen und seine Vorliebe, ohne, Er nähme mein Leben. Wenn es nur nicht tut und beschließt, dies Herz, nach seiner Liebe, so ist's Gehorsam. Verstehst du?«
Joseph wandte den Kopf gegen ihn und nickte. Er sah Tränen in den alten braunen Augen vor ihm, und auch die seinen näßten sich abermals.
»Ich höre und weiß«, flüsterte er und hielt wieder das Ohr hin.
»Gott hat dich gegeben und genommen«, raunte Jaakob, »und hat dich wieder gegeben, aber nicht ganz; Er hat dich auch wieder behalten. Wohl hat Er das Blut des Tieres gelten lassen für das des Sohnes, und doch bist du nicht wie Isaak, ein verwehrtes Opfer. Du hast mir von der Fülle Seines Gedankens gesprochen und vom hohen Doppelsinn Seiner Ratschläge – du hast klug gesprochen. Denn die Weisheit ist Sein, aber des Menschen die Klugheit, sich sorglich einzudenken in jene. Dich hat Er erhöht und verworfen, beides in einem; ich sag' dir's ins Ohr, geliebtes Kind, und du bist klug genug, es hören zu können. Er hat dich erhöht über deine Brüder, wie du dir's träumen ließest – ich habe, mein Liebling, deine Träume immer im Herzen bewahrt. Aber erhöht hat Er dich über sie auf weltliche Weise, nicht im Sinne des Heils und der Segenserbschaft – das Heil trägst du nicht, das Erbe ist dir verwehrt. Du weißt das?«
»Ich höre und weiß«, wiederholte Joseph, indem er einen Augenblick das Ohr hinweg- und dafür den flüsternden Mund hinwandte.
»Du bist gesegnet, du Lieber«, fuhr Jaakob fort, »gesegnet vom Himmel herab und von der Tiefe, die unten liegt, gesegnet mit Heiterkeit und mit Schicksal, mit Witz und mit Träumen. Doch weltlicher Segen ist es, nicht geistlicher. Hast du je die Stimme absprechender Liebe vernommen? So vernimmst du sie jetzt an deinem Ohre, nach dem Gehorsam. Auch Gott liebt dich, Kind, spricht Er dir gleich das Erbe ab und hat mich gestraft, weil ich's heimlich dir zudachte. Der Erstgeborene bist du in irdischen Dingen und ein Wohltäter, wie den Fremden, so auch Vater und Brüdern. Aber das Heil soll nicht durch dich die Völker erreichen, und die Führerschaft ist dir versagt. Du weißt es?«
»Ich weiß«, antwortete Joseph.
»Das ist gut«, sprach Jaakob. »Es ist gut, das Schicksal mit heiter bewundernder Ruhe anzuschauen, das eigene auch. Ich aber will's machen wie Gott, der dir gönnte, indem Er dir verweigerte. Du bist der Gesonderte. Abgetrennt bist du vom Stamm und sollst kein Stamm sein. Ich aber will dich erhöhen in Väter-Rang, da-

durch, daß deine Söhne, die Erstgeborenen, sein sollen wie meine Söhne. Die du noch erhältst, sollen dein sein, diese aber mein, denn ich will sie annehmen an Sohnes Statt. Du bist nicht gleich den Vätern, mein Kind, denn kein geistlicher Fürst bist du, sondern ein weltlicher. Sollst aber dennoch an meiner Seite sitzen, des Stammvaters, als ein Vater von Stämmen. Bist du's zufrieden?«

»Ich danke dir fußfällig«, erwiderte Joseph leise, indem er wieder statt des Ohres den Mund hinwandte. Da löste Israel die Umhalsung.

Die Bewirtung

Die Fernstehenden, Josephs Leute hier und das Jaakobsvolk dort, hatten dem nah-vertrauten Gespräch der beiden ehrfürchtig zugesehen. Nun sahen sie, daß es beendet war und daß Pharao's Freund den Vater einlud, von hier zu fahren. Gegen die Brüder wandte er sich und ging auf sie zu, sie zu bewillkommnen; sie aber sputeten sich ihm entgegen und neigten sich alle vor ihm, und er herzte Benjamin, seiner Mutter Sohn.

»Jetzt will ich deine Weiber sehen und deine Kinder, Turturra«, sagte er zu dem kleinen Mann. »Euer aller Frauen und Kinder will ich nun sehen, daß ich ihre Bekanntschaft mache. Ihr sollt sie vor mich stellen und vor den Vater, an dessen Seite ich dabei sitzen will. Etwas von hier hab' ich ein Zelt errichten lassen zu eurem Empfang; da war's, wo mein Bruder Juda mich fand, und von dort kam ich her. Tragt unsren Vater wieder, den lieben Herrn, und sitzt alle auf und folgt mir! Ich will voranfahren in meinem Wagen. Will aber einer mit mir fahren, Juda zum Beispiel, der so freundlich war, mich zu rufen, so ist Platz genug in dem Wagen für ihn und mich samt dem Lenker. Juda, du bist's, den ich einlade. Kommst du mit mir?«

Und Juda dankte ihm und bestieg wirklich mit ihm den Wagen, der herankam auf Josephs Wink; in des Erhöhten Wagen fuhr er mit ihm und stand mit ihm in dem Goldkorb seines Wagens mit den erregten Pferden davor im Buntfederschmuck und in purpurnem Riemenwerk. Josephs Mannen folgten danach und dann die Kinder Israel, an ihrer Spitze Jaakob im schwankenden Reisestuhl. Seitwärts aber rannten die Leute mit, die dies alles sehen wollten, vom Markte Pa-Kôs.

So kam man zu einem bunt bemalten und teppichbelegten Zelt, sehr schön und geräumig, von Dienern bestellt, worin bekränzte Weinkrüge in feinen Rohrgestellen sich an den Wänden reihten, Polster gelegt waren und Trinkschalen, Wasserbecken und allerlei Kuchen und Früchte bereitstanden. Dahinein lud Joseph seinen Vater und seine Brüder, begrüßte sie abermals und erquickte sie, unterstützt von seinem Haushalter, den die Elfe kannten. Heiter trank er mit ihnen aus goldenen Bechern, in die die Aufwärter den Wein durch Seihtücher kredenzten. Danach aber saß er mit Jaakob, seinem Vater, auf zwei Feldstühlen im Eingang des Zeltes nieder, und vor ihnen vorbei zogen Jaakobs ›Weiber, Töchter und Söhne und die Weiber seiner Söhne‹, will sagen: die Frauen von Josephs Brüdern und deren Sprossen, kurz: Israel, daß er sie sähe und ihre Bekanntschaft mache. Ruben, sein ältester Bruder, nannte ihm ihre Namen, und er redete freundlich zu ihnen allen. Jaakob aber war gemahnt aus Zeitentiefen an eine andere Vorstellungsszene: nach der Nacht des Ringens zu Peni-el, als er Esau, dem Zottelmann, die Seinen präsentiert — die Mägde zuerst mit ihren vieren, dann Lea mit ihren sechsen und endlich Rahel mit dem, der jetzt neben ihm saß, und dem das Haupt war so weltlich erhoben worden.

»Es sind siebzig«, sagte er voller Würde zu ihm, auf sein Volk deutend, und Joseph fragte nicht, ob es siebzig seien mit Jaakob oder ohne ihn, und mit ihm selbst oder ohne ihn; er fragte nicht und zählte nicht nach, sondern ließ nur heiter-blickend das Volk vor sich vorüberziehen, zog Benjamins jüngste Söhne, Mupim und Ros, an seine Knie, daß sie bei ihm ständen, und war sehr interessiert und erfreut, als Serach, Aschers Kind, vor ihn gestellt wurde und er erfuhr, daß sie es gewesen sei, die dem Jaakob zuerst die Kunde gesungen von seines Sohnes Leben. Er dankte dem Mägdlein und sagte, baldmöglichst, sobald er Zeit habe, müsse sie auch vor ihm ihr Lied auf acht Saiten singen, daß er es höre. Unter den Weibern der Brüder aber ging auch Thamar vorüber mit ihren Juda-Sprossen, und Ruben, der Namen-Nenner, konnte so stehenden Fußes und in der Eile nicht gleich erklären, wie es sich mit ihr und ihnen verhalte; für gelegenere Stunde blieb die Erläuterung aufgespart. Hoch und dunkel schritt Thamar vorbei, an jeder Hand einen Sohn, und neigte sich stolz vor dem Schattenspender, denn sie dachte in ihrem Herzen: ›Ich bin auf der Bahn, du aber nicht, so sehr du glitzerst.‹

Als alle vorgestellt waren, wurden auch die Weiber und Töchtersöhne und die Töchter der Weiber im Zelt von den Dienern gelabt. Joseph aber versammelte die Hüttenhäupter um sich und den Vater, wies sie an und traf mit weltlicher Umsicht und Bestimmtheit seine Verfügungen.

»Ihr seid nun im Lande Gosen, Pharao's schönem Weideland«, sagte er, »und ich will's einrichten, daß ihr hier bleiben dürft, wo's noch nicht allzu ägyptisch ist, und sollt als Gerim hier leben, locker und frei und auf Widerruf, wie vordem im Lande Kanaan. Treibt euer Vieh nur auf diese Triften, baut Hütten und nährt euch. Vater, dir hab' ich ein Haus schon bereitgestellt, sorgfältig nachgebildet dem deinen zu Mamre, daß du alles findest, wie du's gewohnt bist, – etwas von hier ist es dir errichtet, näher gegen den Markt Pa-Kôs; denn am besten ist es, im Freien zu wohnen, aber nicht fern einer Stadt: so haben es die Väter gehalten, unter Bäumen wohnten sie und nicht zwischen Mauern, aber nahe Beerscheba und Hebron. Zu Pa-Kôs, Per-Sopd und Per-Bastet am Arm des Stromes mögt ihr verhandeln eure Erzeugnisse – Pharao, meinem Herrn, wird es genehm sein, daß ihr weidet, handelt und wandelt. Denn ich will um Gehör einkommen bei Seiner Majestät und vor ihm reden um euretwillen. Vortragen will ich ihm, daß ihr zu Gosem seid, und daß euer Verbleiben dahier sich klar empfiehlt, da ihr allezeit Hirten von Kleinvieh gewesen seid, wie auch schon eure Väter. Ich will euch nämlich sagen: Schafhirten sind den Kindern Ägyptens ein wenig zuwider, – nicht so sehr wie Schweinehirten, das nicht, aber ein leichter Widerwille sind ihnen Herdenwirte, was euch nicht kränken darf, sondern im Gegenteil nutzen wollen wir's dazu, daß ihr hier bleiben dürft, abgesondert von den Ägyptern, denn Schafhirten gehören in das Land Gosen. Weiden doch auch Pharao's eigene Herden in dieser Landschaft, das Kleinvieh des Gottes. Darum, da ihr Brüder erfahrene Hirten und Züchter seid, liegt der Gedanke nahe und ich will ihn Seiner Majestät nahelegen, so daß er gleichsam von selbst darauf kommt, daß er euch, oder doch etliche von euch, einsetzt als Vorsteher seiner Herden dahier. Er ist sehr lieb und trätabel, und ihr wißt ja: er hat schon Befehl gegeben, daß ich eine Auswahl von euch – denn alle, das wäre zuviel für ihn – vor ihn stelle, damit er euch frage und ihr ihm antwortet. Wenn er euch aber nach eurer Nahrung fragt und eurer Beschäftigung, so wißt ihr Männer, daß das nur eine Form ist, daß er längst von mir weiß, was euer Erwerb ist, auch daß ich ihn schon auf den Gedanken gebracht habe, euch über sein Vieh zu setzen. Das wird sein Hintergedanke sein bei seiner Formfrage. Darum bestätigt nur kräftig meine Aussage und sprecht: ›Deine Knechte sind Leute, die mit Vieh umgehen von unserer Jugend auf, wie unsere Väter taten.‹ Dann wird er erstens verfügen, daß eure Wohnung Gosen sein soll, die Nieder-Landschaft, und wird zweitens den Gedanken offenbaren, daß ich am besten tue, euch über sein Vieh zu setzen, die Tüchtigsten von euch. Welche aber die Tüchtigsten sind, das mögt ihr ausmachen unter euch selbst, oder der Vater, unser lieber Herr, mag's bestimmen. Ist nun dies alles geordnet, so will ich auch dir, mein Vater, ein Privatgehör verschaffen bei dem Gottessohn; denn es gehört sich, daß er dich sieht in der Würde deiner Geschichtenschwere, und daß du ihn siehst, den zart Bemühten, der recht wohl auf dem Wege ist, wenn auch der Rechte nicht für den Weg. Auch hat er's ja selbst schon brieflich befohlen, daß er dich sehen und dich befragen will. Ich kann nicht sagen, wie ich mich darauf

freue, dich vor ihn zu stellen, daß er dich sieht, Abrahams Enkel, den Gesegneten, in seiner Feierlichkeit. Er weiß auch schon dies und das von dir, gewisse Stückchen, mit den geschälten Stäben, zum Beispiel. Du aber, nicht wahr, wenn du vor ihm stehst, wirst mir die Liebe tun und dich erinnern, daß ich eine Stellung einnehme unter den Kindern Ägyptens, und wirst Pharao, dieser Kinder König, nicht strafend ihre Sitten schildern, wie sie dir geistlicherweise vorschweben, das wäre verfehlt.«
»Nicht doch, sei unbesorgt, mein Herr Sohn, liebes Kind«, entgegnete Jaakob. »Dein alter Vater weiß wohl, schonend Rücksicht zu nehmen auf die Größe der Welt, denn auch sie ist von Gott. Sei bedankt für das Haus und die Wohnung, die du mir sinnig vorbereitet hast im Lande Gosen. Dorthin will Israel sich nun begeben und all dieses besinnen, daß er es einverleibe dem Schatz seiner Geschichten.«

Jaakob steht vor Pharao

Mit Erstaunen bemerken wir, daß diese Geschichte sich gegen ihr Ende neigt, – wer hätte gedacht, daß sie je ausgeschöpft sein und ein Ende nehmen werde? Aber ein Ende nimmt sie im Grunde ja auch sowenig, wie sie eigentlich je einen Anfang nahm, sondern, da es mit ihr unmöglich immer so weitergehen kann, so muß sie sich irgend einmal entschuldigen und die kündenden Lippen schließen. Einen Schluß, vernünftigerweise, muß sie sich setzen, da sie kein Ende hat; denn zu schließen ist ein Vernunftakt angesichts des Unendlichen, in Erfüllung des Satzes: »Der Vernünftigere gibt nach.«
Die Geschichte also, indem sie nach mancher zu Lebzeiten bekundeten Maßlosigkeit zuletzt denn doch einen gesunden Sinn für Maß und Ziel bewährt, fängt an, ihr Ableben und ihr letztes Stündlein ins Auge zu fassen – wie Jaakob tat, als die siebzehn Jahre, die er noch zu leben hatte, auf die Neige gingen und er sein Haus bestellte. Siebzehn Jahre, das ist die Frist, die auch unserer Geschichte noch gegeben ist, oder die sie sich aus Sinn für Maß und Vernunft selber noch gibt. Niemals, bei allem Unternehmungsgeist, lag es in ihrer Absicht, länger zu leben als Jaakob – oder doch eben nur um soviel länger, daß sie noch seinen Tod erzählen kann. Ihre Maße in Raum und Zeit sind patriarchalisch genug. Alt und lebenssatt, zufrieden, daß allem eine Grenze gesetzt ist, wird sie ihre Füße zusammentun und verstummen.
Aber solange sie währt, läßt sie sich's nicht verdrießen, ihre Zeit zu erfüllen, und kündet wackeren Mundes sogleich, was jeder schon weiß, daß Joseph Wort hielt und zuerst eine Auswahl aus seinen Brüdern, fünf von ihnen, vor Pharao stellte und dann auch Jaakob, seinen Vater, förmlich bei dem schönen Kinde des

Atôn einführte, wobei der Patriarch sich sehr würdevoll, wenn auch vielleicht für weltliche Begriffe etwas zu überlegen benahm. Das Nähere hierüber alsbald. Joseph kam um die Audienzen beim Herrn des Süßen Hauches persönlich ein, und es ist bemerkenswert, wie wohl vertraut sich die Überlieferung mit den ägyptischen Umständen zeigt im Gebrauch der Richtungsbezeichnungen ›hinab‹ und ›hinauf‹. Nach Ägyptenland zog man ›hinab‹; die Kinder Israel waren hinabgezogen auf Gosens Fluren. Zog man aber dann in derselben Richtung weiter, so zog man ›hinauf‹, nämlich stromaufwärts, gegen Ober-Ägypten; und so, heißt es korrekt, tat Joseph: er begab sich ›hinauf‹ nach Achet-Atôn, der Stadt des Horizontes im Hasengau, der einzigen Hauptstadt der Länder, um dem Hor im Palaste anzuzeigen, daß seine Brüder und seines Vaters Haus zu ihm gekommen seien, und ihn auf den Gedanken zu bringen, daß man nichts Klügeres tun könne, als diese erfahrenen Hirten zu Hütern zu setzen über das Kronvieh im Lande Gosen. Pharao aber fand Gefallen an dem Gedanken, der ihm da gekommen war, und als die fünf Brüder vor ihm standen, sprach er ihn aus und berief sie zu seinen Hirten.
Dies geschah nicht viele Tage nach der Ankunft Israels in Ägypten, sobald Pharao wieder einmal On, seine liebe Stadt, besuchte und dort im Horizont seines Palastes erglänzte, wie er getan, als Joseph zuerst vor ihn gebracht worden war, damit er seine Träume deute. Diesen Zeitpunkt hatte man abgewartet zur Schonung Jaakobs, des Betagten, damit er keine zu weite Fahrt habe bis vor Pharao's Stuhl. Er war aber in Josephs Hause zu Menfe um diese Zeit, zusammen mit den fünf zur Vorstellung auserlesenen Söhnen, nämlich zwei Lea-Sprossen, *Ruben* und *Juda*, einem von Bilha: *Naphtali*, einem von Silpa: *Gaddiel*, und Rahels Zweitem, *Benoni-Benjamin*. Diese hatten den Vater hinaufbegleitet zur Stadt des Gewickelten am westlichen Ufer und in das Haus des Erhöhten: da grüßte Asnath, das Mädchen, den Vater des Räubers, und die ägyptischen Enkel wurden vor ihn geführt, daß er sie prüfe und segne. Der Alte war tiefbewegt. »Der Herr ist von überwältigender Freundlichkeit«, sagte er. »Er hat mich dein Angesicht sehen lassen, mein Sohn, was ich nicht gedacht hätte, und siehe, nun läßt Er mich auch deinen Samen sehen.« Und fragte den Größeren der Knaben nach seinem Namen.
»Menasse«, antwortete der.
»Und wie heißest du?« fragte er danach den Kleineren.
»Ephraim«, war die Antwort.
»Ephraim und Menasse«, wiederholte der Alte, indem er den Namen zuerst nannte, den er zuletzt gehört hatte. Dann stellte er Ephraim an sein rechtes Knie und Menasse gegen das andere, liebkoste sie und verbesserte ihre ebräische Aussprache.

»Wie oft hab' ich's euch, Menasse und Ephraim, schon gesagt«, tadelte Joseph, »daß ihr so sprechen sollt und nicht so.«
»Ephraim und Menasse«, sagte der Alte, »können nichts dafür. Dein Mund, mein Herr Sohn, ist selber etwas verbildet. – Wollt ihr zu Haufen Volkes werden in eurer Väter Namen?« fragte er die beiden.
»Wir wollen's gern«, antwortete Ephraim, der gemerkt hatte, daß er bevorzugt wurde, und Jaakob segnete sie damals schon vorläufig.
Gleich darauf hieß es, daß Pharao nach On, dem Hause des Rê-Horachte, gekommen sei, und Joseph fuhr hinab zu ihm, gefolgt von den fünf Auserwählten. Jaakob aber wurde getragen. Fragt man, warum nicht er, der Hochwürdige, zuerst empfangen wurde, sondern, wie ja feststeht, die Brüder zuerst an die Reihe kamen, so lautet die Antwort: Um der Steigerung willen geschah es. Selten tritt ja in festlicher Anordnung das Beste gleich an der Spitze daher, sondern Geringeres führt, danach folgt schon was Besseres, und erst dann allenfalls schwankt das Venerable daher, so daß Beifall und Jubel zur Höhe schwellen. Der Streit um den Vortritt ist alt, war aber gerade unter dem zeremoniellen Gesichtspunkt jedesmal unvernünftig. Den Vorantritt hat immer das Mindere, und den Ehrgeiz, der auf ihm bestand, hätte man lächelnd gewähren lassen sollen.
Auch hatte der Brüderempfang einen sachlichen, sozusagen geschäftlichen Gegenstand, der zuerst ins reine zu bringen war. Dagegen stellte Jaakobs kurzes Gespräch mit dem jugendlichen Götzen nur eine schöne Förmlichkeit dar, so daß denn auch Pharao wegen einer Anrede in Verlegenheit war und auf nichts Besseres verfiel, als den Patriarchen nach seinem Alter zu fragen. Seine Unterhaltung mit den Söhnen hatte mehr Hand und Fuß, war aber dafür wie fast alle Gespräche des Königs von ministerieller Seite im voraus festgelegt.
Die fünf wurden von schwänzelnden Kammerherrn in die Halle des Rats und der Vernehmung eingelassen, wo Jung-Pharao umgeben von statierenden Palastbeamten, Krummstab, Geißel und ein goldenes Lebenszeichen in der Hand unter dem bebänderten Baldachin saß. Obgleich sein geschnitzer Stuhl von altherkömmlicher Unbequemlichkeit, ein archaisches Möbel war, brachte Echnatôn es fertig, in über-lässiger Haltung darauf zu sitzen, da die hieratische Gliederordnung sich nicht mit seiner Idee der liebevollen Natürlichkeit Gottes vertrug. Sein Oberster Mund, der Herr des Brotes, Djepnuteefonech, der Ernährer, stand gleich am rechten Vorderpfosten des zierlichen Geheges und gab acht, daß das vom Dolmetscher vermittelte Gespräch verlief, wie es festgelegt worden war.
Nachdem die Einwanderer ihre Stirnen mit dem Estrich des Saales in Verbindung gebracht, murmelten sie eine nicht zu ausgedehnte

Lobrede, die ihr Bruder ihnen eingeübt, und die er so zu gestalten gewußt hatte, daß sie höfisch ausreichte, ohne ihre Überzeugungen zu verletzen. Übrigens gelangte sie, als bloßer Schnörkel, gar nicht zur Übersetzung, sondern Pharao dankte ihnen sogleich mit spröder Knabenstimme und fügte hinzu, Seine Majestät sei aufrichtig erfreut, die ehrenwerte Sippschaft seines Wirklichen Schattenspenders und Oheims vor seinem Stuhle zu sehen. »Was ist eure Nahrung?« fragte er dann.
Juda war es, der antwortete, sie seien Viehhirten, wie ihre Väter es immer gewesen, auf jederlei Viehzucht verstünden sie sich aus dem Grunde. Nach diesem Lande seien sie gekommen, weil sie nicht Weide mehr gehabt hätten für ihr Vieh, denn hart drückte die Teuerung im Lande Kanaan, und wenn sie sich einer Bitte unterstehen dürften vor Pharao's Angesicht, so sei es die, daß sie zu Gosen bleiben dürften, wo sie zur Zeit ihre Zelte hätten.
Echnatôn konnte eine leichte Verzerrung seiner empfindlichen Miene nicht hindern, als der Wiederholer das Wort ›Viehhirten‹ aussprach. Er wandte sich an Joseph mit den verzeichneten Worten: »Die Deinen sind zu dir gekommen. Die Länder stehen dir offen und so auch ihnen. Laß sie am besten Orte wohnen, laß sie im Lande Gosen wohnen, es soll Meiner Majestät sehr angenehm sein.« Und da Joseph ihn blickweise erinnerte, setzte er hinzu: »Da gibt zudem mein Vater im Himmel Meiner Majestät einen Gedanken ein, den Pharao's Herz sehr schön findet: Du kennst, mein Freund, deine Brüder am besten und ihre Tüchtigkeit. Setze sie doch, nach dem Grade derselben, über mein Vieh dort unten, zu Aufsehern setze die Tüchtigsten über des Königs Herden! Meine Majestät befiehlt dir recht lieb und freundlich, die Bestallung ausschreiben zu lassen. Ich habe mich sehr gefreut.«
Und dann kam Jaakob.
Sein Eintritt war feierlich und hoch-beschwerlich. Absichtlich übertrieb er seine Betagtheit, um durch erdrückende Alterswürde ein Gegengewicht zu schaffen gegen die Nimrod-Majestät und seinem Gott nichts vergeben zu müssen vor dieser. Dabei wußte er genau, daß sein höfischer Sohn etwas unruhig war wegen seines Verhaltens und besorgte, er möchte sich herablassend gegen Pharao benehmen und womöglich von dem Bocke Bindidi anfangen, weswegen er ihn sogar im voraus kindlich vermahnt hatte. Jaakob gedachte nicht, diesen Punkt zu berühren, aber sich nichts zu vergeben, dazu war er allerdings entschlossen und schützte sich mit überwältigendem Alter. Übrigens war er nicht nur von jeder Prostration entbunden, da man ihm die dazu nötige Beweglichkeit nicht mehr zumutete, sondern es war auch beschlossen, die Audienz aufs kürzeste zu beschränken, damit der Greis nicht zu lange zu stehen habe.
Sie betrachteten einander eine Weile schweigend, der luxuriöse

Spätling und Gottesträumer, der sich in seiner vergoldeten Zierkapelle neugierig etwas aus der Über-Bequemlichkeit erhoben hatte, – und Jizchaks Sohn, der Vater der Zwölfe; sie sahen einander an, umhüllt von derselben Stunde und durch Zeitalter getrennt, der uralt gekrönte Knabe, kränklich bemüht, aus der aufgehäuften Gottesgelehrsamkeit von Jahrtausenden das Rosenöl einer zärtlich verschwärmten Liebesreligion zu destillieren, und der vielerfahrene Greis, dessen zeitlicher Standort am Quellpunkt weitläufigsten Werdens war. Pharao geriet bald in Verlegenheit. Er war nicht gewohnt, zuerst das Wort an den zu richten, der vor ihm stand, sondern wartete auf den kurialen Begrüßungshymnus, mit dem man sich bei ihm einführte. Auch sind wir versichert, daß Jaakob diese Form-Pflicht nicht ganz verabsäumte: Er habe, heißt es, Pharao bei seinem Eintritt sowohl wie vor seinem Hinausgehen ›gesegnet‹. Das ist ganz wörtlich zu verstehen; der Erzvater setzte an die Stelle des obligaten Verherrlichungsgeleiers ein Segenswort. Nicht beide Hände hob er, wie vor Gott, sondern nur seine Rechte, und streckte sie mit würdigstem Zittern gegen Pharao aus, so, als erhöbe er sie aus einiger Entfernung väterlich über des Jünglings Haupt.
»Der Herr segne dich, König in Ägyptenland«, sprach er mit der Stimme des höchsten Alters.
Pharao war sehr beeindruckt.
»Wie alt bist du denn wohl, Großväterchen?« fragte er mit Erstaunen.
Da übertrieb Jaakob nun wieder. Wir sind berichtet, daß er die Zahl seiner Jahre mit hundertunddreißig bezeichnete – eine völlig zufällige Angabe. Erstens wußte er überhaupt nicht so genau, wie alt er war, – in seiner Sphäre pflegt man bis zum heutigen Tage sich darüber wenig klar zu sein. Zudem aber wissen wir, daß er es im ganzen auf hundertundsechs Jahre bringen sollte – eine im Bereich des Natürlichen sich haltende, wenn auch extreme Lebenszeit. Demnach hatte er damals die neunzig noch nicht erreicht und war für dieses bedeutende Alter sogar sehr rüstig. Immerhin gab es ihm die Mittel an die Hand, sich vor Pharao in größte Feierlichkeit zu hüllen. Seine Gebärde war blind und seherisch, seine Ausdrucksweise getragen. »Die Zeit meiner Wallfahrt ist hundertunddreißig Jahre«, sagte er und setzte hinzu: »Wenig und arg ist die Zeit meines Lebens und langet nicht an die Zeit meiner Väter in ihrer Wallfahrt.«
Pharao erschauerte. Ihm war jung zu sterben bestimmt, womit seine zarte Natur auch einverstanden war, so daß diese Lebensmaße ihn geradezu entsetzten.
»Du himmlische Güte!« sagte er mit einer Art von Verzagtheit. »Hast du immer zu Hebron gelebt, Großväterchen, im elenden Retenu?«

»Meistens, mein Kind«, antwortete Jaakob, so daß es den Gefälltelten zu seiten des Baldachins in die Glieder fuhr wie der Schlagfluß und Joseph mahnend den Kopf gegen den Vater schüttelte. Dieser sah es recht gut, tat aber, als sähe er es nicht, und, indem er hartnäckig bei erdrückenden Altersangaben blieb, fügte er hinzu:

»Zweitausenddreihundert sind den Weisen zufolge die Jahre Hebrons, und langet Mempi, die Grabesstadt, nicht daran nach ihrem Alter.«

Wieder schüttelte Joseph rasch den Kopf nach ihm hin, aber der Greis kümmerte sich nicht im geringsten darum, und Pharao zeigte sich auch sehr nachgiebig.

»Es mag sein, Großväterchen, es mag sein«, beeilte er sich zu sagen. »Wie aber mochtest du deine Lebenstage wohl arg nennen, da du einen Sohn zeugtest, den Pharao liebt wie seinen Augapfel, so daß keiner größer ist in beiden Ländern außer dem Herrn der Kronen?«

»Ich zeugte *zwölf* Söhne«, antwortete Jaakob, »und dieser war einer in ihrer Zahl. Fluch ist unter ihnen wie Segen und Segen wie Fluch. Etliche sind verworfen und bleiben erwählt. Wie aber einer erwählt ist, bleibt er in Liebe verworfen. Da ich ihn verlor, sollt' ich ihn finden, und da ich ihn fand, war er mir verloren. Auf erhöhtem Sockel tritt er zurück aus dem Kreis der Gezeugten, aber statt seiner treten hinein, die er mir zeugte, vor dem einen der andere.«

Pharao hörte diese sibyllinische Rede, die durch die Übersetzung noch dunkler wurde, offenen Mundes an. Hilfesuchend blickte er auf Joseph, der aber die Augen gesenkt hielt.

»Aber ja«, sagte er. »Aber gewiß doch, Großväterchen, das ist klar. Wohl und weise geantwortet, wie Pharao es wirklich gern hört. Nun aber sollst du dich nicht länger mit Stehen bemühen vor Meiner Majestät. Gehe in Frieden und lebe, solang es dich irgend freut, noch zahllose Jahre zu deinen hundertunddreißig!«

Jaakob aber segnete Pharao auch zum Schlusse wieder mit erhobener Hand und ging dann, ohne sich das geringste vergeben zu haben, feierlich-hochbeschwerlich von ihm hinaus.

Vom schelmischen Diener

Eine zuverlässige Klarstellung von Josephs Verwaltungstätigkeit findet hier ihren Platz, damit dem halbunterrichteten Gerede, das allezeit darüber im Umlauf war und oft in Schimpf und Unglimpf ausartete, ein für allemal der Boden entzogen sei. Schuld an diesen Mißverständnissen, die mehrmals geradezu das Urteil ›abscheulich‹ auf Josephs Amtsführung herabgezogen haben, ist – man kann nicht umhin, das festzustellen – in erster Linie die

früheste Nacherzählung der Geschichte, deren Lakonismus ihrer ursprünglichen Selbsterzählung, das heißt: der geschehenen Wirklichkeit von einst, so wenig nahekommt.
Es sind harte und trockene Daten, auf die diese erste Niederschrift die Handlungen von Pharao's großem Geschäftsmann zurückführt, und sie geben von der allgemeinen Bewunderung, die jene im Original erregten, weder eine Vorstellung, noch erklären sie diese Bewunderung, die sehr vielfach in Vergöttlichung überging und in träumerischem Wörtlichnehmen einiger seiner Titel, wie ›der Ernährer‹ und ›der Herr des Brotes‹, große Volksmassen dazu führte, eine Art von Nil-Gottheit, ja, eine Verkörperung Chapi's selbst, des Erhalters und Lebensspenders, in ihm zu sehen.
Diese mythische Popularität, die Joseph gewann, und auf deren Gewinnung sein Wesen wohl immer ausgegangen war, beruhte vor allem auf der irisierenden Gemischtheit, der mit den Augen lachenden Doppelsinnigkeit seiner Maßnahmen, die gleichsam nach zwei Seiten funktionierten und auf eine durchaus persönliche Weise und mit magischem Witz verschiedene Zwecke und Ziele miteinander verbanden. Wir sprechen von Witz, weil dieses Prinzip seinen Platz hat in dem kleinen Kosmos unserer Geschichte und früh die Bestimmung fiel, daß der Witz die Natur hat des Sendboten hin und her und des gewandten Geschäftsträgers zwischen entgegengesetzten Sphären und Einflüssen: zum Beispiel zwischen Sonnengewalt und Mondesgewalt, Vatererbe und Muttererbe, zwischen Tagessegen und dem Segen der Nacht, ja, um es direkt und umfassend zu sagen: zwischen Leben und Tod. Dies schlank-behende, lustig versöhnende Mittlertum hatte in Josephs Gastland, dem Lande der Schwarzen Erde, noch gar keinen rechten Ausdruck in einer Gottesperson gefunden. Thot, der Schreiber und Totenführer, Erfinder vieler Gewandtheiten, kam der Gestalt am nächsten. Nur Pharao, vor den alles Göttliche von weither gebracht wurde, hatte Kunde von einer vollendeteren Ausbildung dieses Gottescharakters, und die Gnade, die Joseph vor ihm gefunden, dankte er vorwiegend dem Umstande, daß Pharao die Züge des schelmischen Höhlenkindes, des Herrn der Stückchen, in ihm wiedererkannt und sich mit Recht gesagt hatte, daß kein König sich Besseres wünschen könne, als eine Erscheinung und Inkarnation dieser vorteilhaften Gottes-Idee zum Minister zu haben.
Die Kinder Ägyptens machten durch Joseph die Bekanntschaft der beschwingten Figur, und wenn sie sie nicht in ihr Pantheon aufnahmen, so nur, weil der Platz durch Djehuti, den weißen Affen, besetzt war. Eine religiöse Erweiterung bedeutete die Erfahrung gleichwohl für sie, besonders durch die heitere Veränderung, der die Idee des Zaubers dabei unterlag, und die allein genügte, das mythische Staunen dieser Kinder hervorzurufen. Mit

der Zauberei hatte es bei ihnen immer eine ängstlich-ernsthafte und sorgenvolle Bewandtnis, – dem Übel aufs dichteste vorzubauen, es aufs undurchlässigste abzuwehren, war ihnen alles Zauberns Sinn, weshalb sie ja auch Josephs große Kornhamsterei und seine vielen Speicherkegel in zauberischem Lichte gesehen hatten. Zauberhaft erst recht nun aber erschien ihnen die Begegnung von Vorsorge und Übel, will sagen: die Art, wie der Schattenspender kraft seiner Vorkehrungen dem Übel auf der Nase spielte, Vorteil und Gewinn daraus zog, es Zwecken dienstbar machte, die dem kreuzdummen und nur auf Verheerung bedachten Lindwurm nicht im entferntesten in den Sinn gekommen wären, – zauberhaft auf eine ungewohnt aufgeräumte, zum Lachen reizende Weise.

Tatsächlich wurde im Volke viel gelacht – und zwar bewundernd gelacht – darüber, wie Joseph, unter gelassener Ausnutzung der Preis-Lage im Umgange mit den Großen und Reichen, für seinen Herrn, den Hor im Palaste, sorgte und ihn golden und silbern machte, indem er gewaltige Kaufwerte für das Korn, womit er die Besitzenden versah, in Pharao's Schatzhaus strömen ließ. Darin erwies sich die geschickte Dienertreue einer Gottheit, die der Inbegriff alles ergebenen, Gewinn zuschanzenden Dienertums ist. Hand in Hand damit aber ging die Freiverteilung von Brotfrucht unter die hungernde Kleinbevölkerung der Städte im Namen Jung-Pharao's, des Gottesträumers, dem damit ebensoviel und noch mehr Nutzen geschah als mit seiner Vergoldung. Es war eine Verbindung von Volksfürsorge und Kronpolitik, die sehr neu, erfinderisch und erheiternd wirkte, und von deren Reiz die erste Nacherzählung der Geschichte höchstens dem eine Vorstellung gibt, der sehr genau in ihre Ausdrucksweise eindringt und zwischen ihren Zeilen zu lesen weiß. Ihre Beziehung zur eigenen Urform, das ist: zu dem geschehenden Sich-selbst-Erzählen der Geschichte, deutet sich an in gewissen derben Wendungen von ausgesprochen komischer Prägung, die wie stehengebliebene Reste einer volkstümlichen Farce wirken und durch die der Charakter des Urgeschehens hindurchschimmert. So, wenn die Darbenden vor Joseph schreien: »Her mit Brot für uns! Sollen wir etwa sterben vor dir? Geld ist alle!« – eine sehr tiefstehende Redensart, die im ganzen Bereich der Fünf Bücher sonst nicht vorkommt. Joseph aber antwortete darauf in demselben Stile, nämlich mit den Worten: »Los! Her mit eurem Vieh! Dafür will ich euch geben.« In diesem Ton haben die Bedürftigen und Pharao's großer Markthalter selbstverständlich nicht verhandelt. Aber die Ausdrucksweise kommt einer Erinnerung daran gleich, in welcher Gesinnung das Volk die Vorgänge erlebte – einer komödienhaften Gesinnung, die moralischer Wehleidigkeit ganz entbehrte.

Dennoch hat das ehrwürdige Referat den Vorwurf ausbeuterischer Härte von Josephs Verfahren nicht fernzuhalten vermocht, sondern das Verdammungsurteil sittlich ernst gestimmter Gemüter hervorgerufen. Das ist begreiflich. Wir lernen da, Joseph habe im Lauf der Schmachtjahre erst einmal alles Geld im Lande an sich gebracht, will sagen: in Pharao's Schatz versammelt, dann den Leuten das Vieh gepfändet und sie endlich ihrer Äcker enteignet, sie von Haus und Hof vertrieben, beliebig umgesiedelt und auf fremder Scholle als Staatssklaven fronen lassen. Es ist unliebsam zu hören, nahm sich aber in Wirklichkeit ganz anders aus, wie wiederum aus bestimmten erinnerungsvollen Wendungen des Berichtes deutlich hervorgeht. Man liest: »Er gab ihnen Brot um ihre Pferde, Schafe, Rinder und Esel und ernährte sie mit Brot das Jahr um all ihr Vieh.« Allein die Übersetzung ist ungenau und läßt eine gewisse Anspielung und Einflüsterung vermissen, deren das Original sich befleißigt. Statt ›ernährte‹ steht dort ein Wort, das ›leiten‹ bedeutet; »und leitete sie«, heißt es, »mit Brot für ihren Besitz jenes Jahr durch«, – ein eigentümlicher Ausdruck und absichtsvoll gewählt; denn er ist der Hirtensprache entnommen und bedeutet ›hüten‹, ›weiden‹, die sorgliche und milde Betreuung hilfloser Geschöpfe, einer leicht zu verwirrenden Schafherde besonders; und für das mythisch geübte Ohr wird dem Sohne Jaakobs mit diesem hervorstechenden und formelhaft feststehenden Wort die Rolle und Eigenschaft zugeschrieben des guten Hirten, der die Völker hütet, sie auf grüner Aue weidet und zu frischem Wasser führt. Hier, wie in den possenhaften Wendungen von vorhin, schlägt die Farbe des Urgeschehens durch; dies seltsame Tätigkeitswort ›leiten‹, das sich gleichsam aus der Wirklichkeit in den Erzählungstext eingeschlichen hat, verrät, in welchem Lichte das Volk Pharao's großen Günstling sah: sein Urteil unterschied sich gar sehr von dem, das heutige Staats-Moralisten über ihn fällen zu müssen meinen, denn Hüten, Weiden und Leiten ist das Tun eines Gottes, den man als ›Herrn des unterirdischen Schafstalls‹ kennt.

An den faktischen Angaben des Textes ist nicht zu rütteln. Joseph verkaufte an die, welche Schätze besaßen, namentlich an die Gaubarone und Großgrundbesitzer, die sich Königen gleichhielten, zu unverfrorenen Konjunkturpreisen und zog ›Geld‹, das heißt Tauschwerte in die königliche Kasse, daß bald kein ›Geld‹ im engeren Sinne, also Edelmetall in allerlei Form mehr unter den Leuten war: denn ›Geld‹ als geprägte Münze gab es ja gar nicht, und zu den Tauschwerten, die für Korn dahingegeben wurden, gehörten von vornherein auch alle Arten von Vieh: das war kein Nacheinander und keine Steigerung, und eine Darstellung, die die Vorstellung erweckt, als habe Joseph die Entblößtheit der Leute von ›Geld‹ dazu benutzt, ihnen ihre Pferde, Rinder und Schafe abzunehmen, läßt zu wünschen übrig. Vieh ist auch Geld; es ist sogar in ganz vorzüglichem Sinne Geld, wie noch aus dem hochmodernen Ausdruck ›pekuniär‹ hervorgeht; und selbst ehe noch die Vermögenden mit ihren goldenen und silbernen Prunkgefäßen zahlten, taten sie es mit Groß- und Kleinvieh – von dem übrigens nicht gesagt ist, daß es allzumal und bis auf die letzte Kuh in Pharao's Ställe und Pferche überging. Joseph hatte nicht sieben Jahre lang Ställe und Pferche gebaut, sondern Speicherkegel, und für all das Geldvieh hätte er weder Raum noch Verwendung gehabt. Wenn man nie von dem wirtschaftlichen Vorgang der ›Lombardierung‹ gehört hat, so kann man freilich einer Geschichte, wie dieser, nicht folgen. Das Vieh wurde beliehen oder verpfändet – welchen Ausdruck man nun wählen will. Es blieb größtenteils auf den Höfen und Gütern, aber es hörte auf, den Inhabern im alten Sinne des Wortes zu eigen zu sein. Das heißt, es war ihr Eigentum und war es auch wieder nicht mehr, war es nur noch bedingt und belasteterweise, und wenn die erste Nacherzählung es an irgend etwas fehlen läßt, so ist es dies, den Eindruck zu erzeugen, an dem so vieles gelegen ist, daß Josephs Verfahren durchweg darauf abzielte, den Eigentumsbegriff zu verzaubern und ihn in einen Schwebezustand von Besitz und Nicht-Besitz, von eingeschränktem und lehenhaftem Besitz zu überführen.

Denn wie die Jahre der Dürre und des erbärmlichen Pegelstandes sich aufreihten, die Brust der Erntekönigin hinweggewandt blieb, Kraut nicht aufging, Getreide nicht wuchs, der Mutterleib verschlossen war und kein Kind der Erde gedeihen ließ, – kam es ja in der Tat und ganz den Worten des Textes gemäß dahin, daß große Teile der Schwarzen Erde, die bisher noch der privaten Hand gehört hatten, in Kronbesitz übergingen, was mit den Worten wiedergegeben ist: »Da erwarb Joseph den ganzen Boden Ägyptens für Pharao, denn es verkauften die Ägypter jeder sein Feld.« Wofür? Für Saatkorn. Die Lehrer sind übereingekommen, daß es gegen Ende der Hungersträhne gewesen sein muß, als die Fessel der Unfruchtbarkeit sich schon etwas zu lockern begann, die wässerigen Dinge zum leidlich Normalen zurückkehrten und die Felder ertragsfähig gewesen wären, wenn man sie hätte besäen können. Daher die Worte der Bittenden: »Warum sollen wir sterben vor dir, wir sowohl als unser Feld? Kaufe uns und unser Land ums Brot, und wir wollen mitsamt dem Boden Pharao leibeigen sein, wenn du Samen gibst, daß wir leben und nicht sterben und der Boden nicht wüst liege!« – Wer spricht da? Es sind gesprochene Worte, kein Volksgeschrei. Es ist ein Vorschlag, ein Angebot, gemacht von einzelnen, einer Gruppe einer bisher sehr unfügsamen, ja aufsässigen Menschenklasse, den großen Latifundienbesitzern und Gaufürsten, denen Pharao Achmose, am

Anfang der Dynastie, große Titel, wie ›Erster Königssohn der Göttin Nechbet‹, und großen, unabhängigen Landbesitz hatte verleihen müssen, – altmodisch trotzigen Feudalherrn, deren rückständige, der Gesamtheit unnützliche Existenz dem neuen Staate längst ein Dorn im Auge war. Diese stolzen Herren ins Zeitgemäße zu nötigen, nahm Joseph, der Staatsmann, die Gelegenheit wahr. Um sie in erster Linie handelte es sich bei den Enteignungen, den Umsiedlungen, von denen wir hören: was sich unter diesem weisen und entschlossenen Minister ereignete, war die Auflösung des noch vorhandenen Großgrundbesitzes und die Besetzung kleinerer Gutsgebiete mit Pachtbauern, die dem Staate für eine auf der Höhe der Zeit stehende Bewirtschaftung, Kanalisierung und Bewässerung des Bodens verantwortlich waren; es war also eine gleichmäßigere Verteilung des Landes unter das Volk und eine durch Kron-Aufsicht verbesserte Agrikultur. Mancher ›Erste Königssohn‹ wurde zu ebensolchem Pachtbauern oder zog in die Stadt; mancher Landwirt wurde von dem Felde, das er bisher betreut, auf eines der neu abgegrenzten Kleingüter verwiesen, während jenes in andere Hände überging; und wenn diese Translokationen auch sonst geübt wurden, wenn man hört, daß der Herr des Brotes die Leute städteweise, das ist je nach dem um ein Stadtzentrum gelagerten Landkreise, ›austeilte‹, nämlich von Scholle zu Scholle versetzte, so lag dem eine wohlerwogene erzieherische Absicht zugrunde, die eben jener Umbildung des Besitzbegriffes galt, die Erhaltung und Aufhebung in einem war.
Diese wesentliche Bedingung für alle staatlichen Lieferungen von Saatgut war ja die Fortsetzung der Abgabe des schönen Fünften – derselben Steuer, durch die Joseph während der fetten Jahre die zauberhaften Vorräte zusammengebracht hatte, aus denen er nun schöpfte, – es war die Erklärung dieser Steuer in Permanenz, ihre Befestigung für ewige Zeiten. Man bemerke doch, daß diese Auflage, ohne die erwähnten Verpflanzungen, die einzige Form gewesen wäre, in der der ›Verkauf‹ der Äcker samt ihren Inhabern – denn auch diese selbst waren in das Angebot einbezogen gewesen – sich geäußert hätte. Es ist nie genug geschätzt worden, daß Joseph von dem Selbstverkauf der Gütler, zu dem sie sich entschlossen hatten, um nicht zu verderben, nur sehr andeutungsweise Gebrauch machte, daß er für sein Teil die Worte ›Sklaverei‹ und ›Leibeigenschaft‹, die er aus begreiflichen Gründen gar nicht liebte, überhaupt nicht in den Mund nahm, sondern der Tatsache, daß Land und Leute nicht mehr im alten Sinne ›frei‹ waren, nicht stärker als durch die unverbrüchliche Steuerbindung des Fünften Ausdruck gab, also dadurch, daß die mit Saatfrucht Beliehenen nicht mehr ausschließlich für sich selbst, sondern teilweise für Pharao, das heißt: den Staat, die öffentliche

Hand arbeiteten. Zu diesem Teil also war ihre Arbeit der Frondienst von Leibeigenen – der Name steht jedem Freunde der Menschlichkeit und Bürger einer humanen Neuzeit frei, der ihn logischerweise auch auf sich selbst anzuwenden bereit ist.
Er lautet jedoch übertrieben, wenn man das Maß von Hörigkeit prüft, das Joseph den Betroffenen auferlegte. Hätte er sie zur Herausgabe von drei Vierteln oder auch nur der Hälfte ihrer Erträgnisse gezwungen, so wäre ihnen fühlbarer gewesen, daß sie sich selbst nicht mehr und ihre Äcker nicht mehr ihnen gehörten. Aber zwanzig vom Hundert – die Böswilligkeit selbst muß zugeben, daß das heißt, die Ausbeutung in Grenzen halten. Vier Fünftel ihrer Ernten blieben den Leuten zu neuer Saat und zur Zehrung für sich und ihre Kleinen, – man wird es uns nachsehen, wenn wir, Aug in Auge mit dieser Satzung und Schatzung, nur von einer Andeutung der Sklaverei sprechen. Durch die Jahrtausende klingen die Dankesworte, mit denen die ins Joch Gespannten den Zwingherrn grüßten: »Du erhältst uns am Leben, mögen wir Gnade finden in deinen Augen und Pharao's Sklaven bleiben!« Was will man mehr? Wenn man aber noch mehr will, so wisse man, daß Jaakob selbst, mit dem Joseph diese Dinge wiederholt besprach, die Steuergebühr ausdrücklich billigte, nämlich nach ihrer Höhe, wenn auch nicht in Hinsicht auf den, dem sie zukam. Wenn er, sagte er, zum Haufen Volks werde geworden sein, dem eine Verfassung niedergelegt werden müsse, so würden gleichfalls die Landleute sich nur als Treuhänder ihres Bodens betrachten dürfen und würden den Fünften erlegen müssen – aber keinem Hor im Palaste, sondern Jahwe, dem König und Herrn allein, dem alles Feld gehöre und der all Besitztum verleihe. Er sähe aber wohl ein, daß sein Herr Sohn, der Abgesonderte, der eine Heidenwelt regiere, es mit diesen Dingen auf seine Art halten müsse. Und Joseph lächelte.
Die ewige Fronabgabe nun aber stimmte gedanklich und für das Bewußtsein der dazu Verpflichteten nicht mit ihrem Verbleiben auf den überkommenen Wohn- und Ackerplätzen überein. Durch ihre Milde gerade war sie unvermögend, ihnen das volle Verständnis für die neue Lage zu wecken und sie ihnen augenscheinlich zu machen. Das war der Grund für die Maßnahme der Translozierungen: sie bildeten die wünschenswerte Ergänzung der Zinsverpflichtung, die allein nicht ausgereicht hätte, den Farmern den ›Verkauf‹ ihres Eigentums zu versinnlichen und ihnen ihr neues Verhältnis zu diesem wirksam zu Gemüte zu führen. Ein Ackersmann, der auf seiner längst bewirtschafteten Scholle sitzen blieb, würde leicht in überwundenen Anschauungen befangen bleiben und sich wohl gar eines Tages aus Vergeßlichkeit gegen die Ansprüche der Krone erheben. War er dagegen gehalten, sein Gut zu verlassen, und empfing er dafür aus Pharao's

Hand ein anderes, so war der Lehenscharakter des Besitzes viel anschaulicher gemacht.
Daß der Besitz dabei noch Besitz blieb, war das Merkwürdige. Das Kennzeichen persönlichen und freien Eigentums ist das Recht auf Verkauf und Vererbung, und Joseph ließ diese Verfügungsrechte bestehen. In ganz Ägyptenland gehörte fortan aller Boden Pharao und konnte dabei verkauft und vererbt werden. Nicht umsonst haben wir von einer Verzauberung des Eigentumsbegriffes durch Josephs Maßnahmen gesprochen; von einem Schwebezustand, in den dieser Begriff durch sie versetzt wurde, so daß der Blick der Leute, wenn sie ihn innerlich auf den Gedanken ›Besitz‹ zu richten versuchten, sich im Zweideutigen brach und sich darin festsah. Was sie ins Auge zu fassen suchten, war nicht zerstört und aufgehoben, aber es erschien in einem Zwielicht von Ja und Nein, von Verflüchtigung und Bewahrtsein, das allgemeines Blinzeln schuf so lange, bis sich der Sinn daran gewöhnt hatte. Josephs Wirtschaftssystem war eine überraschende Verbindung von Vergesellschaftung und Inhaberfreiheit des einzelnen, eine Mischung, die durchaus als schelmisch und als Manifestation einer verschlagenen Mittlergottheit empfunden wurde.
Die Überlieferung betont, die Reform habe sich nicht auf den Landbesitz der Tempel erstreckt: die vom Staate dotierten Priesterschaften der so zahlreichen Heiligtümer, namentlich die Ländereien Amun-Rê's, blieben ungeschoren und zinsfrei. »Ausgenommen der Priester Feld«, heißt es, »das kaufte er nicht.« Auch das war weise, – wenn Weisheit eine ins Schelmische gesteigerte Klugheit ist, die den Gegner in der Sache zu schädigen weiß, während sie ihm der Form nach Reverenz erweist. Nach Pharao's Sinn war die Schonung Amuns und der kleineren Orts-Numina bestimmt nicht. Er hätte den von Karnak gern gerupft und gebeutelt gesehen und haderte knabenhaft deswegen mit seinem Schattenspender, den aber die Zustimmung Mamachens, der Mutter Gottes, deckte. Mit ihrem Einverständnis blieb Joseph dabei, die Anhänglichkeit des kleinen Mannes an die alten Götter des Landes zu schonen, diese Pietät, die Pharao gern zugunsten der Lehre von seinem Vater im Himmel mit Stumpf und Stiel ausgerodet hätte und mit anderen Mitteln, die Joseph ihm nicht verwehren konnte, auch auszuroden versuchte, – vor Eifer der Einsicht unfähig, daß das Volk sich dem Läuternd-Neuen viel zugänglicher erweisen werde, wenn man ihm zugleich erlaubte, an seinen althergebrachten Glaubens- und Kultgewohnheiten festzuhalten. Von Amun aus gesehen, hätte Joseph es durchaus für verfehlt gehalten, dem Widderköpfigen den Eindruck zu erwecken, als richte die ganze Agrarreform sich gegen ihn und sei als Mittel zu seiner Herabsetzung gemeint, so daß er aufgeregt worden wäre, im Volke dagegen zu wühlen. Viel besser hielt

man ihn durch die Gebärde höflicher Rücksichtnahme in Ruhe. Die Ereignisse all dieser Jahre, Überfluß, Vorsorge und Volkserrettung fielen mächtig genug für Pharao und sein geistliches Ansehen in die Waagschale, und die Reichtümer, die Joseph durch seine Kornverkäufe dem Großen Hause zugeschanzt hatte und noch immer zuzuschanzen fortfuhr, bedeuteten mittelbar einen solchen Schwereverlust für den Reichsgott, daß die Verbeugung vor seiner altgeheiligten Zinsfreiheit auf bloße Ironie hinauslief und eben jenes Augenlachen erkennen ließ, das das Volk in allen Handlungen seines Hirten gewahrte.

Selbst das Werbemittel, das dem Gestrengen zu Karnak in Pharao's unbedingter Friedlichkeit, seiner strikten Ablehnung des Krieges, zu Gebote stand, wurde ihm aus der Hand genommen oder verlor doch an Wirksamkeit durch Josephs Belieferungs- und Pfandsystem, das wenigstens eine Zeitlang die Dreistigkeit binden konnte, zu der eine zart gewordene und zur Gewalt unwillige Macht die gemeine Menschheit reizt. Groß waren die Gefahren, die die liebliche Gemütsverfassung eines späten Erben über das Reich Tutmose's, des Eroberers, heraufbeschwor, denn rasch sprach es sich herum in der Staatenwelt, daß in Ägyptenland nicht mehr der eiserne Amun-Rê, sondern eine gemütvolle Blumen- und Piepvogel-Gottheit den Ton angebe, die um keinen Preis das Schwert des Reiches färben wolle, und der also nicht auf der Nase zu spielen ein Verstoß gegen allen gemeinen Menschensinn gewesen wäre. Die Neigung zur Frechheit, zum Abfall und zum Verrat griff um sich. Die tributpflichtigen Ost-Provinzen vom Lande Seïr bis zum Karmel waren in Unruhe. Eine Bewegung unter den syrischen Stadtfürsten, sich unabhängig zu machen und sich dabei auf das kriegerisch gen Süden drängende Chatti zu stützen, war unverkennbar, und gleichzeitig brandschatzten die Bedu-Wüstlinge des Ostens und Südens, die auch davon gehört hatten, daß jetzt die Güte herrsche, die Städte Pharao's und nahmen sie teilweise geradezu in Besitz. Amuns täglicher Ruf nach markigem Machteinsatz, wiewohl hauptsächlich innenpolitisch gemeint und gegen die ›Lehre‹ gerichtet, war daher außenpolitisch nur zu gerechtfertigt, eine leidig-überzeugende Werbung des Heldisch-Alten gegen das Verfeinert-Neue, und machte Pharao viel Kummer um seines Vaters im Himmel willen. Die Hungersnot und Joseph aber kamen ihm zu Hilfe; sie nahmen dem Werberuf Amuns vieles von seiner Kraft, indem sie die wankelen Kleinkönige Asiens in wirtschaftliche Fesseln schlugen, und mochte es auch dabei nicht gerade mit Atônsmilde, sondern mit zielbewußter Unerbittlichkeit zugehen, so ist solche Härte doch gering zu veranschlagen in Ansehung dessen, daß sie es Pharao'n ersparte, sein Schwert zu färben. Das Wehgeschrei derer, die solchergestalt mit goldener Kette an Pharao's Stuhl ge-

bunden wurden, war oft schrill genug, daß es bis zu uns Heutigen gedrungen ist, aber alles in allem ist es nicht danach angetan, uns in Mitleid vergehen zu lassen. Gewiß, für Getreide mußten nicht nur Silber und Holz, es mußten auch junge Angehörige als Geiseln und Unterpfand nach Ägypten hinabgesandt werden – eine Härte, zweifellos, und doch will uns darob nicht das Herz brechen, zumal da wir wissen, daß asiatische Fürstenkinder in eleganten Internaten zu Theben und Menfe vorzüglich aufgehoben waren und dort eine bessere Erziehung genossen, als ihnen zu Hause je zuteil geworden wäre. »Dahin«, klang es und klingt es noch immer, »sind ihre Söhne, ihre Töchter und das Holzgerät ihrer Häuser.« Aber von wem hieß es so? Von Milkili zum Beispiel, dem Stadtherrn von Aschdod; und von dem wissen wir dies und das, was darauf hindeutet, daß seine Liebe zu Pharao nicht die allerverläßlichste war und eine Stärkung durch die Anwesenheit seiner Gemahlin und seiner Kinder in Ägypten sehr wohl brauchen konnte.
Kurzum, wir können uns nicht überwinden, in alldem Merkmale einer ausgesuchten Grausamkeit zu sehen, die nicht in Josephs Charakter lag, sondern sind viel eher geneigt, mit dem Volk, das er ›leitete‹, augenlachende Stückchen einer klug gewandten Diener-Gottheit darin zu erkennen. Dies war die allgemeine Auffassung von Josephs Geschäftsführung, weit über die Grenzen Ägyptens hinaus. Sie erregte Lachen und Bewunderung – und was kann der Mensch unter Menschen Besseres gewinnen, als die Bewunderung, die, indem sie die Seelen bindet, sie zugleich zur Heiterkeit befreit!

Nach dem Gehorsam

Bei dem, was noch zu erzählen bleibt, muß man mit Wirklichkeitssinn die Altersverhältnisse der Personen ins Auge fassen, die im Geschehen standen, – Verhältnisse, von denen Lied und Gemälde im breiten Publikum vielfach irrigen Anschauungen Vorschub geleistet haben. Dies gilt freilich für Jaakob nicht, der zur Zeit seines Sterbens immer als höchstbetagter und fast blinder Greis bildlich vorgestellt wird; (tatsächlich nahmen während der letzten Jahre seine Augen zusehends ab, und Jaakob hielt gewissermaßen darauf und machte es sich des feierlichen Ausdrucks wegen zunutze, indem er sich Isaak, den blinden Segensspender, dabei zum Muster nahm). Was aber Joseph und seine Brüder, auch seine Söhne betrifft, so neigt die öffentliche Einbildung dazu, sie alle auf einer gewissen Altersstufe festzuhalten und ihnen eine dauernde Jugendlichkeit zuzuschreiben, die diese Geschlechter aus aller Relation zu der schweren Bejahrtheit des väterlichen Hauptes bringt.

Es ist unsere Pflicht, hier berichtigend einzugreifen, keine märchenhafte Verschwommenheit zuzulassen und darauf hinzuweisen, daß nur der Tod, also das Gegenteil alles erzählenden Geschehens, Bewahrung und Stillstand gewährleistet, daß aber niemand Gegenstand des Erzählens und Angehöriger einer Geschichte sein kann, der dabei nicht rapide älter würde. Sind wir doch selbst, die wir diese Geschichte entwickeln, um kein Geringes älter darüber geworden, – ein Grund mehr dafür, in diesem Punkt auf Klarheit zu halten. Wir haben freilich auch lieber von einem reizend siebzehnjährigen oder auch noch von einem dreißigjährigen Joseph erzählt, als daß wir von einem gut und gern fünfundfünfzigjährigen künden; und doch sind wir es dem Leben und Fortschritt schuldig, euch zur Realisierung der Wahrheit anzuhalten. Während Jaakob, verehrt und wohlversorgt von Kindern und Kindeskindern, im Distrikte Goschen seinen Jahren noch siebzehn zulegte, um es auf das extrem ehrwürdige, aber noch natürliche Alter von hundertundsechs zu bringen, wurde sein abgesonderter Liebling, Pharao's Alleiniger Freund, aus einem reifen zum alternden Mann, dessen Haupthaar und Bart, wenn nicht jenes geschoren und von einer kostbaren Perücke bedeckt, dieser nach Landesgesittung glatt abrasiert gewesen wäre, viel Weiß im dunklen Grunde gezeigt hätten. Doch darf man hinzufügen, daß die schwarzen Rahelsaugen sich den Freundlichkeitsblitz bewahrten, der immer den Menschen ein Wohlgefallen gewesen war, und daß überhaupt das Tammuz-Attribut der Schönheit ihm in angemessener Wandlung treu blieb – dank dem doppelten Segen nämlich, für dessen Kind er immer gegolten und der ein Segen nicht nur von oben herab und von Witzes wegen, sondern ein Segen auch aus der Tiefe war, die unten liegt und mütterliche Lebensgunst ins Gebilde emporsendet. Solche Naturen erfahren nicht selten sogar eine zweite Jugend, die ihr Bild in einem gewissen Grade auf frühere Lebensstufen zurückführt; und wenn manche Vorspiegelungen der Kunst den Joseph an Jaakobs Sterbelager noch immer in jünglingshafter Gestalt zeigen, so verfehlen sie insofern die Wahrheit nicht ganz, als Rahels Erster tatsächlich einige Lustren vordem schon viel schwerer und fleischiger gewesen, aber um diese Zeit wieder entschieden schlanker geworden war und seinem zwanzigjährigen Selbst ähnlicher sah als seinem vierzigjährigen.
Ganz unverantwortlich und jeder Überlegung bar aber muß es genannt werden, wenn gewisse Phantasmagorien des Pinsels Josephs Söhne, die jungen Herren Menasse und Ephraim, bei der Szene ihrer Segnung durch den schon scheidenden Großvater, dem Beschauer als lockige Kinder von sieben oder acht Jahren vor Augen führen. Es ist ja klar, daß sie damals infantenhafte Kavaliere von Anfang Zwanzig, in stutzerhaft geschnürter und

bebänderter Hoftracht, mit Schnabelsandalen und Kammerherrnwedeln waren, und die sonst unbegreifliche Gedankenlosigkeit jener Schildereien ist nur mit ein paar träumerischen Wendungen des Frühtextes zu entschuldigen, dahingehend, Jaakob habe die Enkel auf den Schoß genommen oder vielmehr: Joseph habe sie davon heruntergenommen, nachdem der Alte sie ›geherzt und geküßt‹. Eine solche Behandlung wäre den jungen Leuten recht peinlich gewesen, und es ist sehr zu bedauern, daß der Erstbericht, eben aus der Neigung, für die meisten Personen der Geschichte die Zeit stillstehen und nur gerade Jaakob übertrieben alt – hundertsiebenundvierzig Jahre alt! – werden zu lassen, die Hand zu so ungereimten Vorstellungen bietet.
Wir werden sofort veranschaulichen, wie es bei diesem Besuche zuging, der der zweite von dreien war, die Joseph dem Vater in dessen letzter Lebenszeit abstattete. Es sei nur zuvor ein kurzer Blick auf die vorangehenden siebzehn Jahre geworfen, während welcher die Kinder Israel sich im Lande Gosen einlebten, dort weideten, schoren, molken, handelten und wandelten, dem Jaakob Urenkel bescherten und sich anschickten, zum Haufen Volkes zu werden. Nie wird mit voller Bestimmtheit gesagt werden können, wie viele von diesen siebzehn eigentlich noch auf die sieben Spreujahre entfielen, weil eben nicht unbedingt ausgemacht, ob es sieben waren oder ›nur‹ fünf. (Wir setzen dies ›nur‹ zwischen spöttische Zeichen, weil an schöner Bedeutsamkeit die Fünf um nichts hinter der Sieben zurücksteht.) Wie berichtet, brachten Schwankungen in dem Maß der Dauer-Heimsuchung einige Unsicherheit in die Zählung. Im sechsten Jahre schwoll in der heiligen Jahreszeit der Ernährer bei Menfe um nicht weniger als fünfzehn Ellen, wurde abwechselnd rot und grün, wie das seine Art ist, wenn es ihm gut geht, und setzte reichlichen Dung aber – aber nur, um sich im nächsten Jahr noch einmal als gänzlich unterernährt und schwächlich zu erweisen, so daß strittig blieb, ob diese beiden ihren fünf rippenmageren Vorgängern als sechstes und siebentes zuzuzählen seien oder nicht. Jedenfalls war um die Zeit, als diese Frage in allen Tempeln und Gassen erörtert wurde, Josephs agrarisches Reformwerk vollendet, und auf seinem Grunde regierte er fort als Pharao's Oberster Mund und weidete seine Schafe, indem er sie um den Fünften schor.
Man kann nicht sagen, daß er dabei seinen Vater und seine Brüder sehr häufig sah. Sie zelteten nahe bei ihm, im Vergleich mit früher, aber ein gutes Stück Reise war es immerhin zwischen der Stadt des Gewickelten, seiner Residenz, und ihrem Wohnsitz, und er war mit Verwaltungsgeschäften und höfischen Pflichten überhäuft. Die Berührung mit ihnen war weit lockerer als die drei rasch aufeinanderfolgenden letzten Besuche bei seinem Vater glauben lassen könnten, und im Hause Jaakob nahm niemand

Anstoß daran, man billigte es schweigend, und dieses Schweigen war sehr sprechend, es drückte nicht nur das Verständnis für äußere Verhinderungen aus. Wer das leise Gespräch zwischen Jaakob und Rahels Erstem beim Wiedersehen, als sie allein zwischen den Siebzig und Josephs Gefolge standen, wohl belauscht hat, der weiß der beiderseitigen Zurückhaltung – denn sie war beiderseitig – den strengen und leise traurigen Sinn unterzulegen, der ihr zukam: einen Sinn des Gehorsams und des Verzichtes. Joseph war der Gesonderte, der zugleich Erhöhte und Zurückgetretene, – vom Stamme abgetrennt war er und sollte kein Stamm sein. Das Schicksal seiner lieblichen Mutter, dessen Name ›verschmähte Bereitwilligkeit‹ gewesen war, erschien bei ihm wieder in Abwandlung und unter andrer Formel; es hieß: ›absprechende Liebe‹. Das war verstanden und hingenommen, und weit mehr der Sinn dafür, als Entfernung und Geschäftslast, war der Grund der Zurückhaltung.
Hört man die Redewendung, mit der Jaakob sich zum Vortrag einer bestimmten Bitte an Joseph wandte, die Floskel ›Habe ich Gnade vor dir gefunden‹, so hat man eine fast erkältende, fast beschämende Probe des betonten Abstandes, der sich zwischen Vater und Sohn, zwischen Joseph und Israel hergestellt hatte, und man gedenkt, wie Jaakob es tat, des frühen Traumes, des Traums auf der Tenne, in welchem mit den elf Kokabim auch Sonne und Mond sich vor dem Träumer geneigt und gebeugt hatten. Den Brüdern hatten die Träume tödlichen Gram und Haß erregt und sie zur Untat hingerissen, an der sie schwer zu tragen gehabt hatten. Aber seltsam ist es zu denken, was stillschweigend auch sie untereinander bedachten, daß dennoch die Untat ihren Zweck erfüllt und sie ihr Ziel damit erreicht hatten. Denn war's auch wider alles Erwarten ausgegangen und hatten sie auch auf ihren Bäuchen gelegen vor dem, der im Unteren der Erste geworden war, – sie hatten ihn doch nicht umsonst verkauft, nicht nur in die Welt nämlich, sondern auch an die Welt, – an sie war er abhanden gekommen, und das Erbe, das der Gefühlvolle ihm willkürlich zugedacht, war ihm verwehrt: von Rahel, der Geliebten, war es auf Lea, die Verschmähte, übergegangen. War das nicht einiges Neigen und Beugen wert?
»Habe ich Gnade vor dir gefunden« – es war beim ersten der drei Besuche, daß Jaakob so zu dem teuren Verfremdeten sprach, um die Zeit nämlich, als er fühlte, daß sein Leben abnahm und weit im letzten, sich nur müde, rötlich und spät noch über den Horizont emporschleppenden Viertel, vor völliger Verdunkelung stand. Er war nicht krank damals und wußte, daß es noch nicht aufs rascheste zu Ende ging. Denn er besaß gute Kontrolle über sein Leben und seine Kräfte, schätzte richtig ein, was ihm davon blieb, und wußte, daß er zwar noch etwas Zeit habe, daß es aber

an der Zeit sei, einen Wunsch, der ihm am Herzen lag, und der ihn ganz persönlich betraf, demjenigen ans Herz zu legen, der allein die Macht hatte, ihn zu erfüllen.
Darum schickte er zu Joseph und ließ ihn herbeibitten. Wen schickte er denn? Gewiß doch, Naphtali, Bilha's Sohn, den Geläufigen, schickte er; denn geläufig von Beinen und Zunge war Naphtali immer noch, seinen Jahren zum Trotz, die man erwähnen muß, weil die Überlieferung auch über das Alter der Brüder einen Schleier der Unachtsamkeit breitet. Klar ins Auge gefaßt, bewegte es sich damals zwischen siebenundvierzig und achtundsiebzig – wobei Benjamin, der kleine Mann, um nicht weniger als einundzwanzig Jahre hinter dem vor Joseph drittjüngsten, Sebulun, zurückstand, der achtundsechzig zählte. Dies wird schon hier erwähnt, damit ihr, wenn Jaakob in letzter Stunde seine Söhne zu Fluch und Segen um sich versammelt, nicht in dem Wahn lebt, der Zeltraum sei voll junger Leute gewesen. Wir wiederholen jedoch, daß Naphtali sich bei seinen Fünfundsiebzig die Sehnigkeit seiner langen Beine und die plappernde Behendigkeit seiner Zunge, zusammen mit seinem Bedürfnis nach Ausgleich des Wissens auf Erden und hin- und herwechselnder Meldegängerei, fast unversehrt bewahrt hatte.
»Knabe«, sagte Jaakob zu diesem zähen Greis, »gehe hinab von hier in die große Stadt, darin mein Sohn lebt, Pharao's Freund, und rede vor ihm und sage ihm an: ›Jaakob, unser Vater, wünscht deine Gnaden zu sprechen in wichtiger Angelegenheit.‹ Nicht erschrecken sollst du ihn, daß er denkt, ich sterbe schon. Sondern sollst zu ihm sagen: ›Unser Vater, der Alte, befindet sich wohl zu Gosen nach Maßgabe seiner Betagtheit und gedenkt noch nicht abzuscheiden. Nur die Stunde erachtet er für gekommen, einen Punkt mit dir zu bereden, der ihn selbst betrifft, liegt er gleich über sein Leben hinaus. Darum bemühe dich gütigst zu seinem Lager, das er schon meistens, wenn auch im Sitzen, hütet, in dem Haus, das du ihm bereitet!‹ Zieh, Knabe, greife aus und sage ihm das!«
Naphtali wiederholte flugs den Auftrag und machte sich auf die Socken. Hätte er nicht für die Hinfahrt mehrere Tage gebraucht, da er zu Fuße ausschritt, so wäre Joseph gleich dagewesen. Denn der kam zu Wagen, mit kleinem Gefolge und mit Mai-Sachme, seinem Haushalter, der zu großes Gewicht darauf legte, in dieser Geschichte zu sein, als daß er sich's hätte nehmen lassen, seinen Herrn zu begleiten. Er wartete aber mit den anderen Hausleuten Josephs draußen, während dieser allein beim Vater im Zelte war, in des Hauses wohlstaffiertem Wohn- und Schlafraum, der nun das Geviert ist, zu dem der sonst weitläufige Schauplatz der Geschichte sich zusammengezogen hat. Denn dort, auf seinem Bette im Hintergrunde und in dessen Nähe, verbrachte Jaakob seine

letzten Lebenstage, bedient von Damasek, Eliezers Sohn, selbst Eliezer genannt, einem in ein weißes Gurthemd gekleideten Mann von noch jugendlichen Zügen, aber mit einer Glatze, die von einem Kranze grauen Haares umgeben war.
Eigentlich war der Mann ja ein Neffe Jaakobs, denn Eliezer, Josephs Lehrer, war bei Lichte besehen der Halbbruder des Gesegneten von einer Magd gewesen. Seine Stellung aber war dienend, wenn auch erhöht über die des anderen Hofvolks; wie sein Vater nannte er sich Jaakobs Ältester Knecht und war über dessen Hause, wie Joseph über Pharao's Hause war und Hauptmann Mai-Sachme über Josephs. Zum Hauptmann ging er hinaus, als er den Sohn beim Vater gemeldet hatte, und unterhielt sich mit ihm als seinesgleichen.
Ägyptens Statthalter kniete nieder, da er das Gemach betrat, und berührte mit der Stirn den Filz und den Teppich des Bodens.
»Nicht also, mein Sohn, nicht also«, wehrte Jaakob ab, sitzend dort hinten auf seiner Lagerstatt, eine Felldecke über den Knien, zwischen zwei Tonlampen auf hölzernen Konsolen. »Wir sind in der Welt, und zu sehr achtet der geistliche Greis ihre Größe, als daß er willigen könnte in deine Gebärde. Willkommen mir, willkommen dem Altersschwachen, den Vorsicht entschuldigt, wenn er dir nicht väterlich-ehrerbietig entgegengeht, mein erhöhtes Lamm! Nimm einen Hockersitz hier bei mir, du Lieber, – Eliezer, mein Ältester Knecht, hätte dir auch einen herbeiziehen können, da er dich einließ, – er ist nicht, was sein Vater, der Brautwerber, war, dem die Erde entgegensprang, und wäre mir nicht gewesen, was jener mir war in der Zeit der blutigen Tränen. Welche Zeit meine ich aber? Die Zeit, da du warst abhanden gekommen. Damals hat er mir mit einem feuchten Tuch das Gesicht gewischt und mir manche Störrigkeit, die mir herausfuhr wider Gott, liebreich verwiesen. Du aber lebtest. – Deiner Nachfrage danke ich, es geht mir wohl. Der Knabe Naphtali von Bilha hatte den Auftrag, dich zu versichern, daß ich dich nicht an mein Sterbebett rüfe, – das will sagen: es wird mein Sterbebett sein, dieses Lager hier, und beginnt allgemach, diese Eigenschaft anzunehmen, aber besitzt sie in vollem Ausmaß noch nicht, denn noch ist einige Lebenskraft in mir, und noch nicht unmittelbar gedenke ich abzuscheiden, sondern ruhig wirst du von hier, bevor ich sterbe, noch ein oder zwei Mal in dein ägyptisch Haus und zu den Staatsgeschäften zurückkehren. Zwar bin ich gewillt und genötigt, mit den Kräften, die mir verbleiben, genauestens hauszuhalten und sie zu bewirtschaften mit Maß und Sparsamkeit, denn noch bei verschiedenen Gelegenheiten werde ich sie brauchen, besonders zuallerletzt noch, und muß meine Bewegungen und Worte schonen. Darum, mein Sohn, wird dieses unser Gespräch nur kurz sein und sich auf das sachlich Notwendige und Wichtige be-

schränken, denn mich zu verausgaben in überflüssigen Worten, wäre wider Gott. Sogar könnte es sein, daß ich schon einiges Überflüssiges geredet habe. Habe ich das allein Wichtige ausgesprochen und es dir in Form eines dringenden Ansuchens vorgetragen, so magst du, wenn deine Zeit es erlaubt, noch ein Stündchen stille bei mir sitzen, an meinem zukünftigen Sterbebett, nur wegen des Beieinanderseins, ohne mich zu redendem Kräfteverbrauch zu veranlassen. Schweigend werde ich das Haupt an deine Schulter lehnen und denken, daß du es bist, und wie die Einzig-Rechte dich mir gebar zu Mesopotamien unter übernatürlichen Schmerzen, wie ich dich verlor und dich gewissermaßen wiedergewann durch Gottes außerordentliche Güte. Als du aber geboren warst bei gipfelnder Sonne und lagst in der Hängewiege zur Seite der Jungfrau, die ein kurzatmig Lied der Erschöpfung sang, da war es um dich wie ein Scheinen von Annehmlichkeit, das ich wohl zu erkennen wußte nach seiner Bewandtnis, und deine Augen, wie du sie aufschlugst bei meiner Berührung, waren blau dazumal wie das Himmelslicht und wurden erst später schwarz, mit einem Schelmenblitz in der Schwärze, der schuld daran war, daß ich dir hier in der Hütte, dort weiter vorn, das Bilder-Brautkleid vermachte. Ich will vielleicht darauf zu sprechen kommen zuallerletzt – jetzt ist es wahrscheinlich überflüssig und wider die Sparsamkeit. Es ist für das Herz sehr schwer, zwischen notwendiger und unnötiger Rede wirtschaftlich zu unterscheiden. – Siehe, da streichelst du mich begütigend zum Zeichen deiner Liebe und Treue. Da will ich anknüpfen – auf deine Liebe und Treue will ich die Bitte gründen, die ich an dich habe, und will darauf bauen bei dem sachlichen Ansuchen, das ich an dich richten will unter Vermeidung jedes überflüssigen Wortes. Denn, Joseph-el, mein erhöhtes Lamm, die Zeit ist herbeigekommen, daß ich sterben soll, und bin ich auch keineswegs schon im letzten Begriffe zu sterben, so ist Jaakob doch in seine Sterbezeit eingetreten und in die Zeit der letztwilligen Worte. Wenn ich aber denn nun meine Füße zusammentue und werde zu meinen Vätern versammelt, so möchte ich nicht in Ägypten begraben sein, nimm mir's nicht übel, ich möchte das nicht. Auch im Lande Gosen hier, wo wir sind, zu liegen, wäre, ob es auch hier noch nicht allzu ägyptisch ist, meinen Wünschen entgegen. Ich weiß wohl, daß der Mensch, wenn er tot ist, keine Wünsche mehr hat und es ihm gleich ist, wo er liegt. Aber solange man lebt und wünscht, liegt einem doch daran, daß dem Toten geschehen möge nach den Wünschen des Lebenden. Ich weiß ferner wohl, daß gar viele von uns, Tausende nach ihrer Zahl, werden in Ägypten begraben sein, ob sie geboren sind hier oder noch geboren im Lande der Väter. Ich aber, ihr aller Vater und deiner, ich kann mich nicht überwinden, ihnen in diesem Punkte ein Beispiel zu geben. Mit ihnen bin ich gekommen in dein Reich und deines Königs Land, da dich Gott uns als Wegeöffner vorausgesandt; im Tode aber ist es mein Wunsch, mich von ihnen zu trennen. Habe ich Gnade vor dir gefunden, so lege die Hand unter meine Hüfte, wie Eliezer dem Abram tat, und schwöre mir, daß du mir wirst die Liebe und Treue erweisen und mich nicht im Lande der Toten begraben. Sondern bei meinen Vätern will ich liegen und zu ihnen versammelt sein. Darum sollst du mein Gebein aus Ägypten führen und es beisetzen in ihrem Begräbnis, das da heißt Machpelach oder die zwiefache Höhle zu Hebron im Lande Kanaan. Abraham liegt dort, der ehrenvoll Ausgedehnte, den in der Höhle seiner Geburt ein Engel säugte in Gestalt einer Ziege; neben Sarai liegt er darin, der Heldin und Himmelshöchsten. Das verwehrte Opfer liegt dort, Jizchak, der spät Empfangene, mit Rebekka, Jaakobs und Esau's klug entschlossener Mutter, die alles berichtigte. Und auch Lea liegt dort, die Erst-Erkannte, die Mutter der Sechse. Bei ihnen allen will ich liegen und sehe wohl, daß du mit kindlicher Andacht und bereit zum Gehorsam meinen Wunsch entgegennimmst, wenn auch ein Schatten des Zweifels und stiller Frage dabei deine Stirne streift. Meine Augen sind die besten nicht mehr, denn eingetreten bin ich in meine Sterbezeit, und mein Blick überzieht sich mit Dunkel. Aber den Schatten, der dein Angesicht streift, den seh' ich genau, weil ich nämlich wußte, daß er es streifen würde, denn wie sollte er nicht? Ist doch ein Grab am Wege, nur noch ein Streckchen gen Ephrat, die sie nun Bethlehem nennen, wo ich einbettete, was mir auf Gottes Erde das Liebste war. Will ich denn nicht an ihrer Seite liegen, wenn du mich folgsam heimbringst, mit ihr liegen abgesondert am Wege? Nein, mein Sohn, ich will es nicht. Ich habe sie geliebt, ich habe sie zu sehr geliebt, aber nicht nach dem Gefühle geht es und nach des Herzens üppiger Weichheit, sondern nach der Größe und nach dem Gehorsam. Es schickt sich nicht, daß ich am Wege liege, sondern bei seinen Vätern will Jaakob liegen und bei Lea, seinem ersten Weibe, von der der Erbe kam. Siehe, da stehen nun deine schwarzen Augen voll Tränen, auch das sehe ich noch genau, und gleichen völlig und bis zur Täuschung den Augen der Vielgeliebten. Es ist schön, mein Kind, daß du ihr so sehr gleichst, wenn du nun in Gnaden deine Hand unter meine Hüfte legst, darauf, daß du mich begraben willst nach der Größe und dem Gehorsam in Machpelach, der doppelten Höhle.«

Joseph tat ihm den Schwur. Und da er ihn getan, beugte Israel sich über das Kopfende des Bettes zum Dankgebet. Danach saß der Gesonderte noch ein Stündchen stille beim Vater, neben ihm auf dem Sterbebett, und der Greis lehnte schweigend das Haupt an seine Schulter, daß er fürs Künftige seine Kräfte schone.

Ein paar Wochen später wurde er krank. Eine leichte Hitze färbte seine hundertjährigen Wangen, sein Atem ging knapp und er hütete das Bett, halb sitzend, von Kissen gestützt, daß er leichter atme. Es war nicht nötig, daß Naphtali lief, um Joseph in Kenntnis zu setzen, denn dieser hatte einen Meldedienst eingerichtet zwischen Gosen und seiner Stadt, durch den er täglich, ja zweimal am Tage Nachricht erhielt über des Alten Befinden. Als ihm nun angesagt wurde: »Siehe, dein Vater ist an leichter Hitze erkrankt«, rief er seine beiden Söhne vor sich und sagte zu ihnen in kanaanäischer Zunge:
»Macht euch fertig, wir werden hinabfahren in die Niederungen zu einem Besuch eures Großvaters von meiner Seite.«
Sie antworteten:
»Wir haben aber eine Abrede zur Gazellenjagd in der Wüste, Herr Vater.«
»Habt ihr gehört, was ich gesagt habe«, fragte er auf ägyptisch, »oder habt ihr es nicht gehört?«
»Wir freuen uns sehr, dem Großvater einen Besuch zu machen«, erwiderten sie und ließen ihre Freunde, die reichen Stutzer von Menfe, wissen, sie könnten aus familiären Gründen nicht an der Jagd teilnehmen. Sie selbst waren auch Stutzer und Kinder der Hochkultur, manikürt, coiffiert, parfümiert und gepinselt, mit Fußnägeln wie aus Perlmutter, gewickelten Taillen und wallenden Buntbändern vorn, seitlich und hinten den Schurz hinab. Schlimm waren sie beide nicht, und aus ihrem Stutzertum, das sich gesellschaftlich von selbst ergab, ist ihnen kein Vorwurf zu machen. Nur allerdings war Menasse, der Ältere, sehr hochnäsig, da er sich auf sein Sonnenpriester-Geblüt von seiten der Mutter noch mehr zugute tat als auf den Ruhm seines Vaters. Ephraim, den Jüngeren, dagegen, mit den Rahelsaugen, muß man sich harmlos lustig denken und eher bescheiden, soweit eben, als Bescheidenheit sich aus Lustigkeit ergibt; denn Hochmut lacht ja nicht gern.
Die beringten Arme einander um die Schultern geschlungen, der Standsicherheit wegen im springenden Wagen, fuhren sie hinter dem Vater her nach Norden hinab gegen das Mündungsgebiet. Mai-Sachme begleitete jenen, damit seine ärztlichen Kenntnisse dem Kranken allenfalls möchten zugute kommen.
Jaakob dämmerte in seinen Kissen, als Damasek-Eliezer ihm das Herannahen seines Sohnes Joseph verkündete. Alsbald raffte der Alte sich zusammen, ließ sich aufsetzen im Bett von dem immerseienden Großknecht und war außerordentlich bei der Sache. »Haben wir Gnade gefunden«, sagte er, »vor meinem Herrn Sohn, daß er uns besucht, so dürfen wir uns einer geringen Hitze

wegen nicht gehenlassen.« Und er lüftete den Silberbart und ordnete ihn auf seiner Brust.
»Auch die Jungherren sind mit ihm«, sprach Eliezer.
»Gut, gut, das ist es«, erwiderte Jaakob und saß aufrecht, zum Empfange bereit.
Nicht lange, so trat Joseph herein mit den Prinzen, die blieben zierlich grüßend hinter ihm am Eingang stehen, indes er sich der Lagerstatt näherte und liebevoll die bleichen Hände des Greises nahm.
»Heiliges Väterchen«, sagte er, »ich bin gekommen mit diesen, weil man mir sagte, dich habe eine leichte Krankheit befallen.«
»Sie ist leicht und schwach«, antwortete Jaakob, »wie des Alters Krankheiten sind. Schwere und blühende Krankheiten sind für die Jugend und für stämmige Mannheit. Heftig fallen sie diese an und tanzen ausgelassen mit ihnen zu Grabe, was nicht schicklich wäre für die Betagtheit. Leise nur berührt matte Krankheit das Alter mit welkem Finger, daß es erlösche. Ich aber erlösche noch nicht, auch diesmal noch nicht, mein Sohn. Diese Krankheit ist welker als ich; durch meine hohen Jahre hat sie sich täuschen lassen und ist ungenügend. Auch von deinem zweiten Besuche an meinem Sterbebett wirst du noch einmal nach Hause zurückkehren, ohne daß es bereits mein Totenbett geworden wäre. Ich habe dich rufen und dich vor mich entbieten lassen das erste Mal. Dieses Mal bist du von selbst gekommen. Aber noch einmal werde ich dich rufen, zum dritten und letzten Besuch und zur Sterbefeier.«
»Die sei fern und stehe an vor meinem Herrn noch manches Jubeljahr!«
»Wie sollte sie, Kind? Genug schon, daß im Augenblick ihre Stunde noch nicht gekommen ist, die Stunde der Versammlung. Höfische Artigkeit ist's, die aus dir redet, ich aber stehe in meiner Sterbezeit, zu der paßt kein Blümeln, sondern einzig Strenge und Wahrheit sind's, die ihr zukommen. Auch bei der Versammlung nächstens wird es mit ihnen nur zugehen, ich sage es dir im voraus.«
Joseph neigte sich.
»Geht es dir wohl, mein Kind, vor dem Herrn und vor den Göttern des Landes?« fragte Jaakob. »Du siehst, die Krankheit ist so viel schwächer als ich, daß ich mir erlauben kann, nach dem Befinden anderer zu fragen. Allerdings solcher nur noch, die ich liebe. Treibst du wohl fleißig den Fünften ein von den Landeskindern? Es ist nicht recht, Jehosiph, denn dem Herrn allein sollte der Fünfte gehören und keinem Könige. Aber ich weiß wohl, mein Erhöhter, ich weiß wohl. Räucherst du wohl auch gelegentlich der Sonne und den Gestirnen, wie deine Stellung es mit sich bringt?«

»Lieber Vater –«
»Ich weiß ja, entrücktes Lamm, ich weiß es ja wohl! Und wie lieblich ist es von dir, daß du zwischen dem ersten und dritten Male ungerufen und ganz aus eigenem Antriebe kommst, den Alten zu sehen, ungeachtet deiner Inanspruchnahme durch die Geschäfte und durch so manche Räucherpflichten! Wahrnehmen will ich deinen Besuch zur Förderung einer Sache, über die wir nicht mehr gesprochen, seit du mir wieder erschienst auf der Trift, du Vermißter, – da sagte ich dir's ins Ohr, Geliebter, daß ich dich aufteilen will in Jaakob und zerstreuen in Israel, und will dich zerspalten in Enkelstämme, daß die Söhne des Sohnes der Rechten wie Lea's Söhne seien, du aber sollst sein wie unsereiner und aufsteigen in Väterrang, damit sich das Worte erfülle: Er ist der Erhöhte.«
Joseph neigte das Haupt.
»Siehe, es ist eine Stätte in Kanaan«, fing Jaakob mit erhobenen Augen zu künden an, begeistert vom Fieber, dem er sehr dankbar war für die Steigerung, die es seinem Blute verlieh, »– eine Stätte ist, ehemals Lus genannt, wo man ein wundersam Blau bereitet, zum Färben der Wolle. Aber nicht Lus heißt die Stätte mehr, sondern Beth-el ist sie genannt und Esagila, das Haus der Haupterhebung. Denn dort erschien der allmächtige Gott mir im Traume, als ich im Gilgal schlief, das Haupt vom Steine erhöht, – oben auf der Rampe, dem Bande Himmels und der Erden, wo die Gestirnengel auf und ab wallten mit Wohlgetön, erschien er mir in Königsgestalt, segnete mich mit dem Zeichen des Lebens und rief überschwenglichen Trost in die Harfen, denn seine gewaltige Vorliebe verhieß er mir und daß er mich wolle wachsen lassen und mich mehren zum Haufen Volks und zu zahllosen Kindern der Vorliebe. Darum nun, Jehosiph, sollen deine zween Söhne, die dir geboren sind in Ägyptenland, ehe ich zu dir hereinkam, Ephraim und Menasse, – mein sollen sie sein, gleich wie Ruben und Schimeon, und sollen aufgerufen sein nach meinem Namen; die du aber gezeugt haben wirst späterhin, die sollen dein sein und aufgerufen werden nach ihrer Brüder Namen, daß sie wie ihre Söhne sind. Denn deines Stuhles bist du verwiesen im Zwölferkreise, aber mit so viel Liebe, daß dir der vierte dafür bereitet ist, neben den drei feierlichsten.«
Hier machte sich Joseph schon bereit, die Prinzen vor ihn zu stellen, aber der Alte fing erst noch an von Rahel zu künden, noch einmal wieder, wie sie ihm gestorben sei, als er aus Mesopotamien kam, im Lande Kanaan, auf dem Wege, da nur noch ein Streckchen war gen Ephrat, und wie er sie begraben habe daselbst an dem Wege Ephrats, die nun Bethlehem heiße. Das tat er nur so zwischendurch; viel Zusammenhang hatte es nicht mit dem, um was es jetzt ging, es sei denn, daß er den Schatten der Einzig-

Geliebten beschwören wollte zum Beisein in dieser Stunde und wollte vielleicht den Rahelsvölkern ein eigenes heiliges Grab anweisen, besonders für sie, da den anderen Machpelach, die doppelte Höhle, Stätte der Wallfahrt sein sollte. Auch vielleicht wollte er das Stückchen und die Vertauschung im voraus rechtfertigen, die er vorhatte und bestimmt schon lange im Sinne trug, – die Meinungen der Lehrer über seine Absicht mit dieser Erwähnung gehen auseinander, aber wir meinen eher, er hatte gar keine und redete von der Lieblichen, weil er eben im feierlichen Reden und bei seinen Geschichten war und unendlich gern von Rahel redete, auch ohne Zusammenhang, ebenso gern wie von Gott; auch weil er fürchtete, daß er keine Gelegenheit mehr haben möchte, von ihr zu reden, und es unbedingt noch einmal tun wollte.

Danach, als er sie denn zum letzten Mal am Wege begraben, sah er sich um, legte die Hand über die Augen und fragte:

»Und wer sind die?«

Denn er tat, als habe er die beiden Enkel bisher überhaupt noch nicht bemerkt, und übertrieb sehr seine Unmacht, zu sehen.

»Das sind meine Söhne, heiliges Väterchen«, antwortete Joseph, »die wohlbekannten, die mir Gott gegeben hat hierzulande.«

»Sind sie's«, sagte der Greis, »so bringe sie her zu mir, daß ich sie segne.«

Was war da zu bringen? Die Infanten kamen schon ganz von selbst mit schmiegsamen Hüften heran und neigten sich in ausgesuchter Wohlerzogenheit.

Der Alte wiegte mit leisem Zungenschnalzen das Haupt.

»Liebliche Knaben, soviel ich sehe«, sagte er. »Fein und lieblich vor Gott alle beide! Beugt euch zu mir herab, ihr Schätze, daß ich das junge Blut eurer Wangen herze mit dem hundertjährigen Mund! Ist das Ephraim, den ich da herze, oder Menasse? Nun, gleichviel! War es Menasse, so ist's nun Ephraim, den ich auf die Wangen küsse und auf die Augen. Siehe, ich habe dein Angesicht wiedergesehen«, wandte er sich an den Sohn, während er Ephraim noch umschlungen hielt, »was ich nicht mehr gedacht hätte; und nicht genug damit, sondern auch deinen Samen hat Gott mich noch sehen lassen. Ist es zuviel gesagt, ihn den Quell unendlicher Güte zu nennen?«

»Doch nicht«, antwortete Joseph zerstreut; denn er sorgte, daß die Knaben recht ständen vor Jaakob, der zu erkennen gab, daß er sie nicht unterscheide.

»Menasse«, sagte er leise zum Älteren, »Achtung! Hierher! Sieh nach der Ordnung, Ephraim, dorthin!«

Und nahm diesen mit seiner Rechten und schob ihn vor Israels linke Hand, und mit seiner Linken nahm er Menasse und stellte ihn gegen Jaakobs rechte, damit alles die rechte Art habe. Was

aber sah er nun da mit Staunen, Unwillen und stiller Erheiterung? Das sah er: Der Vater, blind erhobenen Angesichts, legte seine linke Hand auf Menasse's gebeugtes Haupt und, indem er die Arme kreuzte, die rechte auf Ephraims und fing, die Augen blind in den Lüften, bevor Joseph einschreiten konnte, sofort an zu reden und zu segnen. Den dreifachen Gott rief er an, den Vater, den Hirten, den Engel, der solle die Knaben segnen und machen, daß sie nach seinem, Jaakobs, und nach seiner Väter Namen genannt würden, und daß sie wüchsen und wie Fische zur Fülle wimmelten. Ja, ja, so sei es. Ströme, du Segen, heilige Spende aus meinem Herzen, durch meine Hände, auf euere Häupter, in euer Fleisch, in euer Blut. Amen.
Es war ganz unmöglich für Joseph, den Segen zu unterbrechen, und seine Söhne merkten gar nicht, wie ihnen geschah. Sie waren überhaupt nicht sehr bei der Sache und etwas wütend, besonders Menasse, weil sie die Gazellenjagd in der Wüste versäumen mußten um dieser Zeremonie willen. Übrigens aber spürte jeder eine Segenshand auf seinem Haupt, und wenn sie hätten sehen können, daß die Hände gekreuzt waren und die rechte dem Jüngeren auflag, die linke aber dem Älteren, so hätten sie sich auch nichts daraus gemacht, sondern gedacht, das müsse so sein und sei nach des ausländischen Großvaters Stammesgewohnheiten. Und damit hätten sie nicht so unrecht gehabt. Denn Jaakob, des Pelzigen Bruder, wiederholte natürlich und ahmte nach. Den Blinden im Zelte ahmte er nach, seinen Vater, der ihm vor dem Roten den Segen dahingegeben. Ohne Segensbetrug ging es in seinen Augen nicht ab. Vertauscht mußte sein, und darum vertauschte er wenigstens seine Hände, daß auf den Jüngsten die Rechte kam und dieser zum Rechten wurde. Ephraim hatte Rahels Augen und war offensichtlich der Angenehmere – auch das spielte mit. Hauptsächlich aber war er der Jüngere, wie er selbst, Jaakob, der Jüngere gewesen war und war vertauscht worden durch die Haut, durch das Fell. In seinen Ohren, während er die Hände vertauschte, summte es von Sprüchen, die die rüstige Mutter gemurmelt, als sie ihn zubereitete, die aber viel weiter hertönten und viel anfänglich-älter waren als seine eigne Vertauschung: »Ich wickle das Kind, ich wickle den Stein, es taste der Herr, es esse der Vater, dir müssen dienen die Brüder der Tiefe.«
Joseph war, wie gesagt, erheitert und auch verletzt, dies beides. Sein Sinn fürs Schelmische war ausgeprägt, aber als Staatsmann fühlte er sich verpflichtet, zu retten, was von Ordnung und Recht noch zu retten war. Sobald also der Alte ausgesegnet, sagte er: »Vater, verzeih, nicht also! Ich hatte die Knaben recht vor dich hingestellt. Hätte ich gewußt, daß du deine Hände zu kreuzen gedächtest, so hätte ich sie anders postiert. Darf ich dich aufmerksam machen, daß du deine Linke auf Menasse gelegt hast, meinen

Älteren, und die Rechte auf Ephraim, den Nachgeborenen? Das schlechte Licht ist hier schuld, daß du dich, mit Verlaub gesagt, etwas versegnet hast. Willst du's nicht rasch noch verbessern, die Hände ins Rechte vertauschen und vielleicht nur noch einmal ›Amen‹ sagen? Denn die Rechte ist für Ephraim ja die Rechte nicht; Menassen gebührt sie.«

Dabei faßte er sogar des Alten Hände, die noch auf den Häuptern lagen, und wollte sie ehrerbietig ins Rechte bringen. Aber Jaakob hielt fest an ihrer Stellung.

»Ich weiß wohl, mein Sohn, ich weiß wohl«, sagte er. »Und du, laß es also sein! Du regierst in Ägyptenland und nimmst den Fünften, aber in diesen Dingen regiere ich und weiß, was ich tue. Gräme dich nicht: dieser« (und er hob seine Linke ein wenig) »wird auch zunehmen und ein groß Volk werden; aber sein kleinerer Bruder wird größer denn er werden und sein Same ein übergroß Volk sein. Wie ich's gemacht habe, hab' ich's gemacht und ist mein Wille sogar, daß es sprichwörtlich werde und eine Redeweise in Israel, also daß, wenn einer jemanden segnen will, so soll er sprechen: ›Gott setze dich wie Ephraim und Menasse.‹ Merk es, Israel!«

»Wie du befiehlst«, sagte Joseph.

Die Jünglinge aber zogen die Köpfe unter den Segenshänden hinweg, legten die Hände an ihre Taillen, glätteten ihre Frisuren und waren froh, daß sie wieder aufrecht stehen durften. Sie waren von der Vertauschung wenig berührt, – mit Recht insofern, als die heilige Fiktion, die sie zu Söhnen Jaakobs und gleichwie Lea-Sprossen machte, an ihrem persönlichen Dasein nichts änderte. Sie verbrachten ihr Leben als ägyptische Edelleute, und erst ihre Kinder, richtiger aber wohl erst einzelne ihrer Enkel, schlossen sich durch Umgang, Religionsübung und Heirat mehr und mehr den ebräischen Leuten an, so daß gewisse Gruppen der Sippschaft, die eines Tages von Keme nach Kanaan zurückwanderten, sich von Ephraim und Menasse herleiteten. Aber auch in Ansehung der Zukunft und der Auswirkung von Jaakobs Handgriff war der Gleichmut der jungen Leute nicht ungerechtfertigt, wenigstens soweit die Menge derer in Frage kam, die sich später nach ihrem Namen nannten. Denn unsere Nachforschungen haben ergeben, daß auf der Höhe ihrer Entfaltung die Leute Menasse's um gut zwanzigtausend Seelen mehr betrugen denn Ephraims Leute. Aber Jaakob hatte seinen Segensbetrug gehabt.

Er war recht erschöpft nach der Feier und nicht mehr ganz klar im Geiste. Obgleich Joseph ihn bat, sich niederzulegen, blieb er im Bette hoch sitzen und kündete dem Liebling von einem Stück Land, das er ihm vermache außer seinen Brüdern, und das er mit ›seinem Schwert und Bogen‹ den Amoritern genommen habe. Gemeint konnte nur das Stück Saatland vor Schekem sein, das Jaakob einst von Chamor oder Hemor, dem Gichtigen, unterm Tore der Stadt für hundert Schekel Silbers erworben – und also keineswegs mit Schwert und Bogen erobert hatte. Wie kam auch Jaakob, der Zeltfromme, zu Schwert und Bogen? Er hatte nie solche Geräte geliebt noch gehandhabt und es seinen Söhnen unauslöschlich verübelt, daß sie sie früher gar wild gehandhabt hatten zu Schekem, – wodurch es eben sehr zweifelhaft geworden war, ob der damals getätigte Landkauf heute noch Gültigkeit hatte, und ob Jaakob über dies Schulterstück noch verfügen konnte.

Er tat es jedenfalls in seiner Schwäche, und Joseph dankte ihm, die Stirne auf des Vaters Händen, für das Sondervermächtnis, gerührt von dem Liebesbeweise und zugleich von der wunderlichen Erscheinung, daß gerade die Schwäche den Greis dahin verwirrte, sich in der Rolle des Kriegshelden zu sehen. Joseph urteilte, das nahe Ende zeige sich darin an, und beschloß, für diesmal nicht mehr nach Menfe zurückzukehren, sondern im nahen Pa-Kôs den Ruf zur letzten Versammlung abzuwarten.

Die Sterbeversammlung

»Versammelt euch, ihr Kinder Jaakobs! Kommet zuhauf und scharet euch um eueren Vater Israel, daß er euch künde, wer ihr seid und was euch begegnen wird in zukünftigen Zeiten!«

Das war der Ruf, den Jaakob aus dem Zelte ergehen ließ an seine Söhne, als er die Stunde für gekommen erachtete, daß er seine Sterbereden halte. Denn er hatte sein Leben in seiner Hand und wußte genau, was ihm an Kräften blieb, daß er es verausgabe an die Sterbereden und dann stürbe. Durch Eliezer, seinen Großknecht, den Alt-Jungen, ließ er den Ruf ergehen; ihm sagte er ihn vor und ließ ihn sich mehrmals wiederholen, damit Damasek ihn nicht nur ungefähr, sondern nach der genauen Wortfügung wüßte. »Nicht ›kommet herbei‹«, sagte er, »sondern ›kommet zuhauf‹, und nicht ›stellt euch um Israel‹, sondern ›scharet euch‹! Nun wiederhole das ganze noch einmal und vergiß nicht des Doppelworts ›Wer ihr seid und was euch begegnen wird‹! – Gut denn endlich! Ich fürchte, ich habe an deine Belehrung zuviel von meinen Kräften gewendet. So eile!«

Und Damasek zog sein Kleid unter den Gürtel und lief nach allen Richtungen, so schnell, daß es schien, als springe die Erde ihm entgegen, legte die hohlen Hände an den Mund und rief: »Scharet euch zuhauf, ihr Söhne Israels, und versammelt euch, wie ihr seid, daß euch Gutes begegne von Tag zu Tage!« Zu den Siedelungen lief er, auf die Felder und zu den Hürden, den königlichen, über die die Fünfe gesetzt waren, und zu den anderen, lief hin und her durch Ried und Pfütze, daß trübes Wasser ihm

die hageren Beine bespritzte; denn es war in der Zeit des Rückganges, am fünften Tage des ersten Monats der Winterzeit, was wir Anfang Oktober nennen, und hatte im Delta nach langer Späthitze beträchtlich geregnet. Immer rief er durch seine Hände über das Land und in die Wohnungen hinein: »Wer ihr seid, versammelt euch, Söhne Jaakobs, und begegnet euch um ihn zuhauf für künftige Zeiten!« Auch ins nahe Pa-Kôs lief er, wo Joseph beim Schulzen abgestiegen war, so daß vor dem Hause Wachen standen, und rief schändlich ungenau die Worte aus, die Jaakob sorgfältig bestimmt und geordnet hatte für immer und ewig. Aber ihre Wirkung taten sie trotz der Entstellung und fanden bestürzten Gehorsam überall. Auch Pharao's Freund machte sich eilig auf zum Haus seines Vaters, mit ihm Mai-Sachme, sein Majordom, dazu viele Neugierige aus den Gassen, die auf den Ruf gehört hatten und lungern wollten.
Die Elfe erwarteten den Bruder vorm Eingang zu dem Gehänge. Er grüßte sie mit angemessener Miene, traurig-bedeutsam, küßte Benjamin, den kleinen Mann von siebenundvierzig, und sprach noch eine kurze Weile leise mit ihnen hier draußen über des Vaters Befinden und darüber, daß er offenbar zu scheiden und seine Sterbereden zu halten gedächte. Sie antworteten ihm mit niedergeschlagenen Augen und etwas verklemmten Mündern, denn, wie gewöhnlich, fürchteten sie sich vor des Alten Ausdrucksmacht und vor der Sterbensstrenge des weihevollen Vater-Tyrannen, die ihnen wahrscheinlich nichts ersparen würde, und dachten alle bei sich das Menschenwort: ›Um des Himmels willen, das kann ja gut werden!‹ Die starken Gesichtsmuskeln Re'ubens, des achtundsiebzigjährigen Herdenturms, waren bärbeißig angezogen. Er war mit Bilha dahingeschossen, das würde er bestimmt höchst ausdrucksvoll zu hören bekommen anläßlich der Feierlichkeit, und wappnete sich dagegen. Da waren Schimeon und Levi, die hatten als junge Leute Schekem barbarisch verwüstet um der Schwester willen – eine Ewigkeit war das her, aber sie konnten sicher sein, es feierlich aufgetischt zu bekommen, und wappneten sich auch. Da war Jehuda, der es versehentlich mit seiner Schnur getrieben, – er zweifelte gar nicht, daß der Alte grausam und sterbensstreng genug sein werde, es ihm vorzuhalten, besonders da er selber ein wenig in sie verliebt gewesen war. Da waren sie alle und hatten, bis auf Benjamin, den Gegängelten, einst den Dumuzi verkauft. Jaakob würde imstande sein, auch davon bei dieser Gelegenheit zu singen und zu sagen, – sie erwarteten es und verstockten sich alle in dieser Erwartung. Namentlich die Lea-Söhne verstockten sich, denn keiner von ihnen hatte es je dem Vater verziehen, daß er nach Rahels Tod nicht ihre Mutter, sondern Bilha, Rahels Magd, zur Liebsten und Rechten gemacht hatte. Er hatte auch seine Schwächen und hatte

gefühlvolle Willkür geübt sein Leben lang. An der Geschichte mit Joseph, dachten sie trotzig, war er ebenso schuldig wie sie, das sollte er bedenken, eh' er die Sterbensgelegenheit großartig wahrnahm, sie dafür abzukanzeln. Kurzum, ihre Furcht vor der Szene kleidete sich in Verstocktheit; sie machte, daß sie im voraus beleidigte Mienen aufsetzten um dessentwillen, was drinnen bevorstand; und Joseph sah es und redete ihnen gütlich zu, indem er von einem zum anderen trat, sie freundlich anrührte und sagte:

»Gehen wir denn hinein zu ihm, Brüder, und laßt uns in Demut den Spruch hören, den uns der Liebe verhängt, ein jeder den seinen. Vernehmen wir ihn, wenn's nötig, mit Nachsicht! Denn Nachsicht soll zwar herniedergehen von Gott zum Menschen und vom Vater zum Kinde, bleibt sie aber aus, so soll das Kind ehrfürchtige Nachsicht üben gegen die Schwäche des Größeren im Verzeihen. Gehen wir, er wird uns beurteilen mit Wahrheitssinn und werden unser Teil bekommen alle, glaubt mir, ich auch.«

So traten sie behutsam ins Zelt, der ägyptische Joseph mit ihnen, aber durchaus nicht zuerst, obgleich sie ihn wollten vorangehen lassen; sondern mit Benjamin ging er hinter den Lea-Söhnen und nur vor den Kindern der Mägde. Mai-Sachme, sein Haushalter, ging auch mit hinein, teils mit dem Rechte, daß er schon lange in dieser Geschichte war und eine Rolle gespielt hatte bei ihrer Ausschmückung, teils auch, weil die Versammlung weitgehend öffentlich war und, wie sich herausstellte, eigentlich jedermann Zutritt dazu hatte: im Sterbegemach war es sehr voll, als die Zwölfe darin waren, denn mit Damasek-Eliezer, dem Rufer, umstanden noch eine Anzahl Unterdiener aus Jaakobs engerer Pflegschaft das Lager des Herrn, und von seiner Nachkommenschaft standen viele oder lagen auf ihren Angesichtern im weiteren Raum. Sogar Weiber mit Kindern, auch solche, die einem Säugling die Brust gaben, waren da. Knaben saßen auf den Truhen an den Wänden und betrugen sich nicht immer zum besten, obgleich jede Ungebühr rasch unterdrückt wurde. Dazu hatte man das Eingangsgehänge weit aufgerafft, so daß diejenigen, die sich vor dem Hause drängten, Hofvolk und Zaungäste des Städtchens Pa-Kôs, eine Menge Menschen, freien Einblick hatten und sozusagen einbezogen waren in die Versammlung. Da die Sonne sich neigte und diese äußere Gemeinde gegen einen orangefarbenen Abendhimmel stand, so wirkte sie schattenhaft, und nicht leicht war ein Einzel-Gesicht zu unterscheiden. Aber das Gegenlicht der beiden Öllampen, die auf hohen Ständern am Kopf- und Fußende des Sterbebettes loderten, erlaubt uns doch, eine prägnante Gestalt dort draußen mit aller Bestimmtheit auszumachen: eine hagere Matrone in Schwarz, zwischen zwei auffallend breitschultrigen Männern, das graue Haar von einem

Schleier bedeckt. Kein Zweifel, es war Thamar, die Entschlossene, mit ihren weidlichen Söhnen. Sie war nicht hereingekommen, sondern hielt sich draußen für den Fall, daß Jaakob bei seinen Sterbereden auf Juda's Sünde mit ihr sollte zu sprechen kommen. Aber zur Stelle war sie – und ob sie zur Stelle war, da Jaakob den Segen vererben sollte auf den, mit dem sie am Wege gebuhlt und sich auf den Weg gebracht! Auch ohne das Lampenlicht von hier drinnen wäre ihr stolzer Schattenriß vor dem halb regnerisch farbigen Abendhimmel uns nicht entgangen.

Der, welcher sie einst die Welt gelehrt und die große Geschichte, in die sie sich eingeschaltet, er, der die Sterbeversammlung einberufen, Jaakob ben Jizchak, der vor Esau gesegnete, lag, von Kissen gestützt, unter einem Widderfell, im Hintergrunde auf seinem Bette, genau so weit bei Kräften, wie er's noch bedurfte, die Wachsblässe seines Antlitzes leicht getönt vom farbigen Zwielicht und von der Glut des Kohlenbeckens in seiner Nähe. Sein Anblick war mild und groß. Eine weiße Binde, wie er sie zu tragen pflegte, wenn er opferte, war um seine Stirn geschlungen. Weißes Schläfenhaar krauste darunter seitlich dahin und ging in gleicher Breite in den die Brust ganz bedeckenden Patriarchenbart über, der unterm Kinn dicht und weiß, weiter unten grauer und schütterer war, und in dem der feine, geistige und etwas bittere Mund sich abzeichnete. Ohne daß er das Haupt gewandt hätte, waren seine zarten Augen, mit den Drüsenschwellungen darunter, spähend seitlich gedreht, so daß viel gelbliches Weiß des Augapfels bloßgelegt war. Nach den eintretenden Söhnen gingen die Augen, den vollzähligen Zwölfen, denen sich schnell eine Gasse zur Lagerstatt öffnete. Damasek und die Pflegediener traten davon zurück; die überm Euphrat Gezeugten mit dem Kleinen, an dem in Abrahams Land seine Mutter gestorben, neigten sich davor auf ihre Stirnen und standen dann geschart um das Vaterhaupt. Vollkommene Stille war eingetreten, und aller Blicke waren auf Jaakobs blasse Lippen gerichtet.

Sie öffneten sich mehrfach versuchsweise, bevor sie Worte bildeten, und mühsam-leise setzte seine Rede an. Später sprach er sich frei und seine Stimme gewann vollen Klang, um erst ganz zuletzt, als er Benjamin segnete, wieder in Schwäche zu erlöschen.

»Willkommen, Israel«, sprach er, »du Gürtel der Welt, Zone des Wandels, Feste des Himmels und Damm, in heiligen Bildern geordnet! Siehe, gehorsam kamst du zuhauf und hast dich in völliger Zahl mutig geschart um das Bett meines Scheidens, daß ich dich beurteile nach der Wahrheit und dir weissage aus der Weisheit der letzten Stunde. Sei gelobt, Sohneskreis, für deine Willfährigkeit und gepriesen für deine Beherztheit! Gesegnet sei allzumal von der Hand des Sterbenden und gebenedeit in deiner Gänze. Gesegnet mit wohlgesparter Kraft und gebenedeit in

Ewigkeit! Merke: was ich dir zu sagen habe, einem jeden für sich, nach der Reihe, das sage ich unterm Gesamtheitssegen.«
Hier setzte seine Rede aus und er bewegte eine Weile nur die Lippen, ohne Laut und für sich allein. Dann aber ermannte sich sein Gesicht, er bewegte die Stirnhaut, und der Schwäche drohend befestigten sich seine Brauen.
»Re-uben!« kam es aufrufend von seinen Lippen.
Der Herdenmann trat hervor auf gegürteten Säulenbeinen, ganz greis auf dem Kopf, mit geschabtem, rotem Gesicht, das greinend verzogen war, wie bei einem Knaben, der Schelte erwartet: die lidentzündlichen Augen blinzelten rasch unter den weißen Brauen, und die Mundwinkel waren so bitterlich stark nach unten gezogen, daß sich dicke Muskelwülste zu beiden Seiten bildeten. So kniete er hin an Bettes Bord und neigte sich über.
»Ruben, mein größester Sohn«, hob Jaakob an, »du bist meine früheste Macht und meiner Mannheit Erstling, dein war das Vorrecht und ein mächtiger Vorzug, im Kreise warst du der Oberste, der Nächste zum Opfer und der Nächste zum Königstum. Es war ein Versehen. Ein Abgott zeigte mir's an auf dem Felde im Traum, ein beizendes Tier der Wüste, ein Hundsknabe mit schönem Bein, auf dem Steine sitzend, gezeugt aus Versehen, gezeugt mit der Unrechten in blinder Nacht, der alles gleich ist und die von Liebesunterscheidung nichts weiß. So zeugte ich dich, mein Oberster, in wehender Nacht mit der Falschen, der Tüchtigen, im Wahne zeugte ich dich und gab ihr die Blüte, denn es war Vertauschung, vertauscht war der Schleier, und mir zeigte der Tag, daß ich nur gezeugt hatte, wo ich zu lieben wähnte, — da kehrte sich Herz und Magen mir um, und ich verzweifelte an meiner Seele.«
Man verstand eine Weile nicht mehr, was er sagte; nur wieder mit lautlosen Lippen sprach er längere Zeit vor sich hin. Dann kehrte die Stimme zurück, stärker als vorher, und zeitweise redete er nicht mehr zu Ruben, sondern von ihm, über ihn, in der dritten Person.
»Er schoß dahin wie Wasser«, sagte er. »Wie siedend Wasser brodelte er aus dem Topf. Er soll nicht der Oberste sein und nicht des Hauses Tragepflock, er soll keinen Vorzug haben. Auf seines Vaters Lager ist er gestiegen und hat mein Bette besudelt mit seinem Aufsteigen. Seines Vaters Scham hat er entblößt und belacht, mit der Sichel ist er dem Vater genaht und hat starken Mutwillen geübt mit seiner Mutter. Cham ist er, schwarz von Angesicht und geht nackend mit bloßer Scham, denn wie der Chaosdrache hat er sich aufgeführt und sich benommen nach der Sitte des Hippopotamus. — Hörst du, meine erste Macht, was ich dir nachsage? Sei verflucht, mein Sohn, verflucht unterm Segen! Dir ist genommen das Vorrecht, entzogen das Priestertum und

aufgekündigt die Königsherrschaft. Denn du taugst nicht zur Führung, und verworfen ist deine Erstlingsschaft. Überm Laugenmeer wohnst du und grenzest an Moab. Deine Taten sind schwächlich und deine Früchte unbedeutend. Dank dir, mein Größester, daß du mutig zuhauf kamst und dich tapfer dem Spruche stelltest. Einem Herdenturm gleichst du und trittst einher auf Beinen wie Tempelsäulen, weil ich so gewaltig und mannhaft meine erste Kraft ausschüttete im Wahn der Nacht. Väterlich sei verflucht und leb wohl!«

Er schwieg, und der alte Ruben trat zurück in die Schar, alle Muskeln seines Gesichts in grimmer Würde angezogen, mit niedergeschlagenen Augen nach Art seiner Mutter, wenn sie mit den Lidern ihr Schielen verhüllte.

»Die Brüder!« forderte Jaakob nun, »die Zwillingssöhne, unzertrennlich am Himmel!«

Und Schimeon und Levi beugten sich über. Sie waren auch schon sieben- und sechsundsiebzig (denn Zwillinge waren sie gar nicht, nur unzertrennlich), hatten sich aber ihr raufboldhaftes Ansehen so weit wie irgend möglich bewahrt.

»Oh, oh, die Gewaltigen, die Eingefärbten, die Narbenleiber!« sagte der Vater und rückte ab, indem er tat, als fürchtete er sich vor ihnen. »Sie küssen die Geräte der Gewalt, ich will nichts wissen von ihnen. Ich liebe das nicht, ihr Wüsten. Meine Seele komme nicht in ihren Rat und meine Ehre habe nichts gemein mit der ihren. Ihre Wut hat den Mann erschlagen und ihr Mutwillen am Stiere gefrevelt, dafür traf sie der Fluch der Beleidigten, und verhängt war ihnen Untergang. Was habe ich ihnen gesagt? Verflucht sei ihr Zorn, daß er so heftig, und ihr Grimm, daß er so störrisch ist! Das habe ich euch gesagt. Seid verflucht, meine Lieben, verflucht unterm Segen. Getrennt sollt ihr sein und voneinandergenommen, daß ihr nicht Unfug übt mitsammen für und für. Sei zerstreut in Jaakob, mein Levi! Dein sei ein Los und Land immerhin, starker Schimeon, aber ich sehe, es ist nicht eigenständig und gehet auf in Israel. In den Hintergrund sei geordnet, Doppelgestirn, nach des Segnenden Sterbehellsicht! Tretet zurück!«

Das taten sie, ziemlich unerschüttert von ihrem Spruch. Sie wußten ja längst Bescheid und hatten keinen besseren erwartet. Auch daß er in öffentlicher Feier vor aller Ohren noch einmal ausdrücklich gefällt wurde, machte ihnen nichts aus, denn ohnedies wußten alle Bescheid, und ›Israel‹ blieben sie jedenfalls, — ihre Verwerfung geschah unterm Gesamtheitssegen. Zudem waren sie, mit der ganzen Hörerschaft, durchdrungen davon, daß Verworfenheit eine Rolle ist wie eine andere und ihre eigene Würde hat: Jeder Stand ist ein Ehrenstand, das war ihre Auffassung und die aller übrigen. Außerdem noch war klar und deutlich, daß

der Vater teilweise gar nicht von ihnen gesprochen hatte, sondern vom Sternbild der Zwillinge. Teils aus eingeborenem Hang zum Bedeutenden, teils in der Verwirrung, die die Schwäche erzeugt und der er feierlich nachgab, eben aus Liebe zum Bedeutenden, hatte er sie mit den Gemini stark durcheinandergebracht und babylonische Erinnerungen hineingemischt, die allen, selbst den Knaben auf den Kommoden, bekannt waren. Offenkundig und geflissentlich hatte er sie zeitweise mit Gilgamesch und Eabani aus dem Liede verwechselt, so grimmig und zornig um ihrer Schwester willen, die den Himmelsstier zerstückelt hatten und ob dieses Frevels von Ischtar verflucht worden waren. Sie selbst hatten zu Sichem, der Stätte Schekem, wo sie allerdings schwer getobt hatten, sich um Stiere gar nicht besonders gekümmert und erinnerten sich nicht, einen gelähmt zu haben; nur Jaakob hatte es von Anfang an und jedesmal, wenn er auf die Sache zurückkam, mit dem Stiere gehabt. Kann man aber ehrenvoller verflucht werden, als indem man mit den Dioskuren und mit Sonne und Mond verwechselt wird? Das ist eine Verwerfung, die man sich auch vor großem Publikum gefallen lassen kann, und sie trifft einen nur halb persönlich; zur anderen Hälfte ist sie ein sterbeträumerisches Gedankenspiel.
Es ist besser, hier gleich zu sagen, daß sternenkundige Bedeutsamkeit und Anspielungen sich wiederholt in Jaakobs Bescheide an seine Söhne einmischten und nebst der Erhöhung eine gewisse menschliche Ungenauigkeit schufen. Das war Absicht und Schwäche und Absicht in der Schwäche. Schon bei Ruben war etwas vom Wassermann zu spüren gewesen. Juda, der jetzt an die Reihe kam, und bei dessen gewaltiger und entscheidender Segnung der Greis sich sehr verausgabte, so daß er später einmal zwischenein Gott um Hilfe anrufen mußte, fürchtend, er werde nicht durchkommen und vor allem nicht mehr zu Joseph gelangen, — Juda also hatte schon immer der ›Löwe‹ geheißen, aber die ihm gewidmete Sterberede arbeitete mit diesem Titel so unermüdlich und ließ den geplagten Jehuda so absichtlich in Löwengestalt erscheinen, daß niemand die ekliptische Anlehnung verkennen konnte. Bei Issakhar schimmerte viel vom Krebse durch — das Sternbild der Eselchen, das in diesem Zeichen steht, wurde in kosmischen Zusammenhang mit seinem Alltagsnamen ›der knochige Esel‹ gebracht. Bei Dan merkte jeder die Waage, des Rechtes und Richtens Gleichnis, wenn auch die stechende Hornnatter seine Zeichnung mitbestimmte; und Naphtali's Hirsch- und Hindengestalt wechselte, deutlich für die meisten, ins Widderhafte hinüber. Joseph selbst machte keine Ausnahme, im Gegenteil, die astrale Aufhöhung bewährte sich sogar doppelt bei ihm, Jungfrau und Stier wechselten bei seiner Kennzeichnung. Diejenige Benjamins endlich, als er darankam, schien vom Skor-

pion her bestimmt, denn der gute Kleine wurde als reißender Wolf gefeiert, nur weil der Lupus dem Stachelschwanz südlich nahe steht.

Hier wurde die Entpersönlichung durch den sternenmythischen Anstrich am allerdeutlichsten, die es den reisigen Zwillingen so viel leichter machte, ihren Bescheid mit Gemütsruhe hinzunehmen. Sie lebten in früher Zeit, aber auch wieder in später schon, die viel Erfahrung in mancher Hinsicht hatte, auch in der auf die nicht unbedingte Zuverlässigkeit der Sterbe-Hellsicht und Weissagung. Der Blick, den Scheidende ins Zukünftige tun, ist eindrucksvoll und ehrwürdig; man darf ihm viel Glauben schenken, aber nicht zu viel, denn ganz hat er sich nicht immer bewahrheitet, und es scheint, daß der schon außerirdische Zustand, der ihn erzeugt, zugleich doch auch als Fehlerquelle zu werten ist. Auch Jaakob beging feierliche Irrtümer – neben ausgezeichnet zutreffenden Dingen, die er erblickte. Aus Rubens Nachkommenschaft wurde wirklich nicht viel, und der Stamm Schimeon blieb immer anlehnungsbedürftig und verlor sich in Juda. Daß aber das Leviblut mit der Zeit zu den höchsten Ehren gelangen und das Dauervorrecht des Priestertums gewinnen sollte – wie wir, die wir zwar in der Geschichte, aber auch außer ihr sind, nun doch einmal wissen –, das blieb dem Scheideblick Jaakobs offenbar verhüllt. Seine Sterbe-Prophetie versagte ehrwürdig in diesem Punkt – und auch in anderen noch. Von Sebulun sagte er, er solle zum Gestade des Meeres hin wohnen und zum Gestade der Schiffe hin; an Sidon solle er grenzen. Das lag nahe, denn dieses Sohnes Vorliebe fürs Meer und den Pechgeruch war allbekannt. Sein Stammesgebiet aber reichte dereinst durchaus nicht ans Grüne, noch grenzte es je an Sidon. Es lag zwischen jenem und dem See Galiläas, getrennt von diesem durch Naphtali, vom Meere durch Ascher.

Für uns sind solche Fehlblicke von hohem Wert. Denn gibt es nicht Klüglinge, die behaupten, die Segnungen Jaakobs seien nach Josua's Zeiten verfaßt, und man habe ›Weissagungen aus dem ›Ereignis‹ darin zu erblicken? Man kann nur die Achseln darüber zucken – nicht nur, weil wir ja an des Vaters Sterbebett zugegen sind und seine Worte mit eigenen Ohren hören, sondern auch, weil Wahrsprüche, die erst an der Hand des geschichtlich Vorliegenden ausgegeben werden, zurückdatierte Wahrsprüche, es sehr leicht haben, sich der Fehler zu enthalten. Der sicherste Beweis für die Echtheit einer Weissagung bleibt ihre Irrtümlichkeit. –

Und so rief Jaakob denn Juda auf – es war ein mächtiger Augenblick, und tiefe Stille herrschte sowohl draußen vorm Zelt wie bei uns drinnen. Es ist sehr selten, daß eine so vielköpfige Versammlung sich in so tiefe, reg- und atemlose Stille bannt. Der Uralte

hob die bleiche Hand gegen den vierten Sohn, der, im voraus aufs tiefste beschämt, das fünfundsiebzigjährige Haupt beugte, — den Finger hob er gegen ihn und wies auf ihn und sprach:
»Juda, du bist's!«
Ja, er war's, der Geplagte, der seinem Gefühl nach gänzlich Unwürdige, der Knecht der Herrin, der keine Lust zur Lust hatte, aber sie zu ihm, der Sünder und der Gewissenhafte. Man denkt wohl: mit fünfundsiebzig kann's so schlimm nicht mehr sein mit der Hörigkeit und knechtischen Lust, aber da irrt man sich. Das hält aus bis zum letzten Seufzer. Ein wenig stumpfer mag ja der Speer geworden sein, aber daß je die Herrin den Knecht entließe, das gibt es gar nicht. Tief beschämt beugte Juda sich über zum Segen, — aber nun seltsam doch! In dem Maße, wie es hoch herging über ihm und aus dem Horn das Öl der Verheißung auf seinen Scheitel floß, befestigte sich sein Gefühl, nahm zusehends Trost an und sprach mit wachsendem Stolze zu sich: ›Nun denn, trotzdem offenbar. Es war am Ende so schlimm nicht, und für den Segen war's sichtlich kein Hindernis, vielleicht wird das nicht so schwergenommen, — die Reinheit, nach der ich lechzte, war, wie sich zeigt, nicht unerläßlich zum Heil, gewiß gehörte alles dazu, die ganze Hölle, wer hätt' es gedacht, auf mein Haupt träufelt's, Gott gnade mir, aber ich bin's!‹
Es träufelte nicht, es strömte und brauste. Fast rückhaltlos verausgabte sich Jaakob bei Juda's Segen, so daß mehrere Brüder nachher nur Kurzes und Ungefähres mit matter Stimme zu hören bekamen.
»Du bist es, Jehuda! Der du die Hand am Nacken deiner Feinde hast — deine Brüder sollen dich loben. Ja beugen sollen sich dir deines Vaters Söhne und aller Mütter Kinder in dir den Gesalbten preisen!« — Dann kam der Löwe. Eine ganze Weile gab's nur den Löwen und gab gewaltige Löwenbilder. Eine Löwenbrut war Juda, aus dem Wurf einer Löwin, ein unverfälschter Leu. Vom Raube richtete der Reißende sich auf, er fauchte und donnerte. Auf seinen Wüstenberg zog er sich zurück, da lagerte er und reckte sich wie ein Mähnenkönig und wie einer grimmen Löwin Sohn. Wer wagte es, ihn aufzuscheuchen? Das wagte niemand! Verwunderlich war nur, wie der Vater die Söhne, die er segnen wollte, als reißende Räuber pries, da er doch denen, die er nicht segnen wollte, es so sehr verübelte, daß Geräte der Gewalt ihre Verwandten seien. Wie er sich selbst, aus purer Schwäche, in der Rolle des Recken gesehen hatte, mit Schwert und Bogen, so pries er nun seine Söhne, voran den geplagten Juda, aber zuletzt sogar noch Klein-Benjamin, als blutfrohes Raubgetier und als wilde Kämpen. Es ist merkwürdig: die Schwäche der Sanften und Geistigen ist die Schwäche fürs Heldische.
Und doch ging Jaakob beim Juda-Segen gar nicht aufs Raub-Hel-

dische aus. Der Held, auf den er abzielte und den er sich längst schon hervorgedacht, war nicht von der Art, an deren brüllende Pracht sich die Schwäche verliert, – Schilo war sein Name. Vom Löwen zu ihm war es weit; darum machte der Segnende einen Übergang: er fügte das Gesicht eines großen Königs ein. Der König saß auf seinem Stuhl, und der Herrscherstab lehnte zwischen seinen Füßen, der sollte von dort nicht weichen, noch von ihm genommen sein, bis daß ›der Held‹ käme, bis daß Schilo erschiene. Für Juda, den König mit dem Befehlsgeber zwischen den Füßen, war dieser Verheißungsname ganz neu – für die ganze Versammlung war er eine Überraschung, und erstaunt horchte sie auf. Nur eine von allen war's, die ihn kannte und begierig auf ihn gewartet hatte. Unwillkürlich werfen wir einen Blick hinaus auf ihren Schattenriß – hoch aufgerichtet stand sie, in dunklem Stolz, wie Jaakob den Samen des Weibes verkündigte. Von Juda sollte nicht die Gnade weichen, er sollte nicht sterben, sein Auge nicht auslaufen, ehe denn seine Größe übergroß würde, dadurch, daß er aus ihm käme, dem alle Völker anhangen würden, der Friedebringer, der Mann des Sternes.
Wie es herging über Juda's beschämtem Haupt, das war über alles Erwarten. Seine Person – oder seine Stammesgestalt – vermischte sich, sei es mit Absicht oder nur aus Gedankenverwirrung, oder aus beidem, indem nämlich die Verwirrung absichtlich ausgenutzt wurde zu hochgehender Poesie, – sie vermischte sich und rann ineinander in Schilo's Gestalt, so daß niemand wußte, ob von Juda die Rede war oder von dem Verheißenen bei den Gesichten der Segensfülle und der Begnadung, in denen sich Jaakob erging. Alles schwamm in Wein – es wurde den Lauschenden rot vor den Augen vor Weingefunkel. Ein Land war das, dieses Königs Reich, ein Land solcherart, daß einer sein Tier an den Weinstock band und an die Edelrebe sein Eselsfüllen. Waren es die Weinberge von Hebron, die Rebenhügel von Engedi? In seine Stadt ritt ›er‹ ein auf einem Esel und auf einem Füllen der lastbaren Eselin – da war nichts als trunkene Lust wie von rotem Weine bei seinem Anblick, und er selber war einem trunkenen Weingott gleich, der die Kelter tritt, hoch geschürzt und begeistert: das Weinblut netzte seinen Schurz und der rote Rebensaft sein Gewand. Schön war er, wie er watend trat und den Tanz der Kelter vollführte, – schön über alle Menschen: so weiß wie Schnee, so rot wie Blut und so schwarz wie Ebenholz ...
Jaakobs Stimme verlor sich. Sein Haupt nickte nieder, und er schaute von unten. Sehr hatte er sich verausgabt bei diesem Segen, in fast unwirtschaftlicher Weise. Er schien um die Erneuerung seiner Kräfte zu beten. Juda, der fand, er sei ausgesegnet, trat zurück, beschämt und erstaunt, weil Unreinheit also

kein Hindernis war. Das Aufsehen in der Sterbeversammlung über die vollkommen neuen Enthüllungen und Anzeigen, die dieser Segen gebracht, über die Verkündigung Schilo's war außerordentlich und kaum zu bändigen. Ein lebhaftes Flüstern ging um, so drinnen wie draußen. Draußen war es sogar ein Murmeln; man hörte Stimmen den Namen Schilo erregt wiederholen. Doch alle Bewegung verstummte sogleich, als Jaakob Haupt und Hand wieder hob. Der Name Sebuluns kam von seinen Lippen.
Der tat sein Haupt unter die Hand, und da sein Name ›Wohnung‹ war und ›Behausung‹, so wunderte niemand sich, daß Jaakob ihm seine Wohnung anzeigte und seine Behausung: zum Gestade hin sollte er wohnen, den Schätzen der Schiffe nahe, und sollte an Sidon grenzen. Genug damit, er hatte es sich schon immer gewünscht, und ziemlich mechanisch und matt wurde es über ihn ausgesprochen. Issakhar . . .
Issakhar würde gleich einem knochigen Esel sein, der zwischen den Hürden lagert. Die Eselchen im Krebse waren seine Gevattern, aber trotz dieser Beziehung schien Jaakob nicht viel von ihm zu erwarten. In Kürze erzählte er von ihm in der Vergangenheitsform, die Zukunft bedeutete. Issakhar sah die Ruhe, daß sie gut, und das Land, daß es angenehm war. Er war stark und phlegmatisch. Er machte sich nichts daraus, seine Knochen herzuleihen zum Lasttragen als Karawanenesel. Das Bequemste schien ihm, zu dienen, und neigte die Schultern, daß man sie belüde. Soviel von Issakhar. Er stieß an den Jordan, glaubte Jaakob zu sehen. Genug von ihm. Nun zu Dan.
Dan führte die Waage und richtete mit Scharfsinn. So spitzfindig war er von Geist und Zunge, daß er stach und gleich einer Natter war. Dieser Sohn gab Jaakob Gelegenheit, mit erhobenem Finger eine kleine tierkundliche Belehrung für die Anwesenden einfließen zu lassen: Im Anfang, als Gott im Schaffen war, hatte er den Igel mit der Eidechse gekreuzt, so ward die Otterschlange. Dan war eine Otterschlange. Eine Schlange war er am Wege und eine Hornnatter am Steige, nicht leicht gewahr zu werden im Sande und äußerst tückisch. In ihm nahm das Heldische die Form der Tücke an. Des Feindes Roß stach er in die Ferse, daß der Reiter rücklings fiel. So Dan, von Bilha. »Auf deine Hilfe hoffe ich, Ewiger!«
Hier war es, daß Jaakob diesen Seufzer und dieses Stoßgebet tat, im Gefühl der Erschöpfung und in der Besorgnis, nicht fertig zu werden. Er hatte so viele Söhne gezeugt, daß ihre Anzahl in seiner letzten Stunde fast über seine Kräfte ging. Mit Gottes Hilfe aber würde er durchkommen.
Er forderte den gedrungenen, mit Erz benähten Gad.
»Gaddiel, es drängt dich Gedränge, aber letztlich drängst du. Dränge wohl, mein Gedrungener! – Nun Ascher!«

Ascher, der Leckerlippige, hatte fett Land vom Berge bis gegen Tyrus. In Korn wogte das Niederland und troff von Öl, daß er fett speiste und schuf fein Salbenfett, wie es die Könige einander zuschicken für ihr Wohlgefühl. Von ihm kam Wohlgefühl und die Lust des gepflegten Leibes, die auch etwas ist. Ascher, du wirst auch etwas sein. Und ist Gesang von dir kommen und süße Verkündigung, des sei gepriesen vor deinem Bruder Naphtali, den ich nun unter meine Hand rufe.
Naphtali war eine Hirschkuh, die über Gräben setzt, und eine springende Hindin. Sein war die Hurtigkeit und der Galopp, ein rennender Schafbock war er, wenn er die Hörner einlegt und losrennt. Auch seine Zunge war hurtig, sie lieferte flinke Benachrichtigung, und schleunig reiften die Früchte der Ebene Genasar. Rasch reifender Früchte, Naphtali, seien deine Bäume voll, und schnelles Gelingen, wenn auch kein allzu bedeutendes, sei dein Spruch und Teil.
Auch dieser Sohn trat ausgesegnet zurück. Mit geschlossenen Augen ruhte der Alte, in tiefer Stille, das Kinn auf der Brust. Und über ein Weilchen lächelte er. Alle sahen dies Lächeln und waren gerührt, denn sie wußten den Ruf, den es ankündigte. Es war ein glückliches, ja verschmitztes Lächeln und etwas traurig auch, aber verschmitzt eben dadurch, daß Liebe und Zärtlichkeit innig darin die Trauer überkamen und den Verzicht. »Joseph!« sagte der Greis. Und ein Sechsundfünfzigjähriger, der einmal dreißig gewesen war und siebzehn und neun und im Wiegenbettchen gelegen hatte als Lamm des Mutterschafs, ein Kind der Zeit, schön von Gesicht, in ägyptischem Weiß, Pharao's Himmelsring am Finger, ein begünstigter Mann, beugte sich unter die bleiche Segenshand.
»Joseph, mein Reis, du Sohn der Jungfrau, der Lieblichen Sohn, Sohn des Fruchtbaums am Quell, Fruchtrebe du, deren Zweige ranken über das Mauergestein, sei mir gegrüßt! Dessen der Frühlingspunkt ist, erstgeborener Stier in seinem Schmucke, gegrüßt sei mir!«
Jaakob hatte dies laut und vernehmlich gesprochen, als feierliche Anrede, die alle hören sollten. Danach aber senkte er seine Stimme beinahe zum Raunen, sichtlich gewillt, die Öffentlichkeit, wenn nicht auszuschließen, so doch einzuschränken bei diesem Segen. Nur die Nächststehenden vernahmen seine Abschiedsworte an den Gesonderten; weiter Entfernte faßten nur einzelnes auf, und ganz leer aus gingen fürs erste die draußen. Nachher aber wurde alles wiederholt, verbreitet und durchgesprochen.
»Geliebtester du«, kam es von den schmerzlich lächelnden Lippen. »Kühnen Herzens Bevorzugter um der einzig Geliebten willen, die in dir lebte, und mit deren Augen du blicktest, ganz so,

wie sie mir einst entgegenblickte am Brunnen, als sie mir erstmals erschien unter Labans Schafen und ich den Deckel wälzte für sie, – ich durfte sie küssen und es frohlockten die Hirten: ›Lu, lu, lu‹. In dir hielt ich sie, Liebling, als der Gewaltige sie mir entrissen, in deiner Anmut wohnte sie, und was ist süßer als das Doppelte, Schwankende? Ich weiß wohl, daß das Doppelte nicht des Geistes ist, für den wir stehen, sondern ist Völkernarrheit. Und doch erlag ich seinem urmächtigen Zauber. Kann man denn auch allezeit gänzlich des Geistes sein und die Narrheit meiden? Siehe, doppelt bin ich nun selbst, bin Jaakob und Rahel. Sie bin ich, die so schwer von dir dahinging ins fordernde Land, denn auch mich fordert es heute von dir hinweg – es fordert uns alle. Du auch, meine Freude und Sorge, hast schon halben Weg gemacht gegen das Land und warst doch einmal klein und dann jung und warst alles, was mein Herz unter Anmut verstand – ernst war mein Herz, aber weich, drum war es schwach vor der Anmut. Zum Erhabenen berufen und zum Anschauen diamantener Schroffen, liebte es heimlich die Reize der Hügel.«

Seine Worte versiegten für einige Minuten, und er lächelte mit geschlossenen Augen, als wandelte sein Geist in der reizenden Hügellandschaft, deren Bild ihm beim Segen Josephs aufgestiegen war.

Als er wieder zu sprechen begann, schien er vergessen zu haben, daß Josephs Haupt unter seiner Hand war, denn auch von ihm sprach er nun eine Weile wie von einem Dritten.

»Siebzehn Jahre lebte er mir und hat mir gelebt noch andere siebzehn Jahre nach Gottes Gnade; dazwischen lag meine Starre und lag des Gesonderten Schicksal. Seiner Anmut stellten sie nach – töricht, denn Klugheit war innig eines mit ihr, daran ward ihre Gier zuschanden. Lockender, als man je gesehen, sind die Frauen, die hinaufsteigen, um ihm von Mauern und Türmen und von den Fenstern nachzusehen, aber sie haben das Nachsehen. Da machten's ihm bitter die Menschen und befeindeten ihn mit Pfeilen der Nachrede. Aber in Kraft blieb sein Bogen, sein Muskel in Kraft, und ihn hielten des Ewigen Hände. Nicht ohne Entzücken wird seines Namens gedacht werden, denn ihm gelang, was wenigen glückt: Gunst zu finden vor Gott und den Menschen. Das ist ein seltener Segen, denn meist hat man die Wahl, Gott zu gefallen oder der Welt; ihm aber gab es der Geist anmutigen Mittlertums, daß er beiden gefiel. Überhebe dich nicht, mein Kind, – muß ich dich mahnen? Nein, ich weiß, deine Klugheit hütet dich vor Hoffart. Denn es ist ein lieblicher Segen, aber der höchste und strengste nicht. Siehe, dein teures Leben liegt vor des Sterbenden Blick in seiner Wahrheit. Spiel und Anspiel war es, vertraulich, freundliche Lieblingsschaft, anklingend ans Heil, doch nicht ganz im Ernste berufen und zugelassen. Wie sich Heiterkeit und Traurigkeit darin vermischen, das ergreift mein Herz mit Liebe, – so liebt dich keiner, Kind, der nur deines Lebens Glanz, nicht auch, wie das Vaterherz, seine Traurigkeit sieht. Und so segne ich dich, Gesegneter, aus meines Herzens Kraft in des Ewigen Namen, der dich gab und nahm und gab und mich nun von dir hinwegnimmt. Höher sollen meine Segen gehen, als meiner Väter Segen ging auf mein eigenes Haupt. Sei gesegnet, wie du es bist, mit Segen von oben herab und von der unteren Tiefe, mit Segen quellend aus Himmelsbrüsten und Erdenschoß! Segen, Segen auf Josephs Scheitel, und in deinem Namen sollen sich sonnen, die von dir kommen. Breite Lieder sollen strömen, die deines Lebens Spiel besingen, immer aufs neue, denn ein heilig Spiel war es doch, und du littest und konntest verzeihen. So verzeihe auch ich dir, daß du mich leiden machtest. Und Gott verzeihe uns allen!«

Er endete und zog zögernd die Hand zurück von diesem Haupt. So trennt sich ein Leben vom andern und muß dahingehen; über ein kleines aber, so geht auch das andre dahin.

Joseph trat unter die Brüder zurück. Er hatte nicht zuviel gesagt, daß auch er sein Teil bekommen und mit Sterbe-Wahrheitssinn werde beurteilt werden. Er nahm Benjamin bei der Hand und brachte ihn dar, da der Greis ihn aufzurufen versäumte. Sichtlich war es mit dessen Kräften aufs Letzte gekommen, und Joseph mußte die Segenshand zu des Brüderchens Scheitel führen, weil sie von selbst nicht mehr hätte den Weg gefunden. Daß es der Jüngste war, der seinen Spruch erwartete, wußte der Alte wohl noch, aber was seine versagenden Lippen noch murmelten, gab keinen Reim auf des Kleinen Person. Möglich, daß sie einen geben würden auf seine Nachkommen. Benjamin, so erlauschte man, war ein reißender Wolf, der des Morgens Raub fressen und des Abends Raub austeilen würde. Er war verdutzt, es zu hören.

Jaakobs letzter Gedanke galt wieder der Höhle, der doppelten, auf Ephrons Acker, des Sohnes Zohars, und daß er darin begraben sein wolle zu seinen Vätern. »Ich gebiete es euch«, hauchte er. »Sie ist bezahlt, bezahlt von Abram den Kindern Heths mit vierhundert Schekeln Silbers nach dem Gewicht, wie es ...« Da unterbrach ihn der Tod, er streckte die Füße, sank tief ein in das Bett, und sein Leben stand still.

Sie hielten auch alle ihr Leben und ihren Atem ein wenig an, als es geschah. Dann trat Mai-Sachme, des Joseph Haushalter, der auch ein Arzt war, mit Ruhe ans Lager heran. Er legte das Ohr an das stille Herz, beobachtete kleinen, ernsthaften Mundes ein Federchen, das er auf die verstummten Lippen getan und dessen Flaum sich nicht rührte, und schlug ein Feuerchen an vor den Pupillen, die's nicht mehr kümmerte. So wendete er sich zu Joseph, seinem Herrn, und meldete ihm:

»Er ist versammelt.«
Der aber wies ihn mit dem Kopfe an Juda, daß er dem Meldung erstatte und nicht ihm. Und während sich der Gute vor jenen stellte und wiederholte: »Versammelt ist er«, trat Joseph zum Bette des Scheidens und drückte dem Toten die Augen zu: denn deswegen hatte er Mai zu Juda geschickt, daß er das täte. Dann legte er seine Stirn an des Vaters Stirn und weinte um Jaakob.
Juda, der Erbe, verordnete, was sich schickte: daß Klagemänner und -weiber bestellt würden, Sänger und Sängerinnen, nebst Flötenspielern, und daß der Leichnam gewaschen, gesalbt und eingehüllt würde. Damasek-Eliezer entzündete ein Rauchopfer im Zelt: Stakte, Räucherklaue vom Roten Meer, Galbanum und Weihrauch mit Salz vermischt; und während die würzigen Wolken den Toten umzogen, strömten die Sterbegäste hinaus, vermischten sich mit den Draußenstehenden und zogen davon, indem sie eifrig die Sprüche beredeten und die Bescheide, die Jaakob den Zwölfen erteilt.

Nun wickeln sie Jaakob

Und so ist denn diese Geschichte, Sandkorn für Sandkorn, still und stetig durch die gläserne Enge gelaufen; unten liegt sie zuhauf, und nur wenige Körnchen noch bleiben im oberen Hohlraum zurück. Nichts ist übrig von all ihrem Geschehen, als was mit einem Toten geschieht. Das ist aber kein kleines; laßt euch raten, andächtig zuzuschauen, wie die letzten Körnchen durchrinnen und sich sanft aufs unten Versammelte legen. Denn was mit Jaakobs Hülle geschah, das war ganz außerordentlich und war ein Ehrenaufwand damit, fast sondersgleichen. So ist kein König zu Grabe getragen worden, wie er wurde, der Feierliche, nach seines Sohnes Joseph Befehl und Veranstaltung.
Dieser hatte wohl nach des Vaters Verscheiden seinem Bruder Jehuda, dem Segenserben, die ersten, vorläufigen Anordnungen überlassen; danach alsbald aber nahm er selber die Sache in seine Hand, da nur er sie besorgen konnte, und traf Verfügungen, zu denen ein rasch vereinigter Brüderrat ihn hatte ermächtigen müssen. Sie ergaben sich aus den Umständen; aus Jaakobs Gebot und Vermächtnis ergaben sie sich, und daß sie es taten, war dem Joseph von Herzen lieb. Denn der Gesonderte dachte ägyptisch, und sein brennender Wunsch, den Vater zu feiern und seiner Hülle das Beste, Kostbarste zuzuwenden, schlug ganz von selbst die Gedankengänge Ägyptens ein.
Jaakob hatte nicht wollen im Lande der toten Götter begraben sein, sondern sich geloben lassen, daß er seinen Vätern beigesetzt würde daheim in der Höhle. Dazu bedurfte es einer weiten Verbringung, mit der Joseph es über die Maßen großartig vor-

hatte und die Zeit erforderte: Zeit für die Zurüstungen, Zeit für die hohe Verbringung selbst, eine Fahrt von mindestens siebzehn Tagen. Dazu mußte der Leichnam bewahrt werden, bewahrt nach der Kunst Ägyptens, gepökelt und eingemacht, und wenn der Versammelte diesen Gedanken von sich gewiesen haben würde, so hätte er die Einschärfung unterlassen sollen, daß man ihn heimtrage. Gerade aus seiner Vorschrift, ihn nicht in Ägypten zu begraben, ergab sich, daß er ägyptisch begraben wurde, prunkvoll ausgestopft und verschnurrt zur Osiris-Mumie, – was manchen verletzen mag. Aber wir haben nicht, wie Joseph, sein Sohn, vierzig Jahre in Ägypten verlebt und uns von den Säften und Gesinnungen dieses absonderlichen Landes genährt. Ihm war es eine Freude und ein Trost im Schmerz, daß das Vermächtnis des Vaters ihm erlaubte, mit der teueren Hülle nach des Landes ausgesuchtesten Ehrenbräuchen zu handeln und ihr Beständigkeit angedeihen zu lassen nach alleroberstem Kostenanschlag.
Darum, nur eben nach Menfe zurückgekehrt in sein Haus, wo er trauerte, schickte er Männer nach Gosen, die die Brüder als seine ›Ärzte‹ bezeichneten, aber solche nicht eigentlich waren, sondern Mumientechniker und Verewigungskünstler, die geschicktesten und gesuchtesten ihres Zeichens, die nicht zufällig in der Stadt des Gewickelten wohnten. Mit ihnen waren Zimmerleute und Steinmetzen, Goldschmiede und Graveure, die sogleich bei dem härenen Todeshaus eine Werkstatt eröffneten, während die ›Ärzte‹ drinnen mit dem Leichnam taten, was die Brüder nannten: Sie salbten ihn. Aber nicht das war das rechte Wort. Mit einem krummen Eisen zogen sie ihm das Gehirn durch die Nasenlöcher heraus und füllten die Hirnschale mit Spezereien. Ein äthiopisches Messerchen, äußerst scharf, aus Obsidian, das sie elegant mit gespreizten Fingern führten, diente ihnen, die linke Seite des Bauches zu öffnen, daß sie die Eingeweide entfernten, die bestimmt waren, in besonderen Krügen aus Alabaster, mit dem Bildniskopf des Verstorbenen auf dem Deckel, verwahrt zu werden. Die leere Leibeshöhle spülten sie gründlich mit Dattelwein und taten statt des Gekröses das Beste hinein, Myrrhe und Würzrinde von den Wurzelschößlingen eines Lorbeers. Sie taten es mit Handwerksgenuß, denn der Tod war ihr Kunstgebiet, und sie hatten ihre Freude daran, wie es nun in des Mannes Leibe so viel reinlicher und appetitlicher aussah als zur Zeit seiner Beseeltheit.
Danach vernähten sie sorglich den Schnitt und legten den Leichnam in ein Wannenbad von Salpeterlauge für volle siebzig Tage. Während dieser Zeit feierten sie und aßen und tranken nur, wurden aber für jede Stunde bezahlt. Als die Badefrist um und der Tote gesalzen war, konnte das Wickeln beginnen, eine bedeutende Arbeit. Byssusbinden, vierhundert Ellen lang, mit Haft-

gummi bestrichen, endlose Leinenstreifen, von denen die feinsten dem Körper am nächsten lagen, wickelten sie um Jaakob, immer rundum, bald neben- und bald übereinander und legten zwischenein auf den verschnurrten Hals einen goldenen Kragen und auf die Brust auch ein Schmuckstück, aus flach gehämmertem Golde geschnitten: einen Geier stellte es dar mit ausgebreiteten Schwingen. Denn unterdessen waren die Werkmeister auch, die mit den Ärzten zusammen gekommen waren, in ihren Arbeiten fortgeschritten und reichten Schönheit zu: Schmiedebänder aus Blattgold, beschriftet mit des Toten Namen und mit Lobpreisungen seines Namens, wurden um die Wickelstreifen gezogen, um die Schultern, die Leibesmitte und um die Knie und mit ebensolchen, die vorn und hinten der Länge nach liefen, verbunden. Nicht genug damit, wurde, was einst Jaakob gewesen und was nun eine von aller Verweslichkeit gereinigte Schmuck- und Dauerpuppe des Todes war, von Kopf bis zu Fuß in dünne, biegsame Platten aus purem Golde gehüllt und so in einen Arôn, in die Lade gehoben, die die Schreiner, Juweliere und Skulptierer mittlerweile nach genauem Maße fertiggestellt: menschengestaltig, mit Edelsteinen und buntem Glasfluß reichlich ausgeziert. Es ruhte Figur in Figur; das Kopfstück der äußeren war aus Holz geschnitten und mit einer Maske aus dickem Blattgold, die am Kinn den Bart des Usiri trug, überkleidet.
So geschah es mit Jaakob, prunk- und ehrenvoll, wenn auch nach seinem Sinne nicht, sondern nur nach dem seines verpflanzten Sohnes. Aber es ist wohl recht, wenn es nach den Gefühlen dessen geht, der sein lebendig Eingeweide im Leibe hat, denn dem andern kann's gleich sein.
Den Vater im Tode zu feiern, seinen letzten Wunsch zum Anlaß höchster Ehrung zu nehmen war Josephs ganzer Wunsch und all sein Betreiben, und während der Leichnam zur Reise instandgesetzt wurde, hatte der Erhöhte Schritte getan, um diese Reise zu einem aufsehenerregenden und verzeichnenswerten Ereignis, einem großen Triumph zu gestalten. Er bedurfte dazu der Einwilligung Pharao's, konnte aber seiner Trauer und der Vernachlässigung wegen, die er einige Wochen lang seinem Äußeren auferlegte, nicht selbst vor dem Gotte reden, sondern schickte zu ihm hinauf in die Stadt des Horizontes, im Hasengau, und ließ das schöne Kind des Atôn um die Erlaubnis bitten, seines Vaters Todesgestalt über die Grenze in das Land seiner Ruhestatt zu begleiten. Es war Mai-Sachme, sein Haushalter, den er mit der Mission betraute, schon um dem Guten Gelegenheit zu geben, bis zum Schlusse an dieser Geschichte mitzuwirken. Außerdem mochte er seiner Ruhe und Treue die Lösung der diplomatischen Aufgabe vorzüglich zutrauen, die in der Sendung beschlossen war. Denn es galt, von Pharao Befehle zu erlangen, die man ihm

nur nahelegen, nicht geradezu von ihm heischen konnte; es galt, ihm die Verfügung eines hochfeierlichen Staatsbegräbnisses für den Erzeuger seines ersten Dieners abzugewinnen, oder, mit anderen Worten, ihn zur Verordnung eines sogenannten ›Gewaltigen Zuges‹ zu bestimmen.
Wieder sieht man, wie sehr die Gedanken von Rahels Lamm sich gewöhnt hatten, ägyptische Wege zu gehen. Der ›Gewaltige Zug‹ war eine außerordentlich ägyptische Vorstellung, eine Lieblings-Fest- und Zeremonial-Idee des Volkes von Keme, und neben der Balsamierung nach oberster Preisstaffel hatte Joseph den Vorsatz zu einem ›Gewaltigen Zuge‹, von dem man reden sollte bis über den Euphrat und bis zu den Inseln des Meeres, sogleich aus Jaakobs Vermächtnis abgeleitet. Mit den berühmtesten Gesandtschaftszügen sollte er wetteifern, die je ins Ausland, nach Babel, Mitanniland oder zum Großkönig Chattuschili vom Lande Chatti, gegangen waren, und würdig sein, in die Reichsannalen eingetragen zu werden zum Gedenken der Späten. Daß Pharao ihm Amtsurlaub gäbe für siebzig Tage, damit er mit seinen elf Brüdern, mit seinen Söhnen und den Söhnen der Brüder den Vater über die Grenze zu Grabe bringe auf dem Ehren-Umwege, den er dafür ausersehen, das war das erste und wenigste. Es war nicht genug und war noch kein Gewaltiger Zug, kein königlicher Kondukt, und nicht anders, als einen König, wollte der weltliche Sohn den Vater zu Grabe bringen. Pharao mußte dazu gebracht werden, es zu erlauben, es anzuordnen; Staat, Hof und Heer mußte er zum Geleit befehlen: auch namentlich einige Heeresmacht zur Bedeckung auf längerer Wüstenfahrt; – und Pharao kam darauf und verordnete es, als der Haushalter vor ihm sprach, er verfügte es teils aus Rührung und aus dem Wunsch, seinem verdientesten Diener, der ihm so viel Gutes getan, Liebe und Gnade zu erweisen, zum Teil aber auch aus der Besorgnis, Joseph möchte, wenn man ihn unbedeckt von ägyptischer Macht in das Land seines Ursprungs ziehen ließe, am Ende nicht wiederkommen. Daß Meni dies ernstlich befürchtete, und daß auch Joseph mit dieser Befürchtung rechnete, schimmert deutlich hinter dem Wort hervor, das der Grundbericht ihm bei seinen Verhandlungen mit dem Hof in den Mund legt: »So will ich nun hinaufziehen und meinen Vater begraben *und wiederkommen.*« Mag sein, daß er dies Versprechen zuvorkommend von sich aus abgab; mag ebenso sein, daß Pharao es ihm abforderte. Der Argwohn, daß Joseph die Ausfahrt dazu benutzen könnte, nicht wiederzukehren, stand jedenfalls zwischen Herr und Diener, und es war Pharao lieb, daß er Gnade mit Vorsicht vereinen und durch schwersten ägyptischen Ehrenbehang dem Ausbleiben des Unersetzlichen vorbauen konnte.
Der Herr der Kronen war nun auch schon der Jüngste nicht

mehr; der Jahre seines Lebens waren mehr als vierzig, und dies Leben war zart und traurig. Den Tod hatte er auch schon erfahren: eine seiner Töchter, die zweite von sechsen, Meketatôn, von allen die blutärmste, war ihm mit neun Jahren gestorben, und Echnatôn, der Töchtervater, war dabei, weit mehr noch als Nefernefruatôn, seine Königin, in Tränen zerflossen. Er weinte viel, auch ohne den Tod, die Tränen saßen ihm überhaupt und jeden Augenblick locker, denn er war einsam und unglücklich, und die Kostbarkeit seines Daseins, die weiche Kulturpracht, in der er lebte, machte ihn gegen Einsamkeit und Unverstandensein nur immer empfindlicher. Zwar sagte er gern, daß, wer es schwer habe, es auch gut haben solle. Bei ihm aber ging das nur unter Tränen zusammen; er hatte es zu gut, um es dabei auch schwer haben zu können, und weinte viel über sich. Sein Morgenwölkchen, goldumsäumt, die Königin, und seine durchsichtigen Töchter mußten ihm immer mit feinem Batist die Tränen auf seinem schon ältlichen Knabenantlitz trocknen.
Es war seine Freude, im Prunkhofe des herrlichen Tempels, den er zu Achet-Atôn, der einzigen Hauptstadt, seinem Vater im Himmel erbaut, diesem milden Naturfreund, den er sich ebenfalls viel weinend vorstellte, unter Hymnen-Chorgesang Blumenopfer darzubringen. Aber die Freude ward ihm vergällt durch das Mißtrauen in die Aufrichtigkeit seiner Höflinge, die von ihm lebten und ›die Lehre‹ angenommen hatten, sie aber, wie jede Prüfung zeigte, nicht verstanden und ihr nicht gewachsen waren. Niemand war der Lehre von seinem unendlich fernen und dabei um jedes Mäuschen und Würmchen zärtlich besorgten Vater im Himmel, von dem die Sonnenscheibe nur ein vermittelndes Gleichnis war, und der ihm, ›Echnatôn‹, seinem liebsten Kinde, seines Wesens Wahrheit zuflüsterte, im geringsten gewachsen; niemand, er verhehlte es sich nicht, wußte aus Herzensgrund etwas damit anzufangen. Dem Volke war er entfremdet und scheute die Berührung mit ihm. Mit den Glaubensmächten seines Reiches, den Tempeln, den Priesterschaften, nicht nur mit Amun, sondern auch mit den übrigen uralten und urverehrten Landesgottheiten, ausgenommen höchstens das Sonnenhaus zu On, lebte er in hoffnungslosem Zerwürfnis und hatte sich aus schmerzlichem Eifer für seine Offenbarung zu Unterdrückungsbefehlen und Anordnungen der Zerstörung – wiederum nicht nur gegen Amun-Rê, sondern auch gegen Usir, den Herrn der Westlichen, und Eset, die Mutter, gegen Anup, Chnum, Thot, Setech und sogar Ptach, den Kunstmeister, hinreißen lassen, die den Riß zwischen ihm und seinem geistig tief eingefahrenen, in allen Dingen auf Erhaltung und Treue zum Ältesten bedachten Lande vergrößerten und ihn mitten darin zu einem in königlichem Luxus abgeschlossenen Fremdling machten.

Was Wunder, daß seine grauen, nur halb geöffneten Träumeraugen fast immer vom Weinen gerötet waren? Auch als Mai-Sachme in Josephs Auftrag vor ihm redete und ihm das Urlaubsgesuch seines Herrn im Zusammenhang mit der Nachricht vom Abscheiden Jaakobs vortrug, weinte er sofort – er war immer im Begriffe dazu, und seine Tränen nahmen auch diesen Anlaß wahr.

»Wie überaus traurig!« sagte er. »Er ist gestorben, der uralte Mann? Das ist ein Choc für Meine Majestät. Er hat mich besucht, ich erinnere mich, zu seinen Lebzeiten und mir keinen geringen Eindruck gemacht. In seiner Jugend war er ein Schelm, ich weiß Stückchen von ihm, mit Fellchen und Stäben, – Meine Majestät könnte noch heute Tränen darüber lachen. Nun ist seinem Leben also ein Ziel gesetzt, und mein Onkelchen, der Vorsteher von allem, was der Himmel gibt, ist verwaist? Wie unendlich traurig! Sitzt er und weint, dein Herr, mein Alleiniger Freund? Ich weiß, daß ihm Tränen nicht fremd sind, daß er leicht weint, und mein Herz fliegt ihm zu dafür, denn es ist bei einem Manne immer ein gutes und liebes Zeichen. Auch als er sich seinen Brüdern zu erkennen gab mit dem Worte ›Ich bin's‹, hat er geweint, ich weiß es. Und Urlaub erbittet er? Einen Urlaub von siebzig Tagen? Das ist viel, um einen Vater zu begraben, und sei derselbe auch noch so ein großer Schelm gewesen. Müssen es gleich siebzig Tage sein? Er ist so schwer entbehrlich! Etwas leichter vielleicht, als zur Zeit der fetten und mageren Kühe, aber auch in diesen ausgeglicheneren Läuften wird es mir sehr schwer sein, ihn zu missen, der für mich das Reich der Schwärze betreut, denn Meine Majestät versteht davon wenig, – meine Sache war immer das obere Licht. Ach, man hat wenig Dank dafür – viel erkenntlicher sind die Menschen dem, der die Schwärze besorgt, als dem, der ihnen das Licht verkündet. Denke nicht, daß ich Eifer trage deinem lieben Herrn! Er soll wie Pharao sein in den Ländern bis an sein Lebensende, denn über allen Dank hat er Meiner armen Majestät geholfen, soweit ihr eben zu helfen war.«

Er weinte wieder etwas und sagte dann:

»Selbstverständlich soll er seinen würdigen Vater, den alten Schelm, mit ausführlichen Ehren begraben und ihn ins Ausland bringen mit seinen Söhnen und Brüdern und mit seiner Brüder Söhnen, kurz, mit allem, was Mannssamen ist in seinem Hause, – es wird ja ein ganzer Zug. Wie ein Auszug wird es erscheinen und den Leuten so vorkommen, als zöge er aus Ägypten mit den Seinen, dorthin, woher er gekommen. Einen so irreführenden Eindruck muß man vermeiden. Er könnte zu Unruhen führen im Land und zu aufständischen Szenen, wenn das Volk vermeint, der Ernährer ziehe davon, – ich glaube, es würde das weit bitterer empfinden, als wenn Meine Majestät selbst auszöge und dies

Land verließe, aus Herzenskummer über seine Undankbarkeit. Höre, Freund: Was wäre das aber auch für ein Zug, der nur aus Kindern und Kindeskindern bestände? Meiner Meinung nach bleibt hier gar nichts übrig und ist diese Verbringung ein völlig ausreichender Anlaß dazu, einen Gewaltigen Zug zu veranstalten. Einer der gewaltigsten soll es sein, die je ins Ausland gingen, um dann ebenso feierlich von dort zurückzukehren. Was wäre ich auch, wenn ich dem Ernährer, meinem Alleinigen Freund, eine Bitte nur eben gewähren wollte, ohne daß die Gewährung die Bitte noch weit überböte? Sage ihm: ›Fünfundsiebzig Tage gibt dir Pharao, indem er dich mit Küssen bedeckt, daß du deinen Vater bestattest zu Asien, und nicht nur die Deinen und ihr Gesinde sollen mit dir und dem Leichnam ziehen, sondern Pharao wird einen ganz gewaltigen Zug verordnen, und die Creme Ägyptens soll deinen Vater zu Grabe bringen; anstellen will ich meinen ganzen Hof, läßt Echnatôn dir sagen, die Vornehmsten meiner Knechte und die Vornehmsten im ganzen Land, die Verwalter des Staates nebst ihrem Gesinde, dazu Wagen und Waffenvolk, eine sehr große Macht. Die sollen alle mit dir, mein Augapfel!, der Bahre folgen, vor dir und hinter dir und dir zu beiden Seiten, und sollen dich so auch wieder zurückgeleiten zu mir, wenn du die teure Fracht abgesetzt hast an erwünschter Stelle.‹«

Der Gewaltige Zug

Dies war die Antwort, mit der Mai-Sachme von Achet-Atôn zu Joseph zurückkehrte, und ihr gemäß wurde alles verordnet und in die Wege geleitet. Einladungen, die Befehlen gleichkamen, ausgegeben von einem hohen Palastbeamten, der sich ›Geheimrat des Morgengemachs und der geheimen Entscheidungen‹ nannte, ergingen durch Eilboten nach allen Seiten, und ein Tag wurde festgesetzt, an dem die berufenen Teilnehmer am Reisezuge aus allen Teilen des Reiches sich in der Wüste bei Menfe versammeln sollten. Es war eine beschwerliche Ehre, die Pharao's Knechten, den Großen seines Hauses und den Großen des Landes Ägypten da zuteil wurde. Doch keiner war, der sich nicht gehütet hätte, sie auszuschlagen, ja, Würdenträger, die etwa waren nicht damit bedacht worden, hatten Bosheiten auszustehen von den Geladenen und erkrankten vor Kummer. Den Gewaltigen Zug zu ordnen, dessen Glieder und Teile im Wüstentale zusammenströmten, war keine geringe Aufgabe: sie fiel einem Truppenvorsteher zu, der sonst ›Wagenlenker des Königs, hoch im Heere‹ hieß, bei dieser Gelegenheit aber und für die Dauer des Unternehmens den Titel ›Ordner des gewaltigen Leichenzuges des Osiris Jaakob ben Jizchak, des Vaters des Schattenspenders

des Königs‹ erhielt. Dieser Feldoberst war es, der an Hand der Teilnehmerliste die Reihenfolge des Kondukts entwarf und am Sammlungsort das Gewühl der Wagen und Sänften, Reit- und Lasttiere zu klar gestufter Schönheit organisierte. Unter seinem Befehl stand auch das zur Bedeckung mitgenommene Waffenvolk.
Die Ordnung des Zuges war folgende. Eine Abteilung Soldaten, Trompeter und Paukisten voran, dann nubische Bogenschützen, mit Sichelschwertern bewaffnete Libyer und ägyptische Lanzenträger eröffneten ihn. Es folgte die Blüte von Pharao's Hof, so zahlreich bestellt, wie es nur möglich war, ohne die Person des Gottes gänzlich von edler Umringung zu entblößen: Freunde und Einzige Freunde des Königs, Wedelträger zur Rechten, Palastbeamte vom Range eines Obersten der Geheimnisse und Geheimrats der königlichen Befehle, so hochgestellte Personen wie der Oberbäcker und Obermundschenk Seiner Majestät, der Erste der Truchsesse, der Vorsteher der Kleider des Königs, der Oberbleicher und -wäscher des Großen Hauses, der Sandalenträger des Pharao, sein Oberhaarmacher, der zugleich Geheimrat der beiden Kronen war, und so fort.
Dies Schranzengewimmel bildete den Vorantritt vor dem Katafalk, der, als man nach Gosen hinabgelangt war, vom Zuge aufgenommen wurde und fortan schimmernd über ihn emporragte. Jaakobs von Steinen funkelnde Sargesgestalt mit dem goldenen Gesicht und dem Kinnbart war auf eine Bahre gestellt worden, diese auf einen vergoldeten Schlitten, dieser auf einen Wagen mit verhangenen Rädern, den zwölf weiße Ochsen zogen; und so schwankte das hohe Transportstück daher, zeitweise zum flötenbegleiteten Wehgesang von Berufslamentierern, die ihm folgten: vor dem Hause des Toten, seiner Verwandtschaft, die nun an der Reihe war. Joseph war es mit seinen Söhnen und mit dem Stab seines Hauses, wovon Mai-Sachme der Älteste war; es waren Josephs elf Brüder mit ihren Söhnen und Sohnessöhnen, — alles was Mannsnamen trug in Israel, das folgte dem Sarge, nebst den nächsten Dienern des Toten, Eliezer zumal, seinem Ältesten Knecht, und nebst eigenem Gesinde, also daß dieses Hausgefolge sehr lang und zahlreich war, — aber was für ein Nachtritt schloß sich nun erst daran!
Denn nun kam die hohe Verwaltungsbeamtenschaft beider Länder: die Wesire von Ober- und Unter-Ägypten, Josephs Untergebene, die Oberbücherverwalter des Nahrungshauses, solche Leute wie der Vorsteher der Rinderherden und alles Viehes im Lande, der auch den Titel ›Vorsteher der Hörner, Klauen und Federn‹ trug; der Oberste der Schiffsflotte; der Wirkliche Kabinettsvorsteher und Hüter der Waage des Schatzhauses; der General-Aufseher aller Pferde und viele Wirkliche Richter und Oberschreiber. Wer nennt alle die Titel und Ämter, deren Träger

sich aus der Auflage eine Ehre machten, die Mumie des Vaters Josephs, des Ernährers, ins Ausland zu begleiten! Militär mit Zinken und Standarten folgte wieder dem Staatsvolk. Und dann schloß zuletzt noch der Troß sich an, das Gepäck und Gezelt, die Furagekarren mit Mäulern und Treibern, denn welcher Vorräte an Trunk und Atzung bedurfte nicht solche Prozession für die Wüstenreise!

Ein sehr großes Heer – die Überlieferung sagt es mit Recht, denn man bilde sich nur dies Langgewühl von Prachtgespannen und Tragekommoditäten, von Federnbuntheit und Waffenblitz, von Schnauben, Rollen und Marschtritt, von Wiehern, Eselsröhren, Rindsgebrüll, Zinkengeschmetter, Gepauk und geschultem Wehklagen ein, aus dessen Mitte das Aufgebäude der Sarggestalt, mit dem gewickelten Wegfahrer darin, sich überherrschend hervorhob. Joseph konnte zufrieden sein. An Ägyptenland hatte das Vaterherz ihn einst verloren, und dieses Herzens Herzeleid mußte nun ganz Ägypten huldigen, indem es den toten Jaakob auf den Schultern zu Grabe trug.

So wand sich der staunenswerte und überall bestaunte Zug zur Grenze im Morgen dahin und trat in die argen Strecken ein, die zu bestehen sind, wenn man von den Fluren des Chapi in Pharao's Ostprovinzen, die Länder Charu und Emor gelangen will. Am oberen Rande der Sinai-Bergwüste ging er dahin, nahm aber dann eine Richtung, die jeden, der sein Ziel kannte, überrascht haben würde: denn nicht den üblichen, kürzesten Weg nach Gaza am Meer durch Philisterland und über Beerscheba nach Hebron schlug er ein, sondern verfolgte die Bodensenke, die sich südlich vom Hafen Chazati gen Osten, durch Amalek und gegen Edom zum Südende des Laugenmeeres zieht. Dieses umschritt er, ging an seinem östlichen Ufer hin bis zur Mündung des Jardên und noch ein Stück das Tal dieses Flusses hinauf und trat von dorther, nämlich von Gilead und von Morgen her, den Fluß überschreitend, ins Land Kenana ein.

Ein gewaltiger Umweg für Jaakobs gewaltigen Leichenzug; er brachte die Reise auf zweimal siebzehn Tage, und das war der Grund, weshalb Joseph ihrer siebzig verlangt hatte für seinen Urlaub, – er hatte damit noch nicht genug verlangt und überschritt sogar etwas die fünfundsiebzig, die Pharao ihm aus Liebe gewährt hatte. Den weiten Umweg aber hatte er früh beschlossen und seine Absicht dem Zugführer, jenem ordnenden Feldoberst, gleich eröffnet, der sie sehr gut hieß. Er nämlich hatte besorgt, der Einfall einer solchen ägyptischen Stärke ins Land, mit viel Waffenvolk, von Gaza her, auf der Heerstraße, möchte Aufregung, Mißverständnis und Schwierigkeiten erzeugen und hatte ins Stillere ausweichenden Wegen den Vorzug gegeben. Für Josephs Gemüt aber hatte der weit ausgreifende Umweg den Sinn einer Ehrendehnung der Reise. Nicht zeit-kostspielig und mühsam genug konnte für ihn die feierliche Verbringung sein; nie waren die Strecken zu weit, durch die das stolze Ägyptenland den Vater mußte auf seinen Schultern tragen. Darum hatte er diese Dehnung des Weges gewollt und ins Werk gesetzt.

Als sie das Sodomitische Meer umgangen hatten und waren gegen den Lauf des Jardên ein wenig hinaufgezogen, kamen sie an eine Stätte, nahe am Ufer gelegen und Goren Atad genannt; da war nur eine dornenumflochtene Tenne gewesen in alter Zeit, jetzt aber war es ein bevölkerter Markt. Nebenbei, am Fluß, war ein Anger, geräumig, da breiteten sie sich aus und machten ein Lager unter dem neugierigen Zusehen der Leute vom Ort. Sieben Tage blieben sie dort und hielten ein Weinen, täglich erneuert, einen siebentägigen Klagedienst, sehr bitter und schrill, so daß, wie auch die Absicht gewesen, die Landeskinder stark davon angetan waren, besonders, da auch die Tiere Trauer dabei trugen. »Ein sehr bedeutendes Lager«, sagten die Leute mit hohen Augenbrauen, »und eine eindrucksvolle Klage von Ägypten ist dies!« Sie nannten fortan den Anger nicht anders als ›Abel-Mizraim‹ oder ›Klagewiese Ägyptens‹.

Nach dieser Ehren-Verzögerung ordnete sich der Zug aufs neue und überschritt den Jardên auf einer Furt, die von den Landeskindern zu eigenem Handel und Wandel durch versenkte Baumstämme und Steine noch wesentlich gangbarer gemacht worden war. Der Schlitten mit Jaakobs Sarggestalt war dazu vom Wagen genommen, und die zwölf Söhne trugen ihn alle an Stangen über den Fluß.

Da waren sie im Lande und stiegen vom dampfigen Flußtal hinauf zu frischeren Höhen. Auf dem Gebirgskamm zogen sie hin die wohl unterhaltene Straße und kamen am dritten Tage vor Hebron. Umringt lag Kirjath Arba am Berghang, den viele Städter hinuntereilten, um den Aufwand zu sehen, der da mit heiliger Wanderlast in die Gegend rückte und im Tale den Plan einnahm, wo im Fels die vermauerte Höhle war, die doppelte, das uralte Erbbegräbnis. Angelegt von der Natur, aber von Menschenhand ausgebaut und erweitert, war sie von außen nicht doppelt, sondern nur eintorig. Schlug man jedoch die Vermauerung auf, wie nun geschah, so öffnete sich ein runder, abwärts führender Schacht, von dem rechts und links mit Steinplatten verschlossene Gänge abzweigten, die in zwei Grabzellen mit kleinen Tonnengewölben führten: darum hieß die Höhle ›die doppelte‹. Bedenkt man aber, wer alles in diesen Bergkammern ewig zu Hause war, so erbleicht man, wie die Brüder erbleichten, als die Höhle sich vor ihnen auftat. Die Ägypter focht es nicht an, es mochte sogar manch Naserümpfen unter ihnen sein ob eines so hausbackenen Grabes. Was aber Israel war, das erbleichte.

Schacht und Gänge waren sehr eng und niedrig, und nur zwei Leute von Jaakobs Haus, einer vorn und einer hinten, sein Ältester Knecht und sein Zweitältester, und auch sie nur mit knapper Not, konnten die Mumie hinab in die Kammer bringen — ob sie sie in die rechte taten oder die linke, das ist vergessen. Könnten Staub und Gebein sich wundern, so wäre gewiß groß Wunderns gewesen in der Höhle über den von närrischer Fremde geprägten Neukömmling. So aber herrschte unbedingte Gleichgültigkeit, aus deren Moderbann sich die Träger gebückt hinwegsputeten durch den Schacht, in die süßen Lüfte des Lebens. Da standen Handwerkssklaven mit Kelle und Mörtel bereit, und im Nu war die Herberge wieder verschlossen, die keinen mehr aufnehmen sollte nach diesem.

Verschlossen das Haus, beseitigt der Vater, — Zehn blicken starr auf den Ziegel der letzten Lücke. Was ist ihnen denn? Sie blicken so fahl, diese Zehn, und kauen die Lippen. Verstohlen schielen sie nach dem Elften und schlagen die Augen nieder. Ganz offenkundig: sie fürchten sich. Verlassen fühlen sie sich, beklemmend verlassen. Der Vater ist fort, der Hundertjährige dieser Siebzigjährigen. Bis jetzt noch war er zugegen gewesen, wenn auch in Wickelgestalt, — nun ist er vermauert, und plötzlich entsinkt ihnen das Herz. Und plötzlich ist ihnen, als sei er ihr Schirm und Schutz gewesen, nur er, und habe gestanden, wo nun nichts und niemand mehr steht, zwischen ihnen und der Vergeltung.

Sie hielten sich murmelnd beisammen im sinkenden Abend. Der Mond zog auf, die ewigen Bilder traten hervor, bergkühle Feuchte stieg aus dem Grunde zwischen den Hütten von Jaakobs Ehrengefolge. Da riefen sie den Zwölften heran, Benjamin, das Rahelskind.

»Benjamin«, sagten sie mit lahmen Lippen, »paß auf, es ist dies. Wir haben eine Botschaft des Versammelten an Jehosiph, deinen Bruder, und dir steht es am besten an, sie zu überbringen. Denn kurz vor seinem Tode, in seinen letzten Tagen, als jener nicht da war, befahl uns der Vater und sprach: ›Wenn ich tot bin, sollt ihr eurem Bruder Joseph sagen von mir: Vergib doch deinen Brüdern die Missetat und ihre Sünde, daß sie so übel an dir getan haben. Denn zwischen euch und ihm will ich sein wie im Leben so auch im Tode und lege es dir als Vermächtnis auf und als letzte Weisung, daß du ihnen nichts Übles tust und dich der Rache entschlägst für alte Dinge, auch wenn ich scheinbar nicht da bin. Laß sie ihre Schafe scheren, sie aber laß ungeschoren!‹«

»Ist das denn wahr?« fragte Benjamin. »Ich war nicht dabei, als er's sagte.«

»Bei nichts bist du dabei gewesen«, antworteten sie, »darum rede nicht! So ein Kleinchen muß nicht überall dabei gewesen sein. Aber verweigern wirst du's ja nicht, deinem Bruder, Gnaden

Joseph, den letzten Wunsch und Willen des Vaters zu überbringen. Gehe gleich zu ihm! Wir aber folgen dir nach und warten auf deinen Bescheid.«
Also ging Benjamin zum Erhöhten ins Zelt und sagte verlegen: »Joseph-el, verzeih die Störung, aber die Brüder lassen dir kundtun durch mich, der Vater habe auf seinem Sterbebett dich heilig ersuchen lassen, daß du ihnen kein Leides tust für das Verjährte nach seinem Tode, denn auch danach wolle er zwischen euch sein zu ihrem Schutz und dir die Rache verwehren.«
»Ist denn das wahr?« fragte Joseph und bekam feuchte Augen.
»So besonders wahr ist's wahrscheinlich nicht«, antwortete Benjamin.
»Nein, denn er wußte, es sei nicht vonnöten«, setzte Joseph hinzu, und zwei Tränen lösten sich von seinen Wimpern.
»Sie sind wohl hinter dir vor dem Haus?« fragte er.
»Sie sind da«, antwortete der Kleine.
»So wollen wir zu ihnen hinausgehen«, sagte Joseph.
Und er trat hinaus unters Sterngeflimmer und ins Weben des Mondes: Da waren sie und fielen nieder vor ihm und sprachen: »Hier sind wir, Diener des Gottes deines Vaters, und sind deine Knechte. So vergib uns nun doch unsre Bosheit, wie dir dein Bruder gesagt hat, und vergilt uns nicht nach deiner Macht! Wie du uns vergeben hast zu Jaakobs Lebezeit, also vergib uns auch nach seinem Tode!«
»Aber Brüder, ihr alten Brüder!« antwortete er und beugte sich zu ihnen mit gebreiteten Armen. »Was sagt ihr da auf? Als ob ihr euch fürchtet, ganz so redet ihr und wollt, daß ich euch vergebe! Bin ich denn wie Gott? Drunten, heißt es, bin ich wie Pharao, und der ist zwar Gott genannt, ist aber bloß ein arm, lieb Ding. Geht ihr mich um Vergebung an, so scheint's, daß ihr die ganze Geschichte nicht recht verstanden habt, in der wir sind. Ich schelte euch nicht darum. Man kann sehr wohl in einer Geschichte sein, ohne sie zu verstehen. Vielleicht soll es so sein, und es war sträflich, daß ich immer viel zu gut wußte, was da gespielt wurde. Habt ihr nicht gehört aus des Vaters Mund, als er mir meinen Segen gab, daß es mit mir nur ein Spiel gewesen sei und ein Anklang? Und hat er wohl gedacht, in seinen Bescheiden an euch, des Argen, das sich einst abgespielt zwischen euch und mir? Nein, sondern er schwieg davon, denn er war auch im Spiel, dem Spiele Gottes. Unter seinem Schutz mußt' ich euch zum Bösen reizen in schreiender Unreife, und Gott hat's freilich zum Guten gefügt, daß ich viel Volks ernährte und so noch etwas zur Reife kam. Aber wenn es um Verzeihung geht unter uns Menschen, so bin ich's, der euch darum bitten muß, denn ihr mußtet die Bösen spielen, damit alles so käme. Und nun soll ich Pharao's Macht, nur weil sie mein ist, brauchen, um mich zu rächen an euch für

drei Tage Brunnenzucht, und wieder böse machen, was Gott gut gemacht? Daß ich nicht lache! Denn ein Mann, der die Macht braucht, nur weil er sie hat, gegen Recht und Verstand, der ist zum Lachen. Ist er's aber heute noch nicht, so soll er's in Zukunft sein, und wir halten's mit dieser. Schlafet getrost! Morgen wollen wir nach Gottes Rat die Rückfahrt aufnehmen ins drollige Ägyptenland.«

So sprach er zu ihnen, und sie lachten und weinten zusammen, und alle reckten die Hände nach ihm, der unter ihnen stand, und rührten ihn an, und er streichelte sie auch. Und so endigt die schöne Geschichte und Gotteserfindung von

Joseph und seinen Brüdern.

Bibliographischer Nachweis

Die Geschichten Jaakobs. Erste Buchausgabe: S. Fischer Verlag, Berlin 1933
Der junge Joseph. Erste Buchausgabe: S. Fischer Verlag, Berlin 1934
Joseph in Ägypten. Erste Buchausgabe, Bermann-Fischer Verlag, Wien 1936
Joseph, der Ernährer. Erste Buchausgabe: Bermann-Fischer Verlag, Stockholm 1943
Joseph und seine Brüder. Erste Gesamtausgabe: Bermann-Fischer Verlag, Stockholm 1948, und Bermann-Fischer/Querido Verlag, Amsterdam 1948

Inhalt

Seine Werke in preiswerten Taschenbuchausgaben

Das erzählerische Werk
12 Bände (MK 101–112)

Das essayistische Werk
8 Bände (MK 113–120)

Einzelausgaben:

Königliche Hoheit (2)

Der Tod in Venedig
und andere Erzählungen (54)

Herr und Hund (85)

Lotte in Weimar (300)

Bekenntnisse
des Hochstaplers Felix Krull (639)

Buddenbrooks (661)

Der Zauberberg (800/1,2)

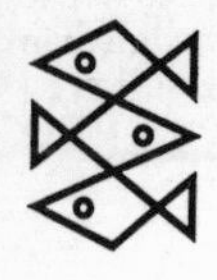

Fischer Bücherei